.S35

# HISTORIA

ZEITSCHRIFT FÜR ALTE GESCHICHTE · REVUE D'HISTOIRE
ANCIENNE · JOURNAL OF ANCIENT HISTORY · RIVISTA
DI STORIA ANTICA

## EINZELSCHRIFTEN

HERAUSGEGEBEN VON

HERMANN BENGTSON/TÜBINGEN · KARL STROHEKER/TÜBINGEN

GEROLD WALSER/BERN

HEFT 6

UNTERSUCHUNGEN ZUR GESCHICHTE
ANTIOCHOS' DES GROSSEN UND SEINER ZEIT

VON HATTO H. SCHMITT

FRANZ STEINER VERLAG GMBH · WIESBADEN

1964

SCHMITT · UNTERSUCHUNGEN ZUR GESCHICHTE ANTIOCHOS'

# UNTERSUCHUNGEN ZUR GESCHICHTE ANTIOCHOS' DES GROSSEN UND SEINER ZEIT

VON

HATTO H. SCHMITT

FRANZ STEINER VERLAG GMBH · WIESBADEN

1964

Alle Rechte vorbehalten

Ohne ausdrückliche Genehmigung des Verlages ist es nicht gestattet, das Werk oder einzelne Teile daraus nachzudrucken oder auf photomechanischem Wege (Photographie, Mikrokopie usw.) zu vervielfältigen. © 1964 by Franz Steiner Verlag GmbH, Wiesbaden. Als Habilitationsschrift auf Empfehlung der Philosophischen Fakultät der Bayerischen Julius-Maximilians-Universität Würzburg gedruckt mit Unterstützung der Deutschen Forschungsgemeinschaft.
Gesamtherstellung: L. C. Wittich, Darmstadt.
Printed in Germany

HERMANN BENGTSON
IN VEREHRUNG UND DANKBARKEIT
GEWIDMET

INHALT

Vorwort . . . . . . . . . . . . . . . . . . . . . . . . . . . . . . . . . . .  X

Literaturverzeichnis . . . . . . . . . . . . . . . . . . . . . . . . . XI

Kap. 1: Die Lebensdaten des Antiochos III. — Seine Familie . . . .  1
    Todesdatum *1* — Regierungsantritt *2* — Geburtsjahr *4* —
    Frauen *10* — Kinder *13* — Geschwister *27* — Weitere Verwandte *29*

Kap. 2: Restitutor orbis . . . . . . . . . . . . . . . . . . . . . . . . .  32
    I. Der Territorialbestand des Seleukidenreichs . . . . . . . . .  32
        1. Syrien und das Zweistromland . . . . . . . . . . . . . .  32
        Zweistromland *33* — Syrien *35*
        2. Kleinasien und Thrakien . . . . . . . . . . . . . . . . . . .  37
        Kilikien, Armenien *37* — Kappadokien *38* — Pontos *39* — Bithynien, Westkleinasien *40* — Thrakien *44*
        3. Iran und Indien . . . . . . . . . . . . . . . . . . . . . . . . .  45
        Die westiranischen Provinzen *46* — Die Grenzen der medischen Satrapie *50* — Atropatene *61* — Parthien und Hyrkanien *62* — Baktrien *64* — Indien *66* — Die übrigen iranischen Provinzen *67*

    II. Zur Reichspolitik Antiochos' III. . . . . . . . . . . . . . . .  85
    Der Wiedereroberungsplan *86* — Propagandistische Wirkung *90* — Der Großkönigtitel *92* — Die 'föderative' Struktur des Reichs *95* — Die Griechenstädte *96* — Die Iranier *99* — Konsolidierungsmaßnahmen *104*

Kap. 3: Die ersten Regierungsjahre des Antiochos III. (223–220 v. Chr.) . . . . . . . . . . . . . . . . . . . . . . . . . . . . . . . . .  108
    I. Der Regierungsantritt . . . . . . . . . . . . . . . . . . . . . . .  108
    II. Chronologie der ersten Regierungsjahre . . . . . . . . . . .  112

III. Molon .. .. .. .. .. .. .. .. .. .. .. .. .. .. .. 116
    Das Generalkommando der Oberen Satrapien *116* — Molons Stellung vor 223 *119* — Motive und Ziele der Erhebung *121* — Vorbereitung des Aufstands *123* — Molon und Ptolemaios *125* — Molon und Alexandros *127* — Die Erhebung zum König *128* — Die ersten Kampfhandlungen *128* — Antiochos gegen Molon *132* — Die Marschpläne von Libba *133* — Die Schlacht *143* — Ordnungsmaßnahmen *147* — Atropatene *148*

IV. Hermeias .. .. .. .. .. .. .. .. .. .. .. .. .. .. 150

V. Die Anfänge des Achaios .. .. .. .. .. .. .. .. .. .. 158
    Das Vizekönigtum Kleinasiens *158* — Der Feldzug gegen Attalos *161* — Der 'gefälschte' Brief des Achaios *161* — Die Usurpation *164* — Achaios und Ptolemaios *166* — Motive und Ziele der Usurpation *171* — Antiochos und Achaios im IV. Syrischen Krieg *173*

VI. Polybios und seine Quellen .. .. .. .. .. .. .. .. .. 175

Nachtrag: Zu dem Aufsatz von Édouard Will, REG 75 (1962) S. 72—129 .. .. .. .. .. .. .. .. .. .. .. .. .. .. 185

Kap. 4: Der Regierungsantritt des Ptolemaios Epiphanes und der Geheimvertrag zwischen Philipp V. und Antiochos III. .. .. .. 189

  I. Der Thronwechsel im Lagidenreich .. .. .. .. .. .. .. 189

    1. Quellen .. .. .. .. .. .. .. .. .. .. .. .. .. .. 189
       Urkunden *189* — Literarische Quellen *192*

    2. Der Erklärungsversuch Walbanks .. .. .. .. .. .. .. 195
       Walbanks System *195* — Die angebliche Geheimhaltung des Todes *199* — Der Tod der Arsinoe *202* — Der Tod des Philopator *208*

    3. Der Erklärungsversuch Bikermans .. .. .. .. .. .. .. 213
       Bikermans System *213* — Angebliche Verschiebungen bei Polybios *215* — Verschiebungen in Polyb. XV 25? *218* — Unzweckmäßigkeit einer Verschiebung *220*

    4. Versuch einer Erklärung .. .. .. .. .. .. .. .. .. 221
       Quellen des Polybios *222* — Kontrollmöglichkeiten *225* — Der Teilungsvertrag *226*

    5. Absolute Chronologie .. .. .. .. .. .. .. .. .. .. 229

II. Der Teilungsvertrag .................. 237
Die Quellen *237* — Moderne Ansichten *239* — Die Herkunft der Nachricht *241* — Eine Erfindung? *242* — Philipp in Karien *243* — Antiochos in Karien *245* — Zustandekommen des Vertrags *248* — Inhalt des Vertrags *250* — Philipps angebliches Finassieren *256* — Bekanntwerden des Vertrags *259* — Zusammenfassung *260*

Kap. 5: Die Eroberung Westkleinasiens ............ 262

I. Der Territorialbesitz des Attalos I. vor 198 v. Chr. ...... 262
Der Zug des Attalos im J. 218 *262* — Die κοινοπραγία des J. 216 *264*

II. Der Einbruch ins pergamenische Reich im J. 198 v. Chr. .. 267
Antiochos und Kleinasien 213–199 v. Chr. *267* — Der Einbruch ins pergamenische Reich im J. 198 v. Chr. *269* — Antiochos' Unternehmungen 197 u. 196 *271* — Prusias in der Phrygia Epiktetos *276*

III. Die Besetzung der kleinasiatischen Küstenstädte ........ 278
Liste der Städte *278* — Von Kilikien bis Ephesos *285* — Chronologische Fragen *289* — Lampsakos *290* — Rom und Ilion *291* — Antiochos und Ilion *293* — Chronologie der Eroberungen *293*

Nachträge .............................. 296

Stammtafel
Die Familie des Antiochos III. ................ 297

Karten
1. Das Seleukidenreich vom Tod des Seleukos I. bis zum Regierungsantritt des Antiochos III. (281–223) ......... 298
2. Das Seleukidenreich vom Regierungsantritt des Antiochos III. bis zum Beginn des Kriegs mit den Römern (223–192) ..... 299
3. Der Feldzug gegen Molon (221/20) ............. 300
4. Die geplante Aufteilung des Ptolemäerreichs und des ägäischen Raums ............................ 301
5. Westkleinasien um 200 v. Chr. ............... 302
6. Westkleinasien um 192 v. Chr. ............... 303

Register
Namen- und Sachregister .................. 304
Quellenregister ........................ 314

# VORWORT

Aus dem Altertum ist eine Biographie Antiochos' des Großen — wenn es sie je gegeben hat — nicht erhalten. Die Nachrichten der antiken Quellen beschränken sich fast ausschließlich auf die militärischen Unternehmungen des Königs; persönliche Züge sind selten zu erkennen. Das mag dazu beigetragen haben, daß Antiochos auch in der modernen Geschichtsschreibung bisher keinen Biographen gefunden hat. Außer den großen Darstellungen, die auf Einzelheiten nicht eingehen können, verfügen wir nur über einige kurze, meist veraltete Skizzen, die der Persönlichkeit und dem Werk des Antiochos nicht gerecht werden.

Als Vorarbeiten zu einer Biographie des wohl größten Herrschers aus dem Seleukidenhaus will der Verfasser dieses Buch verstanden wissen. Eine Beurteilung der Persönlichkeit des Königs war in diesem Rahmen nicht beabsichtigt. Auch die — von anderen eingehend behandelten — Probleme der Beziehungen zwischen Antiochos und den Römern sind bewußt beiseite gelassen worden; die hier vorgelegten Untersuchungen konzentrieren sich auf die Politik der Wiedereroberung und Konsolidierung des Reichs, die Antiochos III. in den ersten fünfundzwanzig Jahren seiner Regierung verfolgt hat. Der Verdeutlichung dieser Untersuchungen sollen die beigegebenen Karten dienen; auf Genauigkeit der Grenzziehung erheben sie keinen Anspruch.

Immer wieder wird auf den folgenden Seiten der Name Maurice HOLLEAUX' genannt. Niemand, der über die Geschichte des Hellenismus arbeitet, kann an seinen Forschungen vorbeigehen. Auch dort, wo der Verfasser nach reiflicher Überlegung glaubte, von HOLLEAUX' Meinung abweichen zu müssen, war er sich stets der Dankesschuld gegenüber diesem Meister bewußt.

Die Schrift wurde im Wintersemester 1962/63 von der Philosophischen Fakultät der Universität Würzburg als Habilitationsschrift angenommen. Der Verfasser ist der Deutschen Forschungsgemeinschaft für die Gewährung eines Druckkostenzuschusses und den Herausgebern der HISTORIA für die Aufnahme der Arbeit in die Reihe der "Einzelschriften" zu Dank verpflichtet.

Gewidmet ist das Buch dem Lehrer und unermüdlichen Förderer, dem der Verfasser und seine Arbeit so viel verdanken.

Würzburg, im März 1964                                H. H. SCHMITT

# LITERATURVERZEICHNIS

Die benützte Literatur ist in den Anmerkungen zum größten Teil ausführlich zitiert. Folgende Werke sind des öfteren nur mit dem Namen des Verfassers oder in abgekürzter Form zitiert:

BELOCH, K. J.: Griechische Geschichte, 2. Aufl. IV. Band, 1. u. 2. Abtlg. (Berlin 1925–1927).

BENGTSON, H.: Die Strategie in der hellenistischen Zeit. Ein Beitrag zum antiken Staatsrecht. 3 Bände. Münchener Beiträge zur Papyrusforschung und antiken Rechtsgeschichte, H. 26, 32, 36 (München 1937, 1944, 1952). Zitiert: Strat.

—: Griechische Geschichte von den Anfängen bis in die römische Kaiserzeit, 2. Aufl. (Handbuch der Altertumswissenschaft III 4, München 1960).

BEVAN, E. R.: The House of Seleucus. 2 Bände (London 1902). Zitiert: Seleucus.

BIKERMAN, E.: Institutions des Séleucides. Haut-Commissariat des la Rép. franç. en Syrie et au Liban, Service des antiquités, Bibl. archéol. et hist., tome XXVI (Paris 1938) Zitiert: Inst(itutions).

—: L'avènement de Ptolémée Épiphanes. Chronique d'Égypte 29 (1940) S. 124–131. Zitiert: Chron. d'Eg.

BOUCHÉ-LECLERCQ, A.: Histoire des Lagides. 4 Bände (Paris 1903–1907). Zitiert: Lagides.

—: Histoire des Séleucides (323–64 avant J.-C.) [in 2 Teilen] (Paris 1913–14). Zitiert: Séleucides.

DEGEN, E.: Kritische Ausführungen zur Geschichte Antiochus des Großen (Diss. Basel 1918). Zitiert: Krit. Ausf.

DE SANCTIS, G.: Storia dei Romani. III 1/2 (Turin 1916/17); IV 1 (ebd. 1923). Zitiert: St. d. R.

DROYSEN, J. G.: Geschichte des Hellenismus. III. Band, 2. Aufl. (Gotha 1877).

HEYDEN, E. A.: Beiträge zur Geschichte Antiochus des Großen, Königs von Syrien (Emmerich 1873). Zitiert: Beiträge.

—: *Res ab Antiocho III Magno Syriae rege praeclare gestae ad regnum Syriae reficiendum, donec in Graeciam exercitum traiecit*, 223–192 (Diss. Göttingen, gedr. Münster 1877). Zitiert: *Res gestae.*

HOLLEAUX, M.: Rome, la Grèce et les monarchies hellénistiques au troisième siècle av. J.-C. (273–205). Bibl. des écoles franç. d' Athènes et de Rome, fasc. 124 (Paris 1921). Zitiert: Rome.

—: Études d'épigraphie et d'histoire grecques. 5 Bände (Paris 1938–1957). Zitiert: Etudes.

MAGIE, D.: Roman Rule in Asia Minor, 2 Bände (Princeton 1950). Zitiert: Roman Rule.

MELONI, P.: L'usurpazione di Acheo sotto Antioco III re di Siria. Rendic. dell'Accad. Naz. dei Lincei, cl. di scienze morali, storiche e filologiche, ser. VIII, vol. 4 (1949) S. 535–553; vol. 5 (1950) S. 161–183. Zitiert: Acheo I bzw. II.

MEYER, Ernst: Die Grenzen der hellenistischen Staaten in Kleinasien (Zürich 1925). Zitiert: Grenzen.

NIESE, B.: Geschichte der griechischen und makedonischen Staaten seit der Schlacht bei Chaeronea. II. u. III. Teil (Gotha 1899–1903).

NISSEN, H.: Kritische Untersuchungen über die Quellen zur 4. u. 5. Dekade des Livius (Berlin 1863). Zitiert: Krit. Unters.

OTTO, W.: Beiträge zur Seleukidengeschichte des 3. Jahrhunderts v. Chr. Abh. Akad. München 34, 1 (1928). Zitiert: Beiträge.

—: Zur Geschichte der Zeit des 6. Ptolemäers. Abh. Akad. München, N. F. 11 (1934). Zitiert: 6. Ptol.

RC siehe: WELLES, C. B.

ROBERT, J. u. L.: Bulletin épigraphique in der Revue des études grecques. Zitiert: Bull. ép. mit Angabe des Jahres und der Nummer des Lemmas.

ROSTOVTZEFF, M.: Gesellschafts- und Wirtschaftsgeschichte der hellenistischen Welt (übers. v. G. u. E. Bayer). 3 Bände (Darmstadt 1955—1956). Zitiert: Ges. u. Wirtsch.

SACHS, A. J. and WISEMAN, D. J.: A Babylonian King-List of the Hellenistic Period. IRAQ 16 (1954) S. 202 ff. Zitiert: King-List.

SCHWEIGHÄUSER, J.: *Polybii Megalopolitani historiarum quidquid superest.* 8 Bände in 9 (Leipzig 1789—1795).

SKEAT, Th. C.: The Reigns of the Ptolemies. Münchener Beiträge zur Papyrusforschung und antiken Rechtsgeschichte, H. 39 (1954). Zitiert: Reigns.

TARN, W. W.: The Greeks in Bactria and India. 2. Aufl. (Cambridge 1952; 1. Aufl. 1938). Zitiert: Greeks.

WALBANK, F. W.: The Accession of Ptolemy Epiphanes. A Problem in Chronology. JEA 22 (1936) S. 20—34. Zitiert: JEA.

—: Philip V of Macedon (Cambridge 1940).

—: A Historical Commentary on Polybius. Bd. I (Oxford 1957). Zitiert: Comm. I.

WELLES, C. B.: Royal Correspondence in the Hellenistic Period (New Haven 1934). Zitiert: RC.

WILL, Édouard: Les premières années du règne d'Antiochos III (223—219 av. J.-C.). REG 75 (1962) S. 72—129.

WOLSKI, J.: L'effondrement de la domination des Séleucides en Iran au III$^e$ siècle av. J.-C. Bull. intern. de l'Acad. polonaise de sciences et de lettres usw., Suppl. 5 (1939—45, ersch. Krakau 1947) S. 13 ff. Zitiert: Effondrement.

1. KAPITEL

## DIE LEBENSDATEN DES ANTIOCHOS III. – SEINE FAMILIE

Antiochos III. wurde als der jüngere Sohn des Seleukos II. Kallinikos (246–226/5) geboren; sein älterer Bruder Seleukos III. Soter, dem das Heer den Beinamen Keraunos gab, war sein Vorgänger auf dem Thron.

Über die Lebensdaten des Antiochos III. sind wir aus den antiken Quellen nur unvollkommen unterrichtet; die Angaben widersprechen sich teilweise.

Nach Eusebius[1] hat Seleukos III. von Ol. 138,3–139,1 = 226/5 – 224/3, 3 Jahre lang regiert, Antiochos III. von Ol. 139,2 – 148,2 = 223/2 – 187/6, was 37 Jahre ergäbe; in Text und Tabelle gibt Eusebius ihm jedoch nur 36, die von Sachs und Wiseman veröffentlichte neue babylonische Königsliste sogar nur 35 Regierungsjahre[2]. Nach Appian[3] hat Antiochos dagegen 37 Jahre regiert. Zonaras[3a] schließlich berichtet von seinem Tod im Konsulatsjahr des C. Flaminius und M. Aemilius Lepidus, 188/7 v. Chr. Da die Chroniken in der Behandlung der angefangenen Jahre eines verstorbenen Herrschers (bzw. der Antrittsjahre des neuen) untereinander differieren und auch in sich oft nicht konsequent sind, wird man sich besser an andere Hilfsmittel halten.

Todesdatum

Bei der Bestimmung des Todesdatums kommen die Keilschriftquellen zu Hilfe. Die letzte bisher bekannte Datierung nach Antiochos III. in Babylon stammt vom 6. Mai 187 v. Chr.[4]. Die bereits erwähnte baby-

---

[1] Euseb. I p. 119; 124 K.; vgl. Porphyr. FGrHist 260 F 32 (10). Vgl. K. J. Beloch, Gr. Gesch. IV 2, S. 190ff.; vor ihm bereits E. A. Heyden, Beiträge S. 18ff.

[2] A. J. Sachs – D. J. Wiseman, A Babylonian King-List of the Hellenistic Period. IRAQ 16 (1954) S. 202ff. Zu dieser Besonderheit der Liste vgl. A. Aymard, REA 57 (1955) S. 105 A. 1, der annimmt, der Chronist habe hier die Regel der Behandlung der Antrittsjahre verlassen. Vielleicht liegt aber auch ein einfacher Rechenfehler vor.

[3] Appian. Syr. 66, 348; ebenso Sulp. Sev. II 19, 4.    [3a] IX 21, 5.

[4] Vgl. zum Folgenden R. A. Parker und W. H. Dubberstein, Babyl. Chronology 626 B. C. – A. D. 75 (Brown Univ. Studies XIX, 1956) S. 22.

lonische Königsliste[1] gestattet es, das Todesdatum des Königs genauer festzulegen:

Rev. 6: mu-1-me-25-kám sig ina E$^{ki}$ it-te-eš-me
7: um-ma u$_4$-25-kám $^I$an lugal ina mat nim$^{ki}$ gaz

'Year 125 (S. E.), month III, the following was heard in Babylon: '(On) day 25, An(tiochus) the king was killed in the land of Elam''[2].

Ein anderer Keilschrifttext des British Museum[3] führt unter dem Jahr 125 (sel.) Folgendes auf:

itu-sig ina E$^k$[$^i$-----
u lú-gal-meš-šú [-----
u$_4$-11-kám si-ip-d[i -----

'Month III, in Babylon ----- and his chieftains ------ Day 11, lamentations -----'.

SACHS und WISEMAN haben daher den Tod des Antiochos III. auf III/25/125 (sel.) = 3. oder 4. Juli 187 v. Chr. (jul.) datiert. Demgegenüber hat A. AYMARD[4] eingewandt, daß der III. Monat d. J. 125 (sel.) nur 29 Tage umfaßte, allenfalls 30, wenn Bewölkung die Beobachtung des Neumondes und damit die Festsetzung des neuen Monatsanfangs verhinderte. Somit wären zwischen dem Tod des Königs am 25. und dem Monatsende nur 4–5 Tage verblieben; tatsächlich ist es fraglich, ob in dieser kurzen Zeit die Todesnachricht von Elam nach Babylon gelangen konnte. AYMARD schlägt deshalb vor, für den Tod des Königs den 25. Tag des II. Monats (= 4. Juni 187) anzunehmen; in den ersten Tagen des III. Monats wäre dann die Nachricht in Babylon bekannt geworden, und die offizielle Staatstrauer hätte am 11. Tag des III. Monats (19. Juni) begonnen. Man wird sich dieser Argumentation nicht verschließen können.

### Regierungsantritt

Für den Tod des Vorgängers, Seleukos' III., und den Regierungsantritt des Antiochos III. fehlen ähnlich genaue Angaben in den keilschriftlichen Quellen. Seleukos III. wurde auf einem Feldzug gegen Attalos I. von Pergamon in Phrygien ermordet (s. u. S. 43). Die letzte bekannte Datierung nach Seleukos III. stammt aus Babylon, vom III/24/89 (sel.) = 10. Juli 223 (jul.); ein absolut sicherer *terminus post quem* für den Tod des älteren Bruders ist damit nicht gegeben, da man mit einer Verzögerung in der Verbreitung der Nachricht, d. h. mit einer postumen Datierung

---

[1] S. o. S. 1 A. 2.   [2] Übersetzung der Herausgeber, a. a. O. S. 207.
[3] BM 45687 = SH 81—7—6, 92; neuerdings veröff. b. A. J. SACHS, Late Babylonian Astronomical and Related Texts copied by T. G. Pinches and J. N. Strassmaier (1955) S. 222 Nr. 1408; vgl. SACHS-WISEMAN S. 207f.   [4] REA 57 (1955) S. 108f.

rechnen muß[1]. Man wird dieses Datum aber wenigstens als ungefähren *terminus post quem* für das Eintreffen der Todesnachricht und damit für den Regierungsantritt des Antiochos III. ansehen dürfen, da es wenig wahrscheinlich ist, daß in Babylon, d. h. in nächster Nähe der östlichen Hauptstadt Seleukeia, noch längere Zeit irrtümlich nach dem alten Herrscher datiert wurde. Es darf demnach als einigermaßen sicher gelten, daß Antiochos nicht vor Juli 223 die Herrschaft angetreten hat.

Die erste bekannte Datierung nach Antiochos III. war bisher der IX/21/90 (sel.) = 21. Dezember 222 (jul.). Dazu kommt nun das Zeugnis der Königsliste, publ. von SACHS und WISEMAN:

Rev. 2: [mu-]1, 30-kám ˡan lugal ina AŠ-TE t[uš-ab]
'[Year] 90 (S. E.), An(tiochus) the king sat on the throne.'

D. h. mit dem 1. Nisan des J. 90 (sel.) = 9. April 222 begann das erste volle Regierungsjahr des Königs, der somit zwischen (etwa) Juli 223 und dem 8. April 222 die Regierung angetreten hat.

Damit ist es so gut wie sicher, daß die Thronbesteigung noch ins Jahr 223 fällt. Denn es ist kaum denkbar, daß in den wenigen Frühlingswochen vor dem 8. April 222 Seleukos III. mit seinem Heer den Tauros überstiegen hätte, bis Phrygien gelangt wäre und daß die Nachricht von seinem Tod Babylon erreicht hätte. Normalerweise wird ein Heer den Tauros nicht gerade im Januar oder Februar überschreiten, weil es in diesen Monaten im tief verschneiten Gebirge empfindlich kalt ist; man wird wohl auch das Ende der Schneeschmelze (März—April) abwarten, die den Vormarsch der Armee schwer behindert. Der Zug des Seleukos III. über den Tauros und sein Tod in Phrygien sind also noch ins Jahr 223 zu setzen; vermutlich ist er aber nicht erst gegen Ende der guten Jahreszeit ausmarschiert, sondern man wird seinen Abmarsch von Syrien in den Frühsommer, etwa Mai—Juni, seinen Tod etwa 2 Monate später, also etwa Juli—August 223 ansetzen dürfen. Etwa 14 Tage dürfte es gedauert haben, bis die Nachricht nach Babylonien gelangte, wo sich der Thronfolger damals aufhielt[2]. Der inoffizielle Regierungsantritt des Antiochos in Babylon ist also wohl noch in den Hochsommer zu datieren. Etwa einen Monat später wird er in der Hauptstadt Antiocheia eingetroffen sein, wo er offiziell zum König proklamiert wurde[3] und die Regierungsgeschäfte übernahm. Damit bestätigt sich der Ansatz BELOCHS[4], der sich im wesentlichen auf den Nachweis stützt, daß die von Polybios V 40, 5—56 ohne exakte Datierung berichteten Ereignisse vom Regierungsantritt bis zum Ende des Molon-Aufstandes (s. u. Kap. III) sich nicht in die Zeit zwischen Sommer 222 und Frühjahr 220 zusammendrängen lassen.

---

[1] Vgl. SACHS-WISEMAN S. 207.   [2] S. u. S. 108.
[3] S. u. S. 110.   [4] IV 2, S. 193 ff.

## Das Geburtsjahr des Königs

Weit weniger gut sind wir über das Geburtsdatum des Königs informiert. Aus einigen noch zu besprechenden Bemerkungen, wonach der König in den Anfängen seiner Regierung 'noch ganz jung' gewesen sei, ist zunächst wenig zu gewinnen. Den einzigen konkreten Anhaltspunkt bieten die Berichte über die zweite Hochzeit, die der König mitten im Krieg gegen Rom zu Chalkis feierte, etwa im Februar 191 v. Chr.[1]:

Polyb. XX 8, 1 (= Athenaeus X p. 439 e): ... παρελθὼν εἰς Χαλκίδα τῆς Εὐβοίας συνετέλει γάμους, πεντήκοντα μὲν ἔτη γεγονὼς καὶ δύο τὰ μέγιστα τῶν ἔργων ἀνειληφώς, τήν τε τῶν Ἑλλήνων ἐλευθέρωσιν, ὡς αὐτὸς ἐπηγγέλλετο, καὶ τὸν πρὸς Ῥωμαίους πόλεμον.

Diodor. XXIX 2: ὅτι Ἀντίοχος ἐν Δημητριάδι (!) τὴν παραχειμασίαν ποιούμενος καὶ πλείω τῶν πεντήκοντα ἐτῶν βεβιωκὼς τῆς μὲν περὶ τὸν πόλεμον παρασκευῆς ἠμέλησε, παρθένου δὲ εὐπρεποῦς ἐρασθεὶς ἐκάθητο τοὺς ταύτης ἐπιτελῶν γάμους κτέ.

Appian. Syr. 16, 69: ... καὶ ἐς Χαλκίδα παρῆλθεν, ἔνθα ... ὑπὲρ ἔτη πεντήκοντα γεγονὼς καὶ τοσόνδε πόλεμον διαφέρων, ἔθυε γάμους κτέ.

Die anderen Quellen über die Hochzeit zu Chalkis[2] geben für das Alter des Königs nichts aus; selbst Liv. XXXVI 11, der sonst in diesem Kapitel Polybios fast wörtlich wiedergibt, übergeht überraschenderweise die polybianische Altersangabe.

Nach Polybios war Antiochos III. also in den ersten Monaten des J. 191 v. Chr. 50 Jahre alt, was auf 241 oder eher bereits 242 v. Chr. als Geburtsjahr führen würde. Die beiden späteren Quellen geben dem König sogar 'über 50 Jahre'.

Diese Angabe ist unbedingt ernst zu nehmen; trotzdem wird sie fast überall übersehen[3]. E. A. HEYDEN[4] hat sie zwar beachtet, versucht sie jedoch zu bagatellisieren: 'über 50 Jahre' gebe nur einige Wochen oder Monate wieder, um die Antiochos bei seiner Hochzeit älter als 50 Jahre gewesen sei, nicht ganze Jahre; sonst würde — meint HEYDEN — der 'bei weitem glaubwürdigere und zuverlässigere Polybius' nicht einfach

---

[1] Vgl. E. A. HEYDEN, Beiträge S. 18f.; *Res gestae* S. 3 A. 2 (auf S. 4f.); J. KROMAYER, Ant. Schlachtfelder II (1907) S. 135; 221f.

[2] Liv. XXXVI 11, 1–2; 15, 1; 17, 7; Plut. Philop. 17, 1; Flamin. 16, 1 (ἐρασθεὶς ἀνὴρ πρεσβύτερος κόρης), zusammengestellt — außer bei E. A. HEYDEN, Beiträge S. 29ff. — bei L. ROBERT, Hellenica VII (1949) S. 25 A. 1.

[3] Vgl. z. B. U. WILCKEN, RE I 2 (1894) Sp. 2459: 'Anfang 191 50 Jahre alt'; B. NIESE II S. 364 A. 3: 'um 191 v. Chr. zählte er 50 Jahre'; F. W. WALBANK, Comm. I S. 450 zu IV 2, 7: 'he was 50 in the early part of 191'. Richtig K. J. BELOCH, Gr. Gesch. IV 2, S. 201: 'über 50 Jahre alt'; L. ROBERT, a.a.O. (auf S. 26): 'plus de cinquante ans'.

[4] Beiträge S. 19.

'50 Jahre' gesagt haben. HEYDEN (und ihm folgend der größte Teil der Forscher[1]) berechnet daher das Geburtsjahr des Königs auf 241 v. Chr.

Hier wird zweierlei übersehen: erstens würden selbst einige Monate oder Wochen 'über 50 Jahre', von etwa Februar 191 zurückgerechnet, auf das Geburtsjahr 242 führen. Vor allem aber verkennt HEYDEN die Abhängigkeit Diodors und Appians von Polybios: Diodor gibt hier wie an vielen anderen Stellen Polybios in nahezu wörtlichem Exzerpt wieder[2]; und daß auch Appian, wenn auch wohl nur indirekt[3], auf Polybios zurückgeht, zeigt ein Vergleich beider Stellen auf den ersten Blick. Böte nur eine der späteren Quellen dieses 'über 50 Jahre', so könnte man allenfalls annehmen, daß sich der flüchtige Ausschreiber von πεντήκοντα μὲν ἔτη γεγονὼς καὶ δύο τὰ μέγιστα τῶν ἔργων ἀνειληφώς habe täuschen und zu der Annahme verführen lassen, Antiochos sei bei seiner Hochzeit 52 Jahre alt gewesen — also 'über 50 Jahre'. Daß aber Diodor und Appians Quelle den gleichen Irrtum begangen hätten, ist äußerst unwahrscheinlich[4].

Wenn also Polyb. XX 8, 1 die Angabe 'über 50 Jahre' fehlt, so ist dies nicht auf einen Fehler (und ebensowenig auf eine gemeinsame Übertreibung) der Späteren zurückzuführen; vielmehr kann angenommen

---

[1] Auf 241 datiert u.a. B. NIESE II S. 364 A. 3; indirekt (Thronbesteigung 223 v. Chr. mit 18 Jahren): E. R. BEVAN, Seleucus I S. 300; W. W. TARN, CAH VII S. 723; E. KORNEMANN, Weltgesch. d. Mittelmeerraums I (1948) S. 258; H. BENGTSON, Strategie II S. 85; Gr. Gesch.² S. 405. 'Etwa i. J. 242 v. Chr.' datiert U. WILCKEN a.a.O., 'um 242' K. J. BELOCH, a.a.O. Unentschieden F. W. WALBANK a.a.O. (242 oder 241).

[2] Vgl. Ed. SCHWARTZ, RE V 1 (1903) Sp. 689.

[3] Zum Verhältnis Appians zu Polybios vgl., mangels einer neueren umfassenden Studie, den m. E. nicht in allem glücklichen Artikel von Ed. SCHWARTZ, RE II 1 (1895), bes. Sp. 217ff.; 220ff.

[4] Dem oben hypothetisch angenommenen Irrtum ist R. LAQUEUR, *Quaestiones epigr. et papyrol. selectae* (Diss. Straßburg 1904) S. 66 erlegen ('...*Antiochum III ... anno 191 a. Chr. quinquagesimum alterum annum egisse...*', was im übrigen bedeuten würde, daß der König 51 Jahre alt gewesen wäre!). Die Beobachtung, daß μέν nach πεντήκοντα mit καί statt mit δέ fortgeführt wird, könnte dazu verführen, den Text etwa folgendermaßen zu ändern: πεντήκοντα μὲν ἔτη γεγονὼς καὶ δύο, τὰ ‹δὲ› μέγιστα τῶν ἔργων ἀνειληφώς ... Doch spricht nichts für einen solchen Eingriff: da zwischen πεντήκοντα ἔτη γεγονώς und τὰ μέγιστα ... ἀνειληφώς kein wirklicher Gegensatz besteht, ist die Weiterführung mit καί besser als mit δέ. Die Stellung des Artikels nach dem Zahlwort ist gerade bei Polybios nicht selten; vgl. die Parallelen bei A. Mauersberger, Polybios-Lexikon s. v. δύο 1b (ferner ἐξ τὰ πρῶτα βυβλία XI 1a, 5); und die beiden folgenden, mit τε ... καί ... verbundenen Glieder fordern beinahe das vorhergehende δύο. Zudem wäre es wieder eigentümlich, wenn beide Exzerptoren des Polybios die exakte Zahl 52 mit dem unbestimmten 'über' wiedergegeben hätten. Interessant ist, daß Diodor wie Appian von den 'beiden großen Aufgaben', die Antiochos nach Polybios auf sich genommen hat, nur den Römerkrieg erwähnen, nicht die 'Befreiung' der Griechen. Daß sie sich (im Gegensatz zu Liv. XXXVI 11, 2) diese schöne Pointe haben entgehen lassen, spricht aber nicht für eine Abhängigkeit des einen vom andern, wie sich denn auch sonst eine Benutzung des Diodor durch Appian nicht nachweisen läßt.

werden, daß Athenaeus, dem wir das Polybios-Fragment verdanken, jenes 'über' weggelassen hat[1]. Wie Athenaeus mit dem Polybios-Text umgesprungen ist, hat BÜTTNER-WOBST gezeigt, der in seiner Ausgabe den mit Sicherheit feststellbaren Anteil des Exzerptors markiert hat; noch größere Eingriffe sind jedoch wahrscheinlich[2]. Diodor und Appian geben also den polybianischen Text entweder wörtlich oder doch mindestens genauer wieder als Athenaeus.

Ist also die Altersangabe 'über 50 Jahre' für die ersten Monate des Jahres 191 polybianisch und mithin, soweit wir dies beurteilen können, zuverlässig[3], so entfällt die Möglichkeit, die Geburtszeit des Königs aufs Jahr genau zu bestimmen. Denn da es — im Gegensatz zu HEYDENS Ansicht — äußerst unwahrscheinlich ist, daß Polybios bzw. seine Quelle sich um einige Wochen oder Monate gekümmert hätten, die seit dem 50. Geburtstag des Königs verstrichen waren, so wird man mit ein, zwei oder gar drei Jahren rechnen dürfen, die Antiochos damals 'über 50 Jahre alt' war. Es stehen also die Jahre 242, 243 und 244 zur Verfügung.

Von einer anderen Seite her läßt sich diese Spanne wohl wieder verkürzen. Das Datum der Vermählung der Eltern des Antiochos III., Seleukos' II. und Laodikes, ist nicht überliefert, kann aber einigermaßen genau erschlossen werden. Seleukos' II. Vater, Antiochos II., ist im

---

[1] Dies hat, soweit ich sehen kann, nur L. MENDELSSOHN, Jenaer Lit. Ztg. 1874, S. 392 erkannt (vgl. E. A. HEYDEN, Res gestae S. 2 A. 2). MENDELSSOHN rechnet mit dem Jahr 242 (am besten Ende des Jahres).

[2] BÜTTNER-WOBST hat im wesentlichen den Hiat als Kriterium benutzt. M. E. ist der ganze § 5 dem Exzerptor zuzurechnen, der damit die Geschichte abrunden wollte. Wie Polybios' Erzählung wirklich weiterging, zeigen Liv. XXXVI 11, 3ff.; Diod. XXIX 2; Appian. Syr. 16, 70. Auch sonst hat Athenaeus den Polybiostext freier behandelt als Diodor; vgl. z.B. Athen. V p. 193d—194c: X p. 439a: Diod. XXIX 32 (= Polyb. XXVI 1a und 1); Athen. V p. 194c—195: X p. 439b—d: Diod. XXXI 16, 2 (= Polyb. XXX 26); dazu H. NISSEN, Krit. Unters. S. 6; F. REUTER, Beitr. z. Beurteilung des Königs Antiochos Epiphanes (Diss. Münster 1938) S. 14 u. Anhang.

[3] Es bleibt freilich noch zu fragen, woher die Altersangabe bei Polybios stammt. Polybios könnte sie selbst berechnet haben, wenn ihm Unterlagen über die Lebensdaten der Könige zur Verfügung standen; doch ist dies wenig wahrscheinlich. Näher liegt die Annahme, daß die Angabe bereits in seiner Quelle stand; diese hat wohl bereits das eigenartige Faktum unterstrichen, daß der nicht mehr jugendliche König sich mitten im Krieg von seiner Leidenschaft fortreißen ließ. Die wohlunterrichtete seleukidische Quelle, die dem polybianischen Bericht über die frühen Jahre des Königs zugrunde liegt (s. u. S. 175ff.), war vielleicht über den Geburtstag des Herrschers informiert; falls sie überhaupt von Polybios direkt benutzt worden ist, ist dies jedenfalls hier, in den für Antiochos so abträglichen Partien, sehr unwahrscheinlich; hier dürften eher größere Werke über die Kriege zwischen Rom und den hellenistischen Staaten zugrunde liegen. Jedenfalls finden sich dort, wo Polybios sicher die seleukidische Quelle benutzt hat, nämlich beim Regierungsantritt, keine genauen Angaben. Anders bei Philipp, der ihn mehr interessiert hat und natürlich auch in den achäischen Quellen ausführlicher behandelt war.

Sommer 246[1] im Alter von 40 Jahren gestorben (Euseb. I p. 251 Sch.), wurde also etwa im J. 286 geboren. Vermutlich hat er kurz nach seiner Erhebung zum Mitregenten (spätestens 266 v. Chr.) geheiratet[2]; sein ältester Sohn Seleukos II. dürfte demnach etwa 265 v. Chr. geboren, beim Tod seines Vaters also höchstens 19 Jahre alt gewesen sein. Nun haben, soweit es sich feststellen läßt, die Seleukidenprinzen von Antiochos (I.) bis Antiochos IV. erst nach ihrer Erhebung zum Mitregenten bzw. nach ihrer Thronbesteigung als Alleinherrscher geheiratet, keiner von ihnen vor Vollendung des 20. Lebensjahres[3]. Seleukos II. war aber nicht Mitregent seines Vaters gewesen; und Antiochos II. hat vermutlich eine Verehelichung seiner Söhne aus erster Ehe verhindert, solange er aus seiner zweiten Ehe mit der Ptolemäerin Berenike keine männliche Nachkommenschaft hatte. Deshalb und aus Altersgründen ist es unwahrscheinlich, daß Seleukos (II.) vor dem Tod seines Vaters geheiratet hat. Hingegen ist anzunehmen, daß Seleukos die Ehe mit Laodike eingegangen ist, bald nachdem er für mündig erklärt worden war und den Thron bestiegen hatte; die Aussicht auf Nachkommenschaft konnte die Stellung der Dynastie in ihrem Kampf gegen die Ansprüche des Söhnchens der Berenike verbessern. Nun sind der Ehe des Seleukos II. mit Laodike allem Anschein nach schon vor der Geburt des Antiochos (III.) zwei Kinder entsprossen: ein Sohn, der spätere Seleukos III., und eine Tochter (s. u. S. 27f.); setzt man die Eheschließung des Seleukos II. bald nach seine Thronbesteigung, also in den Herbst 246, so können diese Kinder frühestens in den Jahren 245 und 244 geboren sein (es sei denn, man nähme eine Zwillingsgeburt an). Demnach dürfte der früheste Termin für die Geburt des Antiochos III. das Jahr 243 v. Chr. sein; d. h. Antiochos ist bei seiner Thronbesteigung (im Sommer/Herbst 223) 19 oder 20 Jahre alt gewesen.

Dem widersprechen nicht die bereits erwähnten Angaben, denen zufolge Antiochos 'als ganz junger Mann' den Thron bestiegen habe:

Polyb. IV 2, 5 (in einer Übersicht): Φίλιππος, ... ἔτι παῖς ὤν, ἄρτι παρελάμβανε τὴν Μακεδόνων ἀρχήν. 2, 7: ... Ἀντίοχος μικροῖς ἀνώτερον χρόνοις ... ἔτι κομιδῇ νέος ὤν τὴν ἐν Συρίᾳ διεδέδεκτο βασιλείαν.

Polyb. V 34, 2 (221 v. Chr.): Philopator glaubt, von den Nachbarn nichts befürchten zu müssen, Ἀντιόχου ... καὶ Φιλίππου ... παντάπασι νέων καὶ μόνον οὐ παίδων ὑπαρχόντων ...

---

[1] Die Nachricht traf in Babylon im August 246 ein; vgl. SACHS-WISEMAN, King list S.
[2] Vgl. K. J. BELOCH, IV 2, S. 201f.
[3] Für die folgenden Daten vgl. vor allem K. J. BELOCH, IV 2, S. 197ff. Antiochos I. wurde frühestens 324 geboren; Mitregentschaft und Vermählung um 294. Zu Antiochos II. s. o. Antiochos III. wurde spätestens 242 geboren; er heiratete erst nach seiner Thronbesteigung, im J. 222 (s. u. S. 10), also im Alter von mindestens 20 Jahren. Sein ältester Sohn Antiochos wurde im noch nicht heiratsfähigen Alter zum Mitregenten erhoben; er heiratete mit 24 Jahren (s. u. S. 14ff.). Zu Seleukos IV. und Antiochos IV. s. u. S. 20ff.

Polyb. V 41, 1 (222 v. Chr.): Molon und Alexandros achten Antiochos gering διὰ τὴν ἡλικίαν.

Polyb. V 42, 6 (222 v. Chr.): τῷ νεανίσκῳ.

Polyb. V 45, 7 (221 v. Chr.): (Hermeias) διὰ τὴν ἡλικίαν ὑποχείριον ἔχων τὸν νεανίσκον προῆγε.

Justin. XXIX 1, 3 (223 v. Chr.): *impubes adhuc rex Antiochus constitutus est.*

Es mag auf den ersten Blick etwas überraschen, wenn von einem etwa Zwanzigjährigen[1] gesagt wird, er sei 'noch ganz jung und eben erst dem Knabenalter entwachsen' (V 34, 2), oder gar, wenn Justin ihn 'noch unmündig' nennt. Ein Vergleich mit den weit genaueren Angaben, die Polybios von Philipp V. macht, ist jedoch geeignet, das oben errechnete Alter des Antiochos zu erhärten. Das Lebensalter Philipps läßt sich ziemlich genau berechnen; der Makedone wurde etwa im Spätsommer 238 geboren und hat etwa im Juli 221, mit knapp 17 Jahren, die Regierung angetreten[2].

Den eben wiedergegebenen Ausdruck 'noch ganz jung und beinahe noch Knabe' gebraucht Polybios von Antiochos wie von Philipp zur Zeit des Regierungsantritts des Philopator (Februar [?] 221),[3] als Philipp noch nicht 17 Jahre alt war. Aber an einer anderen Stelle unterscheidet er die Altersangaben: Antiochos sei 'noch ziemlich jung', Philipp 'noch im Knabenalter' auf den Thron gekommen (IV 2, 7 bzw. 2, 5). Antiochos war also bei seinem Regierungsantritt um einiges älter als Philipp. Daß es sich hier nicht um eine bloße Variatio handelt, zeigt die Behandlung der Altersangaben im weiteren Verlauf: während Polybios den Antiochos nie παῖς, sondern nur νεανίσκος nennt (V 42, 6; 45, 7), gebraucht er mehrfach die Bezeichnung παῖς für den siebzehnjährigen Philipp: Antigonos Doson starb (221?) παῖδα καταλιπὼν Φίλιππον (IV 3, 3); Apelles wird als 'einer der von Antigonos testamentarisch eingesetzten ἐπίτροποι τοῦ παιδός' bezeichnet (IV 76, 1); und Ende des Sommers 220 v. Chr., also bereits 1–1½ Jahre nach seinem Regierungsantritt, spricht Philipp im Kronrat seine Meinung aus, εἰ χρὴ τοῦ βασιλέως λέγειν τὰς τότε γνώμας· οὐ γὰρ εἰκὸς ἑπτακαιδεκαετῆ παῖδα περὶ τηλικούτων δύνασθαι πραγμάτων διευκρινεῖν (IV 24, 1). Νέος — wie Antiochos — wird Philipp

---

[1] Die gängigen Ansätze (vgl. etwa H. MENGE, Latein. Synonymik, 5. Aufl., hg. v. O. SCHÖNBERGER [1959] S. 165) lauten: παῖς (*puer*) bis 16 Jahre; νεανίσκος (*adulescentulus*) 16 bis 18 Jahre; νεανίας (*adulescens*) 18 bis 25 Jahre oder darüber hinaus.

[2] F. W. WALBANK, Philip V, S. 295—299.

[3] Nach der Berechnung von H. FRANK, Archiv f. Papyrusfschg. 11 (1935) S. 33ff. (vgl. T. C. SKEAT, Reigns S. 31 A. 7); A. E. SAMUEL, Ptolemaic Chronology (Münchener Beiträge z. Papyrusfschg. u. ant. Rechtsgesch. H. 43 [1962]) S. 106f., berechnet Philopators Regierungsantritt auf die Zeit zwischen 18. Oktober und 31. Dezember 222.

von Polybios erst V 26, 4 (βασιλέα νέον ἔτι ... ὄντα) und V 102, 1 (νέον βασιλέα) genannt; diese Stellen gehören aber in den Herbst 218 bzw. Juli 217, als Philipp 20 bzw. knapp 21 Jahre alt war!

Wenn sich daraus mit einiger Vorsicht ableiten läßt, daß Polybios einen jungen Mann etwa bis zur Vollendung des 20. Lebensjahres παῖς, von da ab νέος nennen kann, so findet das seine Bestätigung in der Praxis der Erziehungseinrichtungen in den hellenistischen Städten[1]. Zwar ist die Bezeichnung παῖς für einen Jugendlichen, der bereits die Mitte des zweiten Lebensjahrzehntes überschritten hat, nur selten offiziell[2]; diese Altersgruppe wird meist ἔφηβοι genannt. Aber nach der Vollendung des 20. Lebensjahres, wenn der Jugendliche der organisierten Erziehung entwachsen ist, tritt ausschließlich die Bezeichnung νέοι bzw. ihr Äquivalent νεανίσκοι[3] auf, das zweimal von Antiochos gebraucht wird; sie wird mindestens bis zur Vollendung des 30. Lebensjahres anwendbar gewesen sein[4].

Auch diese Vergleiche sprechen also dafür, daß Antiochos etwa 20 Jahre alt war, als er den Thron bestieg. Dem scheint nur noch die Angabe Justins entgegenzustehen, der König sei bei seinem Regierungsantritt *impubes adhuc* gewesen. Aber diese Angabe verdient keine Berücksichtigung, da sie in nächster Nachbarschaft mit Übertreibungen oder Mißverständnissen der gleichen Art steht[5].

---

[1] Zum Folgenden vgl. bes. C. A. FORBES, NEOI (1933). Auf die geringen Unterschiede in den Altersgrenzen und Bezeichnungen in den verschiedenen Städten kann hier nicht eingegangen werden.

[2] Immerhin kommt sie vor, so z. B. in athenischen Inschriften des II. Jh. v. Chr. statt ἔφηβοι (IG II/III² 444—450. 452); vgl. K. M. T. CHRIMES, Ancient Sparta (²1952) S. 92 f.; s. ebd. über den ausgedehnten Gebrauch des Wortes in literarischen Quellen. Auch in erotischem Zusammenhang kann παῖς noch von einem älteren Jungen gebraucht werden. Kontrastierender Gebrauch des Wortes etwa bei Dio Chrys. or. XXI 13; Dio spricht dort von einem νεανίσκος, den seine ἡλικία als einen παῖς von 16 oder 17 Jahren ausweise, während seine Körperlänge die eines Mannes sei. Ähnlich kontrastierend sagt man ja auch heute von manchem Achtzehnjährigen, er sei 'doch noch ein Kind'. Ein ähnlicher Gebrauch mag bei Polybios vorliegen, dem es ja an den angegebenen Stellen darauf ankommt, das jugendliche Alter der Könige zu unterstreichen. (Eine Monographie über παῖδες in den Städten stellt L. ROBERT, Hellenica XI—XII S. 560 A. 6 in Aussicht).

[3] Vgl. C. A. FORBES a.a.O. S. 61 f., die jedoch auf den schwankenden Gebrauch von νεανίσκος aufmerksam macht. 'In sum, the word νεανίσκος had no narrow, special, official meaning that enjoyed wide acceptance'.

[4] Vgl. FORBES S. 2 u. A. 6. Xen. Mem. I 2, 35 werden als νέοι Männer bezeichnet, denen βουλεύειν οὐκ ἔξεστιν, ὡς οὔπω φρονίμοις οὖσι· μηδὲ σὺ διαλέγου νεωτέροις τριάκοντα ἐτῶν. So kann Antiochos III. anläßlich seiner Niederlage bei Raphia (Sommer 217), als er 25—27 Jahre alt war, ἄπειρος καὶ νέος genannt werden (Polyb. V 85, 11). Militärtechnisch gehörte diese Gruppe freilich zu den ἄνδρες.

[5] Justin. XXIX 1, 2: ... *in Macedonia Philippus ... annorum XIV regnum suscepit; (3) et in Asia ... impubes adhuc rex Antiochus constitutus est. (4) Cappadociae quoque regnum Ariarathi puero admodum pater ipse tradiderat.* (5—6: Thronwechsel im Ptolemäer-

So ergeben sich mit Wahrscheinlichkeit folgende Lebensdaten des Antiochos:

| | |
|---|---|
| 243 oder 242 | geboren |
| Sommer/Herbst 223 | Regierungsantritt, etwa 19—20 Jahre alt |
| 4. Juni (Juli?) 187 | gestorben, etwa 55—56 Jahre alt, nach nicht ganz 36jähriger Regierungszeit. |

Eine genauere Bestimmung seiner Lebensdaten ist nach dem heute vorliegenden Material unmöglich.

## Die Frauen des Königs

In erster Ehe war Antiochos III. mit Laodike, einer Tochter des Mithridates II., Königs des pontischen Kappadokien verheiratet[1]; ihre Mutter war Laodike, eine Schwester Seleukos' II.; Antiochos war also mit seiner Kusine verheiratet. Eine gleichnamige Schwester der Gattin des Antiochos war vermutlich mit Achaios, dem Vizekönig von Kleinasien vermählt (s. u. S. 30). Zur Zeit der Eheschließung zwischen Antiochos und Laodike war der Aufstand des Molon (s. u. Kap. III) bereits ausgebrochen; die Generäle Xenon und Theodotos waren schon nach Mesopotamien abmarschiert, und man hatte bereits mit den Rüstungen gegen das Ptolemäerreich begonnen. Nach der unten (S. 112ff.) vorgeschlagenen Chronologie fand die Hochzeit demnach etwa im Hochsommer des Jahres 222 statt, knapp ein Jahr nach Antiochos' Regierungsantritt.

---

reich und in Sparta.) (7) ... *apud Carthaginienses quoque aetate immatura dux Annibal constituitur* ... Die Stelle scheint in den Grundzügen auf Polyb. IV 2, 4—9 zurückzugehen. Dort werden die Regierungswechsel in der gleichen Reihenfolge aufgeführt; auch ihre Gleichzeitigkeit wird wie bei Justin mehrfach betont (Polyb. IV 2, 4. 10; Justin. XXIX 1, 1. 7). Während jedoch Polybios nur von der Jugend Philipps und Antiochos' spricht (§ 5 und 7), betont Justin auch das niedrige Lebensalter des Ariarathes (vgl. dazu Diod. XXXI 19, 6: νηπίῳ παντελῶς ὄντι τὴν ἡλικίαν) und des Hannibal und faßt mit der summarischen Angabe zusammen: *nulli senioris aetatis rectores* (§ 8). Offenbar liegt hier der Wunsch vor, die schon von Polybios erkannten Parallelen bis ins Letzte weiterzuführen. Die Behauptung Justins, Philipp V. sei mit 14 Jahren auf den Thron gekommen (vgl. auch XXVIII 4, 16: *pupillo annos XIV nato*), ist unzutreffend; vgl. J. van Antwerp Fine, Class. Quart. 28 (1934) S. 100; F. W. Walbank, Philip V, S. 295 A. 6. Vermutlich liegt eine zu enge Auffassung des polybianischen παῖς zugrunde. Die Angabe, Hannibal sei bei seiner Wahl zum Strategen (221 v. Chr.) *immatura aetate* gewesen (er war damals immerhin 25 Jahre alt), ist nur beim Vergleich mit dem für die Bekleidung des Konsulats vorgeschriebenen Mindestalter verständlich. Und das von Antiochos III. ausgesagte *impubes adhuc* dürfte wohl, wie die Angabe über Philipp, auf eine (von römischer Sicht her verständliche) falsche Auffassung des polybianischen ἔτι κομιδῇ νέος ὤν zurückgehen. K. B. Stark, Gaza und die philistäische Küste (1852) S. 372 hat sich durch Justins Angabe verleiten lassen, das Alter des Antiochos bei der Thronbesteigung mit 15 Jahren anzunehmen; vgl. dagegen bereits E. A. Heyden, Beitr. S. 21.     [1] Polyb. V 43, 1—4.

Zu Seleukeia am Zeugma (am Euphrat) erwartete Antiochos die Braut, die ihm von seinem Nauarchen Diognetos zugeführt wurde; nach der Hochzeit zog das Paar in die Hauptstadt Antiocheia, wo Antiochos der neuen Königin huldigen ließ[1]. Dieser Ehe entstammten drei Söhne und vier oder fünf Töchter (s. weiter unten).

Eine zweite Ehe schloß Antiochos während des Krieges gegen Rom, etwa im Februar 191 v. Chr., zu Chalkis in Euboia mit der Tochter des Kleoptolemos, eines Bürgers von Chalkis[2]. Nach seiner Niederlage bei den Thermopylen im J. 191 nahm er seine junge Gemahlin, die er 'Euboia' genannt haben soll, mit nach Asien[3]; von da an verliert sich ihre Spur.

Bis vor kurzem hatte man angenommen, Laodike sei bereits tot gewesen, als Antiochos zum zweitenmal heiratete[4]. Ihr letztes 'Lebenszeichen' war ein Dekret von Iasos gewesen, das im Jahr 197 v. Chr. oder wenig später beschlossen wurde, und in dem neben Antiochos auch die βασίλισσα Λαοδίκη καὶ τὰ τέκνα αὐτῶν geehrt wurden[5]. Die Auffindung eines königlichen Prostagma vom Xandikos 119 sel. = März–April 193 v. Chr. in Nihawend in Medien[6], in dem ein Kult der Königin eingerichtet wird, hat jedoch bewiesen, daß Laodike kaum zwei Jahre vor der Hochzeit zu Chalkis noch am Leben war[7]. War sie also zwischen 193 und 191 gestorben?

Ein Inschriftenfragment aus Susa vom J. 136 sel. = 177/6 v. Chr. scheint das Gegenteil zu besagen[8]. Die Inschrift war von B. HAUSSOULLIER zunächst als Stadtdekret von Seleukeia am Eulaios (Susa) herausgegeben worden[9]. L. ROBERT hat jedoch die Übereinstimmung der Reste mit dem Formular der Freilassungsurkunden von Susa beobachtet und folgendermaßen ergänzt[10]:

---

[1] Zur ἀνάδειξις (V 43, 4) vgl. F. GRANIER, Die maked. Heeresversammlung (Münchener Beitr. z. Papyrusforschung u. ant. Rechtsgesch. 13, 1931) S. 167; bes. E. BIKERMAN, Mélanges É. Boisacq. Annuaire de l'Institut de philol. et d'hist. orient. et slaves 5 (1937) S. 117ff.
[2] Vgl. die oben S. 4 u. A. 2 wiedergegebenen Texte.
[3] Polyb. XX 8, 5; Appian. Syr. 20, 91.
[4] Vgl. bes. M. HOLLEAUX, Etudes III S. 381 A. 4.
[5] OGI 237, 13. Etwas später, aber nicht genau datierbar ist die Aufstellung von Statuen des Königspaares auf Delos. Für 192 ist die Rückzahlung einer 194 gegebenen Anleihe für diese Statuen bezeugt (Inscr. de Délos 399, Z. 48f.). Vgl. zum Folgenden L. ROBERT, Hellenica VII (1949) S. 5ff.; A. AYMARD, REA 51 (1949) S. 372ff.
[6] L. ROBERT a.a.O. S. 7. Das Edikt ist eine Parallele zu dem bereits bekannten Exemplar aus Dodurga im Grenzgebiet zwischen Karien und Phrygien (die Provinzzugehörigkeit ist nicht festlegbar), RC 36–37, dessen beschädigte Datierung bisher als 108 sel. = 204 v. Chr. gedeutet worden war.   [7] L. ROBERT, S. 15f.   [8] Vgl. L. ROBERT, S. 25ff.
[9] Anat. Stud. Ramsay (1923) S. 187–193 = SEG VII 2; vgl. dazu bereits C. B. WELLES, RC S. 159f.
[10] Rev. de phil. 62 (1936) S. 149–152; weitere Ergänzungen Hellenica VII S. 28. Daß nach L. ROBERTS Ergänzung der Name der Gottheit, der die Freilasserin den Sklaven

Z. 9 ff.: .............. [..... ὑπὲρ]
τῆς Σελεύ[κου τοῦ βασιλέως]
καὶ Λαοδίκη[ς τῆς βασιλίσσης]
12   τῆς μητρὸ[ς τοῦ βασιλέως καὶ]
Λαοδίκης τ[ῆς βασιλίσσης]
[τῆς γυναικὸς τοῦ βασιλέως σωτηρίας κτέ.]

Aus dieser kaum abweisbaren Ergänzung ergibt sich, daß Laodike die Ältere, also Antiochos' erste Frau, im J. 177/6 noch am Leben war; d. h. Antiochos müßte sie vor Beginn des Römerkrieges verstoßen haben oder aber im J. 191 eine Doppelehe eingegangen sein. Es ist freilich erstaunlich, daß davon in den Quellen nichts steht. Die Überlieferung ist allerdings lückenhaft; aber man würde doch erwarten, daß die antiken Autoren bei ihrer Empörung über die Hochzeit des alternden Königs mit der jungen Bürgerstochter auch dieses Faktum gehörig unterstrichen hätten. Besonders läge dies bei einer Doppelehe nahe, einer in den hellenistischen Herrscherhäusern durchaus nicht üblichen Erscheinung[1]. Umgekehrt befremdet es, daß Antiochos seine erste Frau verlassen oder verstoßen haben sollte, kurz nachdem er für sie einen eigenen Herrscherkult eingerichtet hatte (Frühjahr 193); man wird in dieser Maßnahme doch ein Zeichen sehen dürfen, daß die Eheleute damals einander noch nicht entfremdet waren[2].

André AYMARD[3] hat versucht, aus diesen erstaunlichen Tatsachen ein Familiendrama im Königshaus zu rekonstruieren: der Entfremdung zwischen dem König und der Königin sei es auch zuzuschreiben, daß nach dem Tode des ältesten Sohnes (Herbst 193) der zweite Sohn nicht sofort zum Mitregenten ernannt worden sei; Antiochos III. hat in der Tat einige Jahre lang allein regiert (s. u. S. 19f.). Erst nach dem Mißlingen der Griechenland-Expedition (192/1) hätten sich Antiochos III. und der nunmehrige Thronfolger Seleukos (IV.) wieder allmählich ausgesöhnt; Laodike, die erste Frau, sei in den letzten Lebensjahren ihres Mannes,

---

ἀφιέρωσεν, erst nach der Formel ὑπὲρ σωτηρίας kommen kann, braucht nicht zu stören; auch SEG VII 24 scheint in dieser Hinsicht vom üblichen Formular (vgl. SEG VII 15 ff.) abzuweichen; allerdings ist die Stellung des Prädikats hier auch anders. Zu den Freilassungsurkunden von Susa vgl. ferner L. ROBERT, Hellenica XI–XII (1960) S. 86 A. 2.

[1] Vgl. A. AYMARD a.a.O. 329 u. A. 4. An sich wäre es nicht undenkbar, daß Antiochos eine solche 'Neuerung' eingeführt hätte; die Hochzeit zwischen seinen Kindern Antiochos und Laodike (s. u. S. 14) ist, soweit wir wissen, auch der erste Fall einer Geschwisterheirat im Seleukidenhaus gewesen; vgl. AYMARD S. 330f.

[2] Vgl. die Inschrift von Nihawend, Z. 12ff.: [βου]λόμενοι τῆς ἀδ[ε]λφῆς βασιλίσσης Λαοδίκης τὰς τιμὰς ἐπὶ πλεῖον αὔξειν ... διὰ τὸ ... ἡμῖν φιλοστόργως καὶ κηδεμονικῶς αὐτὴν συμβιοῦν ... 31f.: ... ὅπως νῦν τε καὶ εἰς τὸ λοιπὸν φανερὰ γ[ίν]ηται ἡ ἡμε[τέρα] καὶ ἐν τούτοις πρὸς τὴν ἀδελφὴν π[ροα]ίρεσις ...   [3] A. a. O. S. 334ff.

spätestens nach dem Regierungsantritt ihres Sohnes (187) wieder zu Ehren gekommen. Solange nicht neue Funde unser Wissen erweitern, ist das Rätsel allerdings nicht zu lösen[1].

Von Beziehungen des Königs zu anderen Frauen, von der Existenz einer maîtresse en titre, einer in den hellenistischen Dynastien so häufigen Erscheinung[2], weiß unsere — allerdings sehr lückenhafte — Überlieferung nichts.

Die Kinder des Königs

Die Kinder des Antiochos III. entstammen offenbar ausnahmslos der ersten Ehe mit Laodike; von Kindern aus der zweiten Ehe mit der Chalkidierin ist ebenso wenig bekannt wie von außerehelichem Nachwuchs. Die Quellen sprechen von 7 (bzw. 8) Kindern, 3 Söhnen und 4 (bzw. 5) Töchtern. Ihre Lebensläufe sind hier im allgemeinen nur bis zum Todesjahr des Antiochos III. ausführlich verfolgt.

1. Antiochos[3]. Der älteste Sohn des Königs wurde im J. 220 v. Chr. geboren; die Nachricht von der Geburt des Thronfolgers traf im Frühjahr oder Frühsommer in Babylonien ein, als Antiochos zum Krieg gegen Atropatene rüstete[4]. Im Verlauf des großen Feldzugs in die Oberen Satrapien hat Antiochos III. seinen ältesten Sohn zum Mitregenten (mit dem Titel βασιλεύς) ernannt, um die Nachfolge zu sichern; die neue babylonische Königsliste führt ihn vom Jahr 102 (sel.) = 27. März 210 – 13. April 209 bis zum Jahr 119 (sel.) = 17. April 193 – 5. April 192 als Mitregenten auf[5]. Um das Jahr 205 antworteten Antiochos III. und der

---

[1] Vgl. die besonnenen Worte von J. u. L. ROBERT, Bull. ép. 1951, 234. (Ebd. zu AYMARDS Hypothese: 'Il ne s'agit plus là, à la verité, d'arguments, mais de la considération de possibilités'.) Möglicherweise hat Seleukos (IV.) schon im J. 192 seine Schwester Laodike, die Witwe seines älteren Bruders, geheiratet; vgl. dazu u. S. 21 A. 2.

[2] Ein beliebtes Thema antiker Schriftstellerei; so hat Ptolemaios von Megalopolis eine Liste königlicher Mätressen gegeben (FGrHist 161 F 4 = Athen. XIII p. 577f–578a); vgl. überhaupt die langen Erörterungen bei Athen. XIII p. 566ff., bes. von p. 576c ab.

[3] Vgl. U. WILCKEN, RE I 2 (1894) Sp. 2470 Nr. 26.

[4] Polyb. V 55, 4; vgl. u. S. 115; 157. Aus dem Kontext geht eindeutig hervor, daß es sich um den ersten Sohn des Königs handelte.

[5] Vgl. SACHS-WISEMAN, Rev. 4f. (mit der fehlerhaften Angabe 'Antiochos und Antiochos, die Söhne des Königs Seleukos'). Zum Beginn der Mitregentschaft vgl. zuletzt A. AYMARD, REA 57 (1955) S. 107 m. d. früheren Lit. Das Nächstliegende wäre anzunehmen, daß die Liste auch hier nur die vollen Regierungsjahre rechne, d.h. daß der Thronfolger vor dem oder am 1. Nisan 102 (sel.) = 26. März 210 zum Mitregenten erhoben worden sei. AYMARDS Bedenken (wegen der falschen Berechnung der Regierungszeit des Antiochos III. in der Liste) sind nicht zwingend, da das Datum direkt gegeben sein kann und nicht aus den Regierungszeiten errechnet sein muß. (Vgl. auch o. S. 1 A. 2). Ein Vertrag aus Uruk (O. SCHRÖDER, Kontrakte der Seleukidenzeit aus Warka [1916] Nr. 48) von V/17/102 = 8. Aug. 210 datiert jedoch noch nach Antiochos III. allein (für eine evtl. noch spätere,

Kronprinz in getrennten Schreiben auf eine Gesandtschaft der Stadt Magnesia am Mäander, die um die Anerkennung ihres penteterischen Festes Leukophryena gebeten hatte; die Formulierung des Briefes, in dem der Prinz sich ausschließlich auf die Entscheidung seines Vaters bezieht, zeigt, daß der etwa fünfzehnjährige 'Mitregent' neben dem Vater keine eigenständige Stellung einnahm[1]. Antiochos III. gab der Gesandtschaft in Antiocheia in der Persis Audienz[2], also auf einer der letzten Stationen seiner Expedition in den Osten; über den damaligen Aufenthalt des Thronfolgers geht aus dessen Brief nichts hervor; aller Wahrscheinlichkeit nach residierte er in der Hauptstadt Antiocheia. Als Zwanzigjähriger kämpfte Antiochos d. J. in der Schlacht beim Panion gegen den ptolemäischen Feldherrn Skopas (200 v. Chr.) mit[3]. Im Sommer 197 nahmen anscheinend er und sein jüngerer Bruder Seleukos (s. u. Nr. 2) am Kleinasienfeldzug teil; die Prinzen zogen an der Spitze des Landheeres nach Sardes voraus, während der Vater mit der Flotte vor Kilikien und Lykien operierte[4].

Kurz vor der Vollendung seines 25. Lebensjahres, im Winter 196/5, wurde Antiochos zu Seleukeia in Pierien mit seiner Schwester Laodike (s. u. Nr. 5) verheiratet[5]. Dieser Ehe entstammte aller Wahrscheinlichkeit

---

unsicher gelesene Datierung vgl. PARKER-DUBBERSTEIN S. 22); ob der Schreiber den Mitregenten vergessen hat oder ob der Kronprinz, entgegen dem Zeugnis der Königsliste, damals noch nicht Mitregent war, ist kaum zu entscheiden. Auf jeden Fall hängt die Erhebung des ältesten Sohns zum Mitregenten mit der Expedition des Antiochos in den Osten zusammen. Im J. 210 scheint Antiochos sich im Zweistromland befunden zu haben (Polyb. IX 43, 6 aus oe. 142, 2 = Herbst 211—Herbst 210 berichtet von einer Verschiffung von Truppen euphratabwärts; der Wasserstand war damals sehr niedrig, was in den Sommer oder Herbst paßt; N. C. DEBEVOISE, A Polit. History of Parthia [1938] S. 16 A. 67, bezieht die Stelle auf Herbst 211); im J. 209 finden wir ihn bereits auf dem Partherfeldzug (Polyb. X 27—31 aus oe. 142, 3 = Herbst 210—Herbst 209). Es ist durchaus denkbar, daß Antiochos III. seinen Sohn im Winter 211/10 in Antiocheia zum Mitregenten erhoben hat, während der Vorbereitungen zum Ostfeldzug; der erwähnte Vertrag aus Uruk wäre dann als fehldatiert zu betrachten. Eine endgültige Entscheidung der Frage hängt von neuen Funden ab.

[1] Inschr. v. Magn. 18/19 = OGI 231/2 = WELLES, RC 31/32; vgl. M. HOLLEAUX, Etudes III S. 229f.; C. B. WELLES, RC S. 148 zu Nr. 32; A. AYMARD, REA 51 (1949) S. 335 A. 2.
[2] RC 31, 9f.   [3] Polyb. XVI 18—19.
[4] Liv. XXXIII 19, 9—10: *praemissis terra cum exercitu filiis duobus* ⟨*cum* oder *ducibus*⟩ *Ardye ac Mithridate iussisque Sardibus se opperiri*; zum Einschub vgl. M. HOLLEAUX, Etudes III S. 190f.; vgl. u. S. 286f. — Th. LENSCHAU, Bursians Jb. 180 (1919) S. 243, will *filiis duobus* als Glosse streichen, womit der obige Text natürlich hinfällig würde. Aber man sieht nicht recht ein, wieso ein Glossator auf die Idee gekommen sein sollte, Ardys und Mithridates zu Söhnen des Königs zu stempeln.
[5] Appian. Syr. 4, 17. Erster sicherer Fall einer Geschwisterehe im Seleukidenhaus (zu Polyaen. VIII 50, demzufolge bereits Antiochos II. seine ὁμοπάτριος ἀδελφή geheiratet haben soll, vgl. F. W. WALBANK, Comm. I S. 501).

nach jene Nysa, 'Tochter des Königs Antiochos und der Königin Laodike', die etwa 160 v. Chr. den König Pharnakes I. von Pontos heiratete[1]. Im Sommer 195 hielt sich Antiochos in Antiocheia auf; Hannibal erfuhr auf seiner Flucht aus Karthago, daß der Prinz in Daphne ein feierliches Fest beging[2]. Der Thronfolger hat also damals den Vater in der Reichshauptstadt vertreten. Sein Aufenthalt im Jahr 194 ist unbekannt; man würde annehmen, daß er den Vater, der in den Jahren 195 und 194 in Thrakien Krieg führte[3], auch jetzt vertreten hätte; aber die gleich zu besprechende Livius-Stelle scheint dafür zu sprechen, daß der Sohn sich in Ephesos aufhielt, das in diesen Jahren allmählich den Rang des königlichen Hauptquartiers eingenommen zu haben scheint.

Livius (nach Polyb.) XXXV 13, 4–5 berichtet: Antiochos hatte im Winter 194/3 in Raphia (im südlichen Palästina, an der jetzigen Grenze zum Ptolemäerreich) seine Tochter Kleopatra (s. u. Nr. 8) mit Ptolemaios V. verheiratet, war dann nach Antiocheia in Nordsyrien gereist und von dort über den Taurus nach Ephesos, wo er *extremo iam hiemis* ankam. (§ 5) *inde principio veris, Antiocho filio misso in Syriam ad custodiam ultimarum partium regni, ne quid absente se ab tergo moveretur, ipse ... ad Pisidas ... oppugnandos est profectus*. Wenig später verweist Livius auf diese Angabe zurück: *mors nuntiata Antiochi filii regis, quem missum paulo ante dixeram in Syriam, diremit conloquia* (XXXV 15, 2).

*Misso* (*missum*) *in Syriam* ist nur verständlich, wenn der Thronfolger sich bisher, jedenfalls im Winter 194/3, in Kleinasien aufgehalten hatte; daß er etwa an den Hochzeitsfeierlichkeiten in Raphia teilgenommen hätte und mit dem Vater vom äußersten Süden des Reichs in den äußersten Westen gereist wäre, um sofort den gleichen Weg zurückzugehen, ist unwahrscheinlich.

Bei der Mission *ad custodiam ultimarum partium regni*, mit der ihn sein Vater betraute (Frühjahr 193), kann es sich nur um das 'Generalkommando der Oberen Satrapien' handeln[4], das schon früher des öfteren von

---

[1] Vgl. die Inschr. publ. v. Durrbach-Jardé, BCH 29 (1905) S. 169 Nr. 61 (vgl. ebd. S. 190–193) = OGI 771 = IG XI 4, 1056 = Durrbach, Choix 73, Z. 18f.: βασιλισσαν Νῦσαν βασιλέως Ἀντιόχου καὶ βασιλίσσης Λαοδίκης. Durrbach bemerkt mit Recht, daß wegen des späteren Heiratsdatums an eine Tochter des Antiochos III. kaum zu denken ist. Vgl. auch E. Diehl, RE XIX 2 (1938) Sp. 1851 s. v. Pharnakes 1. Zur Datierung vgl. die bei D. Magie, Roman Rule II S. 1089f. A. 44 angegebene Literatur.

[2] Liv. XXXIII 49, 6; vgl. M. Holleaux, Etudes III S. 189 A. 4 und (zur Datierung) V S. 180–183.

[3] Für 195 v. Chr. vgl. Liv. XXXIV 33, 12; für 194 v. Chr. ist ein Feldzug in Thrakien aus Appian. Syr. 6, 21–23 zu erschließen (O. Leuze, Hermes 58 [1923] S. 206f.).

[4] Vgl. H. Bengtson, Strategie II S. 83 A. 1 auf S. 84; zum Generalkommando allgemein ebd. S. 78.; s. u. S. 45; 116ff. Wie A. Aymard, Rev. de phil. 66 (1940) S. 190 A. 1,

den Ersten in der Thronfolge bekleidet worden war[1]. Mit *ultimae partes regni* kann nicht Syrien gemeint sein, das Kernland des Reichs; und abgesehen davon konnte in diesem Landesteil auch nicht die Gefahr eines Angriffs im Rücken (*ne quid ... a tergo moveretur*) drohen: der einzige potentielle Gegner von einigem Format war dort Ptolemaios V. — und der war eben erst der Schwiegersohn des syrischen Königs geworden[2]. Auch die Reichsteile südlich des Taurus im weiteren Sinn, also Syrien, das Zweistromland und Iran, können nicht gemeint sein; *ultimae partes regni* ist offenbar eine Übersetzung von τὰ ἔσχατα μέρη τῆς βασιλείας o. ä.; die südlich des Taurus gelegenen Lande hätte Polybios aber wahrscheinlich als τὰ ἐπέκεινα τοῦ Ταύρου o. ä. bezeichnet[3]. *Ultimae partes* bzw. τὰ ἔσχατα μέρη wird ein Unvoreingenommener vielmehr auf Iran oder allgemeiner auf die 'Oberen Satrapien', die ἄνω μέρη (τόποι) beziehen; und darauf deutet denn auch die Gefahr eines 'Angriffs im Rücken': eine solche Gefahr drohte von den iranischen Völkern, im wesentlichen vom Partherkönig oder von den Fürsten der Persis, die die Gelegenheit nutzen konnten, daß Antiochos III. mit dem Gros seines Heeres im fernen Westen operierte[4].

Dieser Deutung des Auftrags *ad custodiam ultimarum partium regni* steht freilich entgegen, daß Antiochos 'nach Syrien' geschickt worden sein soll. Von Syrien, also von Antiocheia aus konnte ein 'Generalgouverneur' einem etwaigen parthischen Angriff nicht mit der notwendigen Schnelligkeit begegnen; der Sitz des Oberkommandierenden der Ostprovinzen mußte mindestens, wie in früheren Jahrzehnten, Seleukeia am Tigris sein, vielleicht sogar Ekbatana oder Susa, wenn es sich um eine akute, nicht nur eine mögliche Gefahr aus dem Osten handelte. Man könnte sich mit der Annahme helfen, daß der Kronprinz sich noch — mit einem bestimmten Auftrag oder bereits infolge seiner Krankheit — einige Zeit in Syrien aufgehalten habe und dort vom Tod ereilt worden sei, bevor er noch seinen neuen Amtssitz erreicht hatte. Frei-

---

die Stelle versteht, ist nicht klar; seine Verteidigung gegen den Widerspruch H. BENGTSONS (A. AYMARD, REA 51 [1949] S. 332 A. 5 auf S. 333) läßt jedoch annehmen, daß er ebenfalls glaubt, Antiochos sei Generalstratege geworden.

[1] Antiochos I. und III.; vgl. H. BENGTSON a.a.O. S. 80f.; 84f.

[2] Vgl. jedoch Ch. EDSON, Class. Phil. 49 (1954) S. 115 A. 30: die *ultimae partes regni* 'surely included Palestine, where disturbances might well be anticipated...' Die genannten Landschaften waren jedoch immerhin seit 200—198 seleukidisch, also bereits 5—7 Jahre lang; und mindestens die Juden haben das (offenbar mildere) Regiment der neuen Herren freudig begrüßt.

[3] Vgl. seine Bezeichnung für Kleinasien: τὰ ἐπὶ τάδε τοῦ Ταύρου und dazu u. S. 158ff. Hätte Polybios ἄνω τόποι (μέρη) o. ä. geschrieben, so hätte Livius das wohl mit *superiorum partium regni* o. ä. wiedergegeben; vgl. Hieron. in Dan. XI 8: *superiores trans Euphratem partes*.     [4] Vgl. u. S. 47ff., bes. S. 50 u. A. 1.

lich würde man sich eine Stütze für diese hypothetische Interpretation wünschen.

Hier kommt das bereits oben (S. 11f.) erwähnte neue Exemplar des Prostagmas zu Hilfe, mit dem Antiochos III. die Einrichtung eines Kults für seine Gattin Laodike befohlen hat. Das Edikt ist datiert vom März—April 193 v. Chr., also aus eben der Zeit, zu der der Kronprinz mit dem Schutz der 'äußersten Reichsteile' beauftragt wurde (*principio veris*). Laodike, die Schwestergemahlin des Thronfolgers, wird in dem Exemplar aus Nihawend in Medien zur Erzpriesterin des Kults ihrer Mutter in Medien ernannt[1], also in einer der 'Oberen Provinzen', die, nach der oben angenommenen Deutung, ihrem Mann unterstellt wurden. Ch. EDSON[2] hat freilich die Identität der Erzpriesterin Laodike mit der Kronprinzessin geleugnet: es sei undenkbar, daß Antiochos in Syrien, Laodike in Medien residiert habe. Dagegen wandten J. und L. ROBERT[3] ein, es sei ja unbekannt, welcher der beiden Erlasse (die Entsendung des Kronprinzen bzw. die Ernennung der Laodike) zuerst ergangen sei; vor allem aber wisse man nicht, ob die Stellung der ἀρχιέρεια die Residenzpflicht in Medien eingeschlossen habe[4]. Dieser Ausweg ist mißlich: das Amt der Erzpriesterin war wohl nicht nur eine reine Sinekure; es dürfte wenigstens an den hohen Festen (etwa dem Geburtstag der Königin) Verpflichtungen mit sich gebracht haben, die die Anwesenheit der Priesterin erforderlich machten. So ist in dem anderen Exemplar des Prostagma aus Dodurga (in Karien oder Phrygien) eine Frau aus der Dynastie von Telmessos zur Erzpriesterin ernannt worden[5]; auch hier ist die räumliche Nähe sicher nicht zufällig. Man vergleiche auch die Stellung des Ptolemaios, Sohn des Thraseas, der um die gleiche Zeit das Strategenamt mit der Erzpriesterwürde des Herrscherkults in der Provinz Koilesyrien und Phoinike verband[6]. Diese Zeugnisse deuten doch darauf hin, daß die Sprengel der Erzpriester grundsätzlich mit den Satrapien zusammenfielen[7].

Mit der Annahme, daß Antiochos der Jüngere Generalstatthalter des Ostens war, fügt sich jedoch alles ohne Widerspruch zusammen. Antiochos und Laodike sollten sich im Osten aufhalten, er als Oberstratege, sie als Erzpriesterin. Es bleibt nur fraglich, wo ihre Residenz sein sollte. Es ist natürlich nicht ausgeschlossen, daß Laodike zur Erfüllung ihrer

---

[1] Zeile 26f. der Inschrift (L. ROBERT, Hellenica VII S. 7). Vgl. u. S. 24 A. 1.
[2] Class. Phil. 49 (1954) S. 114ff.    [3] Bull. ép. 1955, 254.
[4] So bereits A. AYMARD, REA 51 (1949) S. 344 A. 2; dagegen schon Ch. EDSON, a.a.O. S. 115 A. 29.    [5] RC 36, Z. 30f.    [6] OGI 230.
[7] Vgl. E. BIKERMAN, Institutions S. 248; H. BENGTSON, Strat. II S. 130ff. Der Vorschlag A. AYMARDS (a. e. a. O.), Laodike könne in mehreren Satrapien gleichzeitig Erzpriesterin gewesen sein, hat nur geringe Wahrscheinlichkeit für sich.

gelegentlichen Verpflichtungen von Seleukeia nach Medien hätte reisen müssen. Näher liegt freilich die Annahme, daß Antiochos seinen Sitz in Ekbatana nehmen sollte[1].

Es spricht also sehr viel für die Ansicht, daß der Thronfolger das Vizekönigtum der Ostprovinzen übernehmen sollte, und man wird die oben gebotene Erklärung für *missum in Syriam* getrost annehmen dürfen. Es liegt hier wohl ein kleines Mißverständnis des Livius oder eher bereits des Polybios vor, mit dessen Kenntnis der Geographie und Verwaltung des Seleukidenreichs es nicht zum besten stand und der wohl auch mit dem Terminus 'obere (bzw. äußerste) Gebiete des Reichs' wenig anzufangen wußte, wie sich immer wieder zeigt[2]. Vielleicht kann man sogar noch einen Schritt weitergehen und annehmen, daß Antiochos gar nicht, wie der Livius-Text annehmen ließ, von Kleinasien 'nach Syrien geschickt' worden ist. Vielleicht stand in der Quelle lediglich, daß Antiochos 'zum Schutz der äußersten Teile des Reichs' entsandt worden sei, und Polybios (oder Livius) hat, da er 'die äußersten Teile' nicht richtig verstand, das Ziel ('nach Syrien') daraus erschlossen, daß der Kronprinz in Syrien starb.

Antiochos kam nicht dazu, seinen neuen Posten anzutreten: in Syrien raffte ihn ein plötzlicher Tod hinweg, gegen Ende des Sommers 193[3]. Livius weiß zu berichten, im ganzen Reich habe große Trauer über sein Ableben geherrscht; denn nach seinen bisherigen Taten zu urteilen, habe er die Anlagen zu einem großen und gerechten Herrscher gehabt — man hört Polybios aus den Worten seines Übersetzers sprechen. Der Verdacht sei aufgetaucht, sein Vater habe geglaubt *gravem successorem eum instare senectuti suae* und ihn deshalb mit Gift beseitigen lassen; dem zweiten Sohn, Seleukos, habe er Lysimacheia als Residenz angewiesen (s. u. Nr. 2); für Antiochos habe er keinen solchen Sitz gefunden, auf den er ihn, unter dem Vorwand einer Ehrenstellung, hätte abschieben können[4]. Polybios hat anscheinend, wenn Livius ihn hier richtig wiedergibt, diesen Gerüchten Glauben geschenkt; denn es heißt weiter, der Hof habe sich einige Tage mit dem Anschein tiefer Trauer umgeben; der König habe in Wahrheit aber im verschlossenen Palast mit einem Vertrauten geheime

---

[1] Ch. Edson, a.a.O. S. 115 A. 30, hat im übrigen die hier gebotene Erklärung bereits erwogen, aber sofort wieder verworfen. Worin die 'inherent implausibility' (Edson) dieser Ansicht liegen soll, vermag ich nicht einzusehen.     [2] Vgl. u. S. 108 A. 4.

[3] Liv. XXXV 15, 2 (Text oben S. 15); Appian Syr. 12, 48. Zur Zeit des Todes vgl. A. Aymard, Rev. de phil. 66 (1940) S. 89ff.; REA 57 (1955) S. 107f. u. 108 A. 1 mit neuerer Lit. und erneuter Diskussion gegen E. Cavaignac, der sich weiterhin für das Jahr 192 entscheidet. Die letzte Datierung nach dem Mitregenten (O. Schröder [s. o. S. 13 A. 5] Nr. 32) vom 28. Januar 192 ist wohl postum (Aymard).

[4] Liv. (nach Polyb.) XXXV 15, 3—5.

Beratungen gehalten[1]. Diesen gehässigen Gerüchten Glauben zu schenken, besteht kein Grund[2]; und die lächerliche Begründung, der König habe seinen Sohn umbringen lassen mangels einer anderen Möglichkeit, ihn vom Hof zu entfernen, richtet sich selbst: das Vizekönigtum der Ostprovinzen hätte sich als vorzüglicher Weg zur ehrenvollen Entfernung des Prinzen angeboten (ganz abgesehen davon, daß die Bestallung mit diesem Amt ja anscheinend bezeugt ist). Die Quelle, aus der Polybios diese Skandalgeschichte übernommen hat, scheint sehr trübe gewesen zu sein; daß sie nicht vom syrischen Hof stammt, zeigt schon die mangelnde Vertrautheit mit der seleukidischen Verwaltung.

Der 'Mitregent' hat zeit seines Lebens im Schatten des energischen Vaters gestanden, der ihm, wie es scheint, vor 193 nie eine größere Aufgabe übertragen hat. Nach seinem Tod wurde Antiochos d. J. in den Kult der verstorbenen Könige aufgenommen[3]. Der Vater hat von nun an einige Jahre lang (193–189?) allein regiert[4]. Zum Nachfolger des Prinzen im Amt des Generalgouverneurs der Ostprovinzen ist vielleicht schon damals Menedemos ernannt worden, der durch eine nicht näher datierbare Inschrift in dieser Stellung bezeugt ist[5]; noch im Frühling des J. 193 war er nur Statthalter der Provinz Medien gewesen[6]. Falls die Ernennung des Prinzen zum Oberstrategen des Ostens mit einer akuten Parther- oder

---

[1] Ebd. 15, 6—7: *magni tamen luctus species per aliquot dies regiam tenuit; ... rex Ephesum omisso quod inchoaverat bello rediit. ibi per luctum regia clausa cum Minnione quodam ... secreta consilia agitavit.* Zur Staatstrauer vgl. E. BIKERMAN, Institutions S. 31 f.

[2] Vgl. A. AYMARD, REA 51 (1949) S. 336. Ich verstehe nicht, was AYMARD S. 336 A. 1 sagen will: „Il est remarquable et significatif qu'Appien, Syr., 12, ne fasse aucune allusion à ces bruits'. Appian wirft in diesem Kapitel Ereignisse aus den Jahren 193 und 192 bunt durcheinander. Wenn er in seiner kurzen Erzählung die Gerüchte nicht wiedergibt, so ist daran höchstens bemerkenswert, daß seine Quelle, die sonst Polybios benutzt hat, diese interessanten orientalischen Greuelmärchen nicht mit übernommen hat. Den Quellenwert der Appian-Stelle hatte AYMARD, Rev. de phil. 66 (1940) S. 97 A. 3; 102 A. 3 doch richtig beurteilt. — Auf der anderen Seite dürfen die Skandalgeschichten keinen Zweifel daran aufkommen lassen, daß der livianische Bericht aus Polybios stammt; Polybios hat derlei keineswegs verschmäht; vgl. das Familiendrama am Makedonenhof Polyb. XXIII 10—11; Liv. (nach Polyb.) XL 5; 8; 24; 54 ff.; dazu F. W. WALBANK, Philip V S. 246 ff.

[3] OGI 245, 17. 39; 246, 8.      [4] Vgl. u. S. 20 A. 4.

[5] Inschr. publ. v. L. ROBERT, Hellenica VIII (1949) S. 73 ff.; die ebd. VII (1949) S. 23 angegebene Datierung (130 sel. = 183/2 v. Chr.) hat sich als Irrtum erwiesen. Die εὔνοια εἰς τοὺς βασιλεῖς (Z. 3 f.), derentwegen Menedemos gelobt wird, kann sich also auf Antiochos III. und Antiochos d. Jüngeren (nach dessen Tod rückblickend, also 193—189), auf Antiochos III. und seinen Mitregenten Seleukos (189—187) oder auf Seleukos und seinen bereits toten Vater (rückblickend, ab 187) beziehen.

[6] Das Prostagma von Nihawend und der Begleitbrief des Menedemos (L. ROBERT, Hellenica VII [1949] S. 7 ff.) sprechen für diese Stellung des Menedemos. Vgl. VERF., RE Suppl. IX (1962) Sp. 401 Nr. 14.

Persergefahr zusammengehangen hatte, war die sofortige Ernennung eines Nachfolgers natürlich unumgänglich nötig.

2. **Seleukos IV. Philopator**[1] war der zweite Sohn des Königs (vorausgesetzt, daß nicht andere Kinder männlichen Geschlechts vorzeitig starben). Er wird nicht allzulange nach 220 geboren sein, denn im J. 196 wurde ihm bereits vom Vater Lysimacheia in Thrakien als Residenz aufgebaut[2]. Dort scheint er sich an der Spitze eines Heeres bis z. J. 191 aufgehalten zu haben[3]. Ob Antiochos III. das Reich des Lysimachos als Sekundogenitur wiedererrichten wollte, oder ob Thrakien unter Seleukos als Vizekönig im Reichsverband bleiben sollte, kann nicht entschieden werden. Obwohl Seleukos im Herbst 193 durch den Tod seines älteren Bruders Antiochos (s. Nr. 1) zum ersten Anwärter auf die Thronfolge aufrückte, wurde er anscheinend vom Vater zunächst noch nicht zum Mitregenten ernannt; Antiochos III. hat bis ins Jahr 189 v. Chr. allein regiert[4], was A. AYMARD mit einem Familiendrama am Seleukidenhof erklären will (s. o. S. 12). Erst als die Römer bereits in Asien gelandet waren, verließ Seleukos seinen Sitz in Lysimacheia; im Winter 191/90 und im Frühjahr 190 hatte er nicht unwichtige Kommanden in der Aiolis inne[5]. Im Herbst 190 kommandierte er in der Schlacht bei Magnesia am Sipylos den linken Flügel des Seleukidenheeres[6]; nach der Niederlage floh er nach Apameia in Phrygien[7]. Im Jahr nach der Niederlage scheint er zum Mitregenten ernannt worden zu sein[8]. Nach dem Tod seines Vaters (4. Juni 187? s. o. S. 1 f.) bestieg er den Thron, den er bis zu seiner Ermordung durch seinen 'Kanzler' Heliodoros am 3. Sept. 175 v. Chr.[9] innehatte. Verheiratet war Seleukos IV. mit einer Laodike, vielleicht mit

---

[1] Vgl. F. STÄHELIN, RE II A 1 (1921) Sp. 1242—45 Nr. 6.

[2] Polyb. XVIII 51, 8; Liv. XXXIII 40, 6; 41, 4; App. Syr. 3, 12. Im J. 197 war er wohl mit Antiochos, dem Kronprinzen, an der Spitze des Heeres nach Sardes gezogen; vgl. Liv. XXXIII 19, 9—10 und dazu o. S. 14 u. A. 4.

[3] Liv. XXXIII 41, 4; XXXV 15, 5; XXXVI 7, 15; vgl. Appian. Syr. 14, 58.

[4] Die letzte Datierung nach Antiochos allein stammt vom 10. Febr. 189 (O. SCHRÖDER [vgl. o. S. 13 A. 5] Nr. 14; vgl. A. AYMARD, REA 51 [1949] S. 337 A. 2), die erste nach Antiochos und Seleukos vom 11. Okt. 189 (ein unpubl. Text aus der J. Pierpont Morgan Library Collection; vgl. A. GOETZE, JNES 3 [1944] S. 46); der von F. X. KUGLER, Von Moses bis Paulus (1922) S. 325 zitierte astronomische Text vom Jahr 124 sel. (22. April 188 — 11. April 187), in dem nach Antiochos allein datiert wird, ist sicher anachronistisch.

[5] Liv. XXXVII 8, 5; 11, 15; 18, 1 ff.; 19, 7; 21, 6; Polyb. XXI 6, 2 ff.; 8, 3; 10, 13; Appian. Syr. 26, 123—131.    [6] Liv. XXXVII 41, 1; Appian. Syr. 33, 170.

[7] Liv. XXXVII 44, 6; Appian. Syr. 36, 187.

[8] S. o. Anm. 4. Die babyl. Königsliste, publ. v. SACHS-WISEMAN, nennt Seleukos nicht als Mitregenten.

[9] Appian. Syr. 45, 233; SACHS-WISEMAN, King-list, Rev. 9; A. AYMARD, REA 57 (1955) S. 109.

seiner Schwester, der Witwe seines älteren Bruders Antiochos (s. o. Nr. 1; u. Nr. 5)[1]. Aus dieser (?) Ehe[2] gingen der spätere Demetrios I., der von Antiochos IV. beiseite geschobene παῖς Σελεύκου[3] (er hieß wahrscheinlich Antiochos[4]) und Laodike, die spätere Gattin des Makedonenkönigs Perseus[5], hervor.

3. Antiochos IV. Epiphanes[6]. Das Geburtsjahr des jüngsten Sohnes ist unbekannt. Im Gegensatz zu seinen schon früher häufig erwähnten Brüdern wird er zum erstenmal genannt, als er auf Grund des Friedens von Apameia als Geisel nach Rom gehen mußte, etwa im J. 188[7]; man wird daher das Geburtsdatum nicht allzu hoch ansetzen dürfen, möglicherweise erst nach der Rückkehr seines Vaters vom Ostfeldzug (205/4)[8]. Antiochos mußte fast 13 Jahre in Rom bleiben, bis ihn sein

---

[1] Abgesehen von der durch L. ROBERT ergänzten susischen Freilassungsurkunde (SEG VII 2, s. o. S. 12) nennt SEG VII 17, ein Dokument der gleichen Art v. J. 183, diesen Namen für die Gattin des Seleukos IV. Bereits F. CUMONT, CRAI 1931, S. 284, hatte an die Schwester gedacht; vgl. ebenso M. HOLLEAUX, Etudes III S. 204 u. A. 4; W. W. TARN, The Greeks in Bactria and India (²1952) S. 185; L. ROBERT, Hellenica VII S. 18; A. AYMARD, Historia 2 (1953/4) S. 52 A. 5.

[2] Die Ehe mit dieser Laodike ist zum erstenmal im J. 183 bezeugt (SEG VII 17). Demetrios I. war im J. 163 v. Chr. 23 Jahre alt (Polyb. XXXI 2, 5), wurde also etwa 186 v. Chr. geboren. Die Ehe zwischen Perseus und der Tochter Laodike (vgl. u. A. 5) wurde im J. 178 geschlossen; das Mädchen muß also spätestens um 191 geboren sein. Falls sie eine Tochter der Prinzessin Laodike ist, müßte Seleukos seine Schwester im J. 192, also sehr bald nach ihrer Verwitwung (Herbst 193) geheiratet haben; da diese Verbindung mit Sicherheit im Zusammenhang mit der Thronfolgeordnung steht, wäre dieses Heiratsdatum mit dem 'Familiendrama' AYMARDS nur schwer in Einklang zu bringen. Doch ist es nicht ausgeschlossen, daß Seleukos damals bereits verheiratet war, und daß die Ehe mit Laodike erst nach dem Tod der ersten Frau geschlossen wurde — vorausgesetzt, daß es sich überhaupt um die Schwester handelt, was bei der Häufigkeit des Namens Laodike namentlich in den Herrscherhäusern von Syrien und Pontos keineswegs sicher ist.

[3] Johann. Antioch. fr. 58 (FHG IV p. 558); Diod. XXX 7, 2.

[4] Vgl. die ausführliche Diskussion bei A. AYMARD, Historia 2 (1953/54) S. 49—73 und REA 57 (1955) S. 109ff.

[5] Vgl. Polyb. XXV 4, 8ff.; Liv. XLII 12, 3; Appian. Mak. 11, 2; Syll.³ 639; F. STÄHELIN, RE XII 1 (1924) Sp. 707f. Nr. 20; zur Zeit vgl. P. MELONI, Perseo e la fine della monarchia macedone (1953) S. 119f.

[6] Vgl. U. WILCKEN, RE I 2 (1894) Sp. 2470—74 Nr. 17; unzuverlässig P. VAN T'HOF, Bijdrage tot de kennis van Antiochus IV Epiphanes, koning van Syrie (Diss. Amsterdam 1955). Möglicherweise trug Antiochos zunächst einen anderen Namen und wurde erst nach 193, nach dem Tod seines ältesten Bruders Antiochos, so genannt (vgl. A. AYMARD, Historia 2 [1953/4] S. 63 A. 3; 64 A. 1).

[7] Appian. Syr. 39, 200—202; vgl. Liv. XLII 6, 9; Justin. XXXIV 3, 2; Ascon. Pedian. in Pison. p. 13 CLARK; vgl. P. VAN T'HOF a.a.O. S. 20—26. Zur Zeit vgl. M. HOLLEAUX, Etudes II S. 129 A. 3.

[8] T. p. qu. ist das Jahr 218: der älteste Sohn ist 220 geboren, danach, frühestens 219, Seleukos (IV.). Aus der Behauptung des Zenon von Rhodos (FGrHist 523 F 6), daß

älterer Bruder Seleukos IV. gegen seinen Sohn Demetrios austauschte (188—176/5)[1]. Bei seinem Aufenthalt in Athen erreichte ihn die Nachricht von der Ermordung des regierenden Bruders (175; s. o. Nr. 2); noch im selben Jahr gelangte er mit pergamenischer Hilfe auf den Thron, wobei die Söhne des Seleukos IV. übergangen wurden[2]. Auch Antiochos IV. war verheiratet mit einer Laodike[3]; es ist möglich, daß es sich wiederum um die Schwester dieses Namens (s. u. Nr. 5) handelte, die zuvor mit seinen Brüdern Antiochos (s. o. Nr. 1) und Seleukos IV. (s.o. Nr. 2) verheiratet war[4]. Laodike muß um 175 v. Chr. etwa 35—40 Jahre alt gewesen sein, also vermutlich etwa 5—10 Jahre älter als Epiphanes; wenn dieser wirklich seine Schwester geheiratet hat, so kann er es wohl nur getan haben, um seiner Herrschaft Legitimität zu verleihen. Antiochos' Bedeutung liegt vor allem in seinen Versuchen, sein Reich zu reorganisieren und das Ptolemäerreich zu erobern[5]. Um das Jahr 164 starb der König in der Persis an einer Krankheit, nachdem er versucht hatte, seine Kasse mit dem Schatz eines Tempels in der Elymais wieder aufzufüllen[6].

Antiochos (IV.) neben dem ältesten Bruder an der Schlacht am Panion (200 v. Chr.) teilgenommen habe, wäre zu folgern, daß der Prinz nicht viel später als 218 geboren sein könne; doch hat Polybios (XVI 18—19) dies schlüssig als Irrtum des Zenon entlarvt. Der Versuch P. van t'Hofs (a.a.O. S. 15 f.), aus den Angaben über die Heiratspolitik Antiochos' III. (Appian. Syr. 5, 18) einen Anhaltspunkt für den t. a. qu. (209) zu gewinnen, ist mißglückt; nirgends wird gesagt, daß Antiochos (IV.) vor den drei Mädchen geboren sei (so aber van t'Hof S. 15). Wie alt Antiochos war, als er 188 v. Chr. als Geisel nach Rom kam, wissen wir nicht; daß er damals 'een volwassen man was' (van t'Hof S. 16), ist eine petitio principii, ebenso, daß er (während der ganzen Zeit) 'als iemand, die, wat zijn leeftijd betreft, tot oordelen bevoegd was', in Rom gelebt habe: Antiochus befand sich etwa von 188—176/5 in Rom; selbst wenn er als nur 15jähriger dorthin gekommen wäre (d.h. um 203 v. Chr. geboren), wäre er als 27jähriger zurückgekehrt, also in einem Alter, welches genügt, um die Eindrücke zu erklären, denen seine im übrigen etwas oberflächliche Nachahmung römischer Institutionen zuzuschreiben ist. [1] Appian. Syr. 45, 232 f.

[2] Vgl. A. Aymard, Autour de l'avènement d'Antiochos IV. Historia 2 (1953/4) S. 49—73; dazu REA 57 (1955) S. 109 ff. Aymard zufolge hat Antiochos IV. nicht einen Sohn seines Bruders Seleukos IV., sondern einen eigenen, ebenfalls Antiochos genannten Sohn zum Mitregenten gemacht; dieser Sohn sei möglicherweise einer ersten, in Rom geschlossenen Verbindung entsprossen. Aymards Beweisführung ist nicht völlig überzeugend; zu einer Auseinandersetzung ist hier nicht der Ort. [Vgl. bereits M. Zambelli, Riv. di Filol. 38 (1960) S. 363 ff.].

[3] OGI 252; SEG VII 15 (vgl. L. Robert, Rev. de phil. 1936, S. 147 ff.).

[4] Vgl. A. Bouché-Leclercq, Séleucides S. 246 und die o. S. 21 A. 1 angegebene Literatur. Kinder aus dieser Ehe: Antiochos V. Eupator (RE I 2 [1894] Sp. 2476 f. Nr. 28) und Laodike (RE XII 1 [1924] Sp. 708 f. Nr. 23). B. Niese III S. 219 A. 2 vermutet, die Nebenfrau Antiochis des Epiphanes (II. Makk. 4, 30) habe ebenfalls der Dynastie angehört.

[5] Vgl. zusammenfassend H. Bengtson, Griech. Gesch.² (1960) S. 481—483.

[6] Polyb. XXXI 9, 3 f.; Diod. XXXI 18a; Appian. Syr. 66, 352; Hieron. in Dan. XI 36 und 44; Joh. Antioch. fr. 58 (FHG IV p. 559); anders I. Makk. 6, 1—16; II. Makk. 9; Joseph. AJ XII 358 ff.; c. Apion. II 80 ff. Vgl. M. Holleaux, Etudes III S. 255 ff.

Nach Liv. XXXIII 19, 9—10: *praemissis ... filiis duobus Ardye ac Mithridate* ... hat man früher diese beiden Männer ebenfalls unter die Söhne des Antiochos III. gerechnet. M. Holleaux hat jedoch nachgewiesen, daß der Livius-Text hier verderbt ist[1]; Ardys ist ein auch sonst bekannter General ohne erkennbare Verbindung zum Königshaus gewesen; zu Mithridates s. u. S. 29f.

4. Antiochos III. hat im J. 206 bei den Friedensverhandlungen mit Euthydemos von Baktrien vorgeschlagen, daß eine seiner Töchter (unbekannten Namens) den baktrischen Prinzen Demetrios heiraten solle[2]. Von der Eheschließung selbst ist nichts überliefert, was freilich am Zustand der Quellen liegen dürfte; immerhin besteht die Möglichkeit, daß diese Tochter mit einer der folgenden identisch ist[3]. Auch dieses Mädchen dürfte damals dem heiratsfähigen Alter (mindestens 12—14 Jahre) ziemlich nahe gewesen sein, da man für den bereits erwachsenen[4] Prinzen wohl kaum eine erst nach mehreren Jahren zu vollziehende Ehe in Aussicht genommen hat. Das Mädchen dürfte also spätestens kurz nach 220 geboren sein.

5. Laodike[5]. Sie heiratete im Winter 196/5 ihren ältesten Bruder Antiochos (s. o. Nr. 1), muß also damals mindestens 12—14 Jahre alt

---

[1] Vgl. o. S. 14 A. 4.   [2] Polyb. XI 34, 9.

[3] Vgl. M. Holleaux, Etudes III S. 187 A. 3. — Appian. Syr. 5, 18 sagt in der Aufzählung der Töchter, die Antiochos vor dem Römerkrieg verheiraten wollte: τὴν ἔτι λοιπὴν Εὐμένει (ἔπεμπεν). Daraus läßt sich natürlich höchstens schließen, daß Antiochos III. damals (in den neunziger Jahren) nur vier unverheiratete Töchter hatte: Laodike, Kleopatra, Antiochis und die von Eumenes zurückgewiesene. Die für Demetrios von Baktrien in Aussicht genommene Tochter kann inzwischen Demetrios oder einen anderen geheiratet haben oder gestorben sein. Zudem ist es fraglich, ob man Appian hier Vertrauen schenken darf; wenn er nicht mehr wußte, sprach er natürlich von der vierten Tochter als 'der noch übrigen'. A. v. Gutschmid, Gesch. Irans (1888) S. 48 u. A. 1, glaubt, die Ehe sei zustande gekommen, da später bei den baktrischen Griechen der Name Laodike vorkomme; vielleicht habe Antiochos III. seiner Tochter Arachosien zur Mitgift gegeben. Aber Laodike erscheint m. W. nur als Gattin des Heliokles auf Münzen; in dieser Frau hat Tarn, Greeks S. 196f., eine seleukidische Prinzessin, die Mutter des Eukratidas sehen wollen (vgl. u. S. 24 A. 1); damit kommt man in spätere Zeit. Tarns Ansatz ist freilich ebenso hypothetisch wie alles andere. A. D. H. Bivar, Num. Chron. VI. ser. 11 (1951) S. 29—31 (vgl. 33) glaubt ebenfalls an das Zustandekommen der Ehe; er teilt die von G. Macdonald (Cambr. Hist. of India I S. 448) einem Demetrios zugeschriebenen Münzen mit dem typisch seleukidischen Perl-Stab-Randmuster dem Demetrios I. als Unterkönig seines Vaters (bald nach 206) zu; der seleukidische Einfluß sei auf die durch die Ehe hergestellten freundschaftlichen Beziehungen mit dem Seleukidenreich zurückzuführen. Auch hier ist man aber von Sicherheit weit entfernt; solche Muster können auch ohne politische Beziehungen in Mode kommen.

[4] Polyb. XI 34, 9: νεανίσκον (vgl. zur Terminologie o. S. 8f. u. S. 9 A. 3); unrichtig W. W. Tarn, The Greeks in Bactria and India (²1952) S. 73 u. A. 7: 'about 19 to 20, no more'.   [5] Vgl. F. Stähelin, RE II 1 (1924) Sp. 707 Nr. 18.

gewesen sein, was auf etwa 210—209 v. Chr. als *terminus ante quem* ihrer Geburt führt. Wahrscheinlich gebar Laodike ihrem Gatten eine Tochter namens Nysa (vgl. o. S. 15 u. A. 1). Im Frühjahr 193 wurde die Kronprinzessin zur Erzpriesterin (ἀρχιέρεια) des Reichskults ihrer Mutter, der Königin Laodike, in der Satrapie Medien ernannt[1]; wahrscheinlich hat sie ihr Amt nicht angetreten, da ihr Mann, ebenfalls in den Osten des Reichs entsandt, schon im frühen Herbst des gleichen Jahres starb (s. o. Nr. 1). Es ist möglich, daß Laodike in der Folge ihren zweiten Bruder Seleukos (IV.) und nach dessen Tod den dritten Bruder Antiochos IV. geheiratet hat (vgl. o. Nr. 2 und 3).

6. **Antiochis.** Sie wurde in den letzten Jahren vor dem Ausbruch des Römerkrieges mit Ariarathes IV. Eusebes von Kappadokien vermählt[2], der ihren Vater in der Schlacht bei Magnesia (190) unterstützte[3], aber bald einen Friedensvertrag mit Rom schließen mußte[4]. Da sie in den ersten Ehejahren keine Kinder gebar, soll sie ohne Wissen ihres Mannes zwei Knaben, Ariarathes und Orophernes, als ihre Söhne ausgegeben haben[5]; später gebar sie jedoch zwei Töchter[6] und einen Sohn, Mithri-

---

[1] Inschr. v. Nihawend, ed. L. Robert, Hellenica VII (1949) S. 7, Z. 26f.: ἐπεὶ οὖν ἀποδέδεικτ[αι] / ἐν τοῖς ὑπὸ σ[ὲ τό]ποις Λαοδίκη{ς}, συν[τελείσθω]... Laodike ist nicht näher bezeichnet; L. Robert, a.a.O. 18 vertritt mit Recht die Auffassung, daß dies nur möglich sei, wenn es sich um die Kronprinzessin handle. Demgegenüber wollte A. G. Roos, Mnemosyne IV ser. 3 (1950) S. 58ff.; vgl. 4 (1951) S. 70ff. ergänzen: ἐν τοῖς ὑπὸ σ[ὲ τό]ποις < Λαοδίκη ἡ θυγάτηρ ἐμοῦ καὶ τῆς ἀδελφῆς βασιλίσσης > Λαοδίκης (er nimmt also auch die Identität der Priesterin mit der Prinzessin an); doch vgl. dagegen J. et L. Robert, Bull. ép. 1951, 234, die an ihrer Erklärung festhalten, daß es sich lediglich um eine Dittographie des Sigma handle. — Ch. Edson, Class. Phil. 49 (1954) S. 114ff., leugnet die Identität und schlägt vor, in der Priesterin Laodike eine Verwandte des Herrscherhauses zu sehen, die Mutter des Baktrers Eukratidas (vgl. W. W. Tarn, The Greeks in Bactria and India S. 196f.). Vgl. dagegen bereits J. et L. Robert, Bull. ép. 1955, 254; oben S. 17ff., wo auch weitere, mit Laodikes Ernennung zusammenhängende Fragen erörtert sind.

[2] Diod. XXXI 19, 7; Appian. Syr. 5, 18; Zonar. IX 18, 7. Der genaue Zeitpunkt ist aus den Quellen nicht zu bestimmen; vgl. weiter unten. Die irrige Identifizierung der Antiochis mit der gleichnamigen Schwester des Antiochos III. (s. u. S. 28) durch E. Babelon (Rois de Syrie, d'Arménie et de Commagène, S. CXCVf.; CCXXf.; vgl. J. Marquart, Philol. 54 [189] S. 504ff.; dagegen B. Niese, II S. 397 A. 4; M. Holleaux, Etudes III S. 192), wird wohl von niemand mehr aufrecht erhalten.

[3] Liv. XXXVII 31, 4; 40, 10; Appian. Syr. 32, 164.

[4] Polyb. XXI 41, 4f.; 45; Liv. XXXVII 37, 5f.; 39, 6.

[5] Zum Folgenden vgl. Diod. XXXI 19, 7f.

[6] Die Namen sind unbekannt. Die eine Tochter wurde später zusammen mit der Mutter im Seleukidenreich ermordet (s. weiter unten); die andere könnte identisch sein mit Stratonike, der Tochter des Ariarathes IV., die im J. 188 mit Eumenes II. von Pergamon verlobt, aber anscheinend erst geraume Zeit später verheiratet wurde; doch ist es möglich, daß Stratonike aus einer früheren Ehe des Ariarathes stammte. Vgl. D. Magie, Roman Rule II S. 770f. A. 72.

dates. Sie erreichte es, daß die beiden untergeschobenen 'Söhne' entfernt wurden (Ariarathes wurde nach Rom geschickt[1], der jüngere nach Ionien). Ihr Gatte hatte um 220 v. Chr. als νήπιος παντελῶς[2] den Thron bestiegen; in den neunziger Jahren, als er heiratete, stand er also mindestens vor der Vollendung des dritten Lebensjahrzehnts, was es unwahrscheinlich macht, daß Antiochis damals noch nicht das heiratsfähige Alter erreicht hatte. Ihr Mann, Ariarathes IV., wollte ihrem (echten) Sohn Mithridates, der sich ἀνδρωθείς Ariarathes nannte, die Herrschaft übergeben; der Sohn soll aber aus Pietät gegenüber dem Vater abgelehnt haben[3]. Ariarathes IV. starb 163 v. Chr.; der Sohn muß aber bereits einige Zeit vorher ein Alter erreicht haben, das ihn zur Regierung befähigte, was seine Geburt nicht lange nach 190 v. Chr. datieren läßt. Die Zeit, in der seine Mutter keine Kinder gebar, muß mehrere Jahre betragen haben, da sie sonst wohl nicht zu dem verzweifelten Mittel der Kindesunterschiebung gegriffen hätte. Ihre Eheschließung wird also bereits in die Mitte der neunziger Jahre zu setzen sein; sie ist demnach spätestens um 210 v. Chr. geboren worden. — Ihr Sohn Mithridates bestieg nach dem Tod des Vaters als Ariarathes V. Eusebes Philopator (163—130) den Thron[4], hatte aber später mit seinem 'Bruder' Orophernes um die Herrschaft zu kämpfen[5]. Seine Mutter Antiochis und eine seiner Schwestern scheinen kurz vor seinem Regierungsantritt im Seleukidenreich ermordet worden zu sein; denn Polybios berichtet unter oe. 154, 1 = 164/3, Ariarathes V. habe ihre Gebeine von Lysias, dem 'Kanzler' des unmündigen Antiochos V., zurückgefordert und dabei trotz seines Zorns darauf verzichtet, wegen der 'Freveltat' Vorwürfe zu erheben[6]. Die Frauen scheinen also bei der Regierungsübernahme durch Antiochos V., d. h. durch Lysias ermordet worden zu sein; wieso Antiochis sich damals in Antiocheia befand und ob sie, die Tante des Antiochos V. wie des rechtmäßigen Thronerben Demetrios (I.), in die Erbfolgestreitigkeiten einzugreifen suchte, ist unbekannt[7].

7. Eine Tochter, deren Name nicht genannt wird, spielte ebenfalls eine Rolle in der Heiratspolitik des Antiochos III. in den Jahren vor dem Ausbruch des Kriegs mit Rom: der König bot sie dem pergamenischen König

---

[1] S. auch Liv. XLII 19, 3—6.
[2] Diod. XXXI 19, 6; vgl. Iustin. XXIX 1, 4: *puero admodum*.
[3] Diod. XXXI 19, 7—8.
[4] Vgl. dazu auch Polyb. XXXI 3, 1—5; 7, 1. Zu Ariarathes V. vgl. etwa D. MAGIE, Roman Rule I S. 150f.; 202.
[5] Polyb. III 5, 2; XXXII 10—12.    [6] Polyb. XXXI 7, 2—4.
[7] Vgl. z. B. NIESE III S. 220: 'gewiß aus keinem anderen Grunde, als weil man in ihr eine Anhängerin des Demetrios sah'. A. BOUCHÉ-LECLERCQ, Séleucides S. 310f., hält eine Einmischung der πανοῦργος μάλιστα (Diod. XXXI 19, 7) Antiochis immerhin für möglich.

Eumenes II. zur Frau an; Eumenes, der treue Bündner Roms, lehnte jedoch die Heiratsverbindung höflich ab, da er die Absicht des Seleukiden erkannte, ihn für den Fall eines Krieges mit Rom auf seine Seite zu ziehen[1]. Eumenes war damals längst erwachsen[2]; auch ihm ist sicher eine bereits heiratsfähige Ehekandidatin angetragen worden.

8. Kleopatra[3]. Sie wurde vermutlich im J. 195 mit Ptolemaios V. Epiphanes verlobt[4], den sie im Winter 194/3 in Raphia heiratete[5]. Das Volk von Alexandreia nannte sie, wohl etwas verächtlich, ἡ Σύρα[6]. Ihr Gatte war zur Zeit der Hochzeit etwa 16 Jahre alt[7]; der Thronfolger, der spätere Ptolemaios VI. Philometor, wurde wahrscheinlich erst 184 oder 183 v. Chr. geboren[8]. In Anbetracht des jugendlichen Alters ihres Gatten ist es daher wahrscheinlich, daß hier eine Kinderehe vorliegt, daß also Kleopatra bei ihrer Hochzeit das Mindestheiratsalter von etwa 12—14 Jahren noch nicht erreicht hatte, sondern erst nach der Rückkehr des Vaters aus dem Osten (etwa 205/4) zur Welt gekommen ist. — Kleopatra (I.) hat nach dem Tod ihres Mannes (nach dem 20. Mai 180[9]) mit ihrem Erstgeborenen zusammen regiert[10]; sie ist vermutlich im Lauf des Jahres 176 v. Chr. gestorben[11].

---

[1] Appian. Syr. 5, 18—20; Polyb. XXI 20, 8. O. LEUZE, Hermes 58 (1923) S. 211 f. datiert das Angebot auf 192/191, E. V. HANSEN, Attalids of Pergamon (1947) S. 71, auf 193. Vgl. D. MAGIE, Roman Rule I S. 18; II S. 756 A. 52.

[2] Er wurde vermutlich um 221 v. Chr. geboren (vgl. C. MEISCHKE, *Symbolae ad Eumenis II Pergamenorum regis historiam* [Diss. Leipzig 1892] S. 24ff.), war also um 193 nahezu 30 Jahre alt.     [3] Vgl. F. STÄHELIN, RE XI 1 (1921) Sp. 738—740 Nr. 4.

[4] Zur Chronologie vgl. O. LEUZE, Hermes 58 (1923) S. 221ff.; F. W. WALBANK, JEA 22 (1936) S. 22f. Im Sommer 196 bezeichnete Antiochos III. auf der Konferenz zu Lysimacheia die Verbindung als geplant (Polyb. XVIII 51, 10; Liv. XXXIII 40, 3; Diod. XXVIII 12; Appian. Syr. 3, 13). Nach Hieron. in Dan. XI 17 hätte die Verlobung im 7., die Vermählung im 13. Regierungsjahr des Ptolemaios V. stattgefunden, d.h. 199/8 bzw. 193/2 v. Chr.; über die Unzuverlässigkeit dieser Angabe vgl. O. LEUZE a.a.O.; zur Chronologie des Epiphanes s. u. Kap. IV. Das Chronicon Paschale setzt die Verlobung ins 7. Jahr des Epiphanes = Ol. 145, 2 (199/8) = Konsulatsjahr des Purpurio und Marcellus (196).

[5] Liv. XXXV 13, 4; Appian. Syr. 5, 18; Hieron. a.a.O. (vgl. vor. Anm.); Zonar. IX 18, 7. Vgl. o. S. 15, zur Chronologie O. LEUZE a.a.O. Zur angeblichen Abtretung Koilesyriens an das Ptolemäerreich (als Mitgift; vgl. Joseph. AJ XII 154f.; Appian. Syr. 5, 18; Hieron. in Dan. XI 17; dagegen Polyb. XXVIII 20, 6ff.) vgl. die bei H. BENGTSON, Strategie II S. 161 A. 2 angegebene Literatur.

[6] Appian. Syr. 5, 18; dazu und zu ihrer späteren Politik gegenüber Syrien vgl. W. OTTO, Zur Gesch. d. Zeit d. 6. Ptolemäers S. 24.     [7] Zu seiner Geburtszeit s. u. Kapitel IV.

[8] W. OTTO, a.a.O. S. 3ff.; vgl. dagegen jedoch F. HAMPL, Gnomon 12 (1936) S. 31; H. VOLKMANN, RE XXIII 2 (1959) Sp. 1702. Weit über die Mitte der achtziger Jahre wird man jedenfalls nicht hinaufgehen können. Die Geschwister Philometors sind wohl alle später zur Welt gekommen.

[9] Th. C. SKEAT, The Reigns of the Ptolemies (1954) S. 32f.

[10] W. OTTO, a.a.O. S. 1f.     [11] Th. C. SKEAT, a.a.O. S. 33.

Während die Reihenfolge, in der die Söhne geboren wurden, sich aus der Abfolge auf dem Thron ohne weiteres ergibt, ist die Reihenfolge der Töchter nur schwer zu bestimmen[1]. Die älteste ist aller Wahrscheinlichkeit nach die für den baktrischen Thronfolger in Aussicht genommene (Nr. 4); sie ist spätestens kurz nach 220 geboren (s. o.); doch besteht die Möglichkeit, daß sie bereits Anfang 221 zur Welt kam: Antiochos III. hat im Sommer 222 geheiratet, sein ältester Sohn (Nr. 1) ist aber erst Anfang 220 geboren. Die jüngste Tochter ist wahrscheinlich Kleopatra (Nr. 8), nach 205/4 geboren. Für Laodike (Nr. 5), Antiochis (Nr. 6) und die dem Eumenes angebotene Prinzessin (Nr. 7) haben sich die Jahre um 210—208 als *terminus ante quem* ihrer Geburt ergeben; der König ist aber spätestens im Frühjahr 210 endgültig nach dem Osten aufgebrochen[2], und es ist mehr als unwahrscheinlich, daß ihn die Königin auf dem strapaziösen, jahrelangen Marsch begleitet hat. Somit dürften diese drei Töchter in den Jahren zwischen 220 und 210 zur Welt gekommen sein.

Da es sich als nicht unwahrscheinlich erwiesen hat, daß — wie Kleopatra — auch Antiochos (IV.) erst nach der Rückkehr des Vaters aus dem Osten geboren worden ist, ergibt sich folgende ungefähre Abfolge:

| | |
|---|---|
| Anf. 221 ? | Tochter X (dem Demetrios versprochen) |
| Anf. 220 | Antiochos |
| zw. 219 u. 210 | Seleukos, Laodike, Antiochis, Tochter X (dem Eumenes zugedacht) |
| nach 204 | Antiochos (IV.), Kleopatra |

Die Geschwister des Antiochos III.

1. Seleukos III.[3] Der ältere Bruder des Antiochos hieß als Prinz Alexandros und nahm erst als König den dynastischen Namen Seleukos an[4]. Daraus ist nicht ohne weiteres zu schließen, daß vor ihm bereits ein (vor dem Tode des Vaters verstorbener) Bruder geboren worden sei, der einen der in der Dynastie üblichen Namen Seleukos oder Antiochos getragen hätte. Seleukos war vermutlich nur 1 oder 2 Jahre älter als Antiochos III.[5] Er bestieg den Thron wahrscheinlich im J. 225[6], im Alter von kaum 20 Jahren. Anscheinend war er nicht verheiratet; jedenfalls hatte er keinen männlichen Nachwuchs, denn das Heer rief erst Achaios, den

---

[1] Vgl. die Stammtafel.   [2] Vgl. o. S. 13 A. 5.
[3] Vgl. F. Stähelin, RE II A 1 (1921) Sp. 1241/2 Nr. 5.
[4] Euseb. Chron. I p. 253 Sch. = p. 119 K. Daß er der ältere Bruder war, geht aus Polyb. V 40, 5 (διὰ τὴν ἡλικίαν) hervor.
[5] Vgl. o. S. 7. Wenn die dort gemachten Ausführungen zutreffen, dürfte Seleukos 244 oder 243 v. Chr. geboren sein. Vgl. unten Nr. 3.
[6] Vgl. die Berechnung bei K. J. Beloch, Gr. Gesch. IV 2, S. 196.

Verwandten der Brüder, dann den jüngeren Bruder Antiochos zum König aus[1]. Der Tod des Seleukos III. fällt in den Hochsommer des J. 223 v. Chr., etwa in den Juli oder August[2]. Den Kultbeinamen 'Soter' scheint er erst geraume Zeit später erhalten zu haben[3]; das Heer nannte ihn zu seinen Lebzeiten 'Keraunos'[4].

2. Antiochis. Im J. 212 v. Chr. (?) vermählte Antiochos III. seine Schwester Antiochis mit dem armenischen König Xerxes[5]. Da Xerxes in diesem Zusammenhang als νεανίσκος bezeichnet wird[6], also wohl etwa 20 bis 25 oder allenfalls 30 Jahre alt war, wird man annehmen dürfen, daß Antiochis damals noch ein junges Mädchen war, jedenfalls jünger als der damals etwa dreißigjährige Antiochos III. Später soll Antiochos den Xerxes mit Hilfe seiner Schwester beseitigt haben[7].

3. Eine weitere Schwester scheint mit einem iranischen oder armenischen (?) Fürsten verheiratet gewesen zu sein[8]; ein Sohn aus dieser Ehe war Mithridates (s. u. S. 29f.). Da dieser im J. 212 v. Chr. bereits erwachsen gewesen zu sein scheint, d. h. spätestens 230 v. Chr. geboren wurde, dürfte seine Mutter älter als Antiochos III., sogar älter als Seleukos III. gewesen sein; nach dem oben (S. 7) Ausgeführten dürfte sie etwa im J. 245 geboren sein und mit etwa 12—14 Jahren geheiratet haben.

Zu einer dritten, ebenfalls älteren Schwester des Antiochos, die man in der Mutter des 'Neffen' Antipatros zu erkennen glaubte, vgl. das Folgende.

---

[1] Vgl. u. S. 109f.    [2] S. o. S. 2f.
[3] Vgl. OGI 245, Z. 16. 38 (aus der Zeit des Seleukos IV.); das Dekret der Stadt Antiocheia in der Persis (OGI 233, Z. 4) aus der Zeit um 205 v. Chr. kennt diesen Beinamen noch nicht.    [4] Euseb. Chron. I 251 Sch.
[5] Polyb. VIII 23, bes. § 5; Johann. Antioch. fr. 53 (FHG IV p. 557). Das Kapitel ist in den Polybiosausgaben unter oe. 141, 3 = 214/3 eingereiht, gehört aber wahrscheinlich ins nächste Jahr; vgl. H. Nissen, Rhein. Mus. 26 (1871) S. 257f.; B. Niese II S. 397; M. Holleaux, CAH VIII S. 139f. Zu Xerxes vgl. H. Bengtson, Strategie II S. 62; H. H. Schmitt, RE s. v. (ersch. demnächst).
[6] Polyb. VIII 23, 3. 4. Zur Terminologie vgl. o. S. 8f.
[7] Johann. Antioch. a.a.O., dessen Bericht — wie meist — recht verwirrt ist: ........ ὅτι κατὰ τὸν χρόνον ὅτε ᾿Αννίβας ἐπολέμει τοῖς ῾Ρωμαίοις, ᾿Αντίοχος ὁ τῆς Συρίας βασιλεὺς ὑπὸ Πτολεμαίου τοῦ Αἰγυπτίων ἄρχοντος πολεμούμενος, Ξέρξῃ τῷ ᾿Αρμενίων τυράννῳ τὴν ἑαυτοῦ ἀδελφὴν συνοικήσας, ἐκεῖνον μὲν διὰ τῆς ἀδελφῆς διεχρήσατο, τὴν δὲ Περσῶν βασιλείαν αὖθις ἀνεκτήσατο. Ob sich die Zeitangaben (II. Punischer Krieg, IV. oder V. Syrischer Krieg) auf συνοικήσας oder auf διεχρήσατο beziehen, ist unklar. Im ersten Fall ist die Angabe des Syrischen Kriegs sicher falsch; im zweiten Fall könnte man an die letzten Jahre des III. Jhdts. denken (Ende des II. Pun. Krieges 202/1, Beginn des V. Syr. Krieges etwa 202; vgl. u. S. 235f.). Aber die 'Wiedergewinnung des Perserreiches' scheint sich doch auf den iranischen Feldzug zu beziehen. Es hat den Anschein, als habe Johannes Antiochenus (oder sein Exzerptor?) alle Zeitangaben zusammengepfercht, die er im Zusammenhang mit der Geschichte gefunden hat.
[8] Vgl. M. Holleaux, Etudes III S. 192.

## Weitere Verwandte

Antipatros, der 'Neffe des Königs'[1]. In der Schlacht bei Raphia (217 v. Chr.) führte ein Antipatros ein Korps von 4000 Reitern[2]; er muß also damals mindestens 20 Jahre alt gewesen, folglich spätestens um 237 v. Chr. geboren worden sein.

Nach der Niederlage erreichte er als Gesandter des syrischen Königs einen einjährigen Waffenstillstand[3]. In der Schlacht am Panion (200 v. Chr.) kommandierte er wieder einen Truppenteil[4]. Im J. 190 v. Chr., nach der Niederlage des Antiochos III. bei Magnesia, erscheint Antipatros in einer ähnlichen Mission wie im J. 217; zusammen mit Zeuxis[5] reiste er zu den Scipionen nach Sardes, um über die Friedensbedingungen zu unterhandeln; seine Vollmacht war umfassend. Bald darauf fuhren die Unterhändler über Ephesos nach Rom, wo sie vor dem Senat den Frieden abschlossen (189 v. Chr.)[6]. Antipatros wird von Polybios mehrmals[7] als ὁ (τοῦ βασιλέως) ἀδελφιδοῦς bezeichnet, was Livius, sicher irrig, als *fratris regis filius* wiedergibt[8]. Während man früher glaubte, Antipatros sei der Sohn einer älteren Schwester des Antiochos III. gewesen, hat M. Holleaux[9] nachgewiesen, daß Antiochos keine Schwester gehabt haben kann, die bereits Anfang der dreißiger Jahre des III. Jhdts. Kinder haben konnte. Antipatros' Mutter muß vielmehr eine Tante des Seleukos III. und des Antiochos III. gewesen sein, also eine Schwester des Seleukos II. und Tochter des Antiochos II. Theos; Holleaux' Ansicht, sie sei mit einem Verwandten der regierenden Könige verheiratet gewesen[10], ist plausibel. Antipatros war also ein etwa gleichaltriger Vetter des Antiochos III.; sein Titel 'Neffe des Königs' ist ihm, nach Holleaux' Vermutung, auch unter den Söhnen seines Onkels Seleukos II., also seinen Vettern, geblieben.

Mithridates[11]. Als Antiochos III. im J. 212 gegen den armenischen Fürsten Xerxes zog (vgl. o. S. 28), wollten ihn seine Berater dazu überreden, Xerxes abzusetzen und an seiner Stelle seinen Schwestersohn Mithridates zum Herrn des Landes zu machen; Antiochos lehnte dieses Ansinnen freilich ab[12]. Im J. 197 stand Mithridates neben Ardys und den

---

[1] Vgl. U. Wilcken, RE I 2 (1894) Sp. 2512f. Nr. 19; dazu M. Holleaux, Etudes III S. 195—198.   [2] Polyb. V 79, 12; 82, 9.   [3] Polyb. V 87, 1. 4.
[4] Polyb. XVI 18, 7.   [5] S. über ihn u. S. 129ff.; 179; 241ff. u. ö.
[6] Polyb. XXI 16, 4—17, 12; Liv. XXXVII 45, 4—21; Polyb. XXI 24; Liv. XXXVII 55, 1—3; 56, 8—10.   [7] Polyb. V 79, 12; 87, 1; XXI 16, 4.
[8] Liv. XXXVII 45, 5; 55, 3.   [9] Etudes III S. 192.
[10] A. a. O. S. 198; die dort A. 1 geäußerten Vermutungen über seine Identität sind wenig überzeugend.   [11] Vgl. zu ihm M. Holleaux, Etudes III S. 183—193.
[12] Polyb. VIII 23, 3f. Über die Mutter des Mithridates vgl. o. S. 28.

beiden ältesten Söhnen des Königs an der Spitze des Landheeres, das Kleinasien erobern sollte; ein Fehler im Liviustext hat dazu geführt, daß man ihn lange für einen Sohn des Antiochos III. hielt[1]. Im Zuge dieser Operationen scheint er durch Lykien gekommen zu sein, wo sich ihm die Stadt Arykanda ergab[2]. Vermutlich waren die beiden Prinzen nur die nominellen Führer des Heeres; die eigentlichen Leiter des Feldzugs dürften Ardys und Mithridates gewesen sein[3]. Mithridates war demnach im J. 197 wohl bereits ein erfahrener Offizier im Alter von mindestens 30 Jahren; und es ist anzunehmen, daß er im J. 212, als man ihn auf den armenischen Thron setzen wollte, bereits einigermaßen erwachsen war. Mithridates dürfte demnach spätestens 230 v. Chr. geboren sein.

Achaios[4], Sohn des Andromachos (Polyb. IV 51, 4; VIII 20, 11). Er hat bereits um 228 v. Chr. zusammen mit seinem Vater als Feldherr des Seleukos II. gegen Antiochos Hierax gekämpft[5], ist also spätestens 250 v. Chr. geboren. Im J. 223 v. Chr. begleitete er Seleukos III. über den Taurus; nach der Ermordung des Königs bestrafte er die Täter und setzte gegen den Widerstand des Heeres die Anerkennung des Antiochos III. als Königs durch[6]. Von Antiochos zum Vizekönig Kleinasiens ernannt, eroberte er in den folgenden Jahren das von Attalos I. gewonnene Anatolien für das Reich zurück, setzte sich aber nach diesen Erfolgen das Diadem auf und erklärte seine Unabhängigkeit[7]. Im J. 218 v. Chr. mußte er einen Zug nach Pamphylien abbrechen, weil in seinem Rücken Attalos I. wieder vormarschiert war[8]. Im J. 216 zog Antiochos III., mit Attalos I. verbündet, gegen Achaios; es gelang ihm, den Usurpator in seiner Hauptstadt Sardes einzuschließen und nach langer Belagerung endlich durch eine List seiner habhaft zu werden. Achaios wurde als Hochverräter hingerichtet (213 v. Chr.)[9].

Der Grad der Verwandtschaft zwischen Antiochos III. und Achaios ist nicht mit Sicherheit zu bestimmen. Fest steht nur, daß die beiden verschwägert waren: beide hatten Töchter des Königs Mithridates II. von Pontos zur Frau[10]. Beide Mädchen trugen den gleichen Namen — Laodike —

---

[1] Liv. XXXXIII 19, 9—10: *praemissis terra cum exercitu filiis duobus ⟨cum oder ducibus⟩ Ardye ac Mithridate*; vgl. dazu o. S. 14 A. 4; u. S. 286.

[2] Agatharchidas, FGrHist 86 F 16; zu diesen Kampfhandlungen vgl. u. S. 286.

[3] Vgl. M. Holleaux, Etudes III S. 191.

[4] Vgl. U. WILCKEN, RE I 1 (1893) Sp. 206f.; P. MELONI, Acheo I und II.

[5] Polyaen. IV 17; dazu K. J. BELOCH, Gr. Gesch. IV 2, S. 205.    [6] S. u. S. 109f.

[7] S. u. S. 164ff.    [8] S. u. S. 262f.    [9] Polyb. VII 15—18; VIII 15—21.

[10] Polyb. V 73, 5; VIII 20, 11; vgl. 19, 7. K. J. BELOCH, IV 2, S. 202ff. wollte entgegen dem ausdrücklichen Zeugnis des Polybios in der Frau des Achaios eine Tochter des Antiochos Hierax sehen; doch vgl. P. MELONI, Acheo I S. 543 A. 1 und die dort angegebene Literatur.

und waren als Töchter einer Schwester des Seleukos II. Cousinen des Antiochos III[1].

Nach Polybios (IV 51, 4; VIII 20, 11) war Achaios' Vater Andromachos Bruder der Laodike, der Gemahlin des Seleukos II. und Mutter des Seleukos III. und Antiochos III. BELOCH[2] hat dagegen geltend gemacht, daß diese Laodike um 260 v. Chr. geboren sein müsse, da ihr zweiter Sohn, Antiochos III., etwa 242 geboren sei; Andromachos sei aber um oder vor 280 auf die Welt gekommen, da Achaios nicht nach 250 geboren sein könne. Also gehöre Laodike zur gleichen Generation wie Achaios, sei mithin seine Schwester, nicht seine Tante; Polybios habe einen Irrtum begangen; Andromachos' Schwester sei vielmehr die bekannte Laodike des Λαοδίκειος πόλεμος, also die Gattin des Antiochos II. Theos und Mutter des Seleukos II. gewesen. Das stimme mit Euseb. I p. 251 Sch. überein, wonach Antiochos II. mit Laodike, der Tochter eines Achaios, verheiratet war; dieser Achaios sei der Vater des Andromachos und Großvater des Achaios.

Zwingend ist diese weithin akzeptierte[3] Argumentation keineswegs. Der Schwiegervater des Antiochos II. (nach Eusebius) ist sicher mit Andromachos und dem jüngeren Achaios verwandt; doch muß er nicht unbedingt der Vater des Andromachos gewesen sein: es könnte sich ebenso um den Bruder oder Vetter des Vaters handeln. Zudem ist nicht sicher, ob wirklich zwischen Andromachos und Achaios ein Altersabstand von ca. 30 Jahren bestand. Auf der anderen Seite hat sich mit einiger Wahrscheinlichkeit ergeben, daß Seleukos II. und Laodike um die Mitte der vierziger Jahre bereits Kinder hatten (s. o. S. 27f.); dies würde erlauben, das Geburtsjahr der Laodike etwas vor 260 hinaufzurücken, so daß sich zwischen Andromachos und Laodike ein Altersabstand von allenfalls 10—15 Jahren ergäbe; sie könnten also durchaus der gleichen Generation angehören, mithin Geschwister sein, wie Polybios es ja auch behauptet.

Es bleibt also das Problem, ob Achaios der Vetter (so Polybios) oder der Onkel mütterlicherseits des Antiochos III. gewesen ist (so BELOCH). Entscheiden läßt sich die Frage nicht, solange nicht neues Material vorliegt.

---

[1] S. o. S. 10.     [2] A.a.O. S. 205f.
[3] Vgl. z.B. W. W. TARN, CAH VII S. 723; F. W. WALBANK, Comm. I. S. 501; 505; ablehnende Stimmen sind gesammelt bei P. MELONI, Acheo I S. 536 A. 1 auf S. 537. Auf alle Einzelheiten des komplizierten Problems kann hier nicht eingegangen werden. Zu Polyaen. VIII 50, wonach Antiochos II. seine ὁμοπάτριος ἀδελφή geheiratet habe, vgl. F. W. WALBANK a.a.O. S. 501.

2. KAPITEL

# RESTITUTOR ORBIS

Das Seleukidenreich hatte, als Antiochos III. die Regierung übernahm, viel von seiner einstigen Machtfülle verloren. Beim Tode des Staatsgründers, Seleukos' I. (281 v. Chr.), hatte das Reich sich vom Hellespont bis fast zum Indus erstreckt. Aber in den folgenden Jahrzehnten waren in den unablässigen Kriegen, die die Seleukiden namentlich mit den Ptolemäern zu führen hatten, und bei den inneren Zwistigkeiten in der königlichen Dynastie große Teile des Landes verlorengegangen, über die der erste Herrscher aus dem Seleukidenhause geboten hatte. Wie die äußere Größe, so hatte auch die innere Stärke des Staates schwere Einbußen erlitten; Uneinigkeit, zentrifugale Tendenzen und nicht zuletzt die chronische Ebbe in der Staatskasse hatten die Stellung der Herrscher geschwächt. Es war eine schwierige Aufgabe, diesen Übeln entgegenzuwirken und dem Reich wieder die einstige Geltung zu verschaffen. Um so höher ist die Leistung des Königs zu bewerten, der in drei Jahrzehnten das Reich wenigstens äußerlich wiederhergestellt hat[1].

## I. DER TERRITORIALBESTAND DES SELEUKIDENREICHS

### *1. Syrien und das Zweistromland*

In den Kernlanden des Seleukidenreichs, dem aus Syrien und dem Zweistromland gebildeten 'fruchtbaren Halbmond', war zur Zeit von Antiochos' Regierungsantritt die Herrschaft der Dynastie unbestritten. Wenige Jahre zuvor, gegen Ende der Regierung des Seleukos II., waren freilich auch diese Gebiete von Unruhen erschüttert worden: Seleukos' Tante Stratonike hatte während der Abwesenheit ihres Neffen in Antiocheia am Orontes einen Aufstand angezettelt, und der abtrünnige Bruder des Königs, Antiochos Hierax, war nach seinen Niederlagen gegen Attalos I. von Pergamon nach Mesopotamien eingefallen (228 v. Chr.). Seleukos II. gelang es jedoch, dieser Bewegung Herr zu werden:

---

[1] Vgl. dazu die Karten 1 und 2.

Stratonike wurde hingerichtet, Antiochos Hierax aus Mesopotamien vertrieben[1]. Kein Anzeichen deutet darauf hin, daß das orientalische Element an diesen Unruhen beteiligt gewesen wäre; es handelte sich offenbar nur um Unternehmungen von Angehörigen der Seleukidendynastie und ihren makedonisch-griechischen Anhängern.

## Das Zweistromland

Das Zweistromland zwischen Euphrat und Zagros ist auch in der Folge noch mehrere Jahrzehnte lang fest in der Hand der Dynastie geblieben, wenn man von dem kurzen Intermezzo des Usurpators Molon absieht, dem es in den ersten Regierungsjahren des Antiochos III. gelang, von Medien aus den südlichen Teil dieses Gebietes zu erobern (222—220; s. u. Kap. III). Erst um 140 v. Chr. haben die Seleukiden diese Gegenden endgültig an die Parther verloren[2].

Unter Alexander d. Gr. und den ersten Seleukiden scheint das Zweistromland nur in zwei Satrapien eingeteilt gewesen zu sein: Mesopotamia und Babylonia. Die Grenze zwischen diesen beiden Provinzen verlief vermutlich zwischen Euphrat und Tigris in der Gegend der alten medischen Mauer, etwa auf der Höhe des heutigen Bagdad[3]. Beide Satrapien reichten jedoch wahrscheinlich nach Osten über den Tigris hinaus bis zu der Gebirgskette, die das Zweistromland vom iranischen Hochland trennt: zu Mesopotamien gehörte die Arbelitis, zu Babylonien offenbar die Sittakene (später Apolloniatis genannt). Der Grenzverlauf im Osttigrisland kann nicht bestimmt werden; vermutlich ist er zwischen dem Kapros (Kleiner Zab) und dem Gyndes (Dijala) zu suchen; denn die Stadt Apollonia, nach der die Sittakene später benannt wurde, muß an oder sogar nördlich von der Dijala gelegen haben, so daß diese nicht die Grenze gebildet haben kann[4].

Für die ersten drei Viertel des III. Jh. liegen keine Unterlagen für die

---

[1] Agatharch. FGrHist 86 F 20; Trog. prol. 27; Justin. XXVII 3, 6—12; Polyaen. IV 17; dazu B. Niese, II S. 159; K. J. Beloch, Gr. Gesch. IV 1, S. 684f.

[2] Vgl. H. Bengtson, Griech. Gesch.² S. 484f.

[3] Vgl. das Material bei O. Leuze, Die Satrapieneinteilung in Syrien und im Zweistromlande von 520—320 (1935), bes. S. 302ff., und dazu H. Bengtson, Gnomon 13 (1937) S. 113ff.

[4] Zur Lokalisierung Apollonias vgl. u. S. 136ff. Es ist freilich möglich, daß die Dijala ursprünglich die Grenze gebildet hat, daß diese aber später weiter nach Norden verschoben wurde, falls die Apolloniatis zu einer eigenen Provinz erhoben wurde (vgl. dazu u. S. 34 A. 4). Die endgültige Grenze im Osttigrisland ist wahrscheinlich auf einer Linie am Physkos ('Adhem) entlang über den Dschebel Hamrîn zu den Vorketten des Zagros verlaufen, so daß der Uferstreifen und die Arbelitis noch zu Mesopotamien gehörten.

Satrapieneinteilung im Zweistromland vor[1]. Erst aus dem 2. und 3. Regierungsjahr des Antiochos III. (222/1–221/0) besitzen wir wieder Unterlagen, denen zufolge sich das Bild inzwischen erheblich geändert hatte. Mindestens zwei neue Verwaltungssprengel waren von den beiden alten Großsatrapien abgespalten worden. Von Mesopotamia hatte man die Provinz Parapotamia abgetrennt, die vermutlich die Landstriche auf beiden Seiten des mittleren Euphrat mit Dura-Europos umfaßte[2]. Die südlichsten Teile Babyloniens waren zu einer eigenen 'Provinz am Roten Meer' konstituiert worden, die wahrscheinlich das Gebiet um die Mündungen des Euphrat und Tigris, die spätere Mesene und Charakene, umfaßte: ob diese Küstenprovinz als eine Art von Marinedistrikt noch weitere angrenzende Striche am Gestade des persischen Meerbusens umfaßt hat, ist nicht bekannt[3]. Ob auch die Apolloniatis als eigene Satrapie von Babylonia abgetrennt worden ist, läßt sich nicht sagen[4]. Erst recht

---

[1] Allerdings werden im Monumentum Adulitanum des Euergetes (OGI 54, Z. 18 ff.) unter den angeblich eroberten seleukidischen Gebieten neben Susiane, Persis, Medien und Baktrien nur Mesopotamia und Babylonia genannt; doch ist es fraglich, ob hier Provinz- oder nicht vielmehr nur Landschaftsnamen gemeint sind.

[2] Nach Polyb. V 48, 16 hat Molon im J. 221 'Parapotamien bis Europos, Mesopotamien bis Dura' erobert. J. G. DROYSEN, Gesch. d. Hell. III² 2, S. 309 glaubte an eine Vertauschung der Provinznamen und nahm eine Provinz Parapotamia am östlichen Tigrisufer an; vgl. K. J. BELOCH, Gr. Gesch. IV 2, S. 358, der diese Parapotamia im wesentlichen mit der Arbelitis gleichsetzen will; ähnlich z. B. F. SCHACHERMEYR, RE XV 1 (1931) Sp. 1143 u. a. m. (Zweifel an der Gleichsetzung mit der Arbelitis bei H. BENGTSON, Strat. II S. 17 A. 2). Demgegenüber hat F. W. WALBANK, Comm. I S. 580 mit Recht die Unversehrtheit des Polybiostextes betont: (Dura-)Europos trägt später den Beinamen 'in Parapotamien'. Daß es sich um eine eigene Provinz handelt, beweist das Auftreten des Diokles, Strategen der Parapotamia, unter Antiochos III. (Polyb. V 69, 5; zu ihm vgl. H. BENGTSON, Strat. II S. 154 f.). Plin. n. h. VI 131 spricht von *proxima Tigri regio Parapotamia;* aus dem verworrenen Bericht des Geographen ist nicht zu erkennen, welchen Umfang sie gehabt haben soll und welche Zeit Plinius wiedergeben will. Diod. XIX 17, 4 kennt eine παραποταμία (offenbar = Uferstreifen) am Pasitigris in der Susiane. Der Name kann also häufig vorkommen und muß nicht stets eine Verwaltungseinheit bezeichnen.

[3] Die Gebiete 'am Roten Meer'; Polyb. V 46, 7; 48, 13 (Stratege Pythiadas); 54, 12 (Stratege Tychon). Näheres zum Umfang der Satrapie s. u. S. 48. — Das Gebiet der Gerrhäer in Arabien, das Antiochos III. im J. 205 auf dem Rückweg vom Ostfeldzug zu Schiff besucht hat (anscheinend direkt von der Persis aus; vgl. M. HOLLEAUX, Etudes III S. 178 A. 6), ist nicht zur Provinz am Roten Meer oder einer anderen geschlagen worden, sondern 'frei' geblieben; vgl. Polyb. XIII 9, 4—5. Aus dem Bericht des Polyb. (§ 5) über die Zahlung eines 'Kranzgeldes' an Antiochos läßt sich nicht ablesen, ob es sich um eine einmalige Zahlung handelte oder ob die Gerrhäer einen ständigen Tribut zahlen mußten, d. h. die Oberhoheit des Antiochos anerkannten.

[4] Eine eigene Satrapie nimmt z. B. H. BENGTSON, Strat. II S. 149 an. Bei Polybios wird die Apolloniatis stets als ἡ Ἀπολλωνιᾶτις γῆ bezeichnet (V 43, 8; 44, 6; 51, 8), was eher auf einen Unterbezirk als auf eine eigene Satrapie hindeutet. Aus Isid. Charac. 2 geht nicht hervor, ob die Landschaft unter den Parthern eine eigene Provinz bildete. Die

gibt es kein Anzeichen für die Existenz einer gesonderten Provinz Arbelitis; diese Landschaft scheint vielmehr weiterhin zu Mesopotamia gehört zu haben[1].

Wann die erwähnten Neuerungen eingetreten sind, läßt sich aus der lückenhaften Überlieferung nicht erkennen. Möglicherweise gehören sie bereits in die Zeit nach dem Laodikekrieg. Ptolemaios III. Euergetes soll damals bis ins Zweistromland vorgedrungen sein; jedenfalls scheinen ihm die dortigen Gouverneure gehuldigt zu haben[2]. Vielleicht hat man daraus die Lehre gezogen, daß man die Großprovinzen besser in kleinere Verwaltungseinheiten aufteilen solle. Sollte die Neuordnung, wie man angenommen hat[3], erst in die ersten Jahre des Antiochos III. fallen, so wird man sie wohl dem 'Kanzler' des jungen Königs, Hermeias, zuschreiben dürfen, der anscheinend die Macht der Provinzialstatthalter zugunsten der Zentralmacht beschränken wollte[4].

## Syrien

Syrien war bisher nie vollständig seleukidisch geworden. Die wertvollen Landschaften Koilesyrien und Phoinike waren schon nach dem Ende des Antigonos Monophthalmos bei Ipsos (301 v. Chr.) dem Ptolemäerreich zugefallen, und in den zahlreichen Kriegen, die um den Besitz jener Gegenden entbrannt waren, hatten sich die syrischen Könige nie durchzusetzen vermocht. Die Grenze[5] zwischen dem seleukidischen und dem ptolemäischen Syrien hat sich in den wechselvollen Kämpfen des III. Jh. anscheinend öfter verschoben; die ptolemäische Herrschaft hat jedoch nie über den Eleutheros-Fluß hinaus nach Norden gereicht: Arados und Marathus waren stets seleukidisch, wenn auch seit 259 v. Chr. als halbautonome Freistädte[6]. Als Antiochos III. den Thron

---

Grenze zwischen der Apolloniatis und Babylonia verläuft nach Isidor bei Seleukeia am Tigris.

[1] Zur Ansicht BELOCHS, daß die Arbelitis mit der Provinz Parapotamia gleichzusetzen wäre, vgl. o. S. 34 A. 2. Zu der irrtümlichen Ansicht KIESSLINGS, die Arbelitis sei von den Seleukiden wieder zu Medien geschlagen worden, s. u. S. 50ff.

[2] Vgl. dazu z.B. W. OTTO, Beiträge S. 65ff. Zweifel an der Überschreitung des Euphrats durch Euergetes äußern K. J. BELOCH, IV 2 S. 538; A. T. OLMSTEAD b. N. C. DEBEVOISE, A Polit. Hist. of Parthia (1938) S. 12 A. 49.

[3] So z.B. N. C. DEBEVOISE, a.a.O. S. 38; H. BENGTSON, Strat. II S. 37; 149; vgl. dagegen z.B. A. HEUSS, Gnomon 21 (1949) S. 310.    [4] S. dazu u. S. 121.

[5] Zum Grenzverlauf vgl. K. J. BELOCH, Gr. Gesch. IV 2, S. 322ff.; W. OTTO, Beiträge S. 39ff. (für die ersten Jahrzehnte des III. Jh.).

[6] Die Ansicht, die Münzprägung von Arados beweise eine zeitweilige Zugehörigkeit zum Ptolemäerreich (J. N. SVORONOS, K. REGLING, W. OTTO u. a.; auch noch H. VOLKMANN, RE XXIII 2 [1959] Sp. 1647; 1671), ist irrig; vgl. H. SEYRIG, Aradus et sa pérée

bestieg, scheint die Grenze weiter südlich, in der Nähe von Tripolis verlaufen zu sein[1], von da nach Osten bis zum Kamm des Antilibanos, den sie nach Süden begleitete, so daß Damaskos noch syrisch blieb. Etwa in der Höhe des Sees Genezareth dürfte sich die Grenzlinie dann nach Osten gewandt haben. Somit waren die wichtigen phönikischen Küstenstädte Byblos, Berytos, Sidon, Tyros, die Feste Ptolemais und Gaza in ptolemäischer Hand; ebenso aber auch Galiläa, Judäa und die teilweise hellenisierten Gemeinden der Dekapolis östlich des Jordan, wie Gadara, Gerasa und Philadelpheia (Rabbath Ammon). Möglicherweise haben die Seleukiden einiges davon erst im Laufe des III. Jh. an die Ptolemäer verloren[2].

Das seleukidische Syrien ist noch lange nach Antiochos III. als eine einzige Großprovinz verwaltet worden; die Einteilung in vier Satrapien gehört erst dem Ende des II. Jh. v. Chr. an[3]. In dieser Provinz lagen die bevorzugte Residenz der Seleukiden, Antiocheia am Orontes, und weiter südlich am gleichen Fluß das Hauptquartier des Reichsheeres, Apameia. Die Satrapie hat wohl lediglich bei der Schaffung der Euphratprovinz Parapotamia (s. o. S. 34) eine gewisse Einbuße erlitten. Es ist jedoch unbekannt, wie weit die Parapotamia nach Norden gereicht hat. Vielleicht ging die Abtretung des westlichen Ufers des mittleren Euphrat an die neue Provinz auf militärische Gründe zurück: die Nomaden der Wüstengebiete zwischen Damaskos und Dura-Europos konnten so wohl besser in Schach gehalten werden.

Erst Antiochos III. hat die lange umstrittenen Landschaften Koilesyrien und Phoinike gewinnen können, zunächst vorübergehend in den Feldzügen der Jahre 219—17, dann endgültig nach seinem Sieg beim Panion an der Jordanquelle (200 v. Chr.). Die Landschaften sind dann nach ptolemäischem Vorbild als eine einzige Provinz 'Koilesyria und Phoinike' verwaltet worden[4].

Seit dem Laodike-Krieg war auch Seleukeia in Pierien, der Hafen von Antiocheia, in ptolemäischer Hand. Freilich bedeutete der Verlust der

---

sous les rois Séleucides. Syria 28 (1951) S. 206ff. Seleukos II. und Antiochos III. haben mit Arados wie mit einer autonomen Macht Verträge geschlossen; s. dazu Strabon XVI 2, 14 p. 754; Polyb. V 68, 7; vgl. H. SEYRIG a.a.O. S. 217.

[1] Orthosia nördlich von Tripolis ist nach dem Laodikekrieg seleukidisch geworden (Euseb. I 251 Sch.; K. J. BELOCH, IV 2 S. 329); Kalamos südlich von Tripolis war im J. 219 noch ptolemäisch (Polyb. V 68, 8; BELOCH S. 331). Tripolis selbst war 258 v. Chr. noch ptolemäisch (PSI V 495; BELOCH S. 329); über seinen Status im J. 219 kann nichts festgestellt werden.

[2] Vgl. K. J. BELOCH, IV 2, S. 322f. Nur geringe Fluktuationen nimmt V. TCHERIKOVER, Mizraim 1937, S. 32ff. an.

[3] Vgl. E. HONIGMANN, RE II A 2 (1932) Sp. 1620; H. BENGTSON, Strat. II S. 186.

[4] H. BENGTSON, Strat. II S. 160ff.; 187.

Stadt mehr eine Beeinträchtigung des Prestiges denn eine militärische Gefahr. Seleukeia ist im J. 219 v. Chr., bei der Wiederaufnahme des IV. Syrischen Kriegs, von Antiochos III. erobert worden und anscheinend auch nach der Niederlage bei Raphia (217) nicht wieder verlorengegangen[1].

### 2. *Kleinasien und Thrakien*

Kilikien

Auf der kleinasiatischen Halbinsel waren die im Norden an Syrien angrenzenden Teile Kilikiens, das 'ebene Kilikien' mit Tarsos, anscheinend seleukidisch geblieben. Tarsos war kurze Zeit von Antiochos Hierax besetzt worden, bevor er in Mesopotamien einfiel (228 v. Chr.)[2], dann aber wohl wieder in den Besitz des Seleukos II. zurückgekehrt. Das westliche, 'rauhe' Kilikien freilich mit Selinus und Soloi und weiter östlich die Mündung des Pyramos mit Mallos waren, wohl im sogenannten Syrischen Erbfolgekrieg, von Philadelphos erobert worden[3]. Das ebene Kilikien hatte in den vergangenen Jahrzehnten als Verbindungsglied zwischen den Kernlanden und den kleinasiatischen Provinzen des Seleukidenreichs fungiert. Nun aber, im J. 223, war es die nördlichste Landschaft, die den Seleukiden hier noch verblieben war.

Armenien

Armenien war wohl nie völlig ins Reich eingegliedert worden[4]; seine Fürsten hatten den syrischen Königen nur dann Tribut gezahlt, wenn diese stark genug waren, ihren Anspruch durchzusetzen. Wenige Jahre vor dem Regierungsantritt des Antiochos III. hatte ein armenischer Fürst Arsames den Antiochos Hierax gegen Seleukos II. unterstützt[5]; die Zeitläufte haben es in der Folge kaum zugelassen, den Dynasten wieder botmäßig zu machen. Bis 212 v. Chr. scheint Armenien unbehelligt geblieben zu sein. In diesem Jahr fiel Antiochos III. mit einem Heer in

---

[1] S. dazu Polyb. V 58, 10; K. J. BELOCH IV 2 S. 330 u. Anm.

[2] E. T. NEWELL, The Coinage of the Western Seleucid Mints (1938) S. 229; E. J. BICKERMAN, Berytus 8 (1944) S. 78.

[3] Vgl. H. VOLKMANN, RE XXIII 2 (1959) Sp. 1647. Zu Mallos s. Hieron. in Dan. XI 15. Zu dem seit dem III. Jh. selbständigen Priesterfürstentum im kilikischen Olba vgl. E. MEYER S. 130f. und 137; M. ROSTOVTZEFF, Ges. u. Wirtsch. III S. 1187.

[4] BELOCH IV 1, S. 670; IV 2, S. 361. Doch vgl. Strab. XI 14, 15 p. 531, wonach κατεῖχον τὴν Ἀρμενίαν Πέρσαι καὶ Μακεδόνες, μετὰ ταῦτα οἱ τὴν Συρίαν ἔχοντες καὶ τὴν Μηδίαν (= die Seleukiden; vgl. u. S. 70 A. 1), und Appian. Syr. 55, 281 (ἦρξε ... Ἀρμενίας), was freilich auch als bloße Oberhoheit gedeutet werden kann. [5] Polyaen. IV 17.

Armenien ein: es war der Auftakt zu seiner großen Expedition in den Osten. Der armenische Fürst Xerxes — er scheint den Königstitel geführt zu haben — mußte einen Teil des Tributes nachzahlen, den sein Vater, wohl jener Arsames, schuldig geblieben war[1]. Antiochos vermählte Xerxes mit seiner Schwester Antiochis und leitete damit eine großangelegte Heiratspolitik ein, mit der er sich Nachbarn und Vasallen zu verpflichten suchte. Später hat er Xerxes angeblich durch Antiochis umbringen lassen[2]. Während Arsames und Xerxes anscheinend in der Sophene (dem westlichen Armenien) herrschten, war im Osten des Landes ein Orontes zur Macht gekommen[3]. Er ist offenbar von Antiochos III. besiegt worden; denn dieser hat West- und Ost-Armenien unter seine 'Strategen' Artaxias und Zariadris geteilt. Wenn die Namen dieser Männer auch zeigen, daß es Armenier, wahrscheinlich eingesessene Dynasten waren, so ist in dieser Maßnahme doch der Versuch zu sehen, Armenien in eine engere Verbindung zum Reich zu ziehen. Artaxias und Zariadris haben sich dann freilich nach der Schlacht bei Magnesia (190 v. Chr.) selbständig gemacht und den Königstitel angenommen. Antiochos IV. Epiphanes ist es später gelungen, Artaxias vorübergehend wieder zum Vasallen zu machen[4].

## Kappadokien

Kappadokien hatte sich spätestens um die Mitte des III. Jh. der seleukidischen Herrschaft entzogen[5]. Die Seleukiden haben versucht, dieses Land, da sie es nicht zurückzugewinnen vermochten, durch dynastische Heiraten an sich zu binden. So wurde Stratonike, eine Schwester des Seleukos II. und des Hierax, mit Ariarathes III. verheiratet, und später hat Antiochos III. seine Tochter Antiochis dem Sohn des Ariarathes III. und jener Stratonike, Ariarathes IV., zur Frau ge-

---

[1] Polyb. VIII 23. Vgl. K. J. BELOCH IV 2, S. 361.
[2] S. o. S. 28f.   [3] Strab. XI 14, 15 p. 531.
[4] Strab. XI 14, 5 p. 528; 14, 15 p. 531; zu den 'Strategen' vgl. H. BENGTSON, Strat. II 37; 157f. (mit etwas anderer Interpretation). Ob Orontes bereits im J. 223 regiert hat, ist nicht auszumachen. Überhaupt ist es nicht sicher, ob Strabons Informationen chronologisch richtig sind. Zu Artaxias unter Antiochos IV. vgl. W. OTTO, 6. Ptolemäer S. 86; H. BENGTSON, Strat. II S. 61 A. 3; 62 A. 4.
[5] Vgl. K. J. BELOCH IV 2, S. 217f. Zum Umfang des Reichs vgl. Ernst MEYER, Grenzen S. 121ff. Kappadokien war bis ins II. Jh. hinein von der hellenistischen Kultur allenfalls oberflächlich berührt worden. Das iranische Herrscherhaus hat die parsische Religion lange bewahrt; vgl. F. CUMONT, Die oriental. Rel. im röm. Heidentum (³1930) S. 133; H. BENGTSON, Strat. II S. 253 A. 2 (zur Bilingue von Rhodandos); W. W. TARN — G. T. GRIFFITH, Hell. Civilization (³1952) S. 170 mit weiterer Lit.; auch S. WIKANDER, Feuerpriester in Kleinasien und Iran (1946), bes. S. 86ff.

geben[1]. Ariarathes III., der etwa von 240 bis 220 regierte und als erster den Königstitel angenommen hat, erwarb Kataonien und Melitene. Man hält diese Landschaften meist für die Mitgift der Stratonike[2]; doch ist es denkbar, daß sie von Ariarathes während der Wirren in den letzten Regierungsjahren des Seleukos II. erobert worden sind, und daß Antiochos III. um des guten Einvernehmens willen seinen Erben im Besitz der Provinzen beließ. Es gibt kein Anzeichen dafür, daß Kappadokien von Antiochos III. in den Status eines Vasallenfürstentums hinabgedrückt worden wäre; wenn Antiochos' Schwiegersohn Ariarathes IV. im Römerkrieg Hilfstruppen gestellt hat, so kann dies auf Grund eines bei der Heiratsverbindung abgeschlossenen Bündnisses geschehen sein[3].

## Pontos

In Kappadokien am Pontos herrschte, seit 281/0 mit dem Königstitel, eine von den Satrapen von Daskyleion abstammende Dynastie[4]. Zur Zeit der Thronbesteigung des Antiochos III. regierte Mithridates II. (seit Mitte des III. Jh. bis nach 220), der eine Tante des Antiochos (sie hieß wahrscheinlich Laodike) zur Frau hatte; sie hatte Teile Großphrygiens, wohl vor allem Galatien als Mitgift erhalten — freilich ein mehr symbolisches Geschenk, denn die Galater, die seit den siebziger Jahren in dieser Landschaft ansässig waren, erkannten weder die seleukidischen noch jetzt die pontischen Machtansprüche an[5]. Auch mit dem pontischen Haus wurden weitere Verbindungen geknüpft; Antiochos III. hat 222 v. Chr. seine Kusine Laodike, die Tochter des Mithridates II., geheiratet; ihre gleichnamige Schwester war mit Achaios, dem Verwandten des Seleukidenhauses, vermählt[6]. Doch hat die pontische Dynastie offenbar nie die Oberhoheit des Seleukiden anerkannt.

---

[1] Heirat der Stratonike: Diod. XXXI 19, 6; Euseb. I 251 Sch.; K. J. Beloch, IV 1, S. 677; 2, S. 201; Heirat der Antiochis: s. o. S. 24.

[2] E. R. Bevan, Seleucus I S. 172; K. J. Beloch, IV 1 S. 677 A. 1; 2, S. 360 zu Strab. XII 1, 2 p. 534; vgl. E. Meyer, Grenzen S. 120.

[3] Liv. XXXVII 31, 4; 40, 10; App. Syr. 32, 164. H. Bengtson, Strat. II S. 62, nimmt an, Kappadokien sei Vasallenfürstentum gewesen. Im übrigen betrifft die Frage mehr das juristische Verhältnis als die politische Realität: auch wenn Ariarathes selbständiger Verbündeter war, brachte er dem Antiochos größeren Nutzen als die 'Vasallen' Arsakes, Euthydemos usw., die sich ihren Verpflichtungen wieder entzogen.

[4] Vgl. K. J. Beloch, IV 2, S. 214 ff. Zum Umfang des Staates Ernst Meyer, Grenzen S. 116 ff.

[5] Euseb. I 251 Sch.; vgl. Justin. XXXVIII 5, 3; K. J. Beloch, IV 1, S. 677; IV 2, S. 201; 216. Mit Recht bemerkt Beloch IV 1, S. 677 A. 1, daß das eigentliche Großphrygien nicht abgetreten worden sein kann, weil es als Landverbindung zum Hellespont notwendig war. Beloch denkt außer an Galatien an die spätere Phrygia Epiktetos.

[6] S. o. S. 10, 30.

## Bithynien

Das gleiche gilt für Bithynien, das schon seit Lysimachos unter einem einheimischen Königshaus selbständig war. Als Antiochos III. den Thron bestieg, regierte dort bereits Prusias I. (ca. 230—182). Eine seiner Schwestern war mit Antiochos Hierax verheiratet (Euseb. I 251 Sch.). Von den späteren Beziehungen zu Antiochos III. wissen wir wenig. Prusias war mit Achaios verfeindet (Polyb. V 77, 1); wie er sich während des Kampfes zwischen Antiochos III. und Achaios verhalten hat, erfahren wir nicht. Obwohl Schwager Philipps V., scheint er in den neunziger Jahren des II. Jh. in guten Beziehungen zu Antiochos III. gestanden zu haben (s. u. Kap. V); während des Römerkrieges blieb er, trotz ständiger Bemühungen des Antiochos III., neutral[1].

Die Verhältnisse, die zu jener Zeit in Paphlagonien herrschten, bleiben für uns vorläufig unklar. Das Land hat, soweit es nicht von den Galatern und den pontischen und bithynischen Herrschern besetzt war, anscheinend unter einheimischen Stammesfürsten gestanden, die den Seleukiden nicht gehorchten. Ebensowenig erstreckte sich die Macht der syrischen Könige auf die souveränen Städte der Nordküste wie Kalchedon, Herakleia und Sinope[2].

## Westkleinasien

Das westliche Kleinasien war 281 v. Chr. seleukidisch geworden, als Seleukos I. Nikator seinen alten Waffengefährten aus der Alexanderzeit, Lysimachos, bei Kurupedion besiegte[3]. Aber in den schweren Krisen, die das Seleukidenreich in den folgenden Jahrzehnten durchzumachen hatte, waren bedeutende Teile dieser Provinzen, namentlich an den Gestaden des Mittelmeers, wieder verlorengegangen[4]. Vor allem hatten sich die Ptolemäer wichtiger Küstenplätze zu bemächtigen gewußt. Man hat zwar den Umfang des ptolemäischen Gebietes in Kleinasien auf Grund einer allzu schematischen Interpretation späterer Vorgänge lange überschätzt; immerhin waren aber um 223 v. Chr. mit Sicherheit die gesamte Küste Lykiens und das westlich benachbarte Kaunos, weiter im

---

[1] Zu Prusias I. vgl. Chr. HABICHT, RE XXIII 1 (1957) Sp. 1086 ff.

[2] Zu Paphlagonien vgl. Ernst MEYER, Grenzen S. 111; 133; 135; 150; W. RUGE, RE XVIII 4 (1949) Sp. 2523 f.; zu den Städten E. MEYER S. 108 ff.; 117.

[3] Zum Datum der Schlacht (etwa Februar 281) vgl. SACHS-WISEMAN (o. S. 1 A. 2) S. 206.

[4] Es ist hier nicht der Ort, alle territorialen Veränderungen des III. Jh. aufzurollen. Vgl. vorläufig K. J. BELOCH, Gr. Gesch. IV 2, S. 319 ff.; E. MEYER, Grenzen S. 63 ff.; 95 ff.; 122 ff.; M. HOLLEAUX, Etudes III S. 135 ff.; IV S. 289 ff.; und unten Kap. IV, S. 239 f.; Kap. V, S. 278 ff.

Westen Myndos, Halikarnassos, Ephesos, vielleicht auch Priene und Erythrai, ferner einige der vorgelagerten Inseln, vor allem Samos, in ptolemäischer Hand. Milet dürfte mindestens die nominelle Oberhoheit der Lagiden anerkannt haben[1].

Daneben gab es eine Reihe selbständiger Städte und Herrschaften. Schon seit dem Kampf zwischen Seleukos I. und Lysimachos war **Pergamon** ein selbständiger Kleinstaat, der freilich bis zum Beginn der zwanziger Jahre des III. Jh. wenig mehr als den Küstenstreifen zwischen Adramytteion und Elaia und das Hinterland von Pergamon umfaßt haben dürfte[2]. Im Süden Kariens reichte die Peraia der **Rhodier** weit hinauf ins Innere, seitdem die Seleukiden dem Inselstaat Stadt und Gebiet von Stratonikeia geschenkt hatten (um 240 v. Chr.)[3]. **Pamphylien** scheint zeitweise von ptolemäischen Truppen besetzt gewesen zu sein, dürfte aber im wesentlichen keiner der großen Mächte gehorcht haben, ebenso das weiter landeinwärts gelegene **Pisidien**[4] und wahrscheinlich die Binnenstädte im lykischen Bergland. Auch eine Anzahl von griechischen Küstenstädten hat wohl in den Wechselfällen des III. Jh. ihre Freiheit zu erhalten oder zu erkämpfen gewußt; so waren sicher Kalchedon und Kios unabhängig, und Smyrna erscheint um 242 v. Chr. als eine autonome, wenn auch mit den Seleukiden verbündete Stadt (OGI 229). Freilich haben sich gerade hier die Machtverhältnisse ständig verschoben, und der Mangel an Quellenmaterial macht es nahezu unmöglich, die Situation der griechischen Städte im III. Jh. mit hinreichender Genauigkeit zu bestimmen.

Immerhin besaßen die Seleukiden um 241 v. Chr. noch große Provinzen im Westen Anatoliens. In diesem Jahr ist Antiochos Hierax, der jüngere Bruder Seleukos' II., Vizekönig von Kleinasien geworden[5]. Der Krieg, der bald darauf zwischen den beiden Brüdern entbrannte (etwa 240–238), hat Stärke und Ansehen des Seleukidenreiches schwer erschüttert. Nach seinem Sieg bei Ankyra (239 v. Chr.?) hat Hierax selbständig in Kleinasien geherrscht; wenn auch sein Angriff auf Pergamon mißlang (239–238), so konnte er doch noch über die Troas, Lydien und große Teile Kariens und der beiden Phrygien gebieten. Die Münzen zeigen, daß auch zahlreiche bedeutende Griechenstädte an der Küste zu seinem Machtbereich gehörten[6].

---

[1] S. dazu u. S. 239.    [2] Ernst MEYER, Grenzen S. 94 ff.
[3] S. die in meinem 'Rom und Rhodos', S. 112 A. 1 (u. Nachtr. S. 219) angegebene Literatur.    [4] Vgl. Ernst MEYER, Grenzen S. 44 f.; 91; 129; 137.
[5] Chronologie dieses und des folgenden Absatzes nach E. J. BICKERMAN, Berytus 8 (1944) S. 73 ff.
[6] So hat Hierax anscheinend in Lampsakos, Abydos, Alexandreia i. d. Troas, Skepsis, vielleicht auch in Magnesia am Sipylos und Phokaia Münzen schlagen lassen; vgl. E. T.

Ein halbes Jahrzehnt vor dem Regierungsantritt des Antiochos III. änderte sich das politische Bild in Westkleinasien völlig. Um 230 v. Chr. scheint zwischen Hierax und Attalos I. von Pergamon — er hatte nach seinem Sieg über Hierax (238 v. Chr.) den Königstitel angenommen — ein neuer Konflikt ausgebrochen zu sein. Attalos I. schlug den Seleukiden im hellespontischen Phrygien, in Lydien und Karien (229—228); Hierax zog sich über den Taurus nach Kilikien zurück; nach einem vergeblichen Einfall nach Mesopotamien (s. o. S. 32) floh er über Kappadokien nach Thrakien, wo er (wohl im J. 226) den Tod fand.

So ging Kleinasien bis auf Ostkilikien für die Seleukiden verloren. Attalos I. hat mindestens die Troas, die Aiolis, Lydien und Teile Ioniens beherrscht; wichtige Griechenstädte in diesen Landschaften, wie Lampsakos, Ilion, Alexandreia in der Troas, Phokaia, Teos, Kolophon und Smyrna gehörten als 'Verbündete'[1] seinem Machtbereich an. Inwieweit der pergamenische König seine Herrschaft auch in Karien und Großphrygien geltend machen konnte, wissen wir nicht. Wahrscheinlich sind die Gouverneure des Hierax und ihre Truppen freiwillig zu ihm übergegangen, nachdem ihr Herr das Feld geräumt hatte[2]. Nur so ist es zu erklären, daß im J. 223 'alle kleinasiatischen Provinzen des Seleukidenreiches' (Polyb. IV 48, 7: πᾶσαν τὴν ἐπὶ τάδε τοῦ Ταύρου δυναστείαν) in Attalos' Hand waren; die Kräfte des kleinen pergamenischen Staates allein hätten zur Beherrschung so großer Landschaften wohl nicht ausgereicht.

Während Attalos und Antiochos Hierax miteinander Krieg führten, hatte der makedonische König Antigonos Doson die günstige Lage genützt, um sich in Karien festzusetzen (228 oder 227 v. Chr.). Sein Herrschaftsgebiet scheint nicht allzugroß gewesen zu sein; aber mindestens noch im J. 220/19 hat in der Gegend von Mylasa ein karischer Dynast Olympichos als 'Stratege' des Makedonenkönigs gewirkt[3]. Unter

---

NEWELL, The Coinage of the Western Seleucid Mints (1941) S. 321ff.; 327ff.; 336ff.; 346f.; 276ff.; 304ff.; dazu 347ff.; 351ff. Eine weitere Münzstätte des Hierax in Antiocheia-Kebren (Troas) will F. M. HEICHELHEIM, Hesperia 13 (1944) S. 361—63 erkennen. Magnesia am Mäander ist noch von Hierax gehalten worden (Euseb. I 251 Sch.; vgl. G. CARDINALI, Il regno di Pergamo [1906] S. 18 u. A. 2), dann aber für kurze Zeit pergamenisch geworden (s. die folg. Anm.).

[1] Vgl. die 'Erneuerung' der früheren 'Bündnisse' durch Attalos I. im J. 218: Polyb. V 77; dazu u. S. 296 A. 4; G. CARDINALI, a.a.O. S. 85; Ernst MEYER, Grenzen S. 102; E. V. HANSEN, The Attalids of Pergamon (1947) S. 41f. Auch Magnesia am Mäander scheint ihm zugefallen zu sein (Quellen bei CARDINALI S. 85 A. 5; die dort zitierte Kreuzigung des Daphidas auf dem Berge Thorax bei Magnesia wird jedoch von J. FONTENROSE, TAPhA 91 [1960] S. 83ff., in die Zeit des Aristonikosaufstandes gesetzt).

[2] So ist im J. 218 Themistokles, ein Gouverneur des Achaios, zu ihm übergegangen (Polyb. V 77, 8); vgl. zu ihm H. BENGTSON, Strat. II S. 116; 119f.; 137.

[3] S. u. S. 244f.

## I. Der Territorialbestand des Seleukidenreichs

den anderen de iure oder mindestens de facto selbständigen Dynasten in Kleinasien, die wir durch die Gunst der Überlieferung kennen, waren Lysias, Sohn des Philomelos, und die Lysimachiden von Telmessos die bedeutendsten[1].

Im Sommer 223 ist Seleukos III., der ältere Bruder Antiochos' III., gegen Attalos I. über den Taurus gezogen, nachdem seine Generäle von Attalos geschlagen worden waren[2]. Er kam nur bis Phrygien (Euseb. I 253 Sch.) — eine sehr summarische Angabe, denn die Provinz ist groß. Aber bedeutend können seine Eroberungen nicht gewesen sein; denn das Heer gehorchte dem kränklichen Mann nicht (Appian. Syr. 66, 348); Seleukos war also kein siegreicher Heerführer, dessen Erfolge die Truppen mitgerissen hätten. Eine Verschwörung der Höflinge machte seinem Leben ein Ende[3]. Aber die Atempause, die dem Pergamener durch den Tod seines Gegners gewährt wurde, war nur kurz; Achaios, den der neue Herrscher auf dem Seleukidenthron mit der Eroberung Kleinasiens betraute, gewann die entrissenen Provinzen in raschem Vormarsch zurück; schon 222 v. Chr. scheint Attalos alles wieder verloren zu haben — ja er wurde sogar in seiner Residenz Pergamon eingeschlossen[4].

Achaios hat sich allerdings im J. 220 gegen Antiochos III. erhoben und selbst den Königstitel angenommen; so ging Kleinasien, kaum daß es für den rechtmäßigen Herrn erobert war, wieder verloren. Der Usurpator hat im J. 218 Pisidien und Pamphylien wenigstens teilweise wieder tributpflichtig gemacht[5]. Erst in den Jahren 216—213 konnte Antiochos III. Achaios niederzwingen und wenigstens das kleinasiatische Binnenland wiedergewinnen. Aber noch waren die Randzonen zum Teil in der Hand der Ptolemäer, noch konnten viele Städte ihre Freiheit gegen die Strategen des Seleukiden behaupten. Vermutlich haben Antiochos' Funktionäre in Kleinasien in den Jahren 213—198 kleinere Eroberungen machen können[6]; aber erst im J. 197, nach der endgültigen Abrechnung mit dem Lagidenstaat, ist Antiochos zur Eroberung der anatolischen Küste aufgebrochen. Einzelheiten dieser Kampagne sind weiter unten in einem eigenen Kapitel besprochen (Kap. V). Als der Krieg mit Rom aus-

---

[1] Zu den Dynasten allgemein vgl. A. Wilhelm, Neue Beitr. I (SB Wien 166 [1911]) S. 48 ff.; Ernst Meyer, Grenzen S. 138 f.; E. Bikerman, Institutions S. 166 ff.; H. Bengtson, Strat. II S. 3 ff.; 60 ff.; zu Lysanias und Limnaios Polyb. V 90, 1; zu Lysias, der vielleicht mit Lysanias identisch ist, M. Holleaux, Etudes III S. 357 ff.; L. Robert, Villes d'Asie Mineure (1935) S. 156; zu den Lysimachiden M. Holleaux, Etudes III S. 365 ff.; dazu die ebd. S. 404 von L. Robert nachgetragene Literatur.

[2] Vgl. OGI 272; 277; G. Cardinali, S. 44; Hansen S. 36. Die 'Strategen des Seleukos' in den genannten Inschriften könnten freilich noch Generäle des Seleukos II. gewesen sein.

[3] Polyb. IV 48, 7 ff.; V 40, 5 f.; Appian. Syr. 66, 348; Trog. prol. 27; Justin. XXIX 1, 3; Euseb. Chron. I 253 Sch.; Hieron. in Dan. XI 10. Zur Chronologie (Juli-August 223?) s. o. S. 2 f.   [4] S. u. S. 161 f.   [5] S. u. S. 168.   [6] S. u. S. 227 f.; 245 f.; 268 ff.

brach (192 v. Chr.), war der größte Teil Westkleinasiens mehr oder minder fest in der Hand des Königs. Die Küstenstädte der Süd- und Westküste waren von seinen Truppen besetzt worden oder wenigstens in seine Einflußsphäre geraten; nur Smyrna, Lampsakos, vielleicht auch Alexandreia in der Troas wehrten sich verzweifelt ihrer Haut. Auch Pamphylien scheint die Oberhoheit des Königs anerkannt zu haben. Pisidien freilich war noch im Jahr vor dem Kriegsausbruch nicht befriedet. Unabhängig blieben auch Rhodos und das Reich von Pergamon, das allerdings auf seinen alten Umfang beschränkt war.

Die Niederlage des Antiochos bei Magnesia (190) und der Friede von Apameia (189/88) haben dem Seleukidenreich alle Provinzen nördlich des Taurus wieder entrissen; wie beim Regierungsantritt des Antiochos war fortan Kilikien — allerdings nun auch der früher ptolemäisch gewesene Westen des Landes — die nördlichste Besitzung der Seleukiden.

## Thrakien

Wie Westkleinasien, so war Thrakien im J. 281 durch den Sieg über Lysimachos dem Begründer des Seleukidenreichs zugefallen. Nikator hatte die Herrschaft freilich nicht antreten können; als er europäischen Boden betrat, fiel er dem Mordanschlag des Ptolemaios Keraunos zum Opfer. Um die gleiche Zeit wurde Thrakien von Kelten überflutet; einige der Keltenstämme ließen sich am Haemus nieder und gründeten das Keltenreich von Tylis. Den Seleukiden gelang es nur, die Küstenstriche an den Dardanellen und am unteren Hebros zu behaupten; der Bosporos wurde von der freien Stadt Byzanz beherrscht, deren Gebiet bis Perinth reichte. Antiochos II. hat (um 255) noch einmal erfolgreich in Thrakien gekämpft; aber im Laodikekrieg (246—241) ist der größte Teil der seleukidischen Besitzungen in Thrakien an das Lagidenreich verlorengegangen. Der Versuch des Antiochos Hierax, sich wieder in Thrakien festzusetzen, mißlang (226 v. Chr. ? s. o. S. 42); als Antiochos III. zur Regierung kam, konnte von einer seleukidischen Herrschaft in Thrakien nicht mehr die Rede sein. Auch Achaios war zu beschäftigt, um an Unternehmungen jenseits der Propontis denken zu können. Als die Byzantier, von dem Keltenfürsten Kauaros zur Entrichtung von Tributen gezwungen, einen Bosporoszoll erhoben und darüber mit den Rhodiern in Streit gerieten, wurde Achaios um Hilfe gebeten; doch hätten sich seine Aktionen wohl kaum gegen die Kelten gerichtet. Der Usurpator hat seine Meerengenpolitik ohnehin sehr lax betrieben und sich schließlich von den Rhodiern ausmanövrieren lassen (s. u. S. 166).

Erst im Zusammenhang mit der Eroberung der kleinasiatischen Küstenländer (197/6) ist Antiochos III. auch an die Wiedereroberung Thrakiens

...hen das Keltenreich von Tylis durch eine
... Stämme beseitigt worden (um 212 v. Chr.?);
...ien hatte nur am westlichen Küstenstreifen Fuß
... den Jahren 196, 195 und wahrscheinlich auch 194
...greich in Thrakien gekämpft und die Küstenstriche
...er Propontis (außer Byzanz) und vermutlich auch am
...bhängigkeit gebracht. Lysimacheia, das wenige Jahre
... hrakern zerstört worden war, wurde wieder aufgebaut;
...ater Sohn Seleukos (s. o. S. 20) nahm dort Residenz. Der
...ach Europa hat aber zum Konflikt mit den Römern geführt,
...ieden von Apameia ist zusammen mit Kleinasien auch Thrakien
...eukiden für immer verlorengegangen[1].

### 3. *Iran und Indien*

Wie in Kleinasien so war auch in den Ländern östlich des Zagros der seleukidische Machtbereich stark zusammengeschmolzen. Seleukos I. hatte bei seiner Anabasis im letzten Jahrzehnt des IV. Jh. den größten Teil der ehemals persischen Besitzungen gewonnen, die Alexander der Große erobert hatte. Aber als er nach Westen zurückkehrte, um den Entscheidungskampf mit Antigonos Monophthalmos aufzunehmen, hatte er die östlichen Teile der Grenzprovinzen an den Maurya Candragupta abtreten müssen (s. u.). Die Eroberungen, die Seleukos I. in der Folge seiner Siege von Ipsos (301) und Kurupedion (281) machte, verlagerten in den folgenden Jahrzehnten den Schwerpunkt der seleukidischen Politik in den Westen, nach Syrien und Kleinasien. Die iranischen Provinzen waren für die Könige wenig mehr als Rekrutierungsplätze und Steuerquellen; gegen die Bedrohung durch die Nomaden aus dem Norden und gegen die wachsende Unruhe unter der iranischen Bevölkerung, wohl auch unter den nichtmakedonischen griechischen Siedlern, konnten ihnen die Herrscher kaum zu Hilfe kommen. So mußte man den Provinzgouverneuren immer größere Machtbefugnisse überlassen; die Funktionäre wurden immer selbständiger, bis es dann zur Erklärung der völligen Unabhängigkeit kein weiter Schritt mehr war.

Zur Sicherung der östlichen Besitzungen ihres Reiches haben die Seleukiden des öfteren, wahrscheinlich regelmäßig einen 'Generalstatt-

---

[1] Zu den Kämpfen des Antiochos II. und des Antiochos Hierax in Thrakien vgl. Polyaen. IV 16; Polyb. V 74, 4; Trog. prol. 27; Justin. XXVII 3, 11; Aelian. hist. an. VI 44; Euseb. I 253 Sch.; dazu E. R. BEVAN, Seleucus I S. 176; 202; K. J. BELOCH, Gr. Gesch. IV 1, S. 672 u. A. 4; 2, S. 355f.; zum Bosporoskonflikt Polyb. IV 38–52; zu den Kämpfen des Antiochos III. in Thrakien O. LEUZE, Hermes 58 (1923) S. 202ff.; H. BENGTSON, Historia 11 (1962) S. 27f.; unten Kap. V, S. 271f.; 274f.

halter der Oberen Satrapien' (ὁ ἐπὶ τῶν ἄνω σατραπειῶν) berufen, dessen Amtsbereich wenigstens zeitweise außer den iranischen Provinzen auch das Zweistromland umfaßte. So hat Antiochos I. als Kronprinz den Osten des Reichs verwaltet; auch Antiochos III. hatte vor seiner Thronbesteigung diesen wichtigen Posten inne. Unter seiner Regierung sind Molon (223—222), der Kronprinz Antiochos (193) und Menedemos (seit 193?) in dieser Stellung nachzuweisen[1].

Die westiranischen Provinzen

Welche der iranischen Provinzen zur Zeit der Thronbesteigung des Antiochos III. noch dem angestammten Herrscherhaus gehorchten, ist nicht leicht zu bestimmen; die Nachrichten über die Verhältnisse in Iran im III. Jh. fließen äußerst spärlich. Sicher ist nur, daß die Satrapien im Westen Irans, Medien, Persis und Susiane, im J. 223 in der Hand der Seleukiden waren. Damals fungierte in Medien und Persis das Brüderpaar Molon und Alexandros als Statthalter[2], und in der Susiane finden wir im J. 221 einen Diogenes als Provinzstrategen[3]. Auch nach der Beendigung des Molon-Aufstandes (220) sind die Provinzen Medien und Susiane wieder für den König in Pflicht genommen worden; die Ernennung neuer Gouverneure für diese Satrapien ist ausdrücklich bezeugt[4]. Und es besteht kein Grund für die Annahme, daß die beiden Provinzen im Laufe des III. Jh. auch nur vorübergehend dem Seleukidenreich verlorengegangen seien (vgl. u. S. 51 A. 2).

Weit weniger klar ist die Lage in der Persis. Die Provinz wird bei der Neubesetzung der Gouverneursposten im J. 220 nicht erwähnt; und schon kurz vorher, nach dem Siege über Molon, fehlt sie in einem Zusammenhang, in dem man ihre Nennung erwarten sollte: nach Polyb. V 54, 8 sendet Antiochos seine Funktionäre nach Medien, um das Land wieder zu ordnen; der Persis wird nicht Erwähnung getan, obgleich doch auch sie revoltiert hatte. Sollte sie inzwischen verlorengegangen sein[5]?

Strabon berichtet, die Perser lebten in einem eigenen Staatsverband unter Königen, die anderen Königen untertan seien, früher den Makedonen-, zu seiner Zeit den Partherkönigen[6]. Polyän kennt zwei Strate-

[1] Zum 'Generalkommando' allgemein vgl. H. BENGTSON, Strat. II S. 78ff.; L. ROBERT, Hellenica VII S. 24; VIII S. 73f. Zum Generalkommando des Antiochos (III.) s. u. S. 108; zu dem des Molon u. S. 116ff.; zu dem des Antiochos d. J. o. S. 15ff.; zu dem des Menedemos o. S. 19f.    [2] Polyb. V 40, 7; s. u. S. 116ff.; 119ff.

[3] Polyb. V 46, 7; 48, 14; s. u. S. 130f. Zur Existenz einer eigenen Satrapie Susiane vgl. H. BENGTSON, Strat. II S. 18; u. S. 148 A. 3.    [4] Polyb. V 54, 12; s. u. S. 148f.

[5] Dieser Annahme widerspricht allerdings bereits, daß Alexandros, der Satrap der Persis, sich bis zu seinem Tod in der Provinz aufgehalten hat (Polyb. V 54, 5).

[6] Strab. XV 3, 24 p. 736.

geme aus Kämpfen zwischen Persern und Griechen: ein Seiles soll zur Zeit eines Königs Seleukos 3000 aufständische Perser zusammengehauen, ein Oborzos die gleiche Zahl von Katöken getötet haben[1]. Und archäologische Funde in Persepolis und im benachbarten Istachr lassen annehmen, daß von dort im Laufe, möglicherweise seit Anfang des III. Jh., eine gewisse nationaliranische Reaktion ihren Ausgang genommen hat[2].

Zu diesen verstreuten, ganz verschiedenartigen Unterlagen tritt eine Reihe von in der Gegend von Persepolis-Istachr geprägten Münzen. Sie sind auf die Namen mehrerer Dynasten oder Priesterfürsten geprägt, die sich, nach der weithin angenommenen Lesung der aramäischen Münzlegenden, als Frātadāra, 'Hüter des Feuers' bezeichnen[3]. Der zweite in der Reihe dieser Herren von Istachr, Vahuburz, ist anscheinend mit jenem Oborzos identisch, der die 3000 griechischen Siedler töten ließ. Von manchen wird denn auch angenommen, daß es die Frātadāra gewesen seien, die im III. Jh. Persepolis-Istachr zu neuer Blüte erweckten, daß die von Polyän überlieferten Kämpfe zwischen Persern und Makedonen ins III. Jh. gehörten und daß somit die Persis schon früh in diesem Jahrhundert den Seleukiden verlorengegangen sei[4]. Man könnte dazu die noch weiter unten zu besprechenden Nachrichten des Justin und des Strabon (s. u. S. 68 f.) stellen, die auf eine größere Abfallbewegung im Osten nach 240 v. Chr. zu deuten scheinen.

Mit der (meist übersehenen[5]) Erwähnung eines seleukidischen Satrapen der Persis um 223 v. Chr. ließe sich diese Ansicht freilich nur vereinbaren, wenn man annähme, die Seleukiden hätten die Persis vor 223 zurückerobert[6] und um 220 wieder verloren; der Zufall hätte uns dann Kenntnis von einem seleukidischen Zwischenspiel in der Persis gegeben, das vielleicht nur wenige Jahre gedauert hätte. Ist dies schon nicht sehr wahrscheinlich, so wird diese Annahme noch fraglicher, wenn man bedenkt,

---

[1] Polyaen. VII 39—40.
[2] Siehe S. K. Eddy, The King is Dead (1961) S. 75 ff. und die dort zusammengestellte Literatur; dazu F. Altheim, Weltgesch. Asiens im griech. Zeitalter I (1947) S. 271 ff.
[3] Andere Lesungen: frtkr'- 'dessen Tun mit dem Feuer zusammenhängt'; frtrk- 'Höherer' (~ griech. πρότερος, nach freundl. Mitteilung von Herrn Prof. W. Eilers, der die letztgenannte Lesung bevorzugt). Vgl. zu diesen Lesungen St. Wikander, Feuerpriester in Kleinasien und Iran. Skr. utgivna av Kungl. Humanist. Vetensskapssamfundet i Lund 40 (1946) S. 15 f. (m. der früh. Lit.), der sich für frātadāra entscheidet.
[4] Vgl. die Literatur bei S. K. Eddy a.a.O.; dagegen bereits F. Altheim, a.a.O. S. 272, der mit guten Gründen nicht vor die Mitte des III. Jh. hinaufgehen will.
[5] Soweit ich sehen kann, ist sie nur von E. T. Newell, Eastern Sel. Mints (1938) S. 161; F. Altheim, Weltgesch. Asiens I S. 273 und R. Stiehl b. F. Altheim, Gesch. d. Hunnen I (1959) S. 375 beachtet worden. S. K. Eddy, a.a.O. S. 77, datiert die Einsetzung des bei ihm S. 78 A. 28 erwähnten Alexandros fälschlich ins Jahr 205.
[6] So E. T. Newell, a.a.O. S. 161.

daß das Seleukidenreich unter Seleukos II. und Seleukos III. eine Schwächeperiode durchlaufen hat, während deren die ständigen Gefahren in West und Ost kaum Zeit und Kraft für eine Wiedereroberung der Persis gelassen haben dürften.

Freilich wäre es denkbar, daß die Frātadāra um 220 v. Chr. die inneren Kämpfe im Seleukidenreich zu einem Aufstand genützt hätten[1], und daß deshalb kein Nachfolger für Molons Bruder Alexandros ernannt worden wäre, der nach der Niederlage der Aufständischen seinem Leben ein Ende gesetzt hatte (s. u. S. 147). Aber es wäre doch eigentümlich, wenn Polybios zwar vom Selbstmord des Alexandros in der Persis (V 54, 5) berichtet, den Verlust der Provinz aber mit Stillschweigen übergangen hätte; man müßte sich schon zu der Annahme versteigen, seine königstreue Quelle (s. u. S. 175 ff.) hätte die Insurrektion der einheimischen Bevölkerung verschwiegen. Aber warum zieht Antiochos III. nach dem Sieg über Molon nicht gegen die Persis, sondern gegen das bislang de facto selbständige, am Rande liegende und vergleichsweise unwichtige Atropatene (s. u.)? Wenn er schon zugunsten weiterer Operationen im Osten den Kampf gegen das Ptolemäerreich aufschob, dann würde man eher erwarten, daß er die Rückeroberung der wichtigen Persis betrieben hätte, statt seine Kräfte auf dem Zug gegen Atropatene zu verzetteln! Er hätte zumindest einen neuen Strategen für die Persis ernennen und mit der Wiedereroberung der Provinz beauftragen müssen.

Auch Tychon, der bisherige 'Stabschef' (ἀρχιγραμματεὺς τῆς δυνάμεως), der bei der Neuordnung des J. 220 die 'Satrapie am Roten Meer' erhielt (Polyb. V 54, 12), kann nicht die Persis mitverwaltet haben oder mit ihrer Wiedereroberung betraut worden sein[2]. Die Ausdehnung dieser Satrapie ist nicht genau festlegbar; sie muß im wesentlichen mit der Landschaft im Mündungsgebiet von Euphrat und Tigris identisch gewesen sein[3], mag allerdings auch Teile des Küstenstreifens der Susiane umfaßt haben. Wäre sie mit der Persis vereinigt worden, so wäre ein Gebilde entstanden, das kaum sinnvoll hätte verwaltet werden können. Und die Wiedereroberung der Persis hätte man besser von Susiane aus betrieben; aber weder bei dem dortigen Strategen noch bei Tychon ist

---

[1] So anscheinend F. ALTHEIM, Weltgesch. Asiens I S. 273.

[2] Dies vermutet R. STIEHL, a.a.O. S. 375.

[3] Vgl. K. J. BELOCH, Gr. Gesch. IV 2, S. 357; H. BENGTSON, Strat. II S. 17; 192; o. S. 34. Die Identität wird durch folgende Überlegung gestützt: Im J. 221 konnte der Gouverneur der 'Gebiete am Roten Meer', Pythiadas, dem Befehl des Oberbefehlshabers Xenoitas, zum Haupttheer zu stoßen, nachkommen, während es dem Strategen der Susiane, Diogenes, anscheinend nicht gelang (s. dazu u. S. 130 u. 131 A. 4). Pythiadas konnte also durch die noch loyale Satrapie Babylonien nach Seleukeia gelangen; dies spricht dafür, daß sein Amtsgebiet im wesentlichen im Deltagebiet lag. Es ist nicht zu sehen, wieso der Amtsbereich des Tychon nicht mit dem des Pythiadas identisch sein sollte.

von einem solchen Auftrag die Rede. Wenn der Entsendung des 'Stabschefs' in die 'Gebiete am Roten Meer' überhaupt eine besondere Bedeutung zuzumessen ist, so wird sie eher darin liegen, daß Antiochos III. eine Flotte schaffen wollte, mit der der Persische Meerbusen und damit der Osthandel nach Indien überwacht werden konnte; als Antiochos III. von seinem großen Ostfeldzug zurückkehrte (205), bestand diese Flotte bereits, so daß er den wichtigen Handelsstaat der Gerrhäer an der arabischen Ostküste angreifen konnte[1]. Weiter unten (S. 82) wird noch davon zu sprechen sein, daß die Quelle des Polybios den Ostfeldzug des Königs mit dessen Eintreffen in Karmanien (im Herbst 206) als beendet betrachtet. Das läßt darauf schließen, daß Karmanien und infolgedessen auch die Persis, in der sich Antiochos im darauffolgenden Jahr (205) aufgehalten hat (vgl. OGI 231, 9f.), damals unbestrittener Besitz der Seleukiden waren; und man sieht nicht recht, wann das zwischen 220 und 205 anders gewesen sein kann.

Auch die kombinierte See- und Landschlacht, die ein *Numenius ab Antiocho rege Mesenae praepositus* in der Nähe der Straße von Hormuz 'den Persern' geliefert hat[2], gehört wahrscheinlich nicht in die ersten Regierungsjahre des Antiochos III.; sie ist wohl allenfalls in die Jahre nach der Schlacht bei Magnesia zu datieren, wenn sie nicht überhaupt erst in die Zeit des Antiochos IV. fällt[3].

Schließlich ist es auch nicht sehr wahrscheinlich, daß Antiochos III. nolens volens einen einheimischen Dynasten als Vasallenfürsten der Persis (mit dem Titel 'Satrap'?[4]) eingesetzt hätte.

Einer Lösung der Schwierigkeiten wird man erst näher kommen, wenn man es aufgibt, die Unabhängigkeit der Gegend um Persepolis mit dem Verlust der gesamten Persis gleichzusetzen[5]. Es ist ohne weiteres denkbar, daß der größte Teil der Provinz während des ganzen III. Jh. und noch zu Beginn des II. Jh. seleukidisch geblieben ist, und daß nur ein mehr oder weniger großer Bezirk um die alten Residenzstädte sich einer, möglicherweise von den Seleukiden geduldeten Autonomie erfreut hat. So wäre das Nebeneinander seleukidischer Funktionäre und der persischen Dynasten zu erklären, wenn diese überhaupt ins III. Jh. und nicht,

---

[1] Polyb. XIII 9. Zum Indienhandel vgl. M. Rostovtzeff, Gesellsch. u. Wirtsch. I S. 356f.; F. Altheim, Weltgesch. Asiens II (1948) S. 43ff.; vgl. aber H. Bengtson, Hist. Jahrb. 74 (1955) S. 32.   [2] Plin. n. h. VI 152.
[3] So J. G. Droysen, Gesch. d. Hell. III² 2 S. 349; A. v. Gutschmid, Gesch. Irans S. 40; Ed. Meyer, Urspr. u. Anf. d. Christentums II S. 218 A. 1–2; F. Altheim, Weltgesch. Asiens I S. 273; II S. 45–48; R. Stiehl b. F. Altheim, Gesch. d. Hunnen I (1959) S. 376f. In die Zeit des Ostfeldzugs des Antiochos III. datieren z.B. B. Niese II S. 401 A. 6 (aber vgl. III S. 216 A. 5!); H. Bengtson, Strat. II S. 156; W. W. Tarn, Greeks S. 213f.; 482f. (evtl. nach 190 v. Chr.).   [4] Vgl. H. Bengtson, Strat. II S. 60ff.
[5] Vgl. bereits F. Altheim, Weltgesch. Asiens I S. 273.

wie neuerdings vorgeschlagen worden ist, erst in die Jahre nach Magnesia (190 v. Chr.), also unter Seleukos IV. und Antiochos IV. gehören[1].

Das allerdings befremdliche Schweigen des Polybios über die Neubesetzung der Satrapie Persis dürfte also wohl nicht mit einem Verlust der Provinz zu erklären sein. Vielleicht hat Polybios bereits nicht mehr in seiner Zwischenquelle gefunden; vielleicht ist in seinem kurz resümierenden Bericht (s. u. S. 180 f.) auch manches ausgefallen.

Jedenfalls standen drei Jahre später bei Raphia (217 v. Chr.) Perser im Heer des Antiochos (Polyb. V 79, 6); die einfachste Erklärung dafür dürfte doch sein, daß die Persis damals seleukidisch war. Wenn bei Magnesia (190 v. Chr.) zwar 8000 Kyrtier und Elymaier, aber keine Perser im königlichen Heer genannt wurden, so wird man das vielleicht als Zeichen dafür werten dürfen, daß die Provinz sich damals vom Reich zu lösen begann. Allerdings nennen Livius und Appian nicht alle Kontingente mit Namen (vgl. z. B. Liv. XXXVII 40, 6. 11).

Die Persis dürfte also, ebenso wie Medien und die Susiane, beim Regierungsantritt des Antiochos und auch noch viele Jahre danach großenteils in der Hand des Königs gewesen sein. Auch während seines großen Ostfeldzugs in den Jahren 212—205 scheint der König die Provinz erst auf dem Rückweg passiert zu haben (vgl. o. S. 49), was darauf schließen läßt, daß sie zu keiner nennenswerten Beunruhigung Anlaß gab. Ob die Macht des Königs und seiner Statthalter im Gebiet der räuberischen Bergvölker der Elymais und der Paraitakene immer durchgesetzt werden konnte, ist allerdings fraglich.

## Die Grenzen der medischen Satrapie

Während in dem Jahrhundert vor der Thronbesteigung des Antiochos die Susiane anscheinend keine, die Persis mindestens keine wesentlichen Einbußen erlitten hatten, war der Umfang der seleukidischen Satrapie Medien bedeutend geringer als der der einstigen achämenidischen Provinz. Der gebirgige Nordwesten des Landes bildete seit 321 v. Chr. eine eigene Satrapie unter dem bisherigen Satrapen von Gesamt-Medien, Atropates,

---

[1] So die neue Chronologie von R. STIEHL, a. a. O. S. 375 ff., die auch die Kämpfe zwischen Persern und Griechen (Polyän) in die Zeit dieser Könige datiert. Die Münzen der Frātadāra bieten in der Tat keine inneren Indizien für eine absolute Chronologie. Allerdings beachtet R. STIEHL nicht die Zusammensetzung des 1934/5 von E. HERZFELD gefundenen Münzhorts (vgl. E. T. NEWELL, Eastern Sel. Mints S. 159 ff.), in dem je eine Tetradrachme des Seleukos I. und der Frātadāra Bagadat und Vahuburz sowie 7 des Vatafradat enthalten sind. Nach NEWELL sind Stil und Erhaltungszustand der beiden ältesten Münzen so ähnlich, daß eine direkte Abfolge Seleukos I. — Bagadat anzunehmen wäre. Ob dieses Argument ausreicht, die von STIEHL vorgeschlagene, sonst sehr plausible Chronologie der Frātadāra umzustoßen, müssen die Numismatiker entscheiden.

nach dem die Landschaft Media Atropatene genannt wurde; sie war beim Regierungsantritt des Antiochos III. wenigstens de facto völlig unabhängig (s. u. S. 61). Auch die wilden Völkerschaften am Südufer des Kaspischen Meeres, Tapurer, Marder, Kadusier usw., haben sich höchstens zeitweise dem Gebot der Seleukidenkönige gebeugt. Im Osten scheinen die Grenzdistrikte gegenüber der Satrapie Parthyene: Choarene und Komisene, östlich der Kaspischen Pforten, schon längere Zeit vor dem Regierungsantritt des Antiochos III. verlorengegangen zu sein; vermutlich hat bereits Andragoras, der aufständische Gouverneur der Parthyene, diese Landschaften erobert, und die Parther haben sein Erbe angetreten[1]. Zur Zeit des Eratosthenes verlief die Ostgrenze Mediens jedenfalls bereits in der Nähe dieses Passes; auch die Medien-Beschreibung des Polybios (s. u.) kennt sie als Grenze der Satrapie, und als Antiochos gegen die Parther zog (210 v. Chr.), scheint die Lage noch ebenso gewesen zu sein[2].

Die Westgrenze Mediens zum Zweistromland hin ist wahrscheinlich wie heute durch den Gebirgszug des Zagros gebildet worden. Die achämenidische Provinz Medien hatte allerdings vermutlich bis zum Tigris

---

[1] KIESSLING, RE IX 1 (1914) s. v. Hyrkania Sp. 482. Zu Andragoras und den Parthern s. u. S. 62f.

[2] Eratosthenes b. Strab. XV 2, 8 p. 723 (s. u. S. 76); Polyb. V 44, 5; die Gegenden, von denen X 28 die Rede ist, scheinen nicht weit von den Kaspischen Toren zu liegen (vgl. KIESSLING a.a.O. Sp. 482; RE VII 2 [1912] Sp. 2790f.). Daß die Parther schon damals noch weiter nach Westen, etwa bis Rhagai oder gar bis Ekbatana vorgedrungen seien, wie manche annehmen (vgl. z.B. Sir P. SYKES, A Hist. of Persia I [³1951] S. 312f.; N. C. DEBEVOISE, A Polit. Hist. of Parthia [1938] S. 15; W. W. TARN, Greeks S. 465 A. 1), ist nicht sehr wahrscheinlich (vgl. bereits A. v. GUTSCHMID, Gesch. Irans S. 36 u. A. 3). Wenn Arsakes II. nach Polyb. X 28, 1 erwartet hat, daß Antiochos III. bis an den Wüstenrand vordringen werde, so bedeutet das zwar, daß westlich der Wüste bereits parthisches Gebiet lag; aber es genügt, mit Choarene und Komisene zu rechnen. Appian. Syr. 1, 1 spricht freilich von einem Zug des Antiochos III. ἐς Μηδίαν τε καὶ Παρθυηνὴν καὶ ἕτερα ἔθνη ἀφιστάμενα ἔτι πρὸ αὐτοῦ; aber dieser summarischen Angabe ist wenig zu entnehmen: Medien ist — im Gegensatz zu Parthyene und den 'anderen Völkern' — mit Sicherheit nicht vor Antiochos' Regierungsantritt abgefallen. Wahrscheinlich hat Appian die Wegangabe falsch verstanden. — KIESSLING Sp. 500f. setzt die Eroberung der Dareitis (zwischen Rhagai und den kaspischen Toren) unter Phraates I.; dieser dürfte auch Rhagai-Europos als Arsakia wiederbegründet haben (vgl. Steph. Byz. s. v. Ἀρσακία; F. WEISSBACH, RE II 1 [1895] Sp. 1270 Nr. 2). — Zu Justin. XLI 4, 5 (*totius orientis populi ... defecere*), woraus nicht zu entnehmen ist, daß Medien in den dreißiger Jahren abgefallen sei, vgl. u. S. 75; zu DROYSENS irriger Annahme, Artabazanes von Atropatene habe Medien erobert, u. S. 70 A. 1. — Die großen Serien der wahrscheinlich in Ekbatana geprägten Münzen des Seleukos II., Seleukos III., Molon und Antiochos III. (vgl. NEWELL, Eastern Sel. Mints S. 194—224) machen es unwahrscheinlich, daß die Hauptstadt der Provinz, wenigstens für längere Zeit, in Feindeshand gefallen ist. Die Plünderung des Tempelschatzes in Ekbatana (Polyb. X 27, 12f.) ist wohl nicht als Racheakt für eine Empörung, sondern als Zwangsanleihe zu werten; vgl. u. S. 101f.

gereicht, also die Landschaft Arbelitis (Assyria, Adiabene) eingeschlossen[1]. Im Zusammenhang mit der makedonischen Eroberung ist diese Gegend aber mit der Provinz Mesopotamia vereinigt worden, die also, trotz ihres Namens, nun bis zum Zagros reichte. Der genaue Zeitpunkt dieser Maßnahme ist nicht eindeutig festzulegen[2]; jedenfalls unterstand seit der Verteilung der Satrapien im J. 321 die Arbelitis dem Satrapen von Mesopotamien[3], und es ist kein Grund zu sehen, weshalb unter den Seleukiden eine Änderung dieses Zustandes getroffen worden sein sollte.

Gerade dies hat jedoch KIESSLING[4] behauptet: aus dem Exkurs über Medien bei Polybios (V 44) gehe hervor, daß die Seleukiden die Arbelitis wieder zu Medien geschlagen hätten. Polybios berichtet dort: 'In den südlichen Strichen reicht (Medien) bis Mesopotamien und zur Landschaft Apolloniatis (hinunter) und liegt an Persis entlang, gedeckt durch das Zagrosgebirge' (44, 6: τοῖς δὲ πρὸς μεσημβρίαν κλίμασι καθήκει πρός τε τὴν Μεσοποταμίαν καὶ τὴν Ἀπολλωνιᾶτιν χώραν, παράκειται δὲ τῇ Περσίδι, προβεβλημένη τὸ Ζάγρον ὄρος ...). Daraus soll hervorgehen, daß Polybios die Erdkarte des Eratosthenes in wesentlichen Punkten geändert habe. Der Alexandriner hatte nur einen Gebirgszug erkannt, den 'Tauros', der vom Süden Kleinasiens in westöstlicher Richtung durch Asien bis zum 'östlichen Ozean' verlief und Asien in einen nördlichen und einen südlichen Teil zerschnitt[5]. Polybios soll nun diese Vorstellung durch die Konzeption eines zweiten, südlich vom 'Tauros' ebenfalls von West nach Ost ziehenden Massivs, des 'Zagros' bereichert haben, wie wir es dann bei Strabon wieder sehen. Medien erstrecke sich also zwischen dem nördlichen Gebirgszug (von dem Polybios allerdings nicht spricht) und dem südlichen, jenseits dessen Persis (offenbar einschließlich der Susiane) liege. Durch die Einführung dieser latitudinal verlaufenden

---

[1] Vgl. bes. C. F. LEHMANN-HAUPT, RE II A 1 (1921) Sp. 119f.; 155f.; U. KAHRSTEDT, Syr. Territorien in hellenist. Zeit. Abh. Akad. Göttingen N. F. 19, 2 [1926] S. 12; beide vor allem auf Grund von Xenoph. anab. II 4, 27; III 5, 15; dort wird das Osttigrisland, durch das die Zehntausend ziehen, als 'Medien' bezeichnet. Der Versuch O. LEUZES, diese Stellen anders zu erklären, überzeugt nicht (Die Satrapieneinteilung in Syrien und im Zweistromlande von 520—320 [1935] S. 308; vgl. dagegen bereits Ernst MEYER, DLZ 1936, Sp. 1495f.; H. BENGTSON, Gnomon 1937, S. 124f.).

[2] H. BERVE, Alexanderreich I (1926) S. 259 verlegt die Änderung ins J. 331: damals sei Medien noch nicht erobert gewesen, so daß die Arbelitis zur bereits eroberten Mesopotamia geschlagen worden sei. Die Grenzverschiebung kann jedoch auch erst in die Jahre nach Alexanders Tod gehören. Verschiedene Erwägungen bei O. LEUZE, a.a.O. S. 307ff. (vgl. auch 134ff.; 188). [3] Diod. XVIII 39, 6; Arrian. Diad. FGrHist 156 F 9 (35).

[4] RE IX 1 (1914) s. v. Hyrkania, Sp. 462ff.

[5] Zum 'Tauros' des Eratosthenes vgl. H. BERGER, Die geogr. Fragm. d. Erat. (1880) S. 170ff., Frg. III A, 1—7; Gesch. d. wiss. Erdk. d. Griechen (²1903) S. 417ff.; E. H. BUNBURY, A Hist. of Anc. Geography I² (1883) S. 627ff.; KNAACK, RE VI 1 (1907) Sp. 365f.

## I. Der Territorialbestand des Seleukidenreichs

Kette bekomme ferner das Zweistromland, das bei Eratosthenes von Nord nach Süd verläuft, eine ebenfalls latitudinale Richtung; Euphrat und Tigris liefen also von West nach Ost. Schließlich zeige die Bemerkung, Medien grenze im Süden u. a. an Mesopotamien, daß die medische Provinz bis zum Tigris gereicht habe, die Arbelitis also ein Teil Mediens gewesen sei[1].

Bei dieser Interpretation wird jedoch einiges außer acht gelassen. Was meint Polybios mit 'Mesopotamia': die Landschaft zwischen Euphrat und Tigris — oder die Provinz, die mindestens zeitweilig über den Tigris hinaus bis zum Zagros gereicht hat[2]? Aus dem Zusammenhang ist es nicht festzustellen; denn ob die benachbarte 'Landschaft Apolloniatis' (ἡ Ἀπολλωνιᾶτις χώρα) einen eigenen Verwaltungsbezirk gebildet hat, ist nicht bekannt (s. o. S. 34). Die Ausdrucksweise, Medien 'reiche hinab' (καθήκει) bis Mesopotamien und Apolloniatis[3], wird man nicht zu eng interpretieren dürfen. Denn es ist fraglich, ob Polybios (bzw. seine Quelle) hier an die genaue Grenzziehung zwischen den Satrapien denkt, und ob nicht lediglich der Gedanke vorliegt, daß Medien höher liegt als die beiden genannten Landschaften, also dort, wo es an sie grenzt, zu ihnen 'hinabreicht'. Allenfalls wird man dieser Stelle entnehmen können, daß die Grenze Mediens nicht östlich des Zagros oder auf dem Gebirgskamm, sondern (mindestens) am westlichen Fuß der Gebirgskette verlief. Tatsächlich scheint aus Polyb. V 54, 6—7 hervorzugehen, daß die Chalonitis, das Gebiet unmittelbar westlich der großen Zagros-Pässe, bereits zu Medien gehörte[4]. Die Grenze zwischen Medien und der Apolloniatis scheint demnach etwa in der Gegend der heutigen irakisch-persischen Grenze[5], am Westabhang des eigentlichen Zagros, verlaufen zu sein. Und weiter nördlich wird es nicht anders gewesen sein; denn hätte die Arbelitis zur Satrapie Medien gehört, der Tigris also die Grenze gebildet, so hätte Polybios wahrscheinlich diesen Fluß erwähnt (etwa καθήκει πρὸς τὸν Τίγριν καὶ τὴν Ἀπολλωνιᾶτιν χώραν).

---

[1] Diese Auffassung des Medien-Exkurses ist im Polybios-Kommentar von F. W. WALBANK, I S. 574f., übernommen.

[2] Über verschiedene Bedeutungen desselben Namens vgl. O. LEUZE, a.a.O. S. 23f.; 148f.; 307.

[3] Καθήκειν scheint die spezifische Bedeutung '(zu einer tieferen Stelle) hinabreichen' nie verloren zu haben: vgl. die zahlreichen Stellen, an denen das Verbum in Verbindung mit εἰς bzw. πρὸς τὴν θάλατταν o. ä. vorkommt; z.B. bei Herodot, Thukydides, Xenophon, Cass. Dio usw.; bei Polybios z.B. noch V 44, 8 (ἐπὶ τὸν Εὔξεινον πόντον).

[4] Antiochos III. befiehlt, den Leichnam des Molon κατὰ τὸν ἐπιφανέστατον τόπον τῆς Μηδίας zu pfählen; dies geschieht in der Chalonitis, πρὸς αὐταῖς ... ταῖς εἰς τὸν Ζάγρον ἀναβολαῖς, womit doch wohl der westliche Fuß der Paßstraße gemeint sein dürfte. Strab. XVI 1, 1 p. 736 rechnet die Chalonitis aber noch zu Ἀτουρία, d.h. jedenfalls zum Zweistromlande, anscheinend auch Isid. Charac. 3; die Beschreibung bei Plin. n. h. VI 122; 131 ist verworren. [5] Näheres s. u. S. 135.

Auch der Name 'Medien' im polybianischen Exkurs kann nicht einfach als selbstverständlich hingenommen werden. Die Nordgrenze Mediens wird dort folgendermaßen beschrieben: 'Die gegen Mitternacht liegenden Teile werden von den Elymaiern und Aniaraken, ferner von den Kadusiern und den Matianern umschlossen und liegen über den Pontos-Ländern, die an die Maiotis grenzen' (44, 9—10). Auch bei den mangelhaften geographischen Vorstellungen jener Zeit ist es nicht denkbar, daß diese Beschreibung die seleukidische Provinz Medien meint. Die Sätze passen vielmehr genau auf Atropatene; denn Elymaier, Aniaraken und Kadusier haben vermutlich an der Südwestecke des Kaspischen Meeres gewohnt, die Matianer um den Urmiasee und westlich davon[1]. Atropatene, das bis zum Alexanderzug zu Medien gehört hatte, ist also hier noch in Medien inbegriffen. Das geht aller Wahrscheinlichkeit nach auf Eratosthenes zurück; auch er zählt diese Völkerschaften auf und läßt die Kadusier an Meder und Matianer grenzen (Eratosth. b. Strab. XI 8, 8 p. 514) und unterscheidet nicht zwischen Media Magna (dem eigentlichen Medien) und Media Atropatene; er kennt also nur ein Gesamt-Medien, wie wir es nennen wollen[2]. Auch die Größe, die Polybios seinem 'Medien' bescheinigt (V 43, 8; 44, 2—3), zeigt, daß es sich nicht nur um Media Magna handeln kann.

Aber Polybios kennt auch Atropatene, das 'Land der Satrapeioi', wie er es nennt (V 44, 8; 55, 2). Im Medienexkurs sagt er, dieses Land grenze an die westlichen Teile Mediens an und sei nicht weit von den zum Pontos hin wohnenden Völkern entfernt (V 44, 8). Später, bei Gelegenheit des Feldzugs nach Atropatene, heißt es, die Landschaft liege an Medien entlang und werde von ihm durch das dazwischenliegende Bergland getrennt; Teile des Landes lägen über dem Pontos in der Gegend des Phasis, erreichten aber auch die Kaspisee (V 55, 7). Diese Beschreibung deckt sich einigermaßen mit der Beschreibung der Nordgrenze Mediens im Exkurs[3].

Es ist Polybios nicht aufgefallen, daß seine Beschreibung 'Mediens' Atropatene bereits enthalten hatte. Statt Atropatene, für das ihm eine eigene Beschreibung vorlag, davon abzuziehen, hat er es gewissermaßen

---

[1] Vgl. Kiessling a.a.O. Sp. 502 ff.

[2] Das hat auch Kiessling, Sp. 502 f. gesehen, aber nicht die nötigen Folgerungen daraus gezogen.

[3] Wenn beide Beschreibungen Atropatene (bzw. Nord-Medien) weit ins kaukasische Bergland hineinreichen lassen, so scheint es, daß Atropatene damals beträchtliche Teile Armeniens mit umfaßt hat. Das mag für bestimmte Zeiten durchaus zutreffen. Vermutlich hat E. Herzfeld, Arch. Mitt. aus Iran IV (1931/2) S. 57 auf Grund dieser Beschreibungen Artabazanes als Herrscher von 'Armenien und Atropatene' bezeichnet. Für welche Zeit diese Ausdehnung Atropatenes zutrifft, ist jedoch nicht festzulegen.

hinzuaddiert und in den Westen Mediens versetzt[1]. Betrachtet man dieses 'Gesamt-Medien' (einschließlich Atropatenes), auf der Karte, so wird sofort klar, wieso Polybios sagen konnte, Medien grenze im Süden an Mesopotamien, auch wenn dieses (d. h. die Provinz Mesopotamia) über den Tigris nach Osten reichte: Wenn Polybios 'in den südlichen Landstrichen' sagt, so kann er damit nicht nur die direkte Südrichtung, sondern ebenso Südwesten und Südosten meinen; das beweist die Beschreibung der 'Ost'grenze Mediens, die vom Südosten über den Osten zum Nordosten vorschreitet[2]. Auch auf der modernen Landkarte liegen die Arbelitis (d. h. die Provinz Mesopotamia) und die Landschaft Apolloniatis im Südwesten von Gesamtmedien, Susiane und Persis im Süden (und Südosten). Berücksichtigt man aber, daß Polybios sich augenscheinlich — und gewiß unter dem Einfluß des Eratosthenes — die von NW nach SO laufende Hauptachse Gesamtmediens in Ost-West-Richtung vorgestellt hat, so wird die Aussage, 'Mesopotamien' liege südlich von 'Medien', erst recht verständlich. Man muß sich eben nur klarmachen, daß 'Medien' und 'Mesopotamien' nicht nur eine Bedeutung haben[3].

KIESSLING hat für seine Ansicht noch eine weitere Stütze zu finden geglaubt: Polybios erzählt V 55, 6, Antiochos habe den Zagros überstiegen und sei in das Land des Artabazanes (= Atropatene) eingefallen. Nun folgt die schon oben wiedergegebene Beschreibung dieser Landschaft: sie liege an Medien entlang, durch das dazwischenliegende Bergland getrennt[4]. Dazu KIESSLING (Sp. 463f.): 'Dieses Bergland ist der nordwestliche Teil des Zagrosdiaphragmas und diese Polybianische Grenze zwischen Medien und Atropatene genau die auf der Ptolemaios-

---

[1] Zwischen Polybios und seiner unbekannten Quelle ist hier zunächst nicht unterschieden. S. u. S. 59.   [2] V 44, 4—5; vgl. bereits J. SCHWEIGHÄUSER, Bd. VI S. 201.
[3] Selbst wenn KIESSLING recht hätte und die Polybiosstelle wirklich auf Zugehörigkeit der Arbelitis zu Medien deutete, würde das noch nichts für die Zeit um 220 v. Chr. besagen: die Beschreibung kann einen früheren, vormakedonischen Zustand wiedergeben. Sie geht wohl direkt oder indirekt auf Eratosthenes zurück; dieser hat mit Sicherheit die Bematistenprotokolle des Alexanderzugs benützt. Als Alexander zum Tigris kam, bildete dieser wahrscheinlich die Westgrenze der Satrapie Medien (vgl. o. S. 52 A. 1—2); das wird in den Bematistenprotokollen gestanden haben. Auch Nachrichten wie die des Xenophon (o. S. 52 A. 1) können ihren Niederschlag in der kompilierenden Arbeit der Geographen gefunden haben. So ließe sich etwa auch das Auftauchen der Karduchen in Nordwestmedien erklären, das KIESSLING (Sp. 463) solches Kopfzerbrechen bereitet: Bei Xenoph. anab. III 5, 15f. sitzen sie nördlich von 'Medien'! Aber so sehr solche anachronistischen Ansätze auch der Arbeitsweise der Geographen entsprechen — KIESSLING hat selbst einige interessante Fehlleistungen aufgedeckt — halte ich die oben gegebene Erklärung für den südlichen Ansatz Mesopotamiens doch für die richtige.
[4] V 55, 7: παράκειται μὲν τῇ Μηδίᾳ, διειργούσης αὐτὴν τῆς ἀνὰ μέσον κειμένης ὀρεινῆς, ὑπέρκειται δ' αὐτῆς τινὰ μέρη τοῦ Πόντου κατὰ τοὺς ὑπὲρ τὸν Φᾶσιν τόπους, συνάπτει δὲ πρὸς τὴν Ὑρκανίαν θάλασσαν.

karte verzeichnete. Kein Zweifel, daß Marinos den Zustand der seleukidischen Provinz im Auge hatte ... Marinos wußte, daß in der Gegenwart die Arbelitis ... durch den Choathras, einen Teil des weiteren Zagros, von Medien getrennt wurde; trotzdem behielt er die medisch-atropatenische Zagrosgrenze bei, die doch gerade die Zugehörigkeit Assyriens zu Medien zur Voraussetzung hatte. Und da für ihn Atropatene nur westlich von Medien lag, mußte der Zagros nach Medien rücken und von Süd nach Nord streichen.'

Dagegen ist zunächst zu sagen, daß aller Wahrscheinlichkeit nach der Zagros in 55, 6 nicht mit der ὀρεινή in 55, 7 identisch ist, wie KIESSLING offenbar meint[1]. Hätte Polybios das ausdrücken wollen, so hätte er wohl wie üblich in seiner etwas pedantischen Weise hinzugefügt: τῆς προειρημένης ὀρεινῆς o. ä. Im Gegenteil scheint gerade die Beifügung ἀνὰ μέσον κειμένης darauf hinzudeuten, daß Polybios ein anderes, ihm nicht namentlich bekanntes Bergland meint, das so seine nähere Bestimmung erhält. Andernfalls wäre es pleonastisch, von einem zwei aneinandergrenzende Länder trennenden Gebirge zu sagen, es liege in der Mitte zwischen beiden! Das Bergland, das Polybios meint, sind die nördlichen Teile Mediens, die Strabon (XI 13, 7 p. 525) hoch und kalt nennt, also die tatsächliche Grenzscheide zwischen dem eigentlichen Medien und Atropatene. Es ist also nicht wahrscheinlich, daß Polybios oder seine Quelle das königliche Heer aus einem westlichen Teil Mediens (nämlich der Arbelitis) nach Atropatene einmarschieren lassen wollten. Polybios sagt uns nicht, aus welcher Satrapie Antiochos vorgestoßen ist; und wir können es auch gar nicht von ihm erwarten. Wir wissen ja nicht einmal, welchen Weg der König eingeschlagen hat[2].

So wird auch der Fehler bei Marinos-Ptolemaios anders zu erklären sein. Wahrscheinlich haben die späteren Geographen über eine Nachricht

[1] Jedenfalls geht diese Ansicht aus dem Folgenden hervor. Auch F. W. WALBANK, Comm. I S. 575 hat KIESSLING so verstanden, und auch Th. BÜTTNER-WOBST gibt im Polybios-Index, s. v. Ζάγρος: situs inter Mediam et Artabazanis regnum.

[2] Der nördliche Weg führte von Arbela über das heutige Ruwandiz und die dortigen Pässe zum Urmia-See; auf diesem Weg hat wahrscheinlich Dareios nach der Niederlage bei Gaugamela das Gebirge überschritten; vgl. E. H. BUNBURY, Hist. of Ancient Geography I² (1883) S. 475. Arrian. anab. III 16, 2 nennt diese Route 'für ein großes Heer ungünstig'. — Daneben bestand die Möglichkeit, von Seleukeia aus auf der großen Ost-Route den Zagros zu überschreiten und dann von Süden her nach Atropatene einzufallen, also über die ὀρεινή, die nach V 55, 7 die beiden Provinzen trennt. — Teile einer direkten Verbindung zwischen Seleukeia und Ganzaka, der Hauptstadt Atropatenes (= Takht-i-Suleiman?) beschreibt E. HERZFELD, Arch. Mitt. aus Iran IV (1931/2) S. 51 A. 1. Diese Route müßte die Dijala bis fast an ihre Quelle begleitet, östlich von Suleimanija den Zagros überschritten haben und dann weiter nordöstlich verlaufen sein. Beide südlichen Routen überschreiten den Zagros von der Apolloniatis aus und sind daher kein Indiz für die medisch-mesopotamische Grenze.

verfügt, wonach der Zagros die westliche Grenze Mediens bilde (was ja auch zutrifft); da aber Atropatene angeblich westlich von Medien liegen sollte[1], ergab sich, daß der Zagros zwischen Medien und Atropatene liegen müsse. So erhielt das Gebirge einen Doppelgänger: es tritt auf der Ptolemaioskarte als Choathras an der richtigen Stelle zwischen Atropatene und Assyrien auf und fälschlich als Zagros zwischen Atropatene und Medien. Die gleiche Verdoppelung hat ja auch, wie KIESSLING (Sp. 461f.) gezeigt hat, der Parachoathras erfahren, der als Coronus Mons an seiner richtigen Stelle im Norden Parthiens, als Parachoathras völlig falsch südlich von Parthien eingezeichnet ist[2].

Zusammenfassend kann festgestellt werden, daß es keinen hinreichenden Grund für die Annahme gibt, die Arbelitis zwischen Tigris und Zagros habe in der Seleukidenzeit zur Provinz Medien gehört, mit der sie seit dem Verlust Atropatenes nicht mehr durch eine direkte Route verbunden war; die Hauptverbindung lief ja durch die — sicher nicht zu Medien gehörende — Apolloniatis. Die Arbelitis hat vielmehr aller Wahrscheinlichkeit nach, wie schon im J. 321 v. Chr., zur Provinz Mesopotamia gehört, von der aus sie leichter verwaltet werden konnte.

Es bleibt noch zu untersuchen, welche Vorstellungen sich Polybios nun wirklich vom Verlauf des 'Zagros' gemacht hat, und ob er tatsächlich die eratosthenische Erdkarte so stark modifiziert hat, wie KIESSLING glaubt.

Die Vorstellung eines zum iranischen 'Tauros' südlich parallel laufenden Gebirgszuges begegnet zuerst in voller Ausprägung bei Strabon (XI 12, 1ff., bes. 12, 4 p. 522), der allerdings mit 'Zagros' nur den westlichen Teil dieser großen Kette bezeichnet: Sein 'Zagros' schließt an den Niphates an (d. h. an die südarmenischen Berge nördlich von Mesopotamien mit der Tigrisquelle) und trennt Medien von 'Babylonien' (worunter Strabon das gesamte Zweistromland zu verstehen scheint, hier also im wesentlichen Assyrien; vgl. XVI 1, 1 p. 736). Darauf setzt sich die Kette 'über Babylonien' mit den Bergländern der Elymaier und Paraitakener fort bzw. 'über Medien' mit dem der Kossäer. Strabon kennt unter dem Namen 'Zagros' im wesentlichen die Gebirgsgegend um die 'Zagrospforte', zwischen der Chalonitis und der Messabatike in Elymais (vgl. XVI 1, 1

---

[1] Vgl. neben Polyb. V 44, 6 auch Strab. XI 13, 2. 6.

[2] Natürlich ist auch dies nur ein Versuch, den Irrtum der Geographen zu erklären. Was in den Gehirnen dieser Kompilatoren vor sich gegangen ist, können wir wohl nur in den seltensten Fällen rekonstruieren. Die harte Kritik, die ihnen so oft zuteil wird (vgl. z. B. auch KIESSLING, Sp. 504), haben sie jedenfalls nicht verdient. Sie mußten versuchen, aus zahlreichen, scheinbar widersprüchlichen Nachrichten ein Kartenbild zu konstruieren. Wie sollten sie zwischen Landschafts- und Provinznamen, seleukidischen und parthischen Provinzen, frühen und späteren Zuständen unterscheiden?

p. 736; 1, 17 p. 744); das entspricht ungefähr der heutigen engeren Anwendung des Gebirgsnamens[1].

Anders Polybios, bei dem, soweit ich sehen kann, der Gebirgsname überhaupt zum erstenmal auftritt. Aus den Resten der geographischen Diskussionen des XXXIV. Buches geht nicht hervor, ob Polybios dort noch einmal über die Geographie Mediens und speziell über den Zagros gehandelt hat; wir erfahren nur, daß er Eratosthenes als den vertrauenswürdigsten Autor in Dingen der asiatischen Geographie bezeichnet hat (XXXIV 13), und es ist nicht sicher, ob er dort überhaupt noch einmal auf die Landeskunde Asiens eingegangen ist[2]. Aus dem Medienexkurs V 44 gehen Polybios' Anschauungen über Ausdehnung und Richtung des 'Zagros' nicht klar hervor. Nach V 44, 6 müßte man annehmen, daß er lediglich den Gebirgszug zwischen Medien und (Susiane-) Persis gemeint hat, also gerade den Teil der Kette, der bei Strabon nicht so bezeichnet wird. Denn man wird das Partizip προβεβλημένη nur auf das unmittelbar vorhergehende Glied παράκειται δὲ τῇ Περσίδι, nicht ἀπὸ κοινοῦ auch auf das erste Glied (καθήκει) beziehen können. Anderwärts bezeichnet Polybios jedoch mit 'Zagros' auch den Teil des Gebirgszuges, den Strabon allein unter diesem Namen kennt; es sind die beiden bereits erwähnten Stellen, an denen Polybios von der Pfählung der Leiche Molons am Aufgang zu den Zagrospässen bzw. von der Überschreitung des Zagros auf dem Weg nach Atropatene spricht (V 54, 7; 55, 6). Beide Stellen gehören mit Sicherheit der seleukidischen Hofquelle zu, der Polybios die historische Erzählung über jene Jahre entnommen hat (s. u. S. 175 ff.). Hingegen ist für den Medienexkurs die Quellenlage nicht klar.

Wir stehen also vor dem eigenartigen Phänomen, daß Polybios den Namen des 'Zagros' nur im medisch-persischen Grenzgebiet nennt, nicht aber im medisch-mesopotamischen, wo er für die weitere historische Erzählung viel wichtiger war. Man wird das kaum damit erklären können, daß die Gebirgskette hier noch zum medischen Provinzgebiet gehört habe (s. o. S. 53), so daß Polybios im strengen Sinn nicht habe sagen können, Medien habe dort den Zagros 'als Bollwerk vorgeschoben' (προβεβλημένη); selbst wenn die Provinz noch ein Stück ins Flachland hineinragte, blieb der Zagros doch der Schutzwall des medischen Kerngebietes. Man wird eher annehmen dürfen, daß Polybios, dessen Vorstellungen von der Geographie jener Gegenden wohl sehr unvollkommen waren, bei der verkürzenden Übernahme seiner Vorlage falsch bezogen und den Zagros nur zwischen Medien und Persis statt auch zwischen Medien

---

[1] Der Name 'Zagros' wird heute im weiteren Sinn für den gesamten Gebirgszug zwischen Aserbeidschan und Kirman, im engeren Sinn für den Teil zwischen etwa dem Urmia-See und der Susiane angewendet.

[2] Vgl. H. B. MAGDEBURG, *De Polybii re geographica* (Diss. Halle 1873) S. 49.

## I. Der Territorialbestand des Seleukidenreichs

und dem Zweistromland angenommen hat — wenn nicht überhaupt eine Vertauschung vorliegt, der Name 'Zagros' also wie bei Strabon nur zum nordwestlichen Teil des Gebirgszuges gehört und sich nicht auch auf die östlichen Teile erstreckte[1].

Woher stammt nun das Wissen des Polybios von der Geographie Mediens? Es wurde bereits erwähnt, daß Polybios dem Eratosthenes die größte Autorität in Fragen der asiatischen Erdkunde zuerkannt hat; und einige wesentliche Züge des Medien-Exkurses sind auch mit den Vorstellungen des Eratosthenes vereinbar: so etwa die Einbeziehung Atropatenes in Medien, ebenso die Einbeziehung der Susiane in die Persis, von der sich Spuren noch bei Strabon finden[2], und die starke Betonung der Kaspischen Tore, die in der eratosthenischen Kartographie Schnittpunkt eines wichtigen Meridians mit dem Hauptparallelkreis sind (vgl. u. S. 79). Auf der anderen Seite weicht der Exkurs aber doch, was die Rolle des 'Zagros' betrifft, stark von Eratosthenes ab. Wir können freilich nicht mit völliger Sicherheit sagen, daß Eratosthenes den großen west- und südiranischen Gebirgszug nicht gekannt habe[3]; vermutlich hat er jedoch, etwa aus den Bematisten-Protokollen, nur von Teilen der Kette gewußt, aber nicht ihren Zusammenhang erkannt und ist infolgedessen auch nicht, wie die Späteren, auf den irrigen Gedanken gekommen, daß es sich um einen südlichen Teil des großen Scheidegebirges handle.

Zwischen Eratosthenes, dessen ἀκμή um die Mitte und in der zweiten Hälfte des III. Jh. anzusetzen ist, und Polybios, der nach der Mitte des II. Jh., also rund hundert Jahre später geschrieben hat, ist demnach anscheinend eine andere Quelle anzunehmen, die einen großen, im allge-

---

[1] Mit den Namen der drei Völker, die Polybios V 44, 7 als Bewohner von Zwischentälern des 'Zagros' nennt, ist wenig anzufangen. Die Karchoi sind unbekannt (es sei denn, man wollte Schweighäusers unwahrscheinliche Konjektur Καρ<δοῦ>χοι [Bd. VI S. 203] annehmen), die Korbrener ebenfalls; sie könnten in der Elymais gewohnt haben (nach Schweighäusers Konjektur Κορβιανοί entsprechend Strab. XVI 1, 18 p. 745). Die Kossäer schließlich wohnten offenbar zwischen Medien und der Susiane (Diod. XIX 19, 2); aber ihre Lokalisierung war in der Antike unsicher: Strabon bringt sie mit dem Osten Mediens zusammen (XVI 1, 17—18 p. 744; XI 13, 6 p. 524; die zweite Stelle deutet allerdings ebenfalls auf den westlichen Wohnsitz: es heißt dort, die Perserkönige hätten den Kossäern Tribut gezahlt, sooft sie aus ihrer Sommerresidenz Ekbatana nach Babylonien hinabgestiegen seien). Deuten schon diese Namen mindestens auf den mittleren Teil des Gebirgszuges, so fällt umgekehrt auf, daß Polybios die Paraitakener nicht unter den Bewohnern des medisch-persischen Grenzgebirges nennt. Auch dieses argumentum e silentio könnte eine Vertauschung des Namens 'Zagros' wahrscheinlich machen.

[2] Strab. XV 3, 2 p. 727. Es handelt sich nicht, wie Kiessling meint, um das persisch-susische Königreich des II. Jh.

[3] Kiessling (Sp. 459) verneint die Frage, da Alexander d. Gr. den Gebirgszug umgangen habe. Aber Alexander hat zumindest 324/23 den (westlichen) Zagros über die 'Zagrospforten' überschritten. Zudem kann Eratosthenes neuere Nachrichten gekannt haben.

meinen westöstlich verlaufenden Gebirgszug gekannt hat. Eine große, umfassende Geographie wie die des Eratosthenes kann dies nicht gewesen sein; denn Polybios spricht von Eratosthenes als 'dem letzten, der sich mit der Geographie beschäftigt hat' (XXXIV 5, 1)[1]. Es handelt sich also wohl um eine Arbeit mit begrenzterem Thema: entweder um ein historisches Werk mit geographischen Angaben oder um eine geographisch-ethnographische Schrift über Asien. Genaueres läßt sich nicht sagen. Es kann auch nicht mit Sicherheit festgestellt werden, ob Polybios in diesem Werk bereits eine Beschreibung Mediens fertig vorgefunden oder ob er selbst die Mitteilungen über die Gebirgskette mit der — ihm wohlbekannten und vertrauenswürdig erscheinenden — eratosthenischen Beschreibung verwoben hat. Im letztgenannten Fall könnte man die Nachrichten über den Zagros der Seleukidenquelle zuschreiben, aus der die militärisch-politischen Angaben des polybianischen Berichtes stammen; sie kannte ja den Zagros. Die ganze Beschreibung Mediens wird dagegen kaum aus der Hofquelle geflossen sein; dazu enthält sie doch zu viele Fehler. Vor allem wird man die übermäßige Ausdehnung Mediens nach Norden, erst recht die Einbeziehung der Susiane in die Persis nicht bei einem Kenner der Verhältnisse um 220 v. Chr. suchen wollen. Hier scheint vielmehr unverändertes eratosthenisches Überlieferungsgut vorzuliegen.

Die Einführung des südlichen Gebirgszuges als neuen Parallelkreises zum 'Tauros' ins Kartenbild hatte offenbar eine Verschiebung Mediens nach Norden zur Folge; wie sie aus den schon oben zitierten Beschreibungen hervorgeht, in denen Mediens Nordgrenze mit der Maiotis in Verbindung gebracht wird. Dazu kommt noch Polyb. X 27, 4, wo es heißt, Ekbatana liege im Norden (!) Mediens und beherrsche die Gegenden Asiens um das Schwarze Meer und die Maiotis. Entsprechend werden sich auch die Susiane, die Persis und der Persische Golf weiter nach Norden verschoben haben. Man wird aber getrost die Ansicht KIESSLINGS ablehnen dürfen, daß diese Verschiebungen auch das Zweistromland betroffen hätten, daß Polybios also diese Landschaft wie das südliche Scheidegebirge sich als von West nach Ost laufend vorgestellt hätte. Eine Drehung der Achse des Zweistromlandes um 90° wäre eine so harte Korrektur des eratosthenischen Kartenbildes gewesen, daß man sie Polybios, der dem alexandrinischen Polyhistor so großes Vertrauen schenkte (XXXIV 13), nicht zutrauen möchte. Eine solche Annahme ist auch gar nicht nötig. Wenn nach Ansicht des Polybios das Zweistromland wie bei Eratosthenes im wesentlichen von Nord nach Süd oder allenfalls — der Wirklichkeit entsprechend — von Nordwest nach Südost verlief,

---

[1] Den Hipparchos, Eratosthenes' großen Kritiker, scheint Polybios demnach nicht gekannt oder mindestens nicht geschätzt zu haben.

so wurde lediglich im Süden der Abstand zwischen dem Tigris und dem Gebirge größer. Aber Polybios braucht nicht gewußt zu haben, daß das Zweistromland und der Zagros annähernd parallele Richtung haben; lediglich unsere modernen Kenntnisse von der Geographie Vorderasiens führen zu der Annahme, die Drehung des Zagros müsse eine ebensolche Drehung des Zweistromlandes zur Folge gehabt haben. Daß ein Bild, in dem das südliche Gebirge latitudinal, das Zweistromland etwa im Winkel von 45⁰ dazu verliefen, vorstellbar war, beweist Strabon, bei dem der Zagros und seine Fortsetzung tatsächlich westöstlich, die großen Flüsse des Irak aber nordsüdlich laufen (II 1, 26 p. 80, nach Eratosthenes).

Man braucht also nicht anzunehmen, daß Polybios die eratosthenische Geographie Vorderasiens in so durchgreifender Weise modifiziert habe.

Atropatene

Media Atropatene (Aserbeidschan) in den Bergen südwestlich des Kaspischen Meeres (s. o. S. 54f.) hatte stets gegenüber den Seleukiden seine Unabhängigkeit zu wahren gewußt. Die Nachkommen des persischen Generals Atropates, der seit 321 v. Chr. dort regierte, sollen noch zur Zeit Strabons in Atropatene geherrscht haben; zur Zeit der Thronbesteigung des Antiochos III. regierte Artabazanes, den der Seleukide im J. 220 zur Anerkennung seiner Oberhoheit zwang[1]. Der damalige Umfang des atropatenischen Staates läßt sich schwer bestimmen[2]. Wir haben die beiden Stellen, an denen Polybios die Lage des Landes beschrieb, bereits kennengelernt (o. S. 54). Sowohl im Medienexkurs (V 44, 8) als auch im Bericht über die atropatenische Expedition des Antiochos (V 55, 7) wird dem Land eine große Ausdehnung nach Nordwesten, bis in die Nähe des Schwarzen Meeres zugeschrieben; es ist nicht zu klären, ob dies für die Zeit des Antiochos zutrifft und ob nicht falsche geographische Vorstellungen bei diesem Bild mitgewirkt haben. Daß Atropatene bis an das Kaspische Meer gereicht hat (V 55, 7), ist freilich sehr wahrscheinlich; nur fragt es sich, in welcher Breite. Strabon (XI 13, 3 p. 523) nennt unter den Bewohnern des Landes Kadusier, Amarder, Tapyrer und Kyrtier, Stämme, deren Wohnsitze am Süd- und Südwestufer des Kaspischen Meeres, 'von Baku bis Hyrkanien' (KIESSLING Sp. 502) lagen. Es ist jedoch unzulässig, diese Nachricht auf die Zeit um 220 v. Chr. zu beziehen; Strabons Wissen stammt aus der Schrift des Q. Dellius[3], der unter Antonius am Partherfeldzug teilgenommen hatte; der Geograph gibt

[1] Strab. XI 13, 1 p. 523; Polyb. V 55; s. u. S. 149.
[2] J. G. DROYSEN, Gesch. d. Hell. III² 1, S. 355f., folgert aus einer falschen Interpretation von Strab. XI 9, 2 p. 515, daß Artabazanes Medien erobert habe; vgl. dazu u. S. 70 A. 1.
[3] Fragmente: HRR II (1906) S. 53f.; s. dazu H. PETER, ebd. S. LXVIIIff.

also wahrscheinlich die Zustände des I. Jh. v. Chr. wieder. Es ist daher müßig, Überlegungen darüber anzustellen, ob Artabazanes Teile seines Landes, etwa das Tapurergebiet, an Antiochos III. abtreten mußte[1].

Als Antiochos III. zu seinem großen Feldzug in den Osten (212—205) aufbrach, durch den er seine Suzeränität über Armenien und den Osten Irans wieder aufrichtete, hat er sich wohl auch in Atropatene wieder huldigen lassen. Spätestens nach der Niederlage bei Magnesia (190 v. Chr.), als Armenien sich von ihm lossagte (s. o. S. 38), dürfte aber auch die Oberherrschaft über Atropatene wieder verlorengegangen sein.

Schwieriger ist die Lage zu durchschauen, die um 223 v. Chr. in Mittel- und Ostiran herrschte. Hier hatten sich bereits einige Zeit vor dem Regierungsantritt des Antiochos III. einige wichtige Provinzen vom Reich losgerissen.

## Parthien und Hyrkanien

Der erste der Gouverneure in Iran, die den Seleukiden die Gefolgschaft aufsagten, war anscheinend Andragoras, der Satrap von Parthyene; er hat sich während des Laodikekrieges (246—241) selbständig gemacht und Münzen mit seinem Namen, allerdings ohne den Königstitel geprägt[2].

---

[1] So KIESSLING a.a.O. Sp. 501, mit der Begründung, daß das Tapurerland die Verbindung nach Hyrkanien beherrschte (zu Hyrkanien s. u. S. 63 f.). KIESSLING glaubte sich vermutlich berechtigt, diese Ausdehnung Atropatenes auf das III. Jh. v. Chr. zu beziehen, weil in der Völkerliste die Amarder (Marder) auftauchen, die Phraates (ca. 176—171, wenn es sich um Phraates I. handelt) nach Charax bei Rhagai verpflanzt hat (Isid. Charac. 7; vgl. KIESSLING Sp. 505 f.; N. C. DEBEVOISE, A Polit. Hist. of Parthia [1938] S. 19). Ob diese Verpflanzung aber vollkommen war, und ob die Marder, die Strabon als wanderndes Volk bezeichnet, nicht wieder ausgewandert sind, ist doch keineswegs sicher. — Zur evtl. Ausdehnung Atropatenes ins armenische Bergland vgl. o. S. 54 A. 3.

[2] Die Chronologie der parthischen Frühzeit ist noch nicht völlig geklärt. Ich schließe mich im wesentlichen den Ergebnissen an, die bes. J. WOLSKI in mehreren Arbeiten niedergelegt hat; so vor allem: Eos 38 (1937) S. 492 ff.; 39 (1938) S. 244 ff. (in poln. Sprache; non vidimus); L'effondrement de la domination des Seleucides en Iran au III$^e$ siècle av. J.-C. (Bull. intern. de l'Acad. polon. de sciences et de lettres, cl. de philol. — cl. d'hist. et de philos., suppl. 5 [1939—45, ersch. Krakau 1947] S. 13 ff.); The Decay of the Iranian Empire of the Seleucides and the Chronology of the Parthian Beginnings. Berytus 12 (1956—7) S. 35 ff.; L'historicité de Arsace I$^{er}$. Historia 8 (1959) S. 222 ff.; Les Iraniens et le royaume gréco-bactrien. Klio 38 (1960) S. 110 ff.; Arsace II et la généalogie des premiers Arsacides. Historia 11 (1962) S. 138 ff. Für eine z.T. abweichende Chronologie vgl. z.B. E. J. BICKERMAN, Notes on Seleucid and Parthian Chronology. Berytus 8 (1944) S. 79 ff. — Für die Zwecke dieses Abschnitts genügt es, das Wesentliche zu skizzieren; Näheres zu den Hauptquellen s. u. S. 68 ff. — WOLSKI nimmt an, Andragoras habe sich als Führer eines nationaliranischen Aufstandes selbständig gemacht; vgl. dazu u. S. 74 A. 1. — Eine inschriftliche Nennung des Andragoras glaubt L. ROBERT, Hellenica XI—XII (1960) S. 85 ff. erkennen zu können.

I. Der Territorialbestand des Seleukidenreichs

Dadurch waren die nordöstlichen Provinzen, Baktrien und Sogdiane, vom Zentrum des Reiches abgeschnitten. Wenige Jahre später (um 239?) schüttelte denn auch der Satrap von Baktrien, Diodotos, die nur noch nominelle Oberhoheit des Seleukos II. ab. Fast zur gleichen Zeit überfluteten die Parner, ein Reitervolk iranischen Stammes, den kurzlebigen Staat des Andragoras und gründeten das Partherreich, das in den folgenden Jahrhunderten den Seleukiden, später den Römern so sehr zu schaffen machen sollte. Seleukos II. gelang es nur vorübergehend, den Partherkönig in die Steppe zurückzutreiben; auf dem Rückmarsch wurde sein Heer vom Gegner überfallen und erlitt schwere Verluste (um 230 v. Chr.). Unruhen in Syrien und Mesopotamien riefen den syrischen König nach Westen zurück. Ob er bei dieser Gelegenheit ein Abkommen mit dem Partherkönig geschlossen hat[1], ist sehr fraglich. Jedenfalls hatte dieser nun zwei Jahrzehnte lang vom Seleukidenreich nichts zu befürchten. Wer um 223 v. Chr. im Partherreich regiert hat — der Reichsgründer Arsakes I. oder sein (neuerdings wieder für unhistorisch erklärter) Bruder Tiridates — ist noch nicht völlig geklärt[2]. Erst der Nachfolger, Arsakes II., mußte während des großen Ostfeldzugs des Antiochos III. dessen Überlegenheit anerkennen; er hat mit dem Seleukiden einen Vertrag geschlossen (Justin. XLI 5, 7), über dessen Inhalt leider nichts bekannt ist[3]. Wahrscheinlich mußte er sich wenigstens zur nominellen Anerkennung der Oberhoheit des Antiochos, vielleicht auch zu Tributzahlungen oder Truppengestellung verpflichten[4]. Vermutlich hat Antiochos dem Partherfürsten auch den Königstitel zugestanden.

Justin (XLI 4, 8) berichtet, die Parther hätten nicht lange nach der Eroberung Parthyenes auch Hyrkanien besetzt; dem Zusammenhang nach scheint dies noch vor dem erfolglosen Feldzug des Seleukos II. ge-

---

[1] So J. WOLSKI, Effondrement S. 68 A. 2, der die Anwesenheit von Dahai im syrischen Heer bei Raphia (Polyb. V 79, 3) als Indiz für einen Vertrag wertet, in dem sich Seleukos II. die Stellung von Truppen habe zusichern lassen. Es ist jedoch mehr als fraglich, ob die militärische Lage um 230 einen für Seleukos so günstigen Vertrag ermöglichte, erst recht, ob die Parther sich 13 Jahre später daran hielten! — Für weitere Hypothesen, die sich an die Anwesenheit dieser Dahai knüpfen, vgl. u. S. 75. Auf die vorübergehenden Erfolge des Seleukos II. bezieht E. T. NEWELL, The Coinage of the Eastern Seleucid Mints (1938) S. 202 die vermutlich in Ekbatana geprägten Münzen Nr. 562—65 mit den parthischen Waffen auf der Rs.

[2] S. die o. S. 62 A. 2 angeführte Literatur. (Arsakes I. nach WOLSKI, Tiridates nach der auch von BICKERMAN vertretenen communis opinio).

[3] Die Behauptung, die Parther hätten gegen Antiochos III. 100000 Infanteristen und 20000 Reiter aufgeboten (Justin. XLI 5, 7), ist sicher maßlos übertrieben.

[4] Solche Verpflichtungen vermuten z.B. H. BENGTSON, Strat. II S. 61; J. WOLSKI, Effondrement S. 68 u. A. 2, der an eine Erneuerung des angeblichen Vertrags von 230 v. Chr. denkt (s. o. Anm. 1); soweit zu sehen ist, hat der Parther allerdings im Krieg gegen Rom keine Truppen gestellt.

schehen zu sein[1]. Spätestens damals dürften auch die medischen Grenzdistrikte Choarene und Komisene verlorengegangen sein (vgl. o. S. 51). Man hat jedoch geltend gemacht, Hyrkanien oder wenigstens seine westlichen, an der Südwestecke des Kaspischen Meeres gelegenen Teile könnten erst nach 217 v. Chr. parthisch geworden sein, da Antiochos III. in diesem Jahre bei Raphia noch über dahische Kontingente verfügt hat (Polyb. V 79, 3): diese in der Steppe zwischen Kaspisee und Oxus beheimateten Reiter müßten durch den hyrkanischen Gouverneur des Antiochos angeworben worden sein[2]. Aber diese Nomaden schweifen weit umher; der Partherkönig konnte seine Grenzen nicht gegen den Übertritt einer Abteilung sperren, die durch den syrischen Sold angelockt wurde; und vielleicht handelte es sich auch um eine Gruppe, die im Zwist mit dem Partherherrscher (die Parner waren selbst ein Teil des dahischen Volkes) ins seleukidische Lager hinübergewechselt war. Es ist freilich nicht unmöglich, daß die Seleukiden noch gewisse Teile Hyrkaniens hatten halten können; die (topographisch noch nicht völlig gedeuteten) Vorgänge beim Feldzug des Antiochos in den Jahren 210—208[3] machen es jedenfalls wahrscheinlich, daß damals Hyrkanien völlig verloren war. Ob Arsakes II. in seinem Vertrag mit Antiochos III. Teile der Provinz wieder abtreten mußte, ist unbekannt[4].

## Baktrien

Diodotos, der Satrap von Baktrien, hatte sich einige Jahre nach Andragoras, etwa 239 v. Chr., endgültig vom Seleukidenreich gelöst, als dort der Bruderkrieg zwischen Seleukos II. und Antiochos Hierax

---

[1] Nach J. WOLSKI, Effondrement S. 62, um 235 v. Chr.

[2] KIESSLING, RE IX 1 (1914) Sp. 501; M. HOLLEAUX, CAH VIII (1930) S. 140; W. W. TARN, CAH IX (1932) S. 576; F. W. WALBANK, Comm. I S. 607. Berechtigter Widerspruch bereits bei N. C. DEBEVOISE, A Polit. Hist. of Parthia (1938) S. 11 A. 46. J. WOLSKI führt die Anwesenheit der Dahai auf einen Vertrag zurück (s. o. S. 63 A. 1).

[3] Zu den Fragmenten Polyb. X 28—31 vgl. die Ansichten von KIESSLING, RE VII 2 (1912) Sp. 2795f.; IX 1 (1914) Sp. 501f.; E. HERZFELD, Arch. Mitt. aus Iran IV (1931/2) S. 37ff.; P. PÉDECH, REA 60 (1958) S. 73ff.

[4] An die Abtretung der Distrikte Komisene und Choarene östlich der Kaspischen Tore (s. dazu o. S. 51) und Hyrkaniens denken M. HOLLEAUX, CAH VIII S. 141, und W. W. TARN, CAH IX S. 576; dagegen J. WOLSKI, Effondrement S. 68 A. 2, mit dem Hinweis, daß Antiochos auch sonst besiegten Fürsten des Ostens keine Abtretungen zugemutet habe. Unsere Nachrichten über sämtliche vergleichbaren Fälle (Artabazanes im J. 220, Xerxes von Armenien im J. 212; Euthydemos von Baktrien und Sophagasenos im J. 206, die Gerrhäer im J. 205) sind jedoch so kurz gefaßt, daß eine derartige Aussage nicht ohne weiteres gemacht werden kann. Aus allgemeinen Erwägungen ist es allerdings unwahrscheinlich, daß Antiochos den Partherfürsten durch größere Annexionen gereizt hätte; Großzügigkeit nützte dem Sieger auf die Dauer mehr als momentaner Gewinn.

tobte¹. Er hatte allerdings schon einige Zeit vorher das Diadem angenommen, die Oberhoheit des Seleukidenkönigs aber noch anerkannt². Wie weit seine Macht gereicht hat, ist nicht bekannt; wahrscheinlich hat schon er neben Baktrien auch Sogdiana und Margiana, vielleicht auch Areia beherrscht³. Diodotos I. ist schon vor der Offensive des Seleukos II. gegen die Parther gestorben. Sein Sohn Diodotos II. verbündete sich mit den Parthern, verlor aber, wohl nicht lange danach, Thron und Leben durch Euthydemos aus Magnesia (bald nach 230 v. Chr.?). König Euthydemos

¹ Ich folge der 'kurzen' Chronologie E. R. BEVANS (Seleucus I S. 285f.) und J. WOLSKIS (Effondrement S. 38ff.; vgl. auch die anderen, o. S. 62 A. 2 genannten Studien des polnischen Gelehrten); sie stützt sich auf Strab. XI 9, 2 und Justin. XLI 4, 4—5, wo der Abfall Baktriens mit dem Bruderkrieg (seit 240/39) in Verbindung gebracht wird (Näheres u. S. 68ff.). Die alte 'hohe' Chronologie etwa noch bei E. J. BICKERMAN, Berytus 8 (1944) S. 79ff. (ca. 245 v. Chr.) und A. K. NARAIN, The Indo-Greeks (1957) S. 16 (ca. 256 v. Chr.; dieses Werk ist leider nicht sehr zuverlässig).

² Eine größere Serie von in Baktra geprägten Münzen zeigt auf der Rs. neben einem neuen Bildtyp (Zeus mit Ägis, Donnerkeil und Adler) noch die Legende ΒΑΣΙΛΕΩΣ ΑΝΤΙΟΧΟΥ (d. h. Antiochos II.), auf der Vs. jedoch unzweifelhaft das mit dem Diadem (!) geschmückte Haupt des Diodotos I. (E. T. NEWELL, The Coinage of the Eastern Seleucid Mints [1938] S. 246ff. Nr. 713ff.). Der Stater dieser Serie ist durch Stempelkopplung der Rs. mit einem vorhergehenden Stater verbunden, der auf der Vs. noch das Porträt des Antiochos II. zeigt (NEWELL Nr. 712); das Zeus-Motiv der Rs. wird später auf den autonomen Münzen des Diodotos I. weiterbenützt. Diodotos hat also noch geraume Zeit nach der Annahme des Diadems (NEWELL führt 23 solche Stücke auf) Münzen mit dem Namen des Antiochos II. geprägt, vermutlich über den Tod dieses Herrschers hinaus. Man begnügt sich zur Erklärung meistens mit der Bemerkung, der Abfall des Diodotos sei schrittweise geschehen (z. B. G. MACDONALD, Cambr. Hist. of India I [1922] S. 435ff.; NEWELL a.a.O.; TARN S. 72; BICKERMAN, Berytus 8 (1944) S. 80), ohne zu erklären, wie man sich das vorzustellen habe. J. WOLSKIS Versuch, dieses Phänomen zu erklären (Effondrement S. 47f.), basiert noch auf den veralteten Forschungen A. v. SALLETS (Die Nachf. Alex. d. Gr. in Baktrien und Indien [1879] S. 87f.), der den Stater NEWELL Nr. 712 noch nicht kannte. Möglicherweise ist Diodotos durch die griechische Bevölkerung seiner Provinz zur Annahme des Diadems gedrängt worden, vielleicht nach einem Sieg über nomadische Angreifer oder Aufrührer aus der einheimischen Bevölkerung, denen man einen im Lande, nicht im fernen Westen residierenden Herrscher entgegenstellen wollte; Diodotos wollte aber der Loyalität gegenüber dem angestammten Herrscherhaus nicht entsagen und prägte, vielleicht im Einverständnis mit dem Seleukidenkönig, weiterhin unter dessen Namen. Sein Königstitel hätte dann gewissermaßen nur im eigenen Lande gegolten, nicht die völlige Souveränität bedeutet (vgl. u. S. 93). Erst einige Zeit später, angesichts der Ohnmacht des Seleukidenreiches, gab er auch dies letzte Zeichen des Vasallentums auf und erklärte sich für souverän; dies wäre dann bei Strabon und Justin registriert. Angesichts der schmalen Basis, auf der unsere Kenntnis der Geschichte jener Jahrzehnte steht, muß dies alles freilich Vermutung bleiben. (Die Hypothese TARNS, Greeks S. 73f.; 447f., wonach Diodotos eine Schwester des Seleukos II. zur Frau bekommen habe, ist unbegründet.)

³ Zur Ausdehnung des Reichs unter Diodotos I. vgl. z. B. E. R. BEVAN, Seleucus I S. 286f.; A. BOUCHÉ-LECLERCQ, Séleucides S. 162f.; G. MACDONALD, Cambr. Hist. of India I (1922) S. 435ff.; W. W. TARN, CAH VII S. 719; Greeks S. 73; A. K. NARAIN, a.a.O. S. 17; unten S. 68f.; 77 A. 3.

hat mindestens bis zum Ende des III. Jh. regiert[1]; auch er dachte nicht daran, die Oberhoheit des Seleukos III. oder des Antiochos III. anzuerkennen, bis er, wie sein parthischer Nachbar, im Verlauf der Ostexpedition des Antiochos nach längerer Belagerung seiner Hauptstadt Baktra dazu gezwungen wurde (206 v. Chr.). Hier wie in allen vergleichbaren Fällen zeigte Antiochos sich als maßvoller, weitschauender Politiker: in dem Vertrag, den er mit Euthydemos abschloß[2], beließ er dem Baktrerfürsten die Herrschaft über sein Land und den Königstitel. Euthydemos übergab seinem Besieger alle Elefanten, die er besaß. Über die weiteren Bedingungen sagt Polybios leider nur, sie seien in ὁμολογίαι καὶ συμμαχία ἔνορκος niedergelegt worden; wahrscheinlich mußte sich auch Euthydemos zur Zahlung von Tributen oder Stellung von Truppen verpflichten. Antiochos versprach, eine seiner Töchter mit dem baktrischen Kronprinzen Demetrios zu verheiraten. Unsere Überlieferung über die syrisch-baktrischen Beziehungen bricht hier ab; doch spricht viel dafür, daß dieser Plan zur Ausführung gelangt ist[3]. Auch Baktrien wird sich jedoch der Oberhoheit des Antiochos bald wieder entzogen haben. Unter den Truppen, die der Seleukide in den folgenden Jahren kommandiert hat, findet sich kein Kontingent, das aus dem Reich des Euthydemos oder seines Sohnes Demetrios stammen könnte.

## Indien

Im äußersten Osten des Seleukidenreichs hatten die Maurya-Herrscher in den rund hundert Jahren, die ihr Staat bereits bestand, erhebliche Fortschritte gemacht. Der Gründer des Maurya-Reichs, Candragupta (etwa 321–297?) hatte von Seleukos I. Nikator um 303 v. Chr. die östlichen Teile Gedrosiens, Arachosiens und des Gebiets der Paropamisaden erhalten[4]. Der bedeutendste seiner Nachfolger, sein Enkel

---

[1] Für das Todesdatum des Euthydemos liegen keine Anhaltspunkte vor. G. MACDONALD, a.a.O. S. 444, und W. W. TARN, Greeks S. 82, datieren das Ableben des Königs um 190 v. Chr., A. K. NARAIN, a.a.O. S. 21 f., um 200 v. Chr. Zu verschiedenen Hypothesen über die Ausdehnung des Reichs unter Euthydemos vgl. u. S. 68; 70 A. 1.

[2] Polyb. XI 34, 9 f.; s. u. S. 81.   [3] S. o. S. 23.

[4] Strab. XV 2, 9 p. 724. Nur die östlichen Striche dieser Provinzen, die Alexander d. Gr. bereits abgetrennt und zu eigenen Verwaltungsbezirken erhoben hatte, wurden abgetreten. Vgl. A. v. GUTSCHMID, Gesch. Irans (1888) S. 24; E. R. BEVAN, Seleucus I S. 296; K. J. BELOCH, Gr. Gesch. IV 1, S. 142; zuletzt J. WOLSKI, Effondrement S. 20 A. 2. Zu Unrecht wird oft Plin. n. h. VI 78 herangezogen, wonach der Großteil seiner Quellen die vier Satrapien Gedrosien, Arachosien, Areia und Paropamisaden zu Indien rechnete; dies gibt, wenn überhaupt politische Verhältnisse zugrundeliegen, nicht den Zustand nach 303 wieder (so zuletzt wieder A. K. NARAIN, The Indo-Greeks S. 8), sondern den Umfang des indoskythischen Reiches. Auch die Bezeichnung Ἀριανοὶ οἱ Ἰνδικοί (Aelian. hist. an. XV 16) ist wohl so zu erklären (anders TOMASCHEK, RE II 1 [1895] Sp. 814). — Der

Aśoka (etwa 269—232?)[1], konnte seine Herrschaft oder mindestens seinen Einfluß noch weiter nach Westen vorschieben; die neuerdings in der Nähe von Kandahar gefundene Inschrift des Maurya-Königs[2] aus der Zeit um 250 v. Chr. zeigt, daß damals der größte Teil Arachosiens nicht mehr seleukidisch war. Spätestens nach Aśokas Tod begann jedoch der Niedergang des Maurya-Reiches. Kaschmir und Gandhara machten sich, vielleicht unter Söhnen Aśokas, selbständig; in Gandhara, der Landschaft zwischen Hindukusch und Indus, herrschte zur Zeit von Antiochos' Regierungsantritt wahrscheinlich Vīrasēna[3]. Im Jahr 206 überstieg Antiochos III. von Baktrien-Areia aus den Hindukusch und 'erneuerte die Freundschaft' mit dem 'Inderkönig' Sophagasenos (Subhagasēna), wohl dem Sohn jenes Vīrasēna[4]. Das rasche Nachgeben des indischen Fürsten zeigt, daß er nur ein kleiner lokaler Raja war, der nicht, wie einst Poros, große Heere ins Feld führen konnte. Er hatte auf Grund des Vertrags dem Seleukiden Elefanten und einen 'Schatz' zu liefern, mußte also offenbar die Oberhoheit des Antiochos anerkennen. Inwieweit diese in der Folge durchzusetzen war, hing wohl davon ab, wie sehr sich der König dem Osten seines Reiches widmen konnte. Die ständigen Eroberungszüge, die zwischen ca. 202 und 190 v. Chr. den größten Teil seiner Truppen im Westen banden, machen es unwahrscheinlich, daß der seleukidische Einfluß auf die Induslande länger als einige Jahre aufrechterhalten werden konnte.

Die übrigen iranischen Provinzen

Der Nordosten und der äußerste Osten Irans waren also um 223 nicht mehr in seleukidischem Besitz. Aber haben sich auch die übrigen mittel- und ostiranischen Provinzen, also Karmanien, Areia, Drangiane, Gedrosien und Arachosien — soweit es noch nicht den Maurya zugefallen war — der Abfallbewegung angeschlossen? Ein Blick auf die Karte macht

---

abgetretene Teil der Paropamisaden-Provinz umfaßte wohl im wesentlichen Gandhara; vgl. F. ALTHEIM, Weltgesch. Asiens I S. 257f.

[1] Ph. EGGERMONT, The Chronology of the Reign of Asoka Moriya (1956), gibt folgende Zahlen: Candragupta 317—293; Aśoka 268—233 (?).

[2] Journ. asiat. 1958, S. 1ff.; vgl. auch die Inschrift von Pul-i-Daruntah im Hindukusch-Gebiet, die von F. ALTHEIM (Weltgesch. Asiens I S. 25ff.; neuere Lit. Saeculum I [1950] S. 291) als Aśoka-Inschrift erkannt wurde; sie beweist, daß inzwischen auch im Paropamisaden-Gebiet die indische Grenze weiter nach Westen vorgeschoben worden war.

[3] Vgl. dazu Cambr. Hist. of India I (1922) S. 442; 512; A. K. NARAIN, The Indo-Greeks (1957) S. 8.

[4] Polyb. XI 34, 11—12. Vgl. H. BENGTSON, Strat. II S. 61ff.; A. K. NARAIN, S. 9. R. THAPAR, Aśoka and the decline of the Maurya (1961) S. 181ff.; 190f., tritt dafür ein, daß weder Vīrasēna noch Subhagasēna der Dynastie der Maurya zugehörten.

dies allerdings wahrscheinlich[1]. Denn die östlichen Provinzen waren mit den in seleukidischer Hand verbliebenen westlichen Satrapien — Medien und Persis — im wesentlichen durch zwei Verbindungswege verbunden, deren wichtigster von den Kaspischen Toren durch Hyrkanien, Parthien, Margiana nach Areia und Baktrien führte, also durch die abgefallenen Provinzen, die nun unter der Herrschaft des Arsakes bzw. der baktrischen Könige standen. Die andere, beschwerlichere Verbindung (abgesehen vom Seeweg entlang der karmanisch-gedrosischen Küste) lief über Karmanien; die Landschaften zwischen Hindukusch und Indischem Ozean hätten also nur über die schmale Brücke des südlichen, fruchtbaren Karmanien mit der Persis im Zusammenhang gestanden; denn das nördliche Karmanien zwischen Medien und Drangiane besteht aus unwegsamen Wüstenland (*Carmania deserta*). Den östlichen, nur schwach mit griechischen Kolonien durchsetzten Satrapien drohte doppelte Gefahr: die griechischen Herrscher in Baktrien strebten nach einer Ausdehnung ihres Machtbereiches nach Süden, und die iranische Bevölkerung hat wohl versucht, das fremde Joch abzuschütteln. So ist es fraglich, ob es gelungen ist, die genannten Provinzen auf längere Zeit dem Reich zu erhalten.

Mehrere Forscher nehmen daher an, daß alle Satrapien östlich von Medien und Persis, auch Karmanien, schon bald nach dem Abfall des Diodotos und dem Einfall der Parner in Parthyene dem Seleukidenreich verlorengegangen seien. Teils glaubt man, die Landschaften hätten sich unter ihren Satrapen oder unter einheimischen Führern selbständig gemacht; teils wird eine frühe Expansion des Euthydemos oder gar schon des Diodotos nach Süden, mindestens nach Areia, Arachosien und Drangiane angenommen, so daß dort wenn nicht die seleukidische, so doch wenigstens die griechische Herrschaft erhalten geblieben sei[2].

Leider gibt es für die politischen Verhältnisse in diesen Landschaften keine klaren Zeugnisse. Vom Werk des Polybios sind nur Bruchstücke erhalten, und die wenigen Bemerkungen bei anderen antiken Autoren sind zu allgemein gehalten und zu widersprüchlich, als daß man aus ihnen eindeutige Schlüsse ziehen könnte.

Strab. XI 9, 2 p. 515: νεωτερισθέντων δὲ τῶν ἔξω τοῦ Ταύρου διὰ τὸ πρὸς ἀλλήλους[3] εἶναι τοὺς τῆς Συρίας καὶ τῆς Μηδίας βασιλέας τοὺς ἔχοντας καὶ

---

[1] Vgl. J. WOLSKI, Effondrement S. 53 f.

[2] Vgl. J. MARQUART, ZDMG 49 (1895) S. 629 f.; E. HERZFELD, Arch. Mitt. aus Iran IV (1931/2) S. 37; J. WOLSKI, Effondrement S. 49 ff., bes. 59 f.; Klio 38 (1960) S. 120 f.; F. ALTHEIM, Weltgesch. Asiens I S. 290 f.

[3] ἀλλήλους loz: ἀλλήλοις die übrigen Handschriften und der vatikanische Strabon-Palimpsest (W. ALY — F. SBORDONE, *De Strabonis codice rescripto* ... Studi e Testi 188 [1956] S. 71): ἄλλοις coni. TYRWHITT, danach CORAIS und die meisten Editionen. Zur

ταῦτα, πρῶτον μὲν τὴν Βακτριανὴν ἀπέστησαν οἱ πεπιστευμένοι καὶ τὴν ἐγγὺς αὐτῆς πᾶσαν οἱ περὶ Εὐθύδημον. ἔπειτ' Ἀρσάκης, ἀνὴρ Σκύθης, τῶν Δαῶν τινας ἔχων, τοὺς Πάρνους καλουμένους νομάδας, παροικοῦντας τὸν Ὦχον, ἐπῆλθεν ἐπὶ τὴν Παρθυαίαν καὶ ἐκράτησεν αὐτῆς.

Justin. XLI 4, 3—7: (*Parthi a Seleuci Nicatoris*) *pronepote Seleuco primum defecere primo Punico bello, L. Manlio Vulsone M. Atilio Regulo consulibus.* (*4*) *huius defectionis impunitatem illis duorum fratrum regum Seleuci et Antiochi discordia dedit, qui dum invicem eripere sibi regnum volunt, persequi defectores omiserunt.* (*5*) *eodem tempore etiam Theodotus, mille urbium Bactrianorum praefectus, defecit regemque se appellari iussit: quod exemplum secuti totius* orientis *populi a Macedonibus defecere.* (*6*) *erat eo tempore Arsaces* ... (*7*) *hic* ... *accepta opinione Seleucum a Gallis in Asia victum, solutus regis metu, cum praedonum manu Parthos ingressus praefectum eorum Andragoran oppressit sublatoque eo imperium gentis invasit.*

Die Ähnlichkeit zwischen den beiden Stellen ist nicht zu leugnen; man hat sogar eine gemeinsame Quelle (die Parthergeschichte des Apollodor von Artemita) angenommen[1]. Einige Unklarheiten dürfen jedoch nicht übersehen werden.

Strabon: Die Analyse beginnt beim spätesten Faktum, dem Einbruch der Parner in Parthyene. Dieser Vorgang liegt nach dem Abfall Baktriens (πρῶτον μὲν — ἔπειτα).

Der Satz über den Abfall Baktriens enthält eine Schwierigkeit. Πρῶτον μέν ist nicht durch ein δέ fortgeführt; die Apodosis kann wohl nur in ἔπειτ' Ἀρσάκης zu sehen sein. Somit ist τὴν Βακτριανὴν durch καὶ τὴν ἐγγὺς αὐτῆς πᾶσαν ergänzt; οἱ περὶ Εὐθύδημον muß erklärende Apposition zu οἱ πεπιστευμένοι sein. Das würde bedeuten, daß Baktrien und die benachbarten Gebiete durch Euthydemos zum Abfall gebracht worden seien. Aber es kann keinen Zweifel geben, daß der Abfall unter Diodotos erfolgte und daß Euthydemos nur als Nachfolger der Diodotiden die Macht in Baktrien übernahm (vgl. Polyb. XI 34, 2; Justin. XLI 4, 5). Diese Unstimmigkeit wird meist durch einen Gedächtnisfehler Strabons erklärt[2]; eher wird man aber annehmen dürfen, daß hier ein Glossem irrigen Inhalts in den Text eingedrungen ist[3].

Verteidigung der Lesart ἀλλήλους vgl. J. WOLSKI, Effondrement S. 15; 39ff. (die neuerdings von dems., Berytus 12 [1956/57] S. 39f., unter dem Eindruck des Palimpsests angenommene Lesart ἀλλήλοις ergibt keinen brauchbaren Sinn).

[1] So z. B. F. ALTHEIM, Weltgesch. Asiens I S. 2ff.; vgl. bereits E. J. BICKERMAN, Berytus 8 (1944) S. 79. W. W. TARN, Greeks S. 45ff., nimmt für Justin eine eigene Quelle an ('Trogus' source'); vgl. J. WOLSKI, Berytus S. 36; 42.
[2] So z. B. A. v. GUTSCHMID, Gesch. Irans (1888) S. 29 A. 1; E. R. BEVAN, Seleucus I S. 287 A. 1; J. Wolski, Effondrement S. 39.
[3] Nach freundl. Hinweis von Prof. Ernst SIEGMANN. — Andere Konstruktion des Satzes bei J. G. DROYSEN, Gesch. d. Hell. III 1, S. 357: '...riefen die mit Baktriane Betrauten

Der 'Kampf der Könige Syriens und Mediens gegeneinander' im ersten Teil des Satzes kann kaum etwas anderes meinen als den Bruderkrieg zwischen Seleukos II. und Antiochos Hierax (240 oder 239 bis vor 236 v. Chr.)[1], den auch Justin (§ 4) erwähnt. Nun hat (nach Strabon) dieser Bruderkrieg eine 'Aufstandsbewegung der Gegenden außerhalb des Taurus' ermöglicht (νεωτερισθέντων ... τῶν ἔξω τοῦ Ταύρου διὰ τὸ πρὸς ἀλλήλους εἶναι). Den Aorist in dem genit. absol. wird man kaum anders als vorzeitig auffassen können[2]. So wäre also nach Strabon dem Abfall Bak-

dies Land zum Abfall, und das benachbarte Land Euthydemos'. DROYSEN sieht offenbar die Apodosis zu πρῶτον μέν in καί; eine solche Fortführung ist nicht unmöglich (vgl. etwa o. S. 5 A. 4), an dieser Stelle, wo es sich um wirkliche Gegensätze handelt, jedoch sehr unwahrscheinlich. Vor allem aber ist diese Auffassung aus sachlichen Gründen unmöglich: Da Strabon nicht ὕστερον o. ä. schreibt, liegt der Abfall (ἀπέστησαν) der Nachbarprovinzen gleichzeitig mit dem Baktriens. Nun betont aber Euthydemos ausdrücklich (Polyb. XI 34, 2), daß er selbst nicht vom Seleukidenreich abgefallen sei, sondern die eigentlichen Rebellen beseitigt habe; demnach ist der Abfall der Nachbarprovinzen nicht auf ihn zurückzuführen, sondern auf Diodotos (etwaige spätere Eroberungen des Euthydemos haben damit nichts zu tun; vgl. u. S. 81).

[1] Vgl. die Anmerkung in KRAMERS Strabon-Ausgabe Bd. II S. 469; zuletzt J. WOLSKI, Effondrement S. 38 (mit der früheren Lit.) und öfter. J. G. DROYSEN, Gesch. d. Hell. III 1, S. 355f., will in den 'Königen Mediens' Artabazanes von Atropatene erkennen, der Medien erobert und so den Seleukiden (= den 'Königen Syriens') zu schaffen gemacht habe. Aber der Ausdruck 'die Könige Syriens und Mediens' darf nicht auseinandergerissen werden; auch an anderer Stelle (XI 14, 15 p. 531) meint Strabon mit οἱ τὴν Συρίαν ἔχοντες καὶ τὴν Μηδίαν zweifellos die Seleukidenkönige (vergleichbare Stellen aus anderen Autoren bei J. WOLSKI, Berytus S. 40 A. 1, dem aber die viel wichtigere Strabon-Parallele entgangen ist). — Auch F. ALTHEIM, Weltgesch. Asiens I S. 291, will den Ausdruck auseinanderreißen; er sieht in den 'Zwistigkeiten der Könige Syriens und Mediens' den Kampf zwischen Antiochos III. (Syrien) und Molon (Medien), 222—220 v. Chr. (s. dazu u. Kap. III). Den Anlaß zu dieser Interpretation hat zweifellos die irrtümliche Nennung des Euthydemos bei Strabon gegeben. Nach ALTHEIM hat Euthydemos Ende der zwanziger Jahre des III. Jh. dem Seleukidenreich die Nachbarprovinzen Baktriens entrissen (Sogdiane, Areia, Drangiane, Arachosien); die Antwort darauf sei der Ostfeldzug des Antiochos III. gewesen. Abgesehen von dem oben gegen DROYSEN angeführten Argument ist jedoch zu bedenken, daß die Chronologie der Strabon-Stelle völlig durcheinander käme, wollte man den 'Kampf der Könige Syriens und Mediens gegeneinander' so weit herabdatieren: denn nach Strabon ist dieser Kampf die enge zeitliche und kausale Voraussetzung für den Abfall von Baktrien und Parthien, die demnach ebenfalls erst in die späten zwanziger Jahre zu datieren wären! — Aus dem durch TYRWHITTS Konjektur veränderten Text hat man die Folgerung gezogen, Antiochos II. habe Seleukos (II.) zum Mitregenten gemacht (F. STÄHELIN, RE II A Sp. 1235), ein methodisch sehr fragwürdiges Vorgehen (vgl. dagegen z. B. H. BENGTSON, Strat. II S. 83 A. 1). Aber die Folge der Textänderung in πρὸς ἄλλοις wäre lediglich der Wegfall jeder Datierungsmöglichkeit; 'die Könige Syriens und Mediens' würde dann ganz allgemein 'die Seleukiden' bedeuten; allenfalls könnte der Plural zwei aufeinanderfolgende Könige bezeichnen (etwa Antiochos II. und Seleukos II.), unter denen die Aufstände stattgefunden hätten.

[2] Anders z. B. H. L. JONES in der Loeb-Ausgabe Bd. V (1928) S. 273: 'But when revolutions were attempted by the countries outside the Taurus...' Dann wäre aber das part.

triens eine Gärung oder Abfallsbewegung außerhalb des Taurus voraufgegangen[1]. Es ergibt sich also für Strabon etwa diese Abfolge der Ereignisse:

I) Bruderkrieg im Seleukidenreich;
II) infolgedessen Aufstandsbewegung 'außerhalb des Taurus';
III) daraufhin Abfall Baktriens und der umliegenden Gebiete;
IV) danach Einbruch der Parner nach Parthyene.

Alle von Strabon erwähnten Aufstände (II–IV) liegen also später als der Ausbruch des Bruderkriegs, also nach 240 oder 239 v. Chr.

'Außerhalb des Taurus' (II) bedeutet aber für Strabon: südlich des Südfußes des großen asiatischen Scheidegebirges[2], in diesem Zusammenhang also im wesentlichen Iran. 'Innerhalb' liegen für ihn die Gegenden nördlich des Gebirges und die Gebirgsländer selbst, also auf jeden Fall Baktrien; Parthyene müßte an sich größtenteils 'außerhalb' des Taurus liegen, aber Strabon hat die Landschaft anscheinend für gebirgig gehalten und infolgedessen ebenfalls 'innerhalb' des Taurus angesetzt[3]. Demnach wäre Anfang der dreißiger Jahre, während des Bruderkriegs der Seleukiden, in Iran eine Revolutionsbewegung ausgebrochen, in deren Folge sich Baktrien empört hätte und Parthyene von den Parnern erobert worden wäre — vorausgesetzt, daß an unserer Stelle die übliche Terminologie Strabons gilt.

Gerade das ist aber fraglich. Denn wenige Seiten weiter sagt der Geograph (XI 11, 6 p. 518): Μέχρι μὲν δὴ τῆς Σογδιανῆς πρὸς ἀνίσχοντα ἥλιον ἰόντι ἀπὸ τῆς Ὑρκανίας γνώριμα ὑπῆρξε τὰ ἔθνη καὶ τοῖς Πέρσαις πρότερον τὰ ἔξω τοῦ Ταύρου καὶ τοῖς Μακεδόσι μετὰ ταῦτα καὶ τοῖς Παρθυαίοις. Strabon spricht hier von den Bewohnern der turanischen Steppe, die jedoch nach seiner Definition 'innerhalb' des Taurus liegt. Die Herausgeber haben deshalb zum größten Teil ἔξω in εἴσω τοῦ Ταύρου geändert; aber bereits KRAMER hat mit Recht bemerkt, daß Strabon in diesem Zusammenhang immer nur ἐντός verwendet (während

---

praes. (νεωτεριζομένων) zu erwarten. Ein ingressiver Aorist ist im genit. absol. kaum zu erwarten; zudem tritt in der späteren Koine der Aspektcharakter der Zeitstufen zugunsten des temporalen Charakters zurück.

[1] So richtig J. G. DROYSEN, Gesch. d. Hell. III 1 S. 355: 'Strabo sagt dies, um den Abfall Baktriens als Folge davon zu bezeichnen'.

[2] Vgl. u. S. 159. Nicht erkannt von W. W. TARN, Greeks S. 73 A. 2: 'Strabo XI 515 shows, that the movement was confined to those north of (ἔξω) the Taurus, i. e. Bactrians and Parni...'. Die Wiedergabe durch F. ALTHEIM, Weltgesch. Asiens I S. 290f.: 'östlich des Taurus' ist unverständlich.

[3] Vgl. Strab. XI 9, 1ff. (im XI. Buch sind nur 'innerhalb' liegende Landschaften behandelt); KIESSLING, RE XI 2 (1914) Sp. 491: Strabon kannte eine Parthyene, die die von den Parnern zuerst besetzten Teile des gebirgigen Hyrkanien umfaßte, und hielt Parthyene deshalb für gebirgig.

er für 'außerhalb' zwischen ἐκτός und ἔξω abwechselt). Man wird also an der übereinstimmenden Schreibung aller Handschriften, ἔξω, festhalten müssen. Eine Möglichkeit, τὰ ἔξω τοῦ Ταύρου anders als auf die ἔθνη im Turan zu beziehen, sehe ich nicht, es sei denn, man wollte ein in den Text eingedrungenes Glossem annehmen[1]. Der Verdacht liegt nahe, daß Strabon hier — ohne es zu merken — den Standpunkt eines südlich des Taurus wohnenden Autors übernommen hat, der naturgemäß die nordtaurischen Gegenden als 'außerhalb', also jenseits bezeichnet hat. Bei diesem Autor dürfte es sich um Apollodor von Artemita handeln, dessen Parthergeschichte Strabon an zahlreichen Stellen zitiert[2]. Diese Identifizierung wird noch gestützt durch die Liste der Völker, die mit den turanischen Stämmen bekannt geworden waren: Perser, Makedonen und zuletzt Parther.

Es fragt sich, ob ἔξω an der oben besprochenen Stelle (νεωτερισθέντων τῶν ἔξω τοῦ Ταύρου) nicht ebenso auf einer versehentlichen Übernahme der Terminologie Apollodors beruht. Dann hätte Apollodor von Gärungen unter der griechischen oder der einheimischen Bevölkerung der Provinzen nördlich des Taurus gesprochen, in deren Folge (oder zu deren Abwehr) sich die Satrapen das Diadem aufsetzten, weil sie vom Seleukidenkönig keine Hilfe erwarten durften. Den Text Apollodors rekonstruieren zu wollen, wäre freilich ein aussichtloses Beginnen; und es muß offen bleiben, wie weit sich die 'Gärungen nördlich des Taurus' erstreckten, denn es ist unbekannt, ob Apollodor (wie später Strabon) die Satrapie Parthyene zu den Gebieten 'nördlich des Taurus' gerechnet hat.

Die hier vorgetragene Erklärung muß freilich Vermutung bleiben. Es läßt sich nicht mit Sicherheit sagen, welche Provinzen mit den 'Gebieten außerhalb des Taurus' gemeint sind, d. h. welche Vorgänge nach Apollodor dem Abfall Baktriens und dem parnischen Einbruch in Parthyene vorausgegangen sind.

Justin: § 3 enthält eine in der Forschung oft behandelte chronologische Diskrepanz[3]. Der 'erste Abfall der Parther' — zu unterscheiden

---

[1] Ein Glossem wäre allerdings einem Glossator zuzuschreiben, der entweder Strabons Terminologie nicht verstanden hätte oder durch das folgende ἐπέκεινα irregeführt worden wäre. Τὰ ἔξω τοῦ Ταύρου kann auch nicht eine Einschränkung bedeuten, etwa in dem Sinn, daß die Perser nur die südlich des Taurus wohnenden Teile der ἔθνη kennengelernt hätten; denn Strabon spricht eben nur von nördlich des Taurus gelegenen Ländern, wie ja auch das ganze elfte und die folgenden Bücher nur von Ländern 'innerhalb des Taurus' handeln. Schließlich kann auch nicht gemeint sein 'von den außerhalb des Taurus wohnenden Völkern haben Perser, Makedonen und Parther jene Gegenden kennengelernt'; das müßte τῶν ἔξω τοῦ Ταύρου o. ä. heißen.

[2] [Wie ich erst jetzt sehe, ist die gleiche Beobachtung bereits von J. WOLSKI, Charisteria Thaddaeo Sinko oblata (1951) S. 390 f., gemacht worden.]

[3] Übersicht über das Problem bei J. WOLSKI, Berytus 12 (1956/7) S. 35 ff.

I. Der Territorialbestand des Seleukidenreichs    73

vom Einbruch der Parner in Parthyene (Justin § 6f.; vgl. Strabon IV) — wird einerseits in die Regierung des Seleukos II. (246–225), andererseits in die Zeit des 1. Punischen Kriegs (264–241) gesetzt und genau bestimmt durch das Konsulardatum *L. Manlio Vulsone M. Atilio Regulo coss.*, d. h. 256 bzw. 250 v. Chr. (wenn nach Droysens Vorschlag[1] *C. Atilio* zu lesen ist). Keines der beiden Konsulardaten fällt in die Regierung des Seleukos II. Auch Appian[2] und Synkellos (p. 284 Bonn) setzen die Anfänge der parthischen Unabhängigkeit in die Regierung des Seleukos II., Appian sogar genauer in deren erste Jahre (Zeit des Laodikekrieges und des Ostfeldzugs des Euergetes). Hingegen datiert Eusebius den Aufstand des Arsakes auf 250 v. Chr. (II p. 120 Sch.) bzw. 248–244 v. Chr. (I p. 207 K.).

Die Datierung in die Regierungszeit des Seleukos II. verdient Vertrauen[3]. Nach J. Wolskis ansprechender Vermutung handelt es sich bei diesem 'ersten Abfall der Parther' nicht um ein Ereignis der parnischen Geschichte, sondern um den Abfall des Satrapen Andragoras von Parthyene (s. o. S. 62), der erst später von den Parnern unter Arsakes gestürzt wurde (Justin § 7). Wolski datiert diese Empörung des Andragoras um 245 v. Chr. (nach Appian). Strenggenommen ist es freilich nur sinnvoll zu sagen, der Bruderkrieg habe die Bestrafung der Empörer verhindert (Justin § 4), wenn er gleichzeitig mit der Empörung war oder zumindest rasch auf diese folgte. Zwischen 245 und dem Beginn des Bruderkriegs vergingen aber fünf bis sechs Jahre. Freilich mag bei der Verkürzung der Vorlage durch Trogus oder Justin manches ausgefallen sein, etwa die Erwähnung des Laodikekriegs o. ä.

*Eodem tempore* (§ 5) kann sich auf den 'ersten Abfall der Parther', eher wohl auf den Bruderkrieg beziehen. Justin stimmt also mit Strabon insofern überein, als auch er den Abfall Baktriens als zeitlich mit dem Bruderkrieg verknüpft hinstellt. Dem Abfall Baktriens folgt (*quod exemplum secuti*) der Abfall der *populi totius orientis*. Allerdings weiß Justin nur von einem einzigen weiteren 'Abfall' zu berichten: vom Einbruch des Arsakes in Parthyene und später in Hyrkanien (§§ 6ff.).

---

[1] Gesch. d. Hell. III 1 S. 364 Anm.

[2] Appian. Syr. 65, 346: καὶ Παρθυαῖοι τῆς ἀποστάσεως τότε ἦρξαν ὡς τεταραγμένης τῆς τῶν Σελευκιδῶν ἀρχῆς. Wolski, a.a.O. S. 49, hat gezeigt, daß man der Version bei Arrian. Parth. fr. 1 keine Datierung entnehmen kann.

[3] F. Altheim, Weltgesch. Asiens I S. 6 scheidet das Konsulardatum als Rechenfehler o. ä. des Trogus oder Justin aus; ebenso J. Wolski, a.a.O. S. 49ff., der auch die Erwähnung des Punischen Kriegs streichen will. Plausibel ist Wolskis Erklärung des euseb. Datums 250 v. Chr. (gleiches Traditionsstratum wie das Konsulardatum bei Justin). Ob man in dem anderen euseb. Datum (248–244) jedoch ein anderes Traditionsstratum sehen muß, eben das bei Strabon usw. vorliegende (Wolski), erscheint mir fraglich. Varianten treten in den verschiedenen Überlieferungsformen des euseb. Werks doch auch sonst auf.

Es ergibt sich etwa diese Abfolge der Ereignisse:

| Justin | Strabon |
|---|---|
| A) Erster Abfall der 'Parther'; | |
| B) Bruderkrieg; daher keine Gegenaktion gegen A; | I) Bruderkrieg; dadurch ermöglicht: |
| | II) Aufstand außerhalb (nördlich?) des Taurus; |
| C) gleichzeitig mit B: Abfall Baktriens unter Diodotos; | III) Abfall Baktriens und der benachbarten Gebiete; |
| D) daraufhin Abfall der *populi totius orientis*; | |
| E) Einbruch des Arsakes in Parthyene; Beseitigung des Andragoras. | IV) Einbruch der Parner unter Arsakes in Parthyene. |

Es zeigt sich sofort, daß die beiden Quellen zwar in den Hauptfakten übereinstimmen, in Einzelheiten aber differieren. Der 'erste Abfall der Parther' (Justin A) — was immer damit gemeint sein mag — läßt sich nicht mit der 'Aufstandsbewegung außerhalb des Taurus' (Strabon II) gleichsetzen; zwar ließe der Text des Justin diese Deutung zu (s. o.), aber die Datierung bei Appian (Laodikekrieg) widerspricht einer solchen Identifizierung. Die Unterschiede mögen bereits in den Quellen Strabons bzw. Justins bestanden haben oder auf unterschiedliche Interessen und Sorgfalt beim Exzerpieren zurückzuführen sein; die ursprünglichen Quellenberichte rekonstruieren zu wollen wäre jedenfalls ein aussichtsloses Beginnen.

Auch Justin D (Abfall der *populi totius orientis*) läßt sich nicht ohne weiteres mit Strabon II gleichsetzen. Denn der 'Abfall der Völker des gesamten Ostens' wird von Justin nach dem Abfall Baktriens gesetzt, während der 'Aufstand außerhalb des Taurus' bei Strabon diesem voraufgeht. Zudem beschränkt Strabon den Aufruhr auf die Gegenden südlich oder nördlich des Taurus, je nachdem wie ἔξω aufzufassen ist (s. o.), während Justin vom 'ganzen Osten' spricht. Immerhin ist doch wohl anzunehmen, daß die ursprünglichen Quellen in irgendeinem Zusammenhang von Gärungen unter der Bevölkerung gesprochen hatten; dieser Eindruck ergibt sich unabhängig aus Justin D und Strabon II (s. o.). Ob sich die abtrünnigen Satrapen an die Spitze solcher, von Griechen oder Iraniern getragenen Aufruhrbewegungen gesetzt oder sich in der Abwehr einer nationaliranischen Revolution vom Seleukidenreich emanzipiert haben, muß fraglich bleiben[1].

---

[1] Bereits J. WOLSKI, Klio 38 (1960) S. 110ff., nimmt eine national-iranische Bewegung an, mit deren Hilfe sich Andragoras und Diodotos emporgeschwungen hätten. Ich bezweifle allerdings, ob man aus den Bezeichnungen *praefectus Parthorum* und *mille urbium*

Wolski[1] setzt den Abfall der *populi totius orientis* mit der Abtrennung der Gegenden in der Nachbarschaft Baktriens (καὶ τὴν ἐγγὺς αὐτῆς πᾶσαν) gleich. Freilich sind nach Strabon die Nachbarprovinzen durch die Herrscher Baktriens losgerissen worden, während nach Justin 'die Völker abgefallen' sind (s. o.). Diesen Unterschied mag man einem Irrtum oder der Flüchtigkeit des einen oder des andern zurechnen. Aber wiederum ist auch die Ausdehnung des Abfalls verschieden: Justin spricht vom 'gesamten Osten' (des Seleukidenreichs). Darin liegt auf jeden Fall eine Übertreibung; denn zum 'Osten des Seleukidenreichs' zählten auch Medien und Persis, die offenbar in der Hand der Seleukiden geblieben sind (s. o. S. 50). Tatsächlich ist auch, soweit ich sehen kann, die Nachricht Justins bisher nie auf einen Abfall dieser Provinzen bezogen worden, sondern immer nur auf die Ablösung der ostiranischen Provinzen. Aber Strabons Angabe 'die gesamten Nachbargebiete Baktriens' wird man nicht einmal auf Ostiran im Ganzen (einschließlich der Satrapien Drangiane, Arachosien und Gedrosien) beziehen können, sondern nur auf Sogdiane, Margiane und allenfalls Areia. So wird man wohl in Justins Behauptung, 'alle Völker des Ostens' hätten sich gegen die Seleukiden erhoben, eine jener Übertreibungen sehen müssen, an denen das Werk des Epitomators nicht eben arm ist[2] — zumal er ja in der Folge eben nur vom 'Abfall' des Arsakes zu berichten weiß.

Aus den hier behandelten Nachrichten Strabons und Justins wird man also für die Lage im Osten Irans in den dreißiger und zwanziger Jahren

*Bactrianarum praefectus* bei Justin Hinweise darauf entnehmen darf. Die Bezeichnung *opulentissimum illud mille urbium Bactrianorum imperium* (Justin. XLI 1, 8) dürfte sich auf ein späteres Entwicklungsstadium des baktrischen Reiches beziehen; Apollodor b. Strab. XV 1, 3 p. 686 spricht von tausend Städten, die Eukratidas (der Herrscher über Baktrien und Ostiran) besessen habe; anscheinend ist bei Justin eine auf spätere Zustände zutreffende Nachricht in die Frühzeit des baktrischen Staates hinaufversetzt (vgl. bereits J. G. Droysen, Gesch. d. Hell. III 1 S. 364). Andererseits ist die o. S. 71f. gegebene Interpretation von νεωτερισθέντων τῶν ἔξω τοῦ Ταύρου geeignet, Wolskis Annahme von Aufruhrbewegungen unter der Bevölkerung zu stützen. Nur läßt sich eben leider nicht mit Sicherheit sagen, ob Apollodor von Aufständen südlich oder nördlich des Scheidegebirges gesprochen hat!     [1] Effondrement S. 50f.; Klio S. 118.

[2] Vgl. bereits z. B. J. G. Droysen, Gesch. d. Hell. III 1, S. 360; A. v. Gutschmid, Gesch. Irans (1888) S. 29 A. 2; vgl. W. W. Tarn, Greeks S. 73 A. 2. Contra J. Wolski, Effondrement S. 50f. — Strabon bietet XI 9, 3 p. 515 eine Überlieferungsvariante: Arsakes stamme aus Baktrien und habe φεύγοντα τὴν αὔξησιν τῶν περὶ Διόδοτον Parthyene zum Abfall gebracht. Wolski sieht in der αὔξησις des Diodotos die Besetzung von Areia, Drangiane, Arachosien und vielleicht sogar Gedrosien (Klio 38 [1960] S. 120f.; vgl. bereits Effondrement S. 59). Aber der Einbruch des Arsakes erfolgte doch offenbar kurz nach dem Abfall Baktriens; es ist wenig wahrscheinlich, daß Diodotos in ein bis zwei Jahren ganz Ostiran in seine Hand gebracht hätte. Die Furcht des Arsakes vor der Ausbreitung des Diodotos ist viel eher verständlich, wenn man in der αὔξησις die Eroberung von Sogdiane und vor allem Margiane sieht.

des III. Jh. nichts entnehmen können. Will man aus ihnen über die nackte Tatsache des Verlusts von Baktrien und Parthyene hinaus etwas erfahren, so stößt man immer wieder auf Unklarheiten und Widersprüche. Die beiden Berichte mögen letztlich auf dieselbe Quelle zurückgehen; aber sie sind zu stark verkürzt und wohl auch durch Irrtümer entstellt, als daß man ihnen Zuverlässiges entnehmen könnte. Es hat wahrscheinlich manche territoriale Veränderung, manche aufrührerische Bewegung unter den Griechen und Iraniern der Ostprovinzen gegeben; aber aus diesen Quellen läßt sich Genaueres nicht erkennen.

Auch die Befragung der anderen Quellen, die man heranzuziehen versucht hat, ergibt kein befriedigendes Resultat. Beginnen wir mit einem Text des Eratosthenes, in dem die Grenzen von Ἀριανή umrissen werden (Strab. XV 2, 8 p. 723 = H. BERGER, Die geogr. Fragm. des Eratosthenes, Fragm. III B, 20): ὁρίζεσθαι μὲν γάρ φησι τὴν Ἀριανὴν ἐκ μὲν τῶν πρὸς ἕω τῷ Ἰνδῷ, πρὸς νότον δὲ τῇ μεγάλῃ θαλάττῃ, πρὸς ἄρκτον δὲ τῷ Παροπαμισῷ καὶ τοῖς ἑξῆς ὄρεσι μέχρι Κασπίων πυλῶν, τὰ δὲ πρὸς ἑσπέραν τοῖς αὐτοῖς ὅροις, οἷς ἡ μὲν Παρθυηνὴ πρὸς Μηδίαν, ἡ δὲ Καρμανία πρὸς τὴν Παραιτακηνὴν καὶ Περσίδα διώρισται. Ariane umfaßte also nach Eratosthenes (etwa 284–204)[1] im wesentlichen die Provinzen, deren politische Zugehörigkeit in den Jahren nach 239 v. Chr. fraglich ist. Man hat in der Bezeichnung 'Ariane' für diese Landschaften eine 'politische Idee' sehen wollen. Schon J. MARQUART[2] meinte, aus den von Eratosthenes umschriebenen Grenzen ergebe sich, 'daß sich Ἀριανή, wenigstens der westliche Teil, mit dem Bestand des Partherreichs zur Zeit des Eratosthenes deckte. Die Länder Areia, Drangiane und Arachosien südlich vom Paropamisos hatten sich gewiß auch unabhängig gemacht, weshalb Antiochos III. auf dem Rückmarsch durch ihr Gebiet zog[3]. Der Name Ἀριανή muß also die unabhängigen Arier bezeichnen, im Gegensatz zu den seleukidisch gebliebenen Medern, und war Eratosthenes nach dem Zuge Antiochos' d. Gr. nach Oberiran i. J. 209 v. Chr. bekannt geworden.' Diese Datierung MARQUARTS ist von E. HERZFELD[4] korrigiert worden: Eratosthenes' ἀκμή liege in den Jahren 245–225[5]; er habe den Begriff 'Ariane' also nicht erst durch den Ostfeldzug des Antiochos kennengelernt. 'Eratosthenes' Ariana ist also geographisch das gesamte iranische Hochland östlich der zentralen Wüste, politisch die nicht mehr von den Seleukiden beherrschten, wieder unabhängig gewordenen Teile des alten

---

[1] Nach F. JACOBY, FGrHist 241, Komm. S. 704, wäre Eratosthenes' Geburtsjahr sogar in Ol. 121 = 296–293, sein Todesjahr in 214/3 hinaufzurücken.

[2] Beitr. z. Gesch. u. Sage von Ērān. ZDMG 49 (1895) S. 629f.

[3] S. dazu u. S. 82 A. 1.

[4] Archäol. Mitt. aus Iran IV (1931/2) S. 37 A. 1.

[5] Vgl. dazu aber o. Anm. 1.

\*Āryānām χšaϑram. Da Baktrien ausgeschlossen ist, also im wesentlichen das Partherreich seiner Zeit[1].' Und neuerdings J. Wolski[2]: 'Sans aucune doute Ariane est une idée politique et délimite les territoires indépendants, par opposition à ceux qui étaient soumis à la monarchie des Séleucides, en Iran occidental. Elle reflète la situation en Iran après l'effondrement du pouvoir des Seleucides, .... ca. 239/8 .... Du fait qu'Eratosthène situe l'état de la Bactriane en dehors de l'Ariane, on pourrait déduire, qu'au début, les territoires iraniens n'entraient pas dans la composition de cet état et que leur détachement de la monarchie des Séleucides était identique au soulèvement contre la domination gréco-macedonienne. Cette indépendance ne dura pas longtemps; vers 230, probablement, Euthydème ... rattacha les grands territoires de l'Iran du centre et de l'est à son état.' Träfe dies zu, so besäßen wir eine hervorragende Datierungsmöglichkeit für diesen Teil der eratosthenischen Geographie; da ein großer Teil der 'unabhängigen Ariane' nur von der allgemeinen Erhebung im Iran bis zu Euthydemos' Eroberungskampagne frei war, müßte Eratosthenes diesen Abschnitt seines Werks zwischen dem Anfang der dreißiger und allenfalls der Mitte der zwanziger Jahre des III. Jhs. niedergeschrieben haben[3]. Aber schon diese Überlegung läßt Bedenken aufkommen: Ist wirklich anzunehmen, daß Eratosthenes eine 'politische Idee', die sich eben erst gebildet hatte, und die jeden Tag durch einen Feldzug des Seleukos II. wieder ausgelöscht werden konnte, in seine wissenschaftliche, völlig unpolitische Geographie übernommen hätte? (Im übrigen bestand diese 'politische Idee' ja nur in der Negation: in der Negation der seleukidischen Oberhoheit! Eine Idee wird man das kaum nennen können.)

Es ist ja auch keineswegs sicher, daß Eratosthenes diese Bezeichnung als erster benutzt hat. Daß wir sie — vielleicht zufällig — zuerst bei ihm finden, bedeutet nicht, daß sie nicht älter sei. 'Arier' ist eine uralte ethnologische Bezeichnung, die wir z. B. schon aus den Achämenideninschriften und Herodot kennen; und es ist wohl denkbar, daß zur Perserzeit ganz Iran 'Arierland' hieß, daß diese Bezeichnung aber unter griechischer Herrschaft als Sammelname auf die östlich von Medien und Persis gelegenen

---

[1] A.a.O. S. 37. Daß das Partherreich zur fraglichen Zeit nie soweit nach Osten gereicht, sondern wahrscheinlich nur Parthien, Hyrkanien und die nördliche Steppe umfaßt hat, sei nur am Rande bemerkt.

[2] Effondrement S. 57f.

[3] S. 59 hält Wolski es allerdings für wahrscheinlicher, daß Zentraliran bereits seit 239 von den baktrischen Königen beherrscht worden sei (vgl. Klio 38 [1960] S. 120f.). Dann wäre es freilich nicht erklärlich, wie die 'Idee' von der 'freien Ariane' in diesen Grenzen aufgekommen sein könnte bzw. warum Baktrien nicht dazu gerechnet worden ist. — Was Kiessling, RE IX 1 (1914) Sp. 482 dazu berechtigt, die Veröffentlichung der eratosthenischen Erdkarte auf genau 240/39 festzulegen, weiß ich nicht.

Landschaften beschränkt worden ist, da man für die westlichen Provinzen gängige Namen kannte[1].

Bei näherem Hinsehen zeigt sich denn auch, daß Eratosthenes gar keine politische oder auch nur ethnische Einheit im Sinn hatte. 'Ariane' ist eine der 'σφραγίδες', in die der Geograph die Welt oder zumindest Asien eingeteilt hat, wahrscheinlich vor allem, um sich die Berechnung der Erdoberfläche zu erleichtern. Die asiatischen Sphragides liegen nördlich bzw. südlich des Hauptparallelkreises, der von den Säulen des Herakles über Rhodos und dann am Südfuß des 'Tauros' entlang durch die Kaspischen Tore bis zum östlichen Ozean verläuft[2]. Strabon hat nur die Beschreibung der vier südlichen Unterteilungen Asiens überliefert (II 1, 22 ff.): Die erste ist Indien bis zum Indus, die zweite Ariane (s. den Text o. S. 76!). Die dritte ist im Osten, gegenüber Ariane, abgegrenzt durch eine Linie, die von den Kaspischen Toren entlang den Grenzen zwischen Medien und Parthyene bzw. Persis und Karmanien zur Straße von Hormuz verläuft[3]; ihre Westgrenze wird vom Euphrat gebildet. Sie umfaßt also ungefähr Medien, Persis und das Zweistromland. Die vierte Sphragis schließlich reicht vom Euphrat bis zum Mittelmeer und Pelusium, umfaßt also im wesentlichen Syrien, Koilesyrien und Phoinike und einen Teil Arabiens.

Die Grenzen keiner der Sphragides I, III und IV stimmen mit staatlichen Grenzen der fraglichen Zeit überein. Das indische Maurya-Reich hat weit über den Indus hinaus, also nach 'Ariane' hinein gereicht[4]; Indien ist also offenbar nicht als politische, sondern als geographische Einheit aufgefaßt. Die dritte Sektion scheint auf den ersten Blick mit den 'Oberen Satrapien' des Seleukidenreichs[5] identisch zu sein. Aber Eratosthenes hat, wie wir gesehen haben, das selbständige Atropatene zu Medien gerechnet (s. o. S. 54f.); Medien – wie er es sich vorstellt – wird also durch seinen Hauptparallelkreis in zwei Teile zerschnitten, von denen nur der südliche zur zweiten Sphragis gehört. Ebenso hat Eratosthenes Armenien zur dritten Sphragis des Südens gerechnet, wie aus einer – im übrigen recht unkritischen – Polemik Strabons hervorgeht[6]. Erst recht entfällt bei der vierten Sektion jede Möglichkeit einer Identifizierung mit politischen Verhältnissen: mitten durch diese Sphragis verlief im III. Jh. die Grenze zwischen dem Seleukiden- und dem Ptolemäerreich (s. o. S.

---

[1] In diesem Sinn etwa Tomaschek, RE II 1 (1895) Sp. 813; vgl. auch Th. Nöldeke, Aufs. z. pers. Gesch. (1887) S. 148.

[2] Vgl. o. S. 52 und die dort A. 5 angegebene Literatur. Zum Begriff σφραγίς, der aus dem ptolemäischen Katasterwesen stammt, vgl. W. Kubitschek, RE X 2 (1919) Sp. 2053f.; auch W. Thonke, Die Karte des Eratosthenes und die Züge Alexanders (Diss. Straßb. 1914) S. 41.    [3] Vgl. auch Strab. II 1, 22 p. 78.    [4] S. o. S. 66f.

[5] Zu ihnen s. o. S. 45f.; u. S. 116ff.    [6] Strab. XI 12, 5 p. 522.

35). Der königliche Bibliothekar in Alexandreia hätte wohl kaum dem 'Erbfeind' die umstrittenen Provinzen in Südsyrien zugerechnet.

Es ist wohl klar geworden, daß mit den drei Sphragides I, III und IV nicht irgendwelche politischen Einheiten gemeint sind; und so wird dies auch nicht für die zweite Sphragis, Ariane, zutreffen. D. h. man braucht nicht an eine politische Einheit dieses Gebiets zu denken, und wäre es auch nur die Einheit im gemeinsamen Abfall von den Seleukiden. Die Sphragides sind geographische Hilfsfiguren[1], und wo ihre Umrisse mit politischen Grenzen zusammenfallen, liegt dies nur daran, daß die politischen Grenzen häufig durch natürliche Grenzlinien gegeben sind, wie etwa den Euphratlauf. Eratosthenes hat für seine Figuren natürliche Grenzlinien und Grenzpunkte gesucht, weil die Entfernungen zwischen diesen, die er für die Flächenberechnung brauchte, durch die Itinerare gegeben waren. Die kaspischen Tore waren einer der wichtigsten Meilensteine auf der großen Chorasan-Route nach dem Nordosten Irans (auch Isidor von Charax kennt sie); deshalb hat Eratosthenes sie als Grenzpunkt zwischen zwei Sphragides gewählt, und nicht weil in ihrer Nähe die Grenze zwischen Medien und Parthien verlaufen ist. Das gleiche gilt für die Meerenge von Hormuz: Eratosthenes hatte Angaben für ihre Entfernung von der Indusmündung (wahrscheinlich aus Nearch) und wußte, daß die Küste von hier ab eine Strecke nach Norden verläuft; deshalb war die Meerenge als Ecke des unregelmäßigen Vierecks geeignet, das er als zweite Sphragis umschrieb.

Vor allem aber wird klar, weshalb Baktrien und Sogdien bei Eratosthenes nicht zur 'Ariane' gerechnet werden. Beide Landschaften liegen nördlich des Hauptmeridians und können deshalb nicht zur Sphragis Ariane gehören. Deshalb, und nicht weil sie zur Abfassungszeit der eratosthenischen Geographie unter griechischer Herrschaft standen, bleiben sie außerhalb der 'Ariane'[2], zu der sie anderwärts gerechnet werden, wo es um ethnische Zusammenhänge geht und nicht einfach um eine bequeme Flächenberechnung. So lobt Strabon zwar einmal die Wahl der Sphragis Ariane, da diese durch wenigstens drei einigermaßen gerade Seiten und durch ihren Namen, ὡς ἂν ἑνὸς ἔθνους definiert sei (II 1, 31 p. 84); aber an einer anderen Stelle bemerkt er, der Name Ariane beziehe sich auch auf einen Teil der Meder und Perser und auf die Baktrer und Sogder; denn diese sprächen mit geringen Unterschieden die gleiche Sprache (XV 2, 8 p. 724)[3]! Eratosthenes hat offenbar für das Gebiet

---

[1] H. Berger, Gesch. d. wiss. Erdkunde der Griechen (²1903) S. 433.

[2] Das gleiche gilt für Hyrkanien, das Bergland nördlich von Parthien, das zumindest in seinen östlichen Teilen schon früh, vor der Besetzung Parthyenes, von den Parnern erobert worden ist, also doch auch zur 'freien Ariane' gehören müßte.

[3] S. ferner Apollod. v. Artemita b. Strab. XI 11, 1 p. 516, wo Baktrien τῆς συμπάσης

zwischen den vorgegebenen Begrenzungslinien Indus und Kaspische Tore — Straße von Hormuz einen praktischen Namen gesucht; 'Ariane' bot sich an, weil sich dieser Begriff ungefähr mit dem von ihm umschriebenen Viereck deckte. In Wahrheit hat der Name Ariane in seinen Anwendungsmöglichkeiten wohl ebenso geschwankt wie viele andere geographische Bezeichnungen, z. B. Europa, Afrika, Libye, Asia, Syria, ohne daß jeweils politische Gegebenheiten dafür verantwortlich zu machen wären.

Der Text des Eratosthenes wird also überfordert, wenn man ihn zum Zeugnis für den politischen Status der mittel- und ostiranischen Provinzen anrufen oder gar eine Chronologie der Eroberungen des Euthydemos aus ihm ableiten will.

Ebensowenig dürfen zwei Stellen des Polybios aus der Geschichte der ersten Regierungsjahre des Antiochos III. gepreßt werden, von denen im nächsten Kapitel noch die Rede sein wird. Wenn Polybios V 40, 7 unter den ersten Regierungsmaßnahmen des Antiochos neben der Übertragung Kleinasiens an Achaios nur das Kommando des Molon und seines Bruders Alexandros in Medien bzw. Persis nennt (s. u. S. 111), so bedeutet das nicht ohne weiteres, daß diese beiden Satrapien die östlichsten Besitzungen des Reichs waren[1]; es bedeutet auch nicht, daß keine weiteren personellen Maßnahmen getroffen wurden ober überhaupt nötig waren. Polybios nennt hier lediglich die neuen Oberkommandierenden in den Randgebieten des Reichs, den Vizekönig Kleinasien und den Generalgouverneur der Oberen Satrapien; und auch dies tut er nur, weil diese drei Männer, Achaios, Molon und Alexandros, in den folgenden Jahren zu wichtigen Personen in der Geschichte Antiochos' III. werden sollten (s. Kap. III); — der vierte wichtige Mann, Hermeias, tritt bereits wenige Sätze später auf. Und ebensowenig besagt es, wenn Polybios bei der Neubesetzung der Satrapien im J. 220 lediglich von den Gouverneuren von Medien, Susiane und der Satrapie am Roten Meer spricht (V 54, 12); wollte man daraus lesen, daß diese die einzigen verbliebenen Provinzen gewesen seien[2], so müßte man annehmen, daß auch die Persis inzwischen

---

'Αριανῆς πρόσχημα (Schmuckstück) genannt wird. Wenn Eratosthenes b. Strab. I 4, 9 p. 66 Inder und Arianer, Römer und Karthager als 'gebildete' Barbaren bezeichnet wegen ihrer ausgezeichneten Regierungsformen, dann kann sich das nicht auf die abgefallenen Provinzen Ostirans beziehen, auch nicht auf die Parther, von deren Regierungsform Eratosthenes nicht viel erfahren haben kann. Mit 'Αριανοί müssen hier die Perser der Achämenidenzeit gemeint sein. Die von J. Marquart, ZDMG 49 (1895) S. 629f. angenommene politische Bedeutung von 'Αριανοί bzw. ἡ 'Αριανῶν (γῆ) = 'das Reich Erān der Zeit des Eratosthenes' bei Diod. I 94, 2 und II 37, 6 ist unrichtig. An der ersten Stelle spricht Diodor vom Wirkungskreis des Zarathustra, an der zweiten von der Hydrologie Indiens, das von den höhergelegenen Ländern der Skythen, Baktrer und Arianer her bewässert werde.     [1] So Wolski S. 53.     [2] Wolski S. 53.

verloren gegangen sei; doch dies hat sich als sehr unwahrscheinlich erwiesen (s. o. S. 46ff.). Warum Polybios nicht alle neuen Gouverneure genannt hat, wissen wir nicht; jedenfalls spricht er hier nur von Neubesetzungen, und wenn in weiter östlich gelegenen Provinzen alles beim alten geblieben war, so bestand für ihn kein Anlaß, sie zu erwähnen.

Vom Bericht des Polybios über den Feldzug des Antiochos III. in die Oberen Satrapien sind nur wenige Bruchstücke erhalten, die für unsere Frage nichts Entscheidendes aussagen. Von einem Disput, den im J. 206 Euthydemos mit einem Gesandten des Antiochos führte, ist nur die Antwort des baktrischen Königs erhalten; doch lassen sich daraus die Vorwürfe der Gegenseite rekonstruieren. Euthydemos betonte, Antiochos wolle ihn zu Unrecht aus der Königsherrschaft vertreiben: nicht er — Euthydemos — sei vom König abgefallen, sondern andere hätten sich des Abfalls schuldig gemacht, und er habe die Herrschaft über Baktrien errungen, indem er die Abkömmlinge jener Rebellen beseitigt habe (Polyb. XI 34, 1—2). Es geht also um die Frage, ob die Herrschaft des Euthydemos legitim sei. Antiochos hatte die baktrische Eigenstaatlichkeit offenbar in Bausch und Bogen als Rebellentum bezeichnet — von seinem Standpunkt aus zu Recht, denn er beanspruchte alles Land, das von seinen Vorfahren beherrscht worden war, als sein Erbe. Euthydemos machte dagegen geltend, daß er bereits einen separaten Staat vorgefunden habe, mit dessen Gründung, d. h. mit dessen Abfall vom Seleukidenreich er nichts zu tun habe. Mit der Absetzung der Diodotiden war nach seiner Auffassung ein völlig neuer Rechtszustand geschaffen worden; er selbst hatte kein rechtliches Verhältnis zum Seleukidenstaat gebrochen, sondern sich mit dem Speer ein Reich gewonnen und betrachtete sich nicht als Rebellen. Diese uns etwas spitzfindig erscheinende, aber im griechischen Rechtsdenken begründete Argumentation wurde denn auch von Antiochos unter dem Zwang der Lage anerkannt; Euthydemos behielt seine königliche Stellung. Für die Frage der territorialen Ausdehnung des Baktrerreiches ist aus dieser interessanten Diskussion freilich — entgegen der Ansicht Franz ALTHEIMS[1] — nichts zu gewinnen. Euthydemos mag vielleicht dem Reich einige Provinzen entrissen und sich dadurch zum Feind der Seleukiden gemacht haben; das brauchte er nach zweijährigen Kampfhandlungen nicht zu leugnen, und darum ging es auch gar nicht. Ein Feind konnte, wenn die Lage günstig war, auf Milde hoffen; er würde geraubtes Land abtreten, vielleicht Tribute zahlen müssen; aber es brauchte nicht um seine Existenz zu gehen. Ein Rebell aber konnte nicht mit Gnade rechnen: ihn mußte der König vernichten, wenn er nicht sein Gesicht verlieren wollte. Darum ging die ganze Diskussion.

---

[1] Weltgesch. Asiens I S. 291.

Wenn Polybios erzählt, Antiochos sei nach dem Abschluß des Vertrags mit Subhagasena durch Arachosien und Drangiane nach Karmanien gezogen (XI 34, 13: 206 v. Chr.), so geht daraus für die politische Zugehörigkeit dieser Landschaften allenfalls hervor, daß er sie nicht zu erobern brauchte; denn sonst wäre wohl von Kämpfen die Rede[1]. Sie können unter den ehemaligen seleukidischen Satrapen gestanden haben, die sich im Lauf der Zeit selbständig gemacht hatten, nun aber unter dem Eindruck der Erfolge des Königs freiwillig ihre Unterwerfung anboten; sie können von einheimischen Dynasten beherrscht worden sein, die nun den Seleukiden anerkannten. In beiden Fällen würde man sich freilich wundern, daß dies nicht wenigstens in einem Nebensatz gesagt wird. Es ist möglich, daß Drangiane dem Euthydemos[2], Arachosien dem Subhagasena gehörte, und daß beide in den Verträgen in ihrem Besitz bestätigt wurden. Aber nichts hindert zunächst daran, anzunehmen, daß dort noch immer Satrapen saßen, die dem Reich in den vergangenen Jahrzehnten mehr oder minder treu geblieben waren[3].

Für die Provinz Karmanien kann man das wohl positiv behaupten. Denn Polybios fährt fort, Antiochos sei nach Karmanien gekommen, wo er, da der Winter (206/5) bereits eingetreten war, die Winterquartiere bezogen habe. 'So endete der Feldzug des Antiochos in die Oberen Gebiete, durch den er nicht nur die Leiter der Oberen Satrapien, sondern auch die Städte am Meer und die Dynasten nördlich des Taurus seiner Herrschaft untertan machte und überhaupt das Reich befestigte, indem er durch seinen Wagemut und seine unverdrossene Aktivität alle Untertanen in Schrecken versetzte ...' (XI 34, 13—15). Mit dem Winterquartier in Karmanien ist also der Feldzug nach Ostiran beendet. Läßt das nicht annehmen, daß der König spätestens jetzt, in Karmanien, sein altes, unbestrittenes Herrschaftsgebiet wieder erreicht hat, daß also Karmanien mindestens beim Beginn des Ostfeldzugs dem König treu war?

Unter den Truppen, die Antiochos in der Schlacht bei Raphia (217 v. Chr.), also vor dem Ostfeldzug kommandiert hat, befanden sich neben anderen Soldaten iranischer Herkunft (Dahai, Meder, Kissier, Kadusier und Perser) auch Karmaner[4]. Es könnte sich natürlich, wie bei den Dahai (s. o. S. 64), auch um Söldner handeln, die jenseits der Reichsgrenzen

---

[1] Daß er überhaupt durch diese Gegenden zog, darf nicht mit J. MARQUART, ZDMG 49 (1895) S. 629 als Beweis dafür angesehen werden, daß sie sich unabhängig gemacht hätten. Antiochos war nach dem Indusgebiet gezogen, wo er mit Subhagasena zusammentraf. Wollte er den Rückweg nicht wieder über Baktrien-Parthien nehmen, sondern seine südlichen Provinzen (Karmanien, Persis) aufsuchen, und wollte er andererseits die gedrosische Wüste vermeiden, so blieb ihm nichts übrig, als durch Arachosien und Drangiane zu ziehen, ganz gleich, wem sie gehörten.

[2] So J. WOLSKI S. 57 ff.     [3] So W. W. TARN, Greeks S. 73.

[4] Polyb. V 79, 3 (εὔζωνοι) und 7 (keine Bewaffnung genannt). Vgl. J. WOLSKI S. 52.

angeworben worden waren; aber da die soeben besprochene Stelle es sehr wahrscheinlich macht, daß Karmanien 212 v. Chr. seleukidisch war, wird man annehmen dürfen, daß die Provinz entweder nie abgefallen war oder vor 217 wieder in den Reichsverband zurückgekehrt ist, spätestens bei der Wiederaufrichtung der seleukidischen Herrschaft nach dem Aufstand des Molon[1].

In der Schlacht bei Magnesia (190 v. Chr.) fehlen die Karmaner allerdings. Man könnte dafür, ebenso wie für das Fehlen der Perser, den Aufstand der Frātadāra verantwortlich machen, der vielleicht in diese Jahre zu setzen ist (s. o. S. 49f.). Aber es ist doch zu bedenken, daß Antiochos seine Gründe gehabt haben kann, keine Truppen aus den östlichen Provinzen herbeizurufen; er konnte den Osten des Reichs nicht vom Militär entblößen, wenn er, angesichts der Bedrohung durch Parther und Baktrer, den Erfolg seines Ostfeldzugs nicht aufs Spiel setzen wollte. Zudem waren die Anmarschwege sehr lang. Aus dem gleichen Grund wird man das Fehlen ostiranischer Truppen wie Arachosier, Drangianer und Gedrosier in den Schlachten bei Raphia und Magnesia nicht ohne weiteres als Beweis dafür ansehen dürfen, daß Antiochos III. nie über sie geboten habe[2].

Alle diese Argumente, die wir bisher aufgezählt haben, sind so schwach, daß nicht einmal ihr Zusammenwirken etwas Entscheidendes auszusagen vermag. Nicht viel besser steht es mit der numismatischen Evidenz. Zwar sind in Arachosien und Drangiane Münzen des Euthydemos gefunden worden[3]. Aber sie können importiert worden oder erst nach dem Tod des Königs in diese Landschaften gekommen sein; ja es kann sich um postume Prägungen unter Euthydemos' Nachfolgern handeln[4], wie sie bei den Seleukiden gang und gäbe waren. Zudem ist die Zahl der gefundenen Münzen doch sehr gering[5]; und in Anbetracht dessen, daß in den genannten Landschaften so gut wie keine Ausgrabungen stattgefunden haben, wird man das numismatische Material nur mit Vorsicht verwenden dürfen[6]. Hortfunde können das Bild rasch verändern; bis zu ihrem Auftreten ist die Frage auf numismatischem Wege kaum zu lösen. Bedenklicher ist schon, daß im letzten Drittel des III. Jhs. keine seleukidische Münzstätte mehr nachweisbar scheint – die Identifizierung dieser Prägungsorte ist freilich auch sonst keineswegs sicher – und daß, soweit ich sehen kann, Seleukidenmünzen in größerer Zahl seit Seleukos II. in diesen Provinzen

---

[1] Auch J. Wolski, Effondrement S. 53 u. 59 hält es für wahrscheinlich, daß Karmanien seleukidisch war, rechnet es aber andererseits S. 57 u. 59 zur 'freien Ariane', so daß sein Standpunkt nicht klar erkennbar ist.

[2] So Wolski S. 52.     [3] Vgl. Cunningham, Num. Chron. 1869, S. 138.

[4] So W. W. Tarn, Greeks S. 93; 441; dagegen J. Wolski, Effondrement S. 58f.

[5] A. K. Narain, The Indo-Greeks S. 24.

[6] G. Macdonald, Cambr. Hist. of India I (1922) S. 442; A. K. Narain S. 24.

nicht mehr gefunden worden sind[1]. Dies würde freilich darauf deuten, daß die östlichen Landschaften wenn auch nicht unbedingt baktrisch, so doch auch nicht mehr seleukidisch gewesen sind.

Eindeutige Schlüsse lassen sich jedoch auch aus diesem Material nicht ziehen. Die geringe wirtschaftliche Entwicklung dieser Provinzen, das Fehlen geregelter Ausgrabungen können für die mangelhafte Dokumentierung verantwortlich sein.

Fassen wir zusammen: Für die politischen Zustände in den östlichen Provinzen Irans um 223 v. Chr. gibt es vorerst keine Anhaltspunkte, die auch nur annähernd sichere Schlüsse zuließen. Es ist anzunehmen, daß Areia baktrisch geworden war; jedenfalls versuchte Euthydemos im J. 206 am Areios-Fluß (Ochos, Heri-rud) eine Verteidigungsstellung gegen Antiochos III. auszubauen (Polyb. X 49, 1). Für Karmanien ist wahrscheinlich geworden, daß es noch seleukidisch war. Arachosien dürfte größtenteils noch in der Hand indischer Fürsten gewesen sein. Die Lage in den übrigen Provinzen – Drangiane und Gedrosien – bleibt unklar; daß sie früher zeitweilig mit Areia bzw. Arachosien vereinigt gewesen waren, besagt für ihre politische Zugehörigkeit im späten III. Jh. nicht das geringste. Die dünne griechische Besiedlung und der lose Zusammenhang mit dem seleukidisch gebliebenen Provinzen des Westens und Südens machen es wahrscheinlich, daß sie dem Gebot des syrischen Königs nicht mehr folgten; wann sie abgefallen sind, und wem sie gehörten, läßt sich vorläufig nicht feststellen; und wenn nicht Inschriften- oder Münzhortfunde zu Hilfe kommen, wird sich wohl nie Sicherheit darüber gewinnen lassen.

Ebenso lassen sich über die Zugehörigkeit der Ostprovinzen Irans nach dem Feldzug von 212–206 v. Chr. nur Vermutungen anstellen. Zwar hat Polybios seiner seleukidenfreundlichen Quelle die Angabe entnommen, Antiochos habe durch seinen Ostfeldzug die Satrapen des Ostens seiner Herrschaft botmäßig gemacht (XI 34, 14); aber da diese Bemerkung zweifellos die Gewinnung der bloßen Oberhoheit über das Partherreich, das baktrische Reich und die Herrschaft des Subhagasena einschließt, läßt sich aus ihr nicht folgern, daß die übrigen ostiranischen Provinzen von nun an direkt beherrscht worden seien. Wenn Antiochos im J. 206 dort das alte System der direkten Beherrschung durch Provinzgouverneure wiedereingerichtet oder befestigt hat, so ist es spätestens in den Jahren nach seiner Niederlage bei Magnesia zusammengebrochen, als Demetrios, der Sohn des Euthydemos, die große Expansion der baktrischen Griechen einleitete.

---

[1] Eine Liste der Münzfunde ist mir nicht bekannt. Keine Münzen des Euthydemos I. in den neueren Hortfunden aus Afghanistan (R. CURIEL – D. SCHLUMBERGER, Trésors monétaires d'Afghanistan. Mém. de la Déleg. arch. franç. en Afghanistan XIV [1953]). Münzstätten: vgl. E. T. NEWELL, Eastern Sel. Mints (1938) S. 245 ff.; 259.

## II. ZUR REICHSPOLITIK ANTIOCHOS' III.

Antiochos III. hatte das Reich in einem Zustand äußerer Schwäche und völliger Auflösung im Innern übernommen. In drei Jahrzehnten gelang es ihm, den Staat wieder zu festigen und, trotz der Rückschläge, die er durch die Revolten des Molon und des Achaios erlitt, wieder zu eindrucksvoller Größe emporzuführen. Am Vorabend des Kriegs mit Rom, der sein Werk wieder zunichte machen sollte, hatte das Seleukidenreich mit seinen Vasallenstaaten nahezu den gleichen Umfang wie beim Tod des Reichsgründers, Seleukos' I. Nikator († 281 v.Chr.). Die Karten (s. Beilagen) zeigen dies besser, als es jeder Kommentar vermöchte.

Die Wiedergewinnung der in den rund sechs Jahrzehnten vor dem Regierungsantritt des Antiochos III. verlorenen Gebiete ging in folgenden Stadien vor sich:

| | |
|---|---|
| 223—222 | Wiedereroberung des westkleinasiatischen Binnenlandes durch Achaios. |
| 222—220 | Niederschlagung des Molon-Aufstandes. Wiedergewinnung der 222 verlorenen Gebiete Medien, Persis, Susiane und Babylonien. Atropatene wird Vasallenfürstentum. |
| 219—217 | Vergeblicher Versuch, Koilesyrien und Phoinike zu erobern, die die Seleukiden seit 301 v. Chr. beanspruchten. |
| 216—213 | Wiedergewinnung des (220 unter Achaios selbständig gewordenen) kleinasiatischen Binnenlandes (wohl auch Pamphyliens, das Achaios im J. 218 teilweise tributpflichtig gemacht hatte). |
| 212—205/4 | Feldzug in die Oberen Satrapien: Armenien, Partherreich, Baktrerreich und Gandhara Vasallenstaaten. (Status von Drangiane und Gedrosien unklar.) |
| 203 | Vorstöße gegen Besitzungen der Ptolemäer in Karien[1]. |
| 202(?)—198 | V. Syrischer Krieg: Eroberung von Koilesyrien und Phoinike. |
| 198 | Rückgewinnung der von Attalos I. besetzt gehaltenen Teile des hellespontischen Phrygien[2]. |
| 197 | Besetzung der Küstenzonen Westkleinasiens (Kilikien, Lykien, Teile Kariens, Ionien, Troas)[2]. |
| 196—194 | Feldzüge in Thrakien, Besetzung der südlichen und östlichen Küsten des Landes. |
| 193 | Feldzug in Pisidien (Ausgang unbekannt). |

[1] S. Kap. IV.  [2] S. Kap. V.

## Der Wiedereroberungsplan

Immer wieder hat Antiochos III. während seiner Eroberungszüge betont, daß er nur sein altes Erbrecht verwirkliche. Schon den Angriff gegen Koilesyrien und Phoinike (219—217) hat er damit begründet, daß er sich nur aneigne, was ihm rechtens gehöre: die Koalition gegen Antigonos Monophthalmos habe seinerzeit seinem Ahnen Seleukos I. diese Provinzen zugesprochen (Polyb. V 67, 4ff.). Euthydemos von Baktrien mußte sich dagegen verwahren, daß der König ihn als Rebellen betrachtete (s. o. S. 81); auch darin drückt sich aus, daß Antiochos die schon unter seinen Vorfahren abgefallenen Länder als sein rechtmäßiges Eigentum zurückgewinnen wollte; und weiter unten wird noch davon zu sprechen sein, daß der Seleukidenhof die de facto längst souveränen Herrscher von Atropatene, Parthien und Baktrien noch immer als 'Satrapen' bezeichnet hat, worin sich der Herrschaftsanspruch über ihre Länder ausdrückt (s. u. S. 123). Die Griechenstädte an den kleinasiatischen Küsten hat Antiochos im J. 197/6 angegriffen, 'da sie ihm als dem Beherrscher Asiens gehörten; denn sie seien auch früher Untertanen der Könige Asiens gewesen' (Appian. Syr. 1, 2; vgl. 12, 45). Und als die Römer im Herbst des J. 196 den König wegen seines Eroberungszuges in Thrakien und der Chersones zur Rede stellten, erklärte er ihnen, niemand habe einen so berechtigten Anspruch auf diese Gebiete wie er: sein Ahnherr Seleukos I. habe sie einst durch seinen Sieg über Lysimachos mit dem Speer gewonnen; wenn er — Antiochos — sie nun besetze, sei es keine Eroberung, sondern Inbesitznahme seines Eigentums, mit der er lediglich sein Erbrecht wahrnehme (Polyb. XVIII 51, 3–6; Liv. XXXIII 40, 4f.; Appian. Syr. 3, 12)[1].

Solcherart haben die Griechen bei Gebietsstreitigkeiten immer argumentiert, und sicher haben schon vor Antiochos III. die Seleukidenkönige die gleichen 'Rechtstitel' vorgebracht. Seit dem Tod des Reichsgründers standen sie ja im Kampf gegen die Zerfallstendenzen, mußten sie immer wieder versuchen, Territorien zurückzugewinnen, die vom Reich abgefallen oder durch die Nachbarn entrissen worden waren. Antiochos III. hat diese Wiedereroberungspolitik als Erbe von seinen Vorfahren übernommen; sein Restaurationswerk ist nur deshalb so bemerkenswert, weil es so großen und relativ nachhaltigen Erfolg hatte. Zu diesem Erfolg hat zweifellos die große Energie des Königs viel beigetragen; aber nicht zuletzt war er doch davon abhängig, daß die Zeitläufte dem Beginnen des Antiochos günstig waren. Das Ptolemäerreich hatte sich zunächst, im IV. Syrischen Krieg, noch einmal zu einer großen Anstrengung aufraffen

---

[1] Vgl. dazu E. Bickermann, Hermes 67 (1932) S. 50ff.

und den Angreifer in der Schlacht bei Raphia zurückschlagen können; aber kurz darauf wurde es durch die Aufstandsbewegung unter der Eingeborenenbevölkerung schachmatt gesetzt. Antiochos konnte Kleinasien und den Osten des Reiches zurückerobern, ohne einen ägyptischen Angriff in seinem Rücken befürchten zu müssen. Anscheinend war auch das Partherreich zu jener Zeit nicht sonderlich schlagkräftig. Der fortdauernde Fellachenaufstand und die Zwistigkeiten unter den Regenten im Lagidenreich erleichterten dann die Eroberung Südsyriens. Schließlich nahm der Zweite Makedonische Krieg dem König die Mühe ab, sich mit Philipp V. von Makedonien auseinanderzusetzen, der in den letzten Jahren des III. Jh. seinen kleinasiatischen Eroberungsplänen entgegengetreten war[1]; Philipp und Attalos I. waren auf dem griechischen Kriegsschauplatz gebunden, und so standen Kleinasien und, nach Philipps Niederlage, auch Thrakien seinem Angriff offen. Das Glück war dem dritten Antiochos freundlicher als seinen Vorfahren; er hat freilich die Gunst des Schicksals mit aller Energie und unter äußerster Anspannung aller Kräfte des Reichs zu nützen gewußt.

Dem späteren Betrachter mag das Wiedereroberungswerk des Antiochos als die Verwirklichung eines sinnvollen, früh gefaßten Planes erscheinen. Während des ersten Jahrzehnts seiner Regierung ging es freilich nur darum, die Gebiete zurückzugewinnen, die erst jüngst, durch die Revolte des Molon, durch den Siegeszug des Attalos I. und dann erneut durch den Abfall des Achaios verloren gegangen waren; und in der Ägyptenpolitik trat Antiochos nur in die Fußstapfen seines Beraters Hermeias, der den syrischen Feldzug bereits eingeleitet hatte[2].

Von 212 v. Chr. an machte sich Antiochos jedoch daran, Länder zurückzuerobern, die schon seit längerer Zeit verloren waren: Armenien, Parthyene, Baktrien; und von nun an läßt sich nicht verkennen, daß der König sich ein großes Programm gesetzt hatte. Zwar glauben manche, Antiochos' Ostfeldzug sei nur die Reaktion auf einen parthischen Angriff während des Kampfes gegen Achaios und auf eine Expansion des Baktrerreiches gewesen. Aber nichts davon ist belegt; und solche Angriffe können höchstens der letzte Anlaß zur Offensive des Antiochos gewesen sein. Acht Jahre lang (212—205/4), wie einst der große makedonische Eroberer, hat Antiochos Iran bis zum Indus durchzogen, hat viele Tausende von Kilometern zurückgelegt. Es ist unwahrscheinlich, daß er einen solchen Feldzug nicht von vornherein geplant, sondern ihn, der Gunst des Augenblicks folgend, nach und nach ausgeweitet hätte. Auch in der Folgezeit ist

---

[1] Vgl. dazu u. Kap. IV.
[2] Die Ansicht H. E. STIERS, Antiochos habe im IV. Syr. Krieg nach seinen ersten Erfolgen auch die Eroberung Ägyptens geplant (Roms Aufstieg zur Weltmacht und die griech. Welt [1957] S. 37), findet in den Quellen keine Stütze.

eine zielbewußte Expansionspolitik des Seleukiden nicht zu leugnen. Zwar hat ihn die Intervention Philipps V. gezwungen, seine Aktivität in Kleinasien zunächst zu unterbrechen (s. u. Kap. IV); er warf sich nun auf Koilesyrien, dessen Eroberung er vielleicht erst für später geplant hatte. Aber wenige Jahre später hat er das verschobene Vorhaben verwirklicht. Ein Plan ist unverkennbar, freilich nicht im Sinn eines starren Programms; Antiochos hatte sich ein Ziel gesetzt, an dem er während der langen Jahre der Kämpfe festgehalten hat, wenn er sich auch, auf dem Weg dorthin, stets der Lage geschmeidig anpaßte.

Was wollte der König mit seinem Ostfeldzug erreichen? Er hat sich damit begnügt, daß Xerxes, Arsakes, Euthydemos und Sophagasenos seine Oberhoheit anerkannten, so wie er schon im J. 220 den betagten Fürsten von Atropatene als Vasallen in seiner Herrschaft belassen hatte. War dies von vornherein seine Absicht? Oder hatte er zunächst an eine wirkliche Eroberung jener Länder gedacht, dann aber, im Verlauf des Feldzugs, einsehen müssen, daß die Gebiete, um die es ging, zu groß und vom Kern seines Reiches zu weit entfernt waren, daß die Widerstandskraft der nichtgriechischen Bevölkerung zu stark war, um auf die Dauer überwunden werden zu können?

Leider wissen wir zu wenig vom Verlauf des Partherfeldzugs und vom Zustandekommen des Vertrags mit Arsakes. Aber die Vorgänge bei der Besetzung Westarmeniens zeigen deutlich, daß Antiochos von vornherein bereit war, den einheimischen Herrscher auf seinem Posten zu belassen, wenn er nur bereit war, ihn als Oberherrn anzuerkennen. Antiochos hat der Versuchung widerstanden, den jungen armenischen König zu entthronen und seinen eigenen Neffen Mithridates an seine Stelle zu setzen; und die dem Antiochos freundliche Quelle des Polybios rühmt dieses Verhalten: 'Hierdurch gewann er alle Einwohner jener Gegenden und machte sie zu seinen Anhängern; denn jedermann erkannte seine hochherzige und wahrhaft königliche Handlungsweise' (Polyb. VIII 23, 5). Gerade dies dürfte Antiochos bezweckt haben. Hätte er den Armeniern einen fremden Herrscher aufoktroyiert, so wäre er genötigt gewesen, zu dessen Schutz Truppen im Land zurückzulassen, wenn er nicht Gefahr laufen wollte, daß Armenien sich erneut erhöbe, sobald er den Rücken kehrte. Er hat gewiß schon damals (212 v. Chr.) geplant, weiter in den Osten vorzustoßen; so konnte er keinen Mann entbehren. Indem er den angestammten Fürsten weiter regieren ließ, ihn sogar durch die Heirat mit seiner Schwester Antiochis enger ans Seleukidenhaus band, schonte er das erwachende Nationalbewußtsein der armenischen Bevölkerung, verpflichtete sich den Armenierfürsten zur Dankbarkeit und konnte an diesem Beispiel auch den Bewohnern anderer Länder beweisen, daß er nicht als Unterdrücker komme.

Auch in den Induslanden scheint Antiochos von vornherein nicht mit Annexionsabsichten aufgetreten zu sein. So wenig der kurze Bericht des Polybios (XI 34, 11f.) auch erkennen läßt, so scheint es doch überhaupt nicht zu Kämpfen gekommen zu sein. Die Bereitschaft des Sophagasenos, einen Tribut zu zahlen und damit Antiochos als Suzerän anzuerkennen, scheint alles gewesen zu sein, was Antiochos wünschte.

Freilich kann vom Verhalten des Antiochos in Armenien und Gandhara nicht ohne weiteres auf seine Absichten gegenüber dem parthischen und dem baktrischen Reich geschlossen werden. Armenien und Gandhara waren relativ unbedeutend und ungefährlich, Gandhara zudem noch viel zu weit vom Reichskern Syrien entfernt, um auf längere Dauer direkt beherrscht werden zu können. Der Partherstaat dagegen bedeutete eine erhebliche Gefahr für die wichtige Satrapie Medien, und das reiche Baktrien, das früher einen großen Teil des seleukidischen Goldbedarfs gedeckt hatte, war mindestens aus wirtschaftlichen Gründen begehrenswert. Dazu mag ein weiterer Grund gekommen sein: Während in Armenien, Atropatene und Gandhara keine Griechen wohnten, war Baktrien wohl kaum weniger dicht mit Griechen und Makedonen besiedelt als Medien; und auch im parthisch-hyrkanischen Reich scheinen noch mehrere hellenische Städte weiterbestanden zu haben: jedenfalls haben die 'barbarischen' Gegner des Königs im J. 209 die griechische Bevölkerung der Stadt Sirynx in Hyrkanien umgebracht (Polyb. X 31, 11). Es ist möglich, daß Antiochos diesen von Griechen besiedelten Gebieten gegenüber zunächst eine andere Politik einzuschlagen gedachte als gegenüber den rein orientalischen Ländern. Er scheint denn auch ursprünglich beabsichtigt zu haben, Euthydemos zu entthronen und Baktrien direkt oder mindestens durch einen Vasallenfürsten seiner eigenen Wahl zu beherrschen. Das geht aus der bereits mehrfach erwähnten Diskussion hervor, die Euthydemos mit dem Gesandten des Antiochos geführt hat, bevor es zur Verständigung kam (Polyb. XI 34, 1ff.; s. o. S. 81). Wenn Antiochos III. den baktrischen Herrscher als Rebellen betrachtet hat, so kann dies nur bedeuten, daß er ihn beseitigen wollte. Nach langer, vergeblicher Belagerung von Baktra war Antiochos aber nun selbst froh, einen modus vivendi zu finden, der es ihm erlaubte, das Gesicht zu wahren. Das Argument des Euthydemos, Baktrien werde den Nomadenvölkern der turanischen Steppe anheimfallen, wenn Antiochos ihn nicht in seiner königlichen Stellung belasse (XI 34, 3—5), ist gewiß nicht ohne Wirkung auf den König geblieben[1]; er sah ein, daß ein von den griechischen Sied-

---

[1] S. MAZZARINO, Il tramonto dello stato greco nell'Iran orientale. Delta, Riv. di critica e di cultura N. S. 3 (1952) S. 23ff., hält diese Drohung mit der barbarischen Invasion für anachronistisch; Polybios habe diesen Passus unter dem Eindruck der tatsächlichen Über-

lern und von der iranischen Oberschicht anerkannter Herrscher Baktrien sicherer verteidigen könne als ein von der Reichszentrale entsandter Satrap, daß also auf lange Sicht den Interessen des Seleukidenreichs mit einem kräftigen, befreundeten baktrischen Griechenreich in loser Abhängigkeit mehr gedient war als mit einem noch so eindrucksvollen Augenblickserfolg.

Es ist also wahrscheinlich, daß Antiochos zunächst mit der Absicht nach Osten gezogen ist, das baktrische Reich — und vermutlich auch den Partherstaat — seinem ererbten Reich einzuverleiben, daß er aber im Verlaufe des Feldzugs angesichts der ungeheuren Weite des iranischen Raums erkannt hat, daß seine Ziele zu weit gesteckt waren, so daß er sich — und gewiß zu seinem Vorteil — bereit fand, auch diesen beiden großen Staaten gegenüber die gleiche Politik der klugen Mäßigung anzuwenden, die er gegenüber den kleinen Staaten Atropatene, Armenien und Gandhara und schließlich auch gegenüber dem Handelsstaat der Gerrhäer im Persischen Meerbusen von Anfang an befolgt hat.

## Propagandistische Wirkung

In anderem Zusammenhang war bereits davon die Rede, welche Wirkung die Quelle des Polybios dem Ostfeldzug des Antiochos zugeschrieben hat: Antiochos habe durch seine Expedition 'nicht nur die Beherrscher der Oberen Satrapien seiner Herrschaft untertan gemacht, sondern auch die Städte am Meer und die Dynasten nördlich des Taurus; und überhaupt hat er sein Reich gefestigt, indem er durch seinen Wagemut und seine unermüdliche Energie alle seine Untertanen in Erstaunen setzte; denn durch diesen Feldzug schien er nicht nur den Bewohnern Asiens, sondern auch denen Europas der Herrschaft[1] würdig' (Polyb. XI 34, 14—16). Die Wirkung auf die 'Meeresstädte', d. h. die Griechenstädte an der kleinasiatischen Westküste, und auf die Dynasten Kleinasiens, die der Gewährsmann des Polybios dem Ostfeldzug zuschreibt, kann natürlich nur indirekt gewesen sein: die großen Erfolge, die Antiochos im Osten errungen hatte und denen er den Großkönigstitel und den ehrenden Beinamen 'der Große' verdankte (s. u.), ließen ihn unüberwindlich erscheinen, so daß die Städte und die Fürsten nicht wagten, seinen Forderungen Widerstand zu leisten, als er einige Zeit später daran ging, Kleinasien zu erobern. Sein großer Feldzug in Anatolien begann freilich erst im J. 197;

---

flutung aus dem Norden im Laufe des II. Jh. v. Chr. niedergeschrieben. Die nordöstlichen Provinzen des Seleukidenreichs standen aber anscheinend schon in der ersten Hälfte des III. Jhs. unter ständigem barbarischem Druck aus dem Norden; vgl. etwa J. Wolski, Effondrement S. 22ff.

[1] Zur Bedeutung von βασιλεία an dieser Stelle vgl. u. S. 93 A. 4.

aber er hat ja schon im J. 203, also kurz nach seiner Rückkehr aus dem Osten, Eroberungen in Karien gemacht[1]. Es ist nicht unwahrscheinlich, daß sein Vizekönig in Kleinasien noch während des Ostfeldzugs das Reichsterritorium zu vergrößern trachtete; bei diesem Beginnen mag ihm bereits die Furcht, die der Erfolg der seleukidischen Waffen im Osten erregt hatte, zu Hilfe gekommen sein.

Die Quelle des Polybios spricht jedenfalls von propagandistischen Erfolgen des Ostfeldzugs; und es ist durchaus anzunehmen, daß Antiochos diese Erfolge beabsichtigt hat. Er war sich, wie ihm sogar Cato bescheinigt hat[2], der Bedeutung der Propaganda durchaus bewußt. Damit ist freilich nicht gemeint, daß er den Ostfeldzug vor allem dieser Wirkung wegen unternommen habe. Aber er hat es anscheinend verstanden, seine in mancher Hinsicht doch nur bescheidenen Erfolge klug auszuwerten. Dabei ist ihm sicher zu Hilfe gekommen, daß man im Westen, in Kleinasien und Griechenland, gewiß nur nebelhafte Vorstellungen von den Verhältnissen in Iran hatte. Wenn es sich herumsprach, daß der König der wilden Parther, der Herrscher Baktriens dem Seleukiden gehuldigt hatten, daß sein Heer die Weiten des Ostens durchmessen hatte wie einst die Armee Alexanders, so machte sich der Grieche gewiß keine Gedanken darum, ob der König jene riesigen Lande denn nun auch wirklich beherrschen konnte. Die Größe des Unternehmens allein genügte, um einen Mythos entstehen zu lassen, und je unbekannter die Namen waren, desto besser für die Absichten des Königs. Daß Antiochos versucht hat, aus der geringen Vertrautheit der Griechen mit dem 'fernen Osten' Kapital zu schlagen, zeigt eine Nachricht aus dem Jahr 192: Damals wollte der Gesandte des Antiochos die Achäer zum Bündnis überreden, indem er sie *nominibus quoque gentium vix fando auditis* in Schrecken zu setzen versuchte, *Dahas Medos Elymaeosque et Cadusios appellans*[3].

Ganz deutlich wird die propagandistische Absicht am Beispiel des Feldzugs ins Indusgebiet. Antiochos hat nicht ernsthaft damit rechnen können, daß es ihm gelingen werde, seinen Einfluß auf das Randgebiet des indischen Subkontinents längere Zeit aufrechtzuerhalten, zumal er auch über das Partherreich und das Baktrische Reich des Euthydemos, die die Verbindungswege nach Indien beherrschten, nur eine prekäre Oberhoheit zu errichten vermocht hatte. Auch die Eile, mit der er wieder nach Westen abgezogen ist — er nahm sich nicht einmal Zeit, auf die Ablieferung des ausbedungenen Tributs zu warten (XI 34, 12) — zeigt

---

[1] S. u. S. 227f.; 245f.
[2] ORF² 8 fr. 20: *Antiochus epistulis bellum gerit, calamo et atramento militat*. Das ist zwar abträglich gemeint, beweist aber, daß Antiochos Propaganda betrieben hat.
[3] Liv. XXXV 48, 5; vgl. die verächtliche Antwort Flaminins 49, 8.

deutlich, daß er gar nicht die Absicht hatte, in Indien auf dauerhafte Eroberungen auszugehen[1].

Auf jeden Fall war Antiochos sich darüber im klaren, daß er das eigentliche Indien noch gar nicht betreten, geschweige denn sich untertan gemacht hatte; es ist fraglich, ob er überhaupt bis zum Indus vorgedrungen ist. Es wurde schon bemerkt, daß das Gebiet des Raja Subhagasena aus kaum mehr als Gandhara und Teilen Arachosiens bestanden haben dürfte. Aber die seleukidische Quelle des Polybios berichtet hochtrabend, Antiochos sei über den Kaukasos nach Indien hinabgestiegen und habe mit Sophagasenos, dem König der Inder, die Freundschaft erneuert (XI 34, 11). Der König der Inder — nicht irgend ein indischer Dynast — hatte sich ihm gebeugt! Antiochos III. hat es sicherlich nicht unterlassen, seinen Ruhm durch Inschriften verkünden zu lassen, so wie etwa 'der große König' Ptolemaios Euergetes in seiner Prunkinschrift im fernen Adulis (OGI 54) die Länder aufzählen ließ, die er angeblich erobert hatte. Da hatte denn der Name 'Indien' einen besonderen Klang: er beschwor den Ruhm des großen Alexander herauf, der als erster die griechischen Waffen in jenes märchenhafte Land getragen hatte. Die 'Eroberung' Indiens war es wohl nicht zum wenigsten, was den syrischen König 'nicht nur in den Augen Asiens, sondern auch Europas der Herrschaft würdig erscheinen' ließ. Und es ist nicht unmöglich, daß diese propagandistische Wirkung ein wesentlicher Zweck jenes Abstechers über den Hindukusch ins Industal war, mit dem Antiochos seinen Ostfeldzug krönte.

## Der Großkönigtitel

Antiochos III. hat sich, anscheinend nach seiner Rückkehr vom Ostfeldzug, den Titel βασιλεὺς μέγας, 'Großkönig', beigelegt, mit dem sich einst die Achämeniden geschmückt hatten[2]. Er ist der erste Seleukide, für den dieser Titel in griechischen Urkunden erscheint[3]; vor ihm hatte

---

[1] Gandhara ist wohl wenig später baktrisch geworden, vielleicht sogar mit dem Einverständnis des Antiochos.

[2] Zeugnisse: s. u. S. 94 A. 4. Zum Großkönigtitel des Antiochos III. vgl. M. HOLLEAUX Etudes III S. 159ff.; H. BENGTSON, Strat. II S. 63 A. 1; bes. P. P. SPRANGER, Saeculum 9 (1958) S. 29ff. und die in diesen Arbeiten angegebene Literatur. — Wann Antiochos den Titel angenommen hat, ist nicht festzulegen; Appian. Syr. 1, 1 verknüpft den Ehrennamen Μέγας (s. dazu weiter unten) mit den Erfolgen im Osten. M. HOLLEAUX, CAH VIII S. 142, schlägt plausibel die Zeit der Rückkehr in den Reichskern (205/4) vor (vgl. dazu Etudes III S. 179 A. 1).

[3] Keilschriftliche Zeugnisse, wie das von E. R. BEVAN, JHS 22 (1902) S. 242 für Antiochos I. zitierte, zählen nicht, da die Seleukiden hier die Titel der babylonischen Könige erhalten.

bereits Ptolemaios III. Euergetes nach seinem Feldzug ins Seleukidenreich diesen Titel getragen[1]. Man ist versucht, auch die Annahme des Großkönigstitels durch Antiochos III. nicht zuletzt als eine Propagandatat zu werten und anzunehmen, daß er durch sie seine Teilerfolge im Osten nach außen hin, vor allem den Griechen in Kleinasien und Griechenland gegenüber, in einen vollen Erfolg umzumünzen versucht hat.

Antiochos hatte sich, wie ausdrücklich bezeugt ist, dazu verstehen müssen, Euthydemos von Baktrien den Königstitel zu belassen. Auch Xerxes von Westarmenien hatte offenbar diesen Titel geführt (Polyb. VIII 23, 1), und wenn nicht alles täuscht, hat auch er ihn behalten dürfen; anscheinend hat Antiochos auch Sophagasenos, den 'Inderkönig', als König anerkannt, und es ist sehr wahrscheinlich, daß er gegenüber dem Partherfürsten Arsakes ebenso gehandelt hat. In diesem Zugeständnis liegt ein großes Entgegenkommen: der Titel βασιλεύς bedeutet in der hellenistischen Zeit sonst den Besitz der Souveränität[2]. Wenn Antiochos seinen 'Vasallen' erlaubt hat, in ihren Ländern diesen Titel zu führen, so drückt sich schon darin aus, daß er den Gedanken einer direkten Beherrschung des Ostens, wenn er ihn je gehegt hatte, nun aufgab und sich mit einer losen Oberhoheit über die verlorenen Provinzen zu begnügen gedachte. Das Zugeständnis des Königstitels an die Vasallen des Ostens ist eine kaum geringere Neuerung als, über tausend Jahre später, der Entschluß der byzantinischen Kaiser, dem Frankenkönig und später den bulgarischen Herrschern die Führung des βασιλεύς-Titels einzuräumen[3].

Mit dem Titel 'Großkönig' konnte Antiochos demgegenüber zum Ausdruck bringen, daß er ein Königtum besonderen Ranges bekleidete. Aus dem Titel 'Großkönig' konnte man verschiedenes heraushören: daß sein Träger eine Herrschaft innehatte oder beanspruchte, die mehrere große Reiche umspannte[4]; daß er, wie einst die Achämeniden, über Iran

---

[1] Ruhmesinschrift von Adulis, OGI 54, 1, ein reines Propagandadokument; PSI V 541 (dazu W. Otto, 6. Ptolemäer S. 95 A. 7).

[2] Vgl. E. Bikerman, Institutions S. 11 ff.; Berytus 8 (1944) S. 77. Theoretisch gilt dies auch für das Zugeständnis des Königstitels an mitregierende Söhne oder Brüder.

[3] Sollte freilich bereits Diodotos I. mit Genehmigung des Antiochos II. und Seleukos II. den Königstitel geführt haben (s. o. S. 65 A. 2), so wäre darin ein Vorbild zu sehen. Auch Magas von Kyrene behielt im J. 271 den Königstitel, angeblich unter der (wenn auch nur nominellen) Oberhoheit seines Halbbruders Ptolemaios II.; vgl. K. J. Beloch, IV 2 S. 502, dessen Argument, Magas habe nur Kupfer geprägt, freilich nicht viel besagt.

[4] Dies trifft wohl auf Ptolemaios III. zu (s. o.). Auch βασιλεία bei Polyb. XI 34, 16 (o. S. 90) ist wohl in diesem Sinn zu verstehen (etwas zu stark M. Holleaux, Rome S. 283 A. 1: 'monarchie universelle'). Vgl. Plut. Flam. 9, 6, wo Antiochos Streben nach der ἀπάντων ἡγεμονία nachgesagt wird, was wohl eher die römischen Befürchtungen als die Realität wiedergibt.

herrschte; und schließlich, daß andere Könige seinem Gebot gehorchten[1]. So konnte Antiochos nach außen hin die politischen Zugeständnisse, die er den 'Vasallen' hatte machen müssen, nicht nur wettmachen, sondern sein Ansehen noch steigern, indem er seine eigene Stellung überhöhte[2].

Es ist jedoch auffällig, wie wenig Antiochos III. offenbar von diesem Titel Gebrauch gemacht hat. Weder auf den Münzen noch in den Briefen des Königs erscheint jemals der Großkönigstitel[3]; und keine der Inschriften, in denen er 'Großkönig' genannt wird, ist vom König oder seiner Kanzlei ausgegangen[4]. Freilich hätten Vasallenstädte, seleukidische Reichsfunktionäre und sogar ausländische Beamte dem Herrscher gewiß nicht diesen Titel beigelegt, wenn er ihn nicht selbst angenommen hätte. Aber es hat doch den Anschein, als hätte Antiochos den Titel in den griechisch sprechenden Teilen seines Reichs nicht (oder wenigstens nicht auf längere Zeit) offiziell geführt; vielleicht, weil er das Odium scheute, das dem Titel noch aus der Zeit der Perserkriege anhaftete.

Wahrscheinlich nicht lange, nachdem Antiochos den Großkönig-Titel

---

[1] Herrschaft über Iran oder überhaupt über den Orient: E. R. BEVAN, JHS 22 (1902) S. 241. Herrschaft über Vasallenkönige: in diesem Sinne etwa H. BENGTSON, Strat. II S. 63 A. 1. J. G. GRIFFITHS, Class. Phil. 48 (1953) S. 145ff., hat allerdings gezeigt, daß der Titel 'König der Könige' (und wohl auch 'Großer König') ursprünglich aus der religiösen Sphäre kommt und nicht die Herrschaft über ein bestimmtes Land bedeutet. Auch der Hinweis darauf, daß sich im II. und I. Jh. v. Chr. selbst Kleinkönige diese stolzen Titel beigelegt haben, ist richtig. Aber weder die ursprüngliche orientalische Bedeutung der Titel noch ihre spätere Abnützung durch (wiederum orientalische) Kleinfürsten können ausschließen, daß im IV. und III. Jh. diese Bezeichnungen in griechischen Ohren einen bestimmten Klang hatten.

[2] Die u. S. 123 u. A. 3 vorgebrachte Ansicht, daß die Bezeichnung 'Satrapen', die die seleukidische Quelle des Polybios für die östlichen Vasallen gebrauchte, den Herrschaftsanspruch der Seleukiden ausdrückte, widerspricht dem nicht. Die Fürsten in Iran konnten in ihren Landen den Königstitel tragen, standen aber — wenigstens der Theorie nach — zum Seleukidenkönig wie Satrapen, so wie vielleicht schon früher Diodotos I.

[3] Dies kann nicht ohne weiteres mit der Praxis der Seleukiden vor Antiochos IV. erklärt werden, bei Bekundungen dieser Art die Epitheta wegzulassen (so E. BIKERMAN, Institutions S. 193; 220), da μέγας hier ja nicht ehrender Beiname, sondern Bestandteil des Titels ist (zum erstenmal gebührend unterschieden bei SPRANGER).

[4] OGI 230, 5: Weihung eines seleukid. Funktionärs, nach 200 v. Chr.; 237, 12: Beschluß der Stadt Iasos, 197 oder später; 239, 1: Weihung eines seleukid. Funktionärs in Delos, um 193? (Titel ergänzt); 240, 1: Weihung eines pergamen. νομοφύλαξ, Datum unbekannt (Titel ergänzt); 746, 1: Inschrift vom Stadttor zu Xanthos, wohl 197 v. Chr.; ferner OGI 249, 2 und 250, 2 aus der Zeit des Antiochos IV. OGI 746 wird meist als Formulierung der königlichen Kanzlei angesehen (z.B. von SPRANGER S. 30); aber es ist durchaus möglich, daß in Βασιλεὺς μέγας Ἀντίοχος ἀφιέρωσεν τὴν πόλιν eine Formulierung vorliegt, die die Stadtbehörden auf ein königliches Privileg hin selbst geschaffen haben. [Zu den obigen Zeugnissen tritt noch eine bisher unveröffentlichte Inschrift aus Amyzon aus der Zeit der rhodischen Herrschaft in Karien (erwähnt von L. ROBERT, La Carie II S. 309); Z. 15: [β]ασιλεῖ μεγάλωι.]

angenommen hatte, begann man, ihn als 'den Großen' schlechthin zu feiern[1]. Dieser Ehrenname, der wohl am Hofe entstanden ist[2], hat sich offenbar rasch unter den Griechen verbreitet, auf die die siegreichen Unternehmungen des Königs in Ost und West so großen Eindruck machten. Als 'der Große' ist Antiochos auch, vielleicht noch zu seinen Lebzeiten, in den Kult eingegangen[3]; und Griechen wie Römer haben ihn in der Folge mit diesem Beinamen bezeichnet, die einen in Bewunderung seiner militärischen Erfolge, die anderen, um ihren eigenen Sieg über den 'großen Antiochos' zu überhöhen[4]. So ist Antiochos, wohl nicht ganz zu Recht, schon bei Lebzeiten zu einem Ehrennamen gekommen, den selbst Alexander erst lange Zeit nach seinem Tod erhalten hat[5]. Es ist nicht unwahrscheinlich, daß der König selbst bald dieses ehrende Beiwort vorgezogen hat, das nicht nur 'gegenüber dem Herrschaftstitel noch eine Steigerung bedeutete'[6], sondern auch, im Gegensatz zu jenem, nicht den Beigeschmack imperialistischen Strebens und 'barbarischer' Herrschaft hatte.

### Die 'föderative' Struktur des Reichs

Man hat Antiochos III. nicht zu Unrecht als *restitutor orbis* bezeichnet[7] Dabei darf freilich nicht übersehen werden, daß das Reich, wie Antiochos es wiederhergestellt hat, keineswegs völlig einheitlich war. Im Osten war es nicht zu einer Ausdehnung des direkt beherrschten Reichsgebietes gekommen; das wesentliche Ergebnis der Anabasis des Antiochos war, daß die seleukidischen Satrapien von einem Kranz von Vasallenstaaten umsäumt wurden, deren Treue zum König von dessen militärischer Stärke abhing. Auch im Westen hat der König sich nicht selten mit der Anerkennung seiner Oberhoheit begnügt; so hat etwa das phönikische Arados

---

[1] Vgl. bes. Appian. Syr. 1, 1; 15, 61; dazu P. P. SPRANGER, a.a.O. S. 30ff.; 36f. mit den wichtigsten Belegen.   [2] SPRANGER S. 30.

[3] OGI 245, 18. 40; 246, 2. 7; beide aus der Zeit nach seinem Tode, was eine frühere Existenz des Kultbeinamens nicht ausschließt. Zu weiteren damit verbundenen Fragen vgl. SPRANGER S. 30 A. 48.

[4] In diesem Sinne einleuchtend SPRANGER S. 31.

[5] Vgl. SPRANGER S. 31ff. Wichtig ist der dort geführte Nachweis, daß weder für den Großkönigtitel noch für den Ehrennamen 'der Große' Alexander das Vorbild gewesen sein dürfte: der Makedone hat den Titel nicht geführt, und der Ehrenname ist zum erstenmal bei Plaut. Most. 775 (und dort ganz isoliert) belegt. (Zu den Belegen SPRANGERS S. 32 A. 61ff. ist hinzuzufügen, daß auch Polybios Alexander nie 'den Großen' nennt; auch nicht XII 23, 5, wo diese Bezeichnung besonders nahegelegen hätte: ἄνδρα τοιοῦτον, ὃν πάντες μεγαλοφυέστερον ἢ κατ' ἄνθρωπον γεγονέναι τῇ ψυχῇ συγχωροῦσιν.) [Zum Beinamen Alexanders vgl. neuerdings F. PFISTER, Historia 13 (1964) S. 48ff.]

[6] SPRANGER S. 30.

[7] M. CARY, A Hist. of the Greek World 323–146 B. C. (²1951) S. 69–73.

seine 259 v. Chr. errungene Autonomie wahren können, und auch in Kleinasien blieben nach 197 zahlreiche Griechenstädte von der direkten Beherrschung durch die königlichen Statthalter befreit: sie behielten ihre Selbstverwaltung, mußten wohl auch in den meisten Fällen keine königliche Besatzung aufnehmen und zahlten, wenn überhaupt, der königlichen Kasse einen globalen Tribut, während die Bewohner der χώρα der Kopfsteuer unterworfen waren[1]. Auch zahlreiche orientalische und kleinasiatische ἔθνη scheinen eine begrenzte Selbstverwaltung genossen zu haben, so z.B. die Juden, denen Antiochos III. nach der Eroberung Palästinas (200 v. Chr.) beträchtliche Privilegien erteilte[2].

Dieser 'föderative Aufbau' des Seleukidenreichs hatte sich unter den früheren Königen rasch entwickelt, und namentlich in der Schwächeperiode vor Antiochos' Regierungsantritt dürften die Vorrechte der regionalen Sondergewalten eine bedeutende Erweiterung erfahren haben. 'Städte, ἔθνη und Dynasten' (OGI 229, 11) — in diesen Formen vollzog sich die indirekte Beherrschung, die neben der direkten Regierung durch die königlichen Gouverneure stand[3]. Antiochos III. hat auch hierin anscheinend die von seinen Vorgängern vorgezeichneten Wege beschritten; neue Formen hat erst sein zweiter Nachfolger Epiphanes gesucht, der das verkleinerte Reich in mancher Beziehung vereinheitlichen wollte, dabei aber auf erbitterten Widerstand, namentlich der Juden, stieß.

Die Griechenstädte

Besonders den griechischen und hellenisierten Städten Kleinasiens gegenüber scheint Antiochos III. mit großer Behutsamkeit vorgegangen zu sein. Einer späten, aber vertrauenswürdigen Nachricht zufolge sandte der König den Städten Botschaft, 'falls er ihnen einen Befehl erteilen sollte, der gegen ihre Gesetze verstoße, so sollten sie ihn als Irrtum betrachten und sich nicht daran halten'[4]. Bei der Besetzung der Städte scheint der König auf größtmögliche Schonung gesehen zu haben; strenge Befehle an die Truppen verhinderten weitere Übergriffe im karischen Amyzon, das bei der Eroberung schwere Schäden erlitten hatte[5]. Öffnete eine Stadt dem heranziehenden Heer freiwillig ihre Tore, so hatte sie offenbar nichts zu befürchten: das lykische Xanthos weihte

---

[1] Arados: s. o. S. 35 u. A. 6; zu den kleinasiatischen Städten: E. BIKERMAN, Institutions S. 141 ff.; vgl. den folgenden Abschnitt.

[2] Vgl. E. BIKERMAN, Rev. Et. Juives 1935, S. 4 ff.; Inst. S. 164 ff.

[3] Vgl. allg. E. BIKERMAN, Inst. S. 133 ff. Zu den hellenisierten Städten im Landesinnern, die (bei innerer Selbstverwaltung) dem Provinzterritorium angehörten und den Befehlen der königlichen Funktionäre unmittelbar unterworfen waren ("villes sujettes"), vgl. bes. L. ROBERT, La Carie II S. 300 ff.   [4] Plut. moral. p. 183 f.   [5] S. u. S. 246.

der König den Göttern, verzichtete also offenbar auf direkte Beherrschung[1]; und in den Diskussionen, die der König mit den widerspenstigen Smyrnäern und Lampsakenern und später mit den Römern um das Schicksal der Städte führte, wird immer wieder seine Einstellung klar: obgleich die Städte kraft seines Erbrechts ihm gehörten, wolle er ihnen die 'Freiheit' nicht vorenthalten; doch müsse überall Klarheit darüber herrschen, daß es sich nur um einen Akt königlicher Munifizenz handle, auf den die Poleis keinen Rechtsanspruch hätten[2]. Wer sich diesen Forderungen beugte, konnte mit Schonung, ja mit königlicher Gunstbezeigung rechnen. So hat etwa der Gesandte des Antiochos im J. 193 in Rom den Wunsch der Teier vorgebracht, ihrer Stadt die Asylie zu gewähren (Syll.³ 601, Z. 4ff.). Die Römer freilich nützten die günstige Gelegenheit zur Propaganda: sie fügten zur Asylie die Tributfreiheit hinzu (ebd. Z. 20f.) und brachten damit zum Ausdruck, daß die Städte Kleinasiens von ihnen nicht wie vom König einen Griff in ihre Kassen zu befürchten hätten — eine Erklärung, die sie nichts kostete, die aber ihren Eindruck sicher nicht verfehlt hat.

Mehrere Städte haben die schonende Behandlung durch den König mit Ehreninschriften honoriert, in denen seine Großzügigkeit hervorgehoben wird. So rühmt Alabanda vor der delphischen Amphiktyonie seinen 'Wohltäter' Antiochos, 'weil er nach dem Vorbild seiner Ahnen (der Stadt) die Demokratie und den Frieden bewahrt' (OGI 234, 19ff.); Iasos lobt den König ob seines Entschlusses, 'die Demokratie und Autonomie' der Iasenser aufrecht zu erhalten, den er in mehreren Briefen an die Stadt niedergelegt habe (OGI 237).

Solche Elogien dürfen freilich nicht zu dem Schluß verführen, die seleukidische Herrschaft sei in den Städten beliebt gewesen. Aus ihnen geht allenfalls hervor, daß die Städte dankbar waren, daß es nicht schlimmer gekommen war. Wie bei jedem derartigen Besitzwechsel war in den Städten bei der Einnahme durch Antiochos eine Schicht emporgekommen, die nur ihm die Herrschaft verdankte, ihm also sehr verpflichtet war. In den meisten Fällen werden die bisherigen Leiter der städtischen Politik, wenn sie nicht rechtzeitig umgeschwenkt waren, vertrieben worden sein — wenn nicht durch die Funktionäre des Königs, dann durch ihre eigenen Mitbürger, die sie in der Macht ablösten. So befanden sich im Jahr 190 im Lager der Römer, die Iasos belagerten, Verbannte aus der Stadt, die — angeblich wegen ihrer Treue gegenüber

---

[1] S. u. S. 287.
[2] Vgl. z.B. Liv. XXXIII 38, 5—6; Polyb. XVIII 51, 9. Zur Haltung des Antiochos gegenüber den Städten, die sich ihm nicht freiwillig beugen wollten, vgl. allg. M. ROSTOVTZEFF, Gesellsch. u. Wirtsch. I S. 504f. und die ebd. III S. 1238 A. 44 zitierte Literatur.

7 Schmitt, Untersuchungen

Rom — von der königlichen Besatzung vertrieben worden waren (Liv. XXXVII 17, 5f.). Mit Ähnlichem wird man in den meisten anderen Fällen rechnen müssen. Die Güter der Verbannten wurden konfisziert; oft kamen sie wohl vor allem der neuen Führungsschicht zugute, der infolgedessen an der Bewahrung der bestehenden Verhältnisse gelegen war[1]. Von dieser Schicht gingen jene rühmenden Inschriften für den König aus[2]; ob sie die Meinung der gesamten Stadtbevölkerung wiedergaben, ist mehr als fraglich.

Es ist im übrigen bemerkenswert, daß in den beiden genannten Inschriften das Wort 'Freiheit' nicht vorkommt; die Städter sprechen von ihrer 'Demokratie', ihrer 'Autonomie', also von der Verfassung und Selbstverwaltung ihrer Gemeinden, die freilich in den seltensten Fällen angetastet worden sein dürften. Der König hingegen verheißt immer wieder 'Freiheit'. Aber was er den Städten bietet, ist nur eine Anzahl von Vorrechten, von 'Freiheiten' (*libertates*) im mittelalterlichen Sprachgebrauch: Freiheit von direkter Beherrschung durch königliche Funktionäre, freie Wahl der Verfassung, der inneren Verwaltung, in manchen Fällen Freiheit von Tributen, in vielen Freiheit von fremder Besatzung. Es war 'Freiheit', wie der König sie verstand. In unseren Tagen ist erst so recht deutlich geworden, was alles man unter diesem Wort verstehen kann. Auch in der hellenistischen Zeit war 'Freiheit' interpretierbar geworden. Für die Griechen ging es nicht um Abgabenfreiheit oder Besatzungsfreiheit allein: sie forderten 'Freiheit', völlige völkerrechtliche Freiheit ihrer Gemeinden: 'die Freiheit, das Größte, das es für die Hellenen geben kann'[3]. Und so wird ihre Auflehnung gegen die königlichen Machtansprüche, ihr sofortiger Frontwechsel zu den Römern im J. 190 verständlich, auch wenn es ihnen unter der seleukidischen Herrschaft wirtschaftlich nicht schlecht gegangen sein mag[4].

Eine rein legalistische Betrachtung der Besetzung Kleinasiens — etwa unter dem Gesichtspunkt der alten 'Erbrechte' des Königs — geht deshalb an den eigentlichen politischen und menschlichen Problemen vorbei. Zudem hatten die Städte keine Garantie, daß ihre Vorrechte erhalten bleiben würden. Ob sie auf einseitiger Verleihung durch den Herrscher

---

[1] Vgl. die Besitzregelung in Alexanders d. Gr. Edikt zugunsten der chiotischen Verbannten, Syll.³ 283.

[2] Solchen Parteigängern des Königs ist wohl auch die Haltung mancher Städte im römisch-syrischen Krieg zuzuschreiben; so etwa die Treue von Teos oder der Parteiwechsel von Phokaia und Kyme (s. u. S. 283).

[3] Inschr. v. Priene 19 Z. 18ff.: οὐδὲ[ν με]ῖζόν ἐστιν ἀνθρώποις Ἕλλησιν τῆς ἐ[λε]υ-θερίας.

[4] Mit Ausnahme von H. E. STIER, Roms Aufstieg zur Weltmacht und die griech. Welt (1957), beachtet die moderne Forschung diesen Aspekt zu wenig.

oder auf einem zweiseitigen Bündnis beruhten, spielt dabei nur eine untergeordnete Rolle. Die Geschichte des III. Jh. wird von einer ständigen Spannung zwischen König und Städten durchzogen; mit der Stärke der königlichen Macht variierte auch die Selbständigkeit der Städte. War der König durch Konflikte in anderen Gegenden seines Reichs festgehalten, so konnten die Städte größere Bewegungsfreiheit gewinnen, die sofort wieder eingeschränkt wurde, sobald der Herrscher die Hände frei hatte. Die Städte mußten also auch jetzt befürchten, daß mit weiterer Konsolidierung des Seleukidenstaates ihre zunächst freigebig konzedierten Rechte wieder beschnitten werden würden. So ist es zu verstehen, daß sie sehnsüchtig ihre Blicke nach Westen wandten, wo die Römer im J. 196 ihre propagandistisch so ungeheuer wirkungsvolle Freiheitsproklamation verkündet hatten. Und so ist der Jubel erklärlich, der nach der Niederlage des Antiochos in Kleinasien herrschte; denn 'die einen glaubten sich der Abgaben, die andern der Besatzungen, alle aber der königlichen Prostagmata ledig'[1]. Die Ordnung von Apameia, die zahlreichen Städten erneut einen königlichen Herrn — diesmal den Pergamener — bescherte, brachte ein böses Erwachen aus diesem Freiheitstraum.

Die Iranier

Nicht nur die Griechenstädte Kleinasiens waren über den Verlust ihrer völkerrechtlichen Freiheit erbittert; auch unter der orientalischen Bevölkerung der alten Reichsteile gärte es. Die ersten jener Prophetien, die vornehmlich im II. Jh. das nahe Ende der verhaßten Fremdherrschaft vorhersagten, treten bereits im III. Jh. auf[2]. Zwar herrschte in Syrien und im Zweistromland noch Ruhe. Die Juden waren durch ihre Privilegien zu Dankbarkeit verpflichtet, und in Babylonien scheint es zu einer gewissen Symbiose zwischen Griechen und Orientalen gekommen zu sein; den babylonischen Göttern wurden neue Tempel erbaut, alte restauriert, teils in hellenisiertem, teils in rein einheimischem Stil: so etwa die Heiligtümer des Anu und der Antum in Uruk (201 v. Chr.). Mitglieder der babylonischen Oberschicht nahmen griechische Zweitnamen an[3], was wenigstens auf eine oberflächliche Hellenisierung des Landes deutet.

Aber in Iran, besonders in der Persis, wurde von den zoroastrischen Priestern eine scharfe antihellenische Propaganda verbreitet[4], die in der iranischen Bevölkerung offenbar immer größeren Widerhall fand. Zu der Unzufriedenheit der Iranier und schließlich zum völligen Verlust

---

[1] Polyb. XXI 41, 2.     [2] Vgl. S. K. Eddy, The King is Dead (1961) passim.
[3] Die wichtigsten Angaben sind bei Eddy, a.a.O. S. 128ff. zusammengestellt. Zur Religionspolitik der Seleukiden in Babylonien und Elam allg. vgl. M. Rostovtzeff, Gesellsch. u. Wirtsch. I S. 338 ff.; III S. 1188 ff.     [4] Vgl. Eddy S. 65ff.

Irans hat nicht zuletzt beigetragen, daß die Seleukiden das iranische Element bei der Verteilung der Verwaltungs- und Offiziersstellen nicht genügend berücksichtigten. Man hat freilich gegenüber früheren Ansichten mit Recht geltend gemacht, daß sich unter den seleukidischen Funktionären im III. Jh. mehrere Männer befinden, deren Namen iranische Herkunft bezeugen[1]; unter Antiochos III. finden wir den Prinzen Mithridates, den General Ardys, den Offizier Aspasianos; auch an die armenischen 'Strategen' Artaxias und Zariadris mag man denken, oder an Aribazos, den Kommandanten von Sardes unter Achaios[2]. Aber mit Ausnahme des Aspasianos wissen wir von keinem dieser Männer, ob er wirklich aus Iran oder nicht vielmehr aus einem der persischen Geschlechter stammte, die seit vielen Generationen in Kleinasien wohnten. Und aufs Ganze gesehen ist die Zahl dieser Iranier im Dienst des Antiochos und seiner Vorgänger doch verschwindend gering gegenüber den vielen Funktionären mit griechischen Namen, die wohl zum größten Teil auch wirklich Griechen gewesen sind und nicht hellenisierte Orientalen (also nicht 'hyphenated Greeks', wie Bikerman die vielen Menschen mit griechisch-orientalischen Doppelnamen des II. Jh. nennt). Auf einem Zufall der Überlieferung kann dieses Mißverhältnis zwischen Iraniern und Griechen nicht beruhen; vielmehr scheinen die Seleukiden – und Antiochos III. hat darin keine Ausnahme gemacht – wirklich dem griechischen und makedonischen Element bei weitem den Vorzug gegeben zu haben, wenn auch von einem völligen Ausschluß der iranischen Oberschicht von der Verwaltung des Reichs keine Rede sein kann[3].

Auch in ihrer Heiratspolitik haben die Seleukiden den iranischen Nationalstolz offenbar nicht genügend berücksichtigt. Zwar haben Seleukos I. und Antiochos III. Prinzessinnen aus persischen Häusern zur Frau genommen, haben nicht wenige seleukidische Königstöchter in Dynastien iranischer Herkunft eingeheiratet. Aber nur die erste Frau des

---

[1] S. bes. H. BENGTSON, Die Bedeutung der Eingeborenenbevölkerung in den hell. Oststaaten. Welt als Gesch. 11 (1951), bes. S. 136f.; vgl. bereits E. R. BEVAN, Seleucus I S. 291.

[2] Zu Mithridates s. o. S. 29f.; zu Ardys Polyb. V 53, 2; 60, 4–8; Liv. XXXIII 19, 9–10; dazu M. HOLLEAUX, Etudes III S. 183ff.; o. S. 23; Aspasianos: Polyb. V 79, 7; Artaxias u. Zariadris: o. S. 38; Aribazos: Polyb. VII 17, 9; 18, 4. 7; VIII 21, 9.

[3] Sicherlich sind Iranier in größerem Maße in den unteren und mittleren Posten beschäftigt worden, vor allem dort, wo es um die Verständigung mit nicht griechisch sprechenden Untertanen ging. Bezeichnenderweise kommandiert der Meder Aspasianos 5000 Meder, Kissier, Kadusier und Karmaner! (Zu den Verständigungsschwierigkeiten vgl. den Bericht über die Schlacht bei Raphia, Polyb. V 83,7.) — Chr. HABICHT, Vierteljahresschr. f. Sozial- u. Wirtschaftsgesch. 45 (1958) S. 5, beziffert die Zahl der im höheren Dienst der Seleukiden nachweisbaren Einheimischen auf 2,5%. Demgegenüber vermutet C. B. WELLES in der Propyläen-Weltgeschichte III (1962) S. 470, die Zahl der Asiaten sei größer gewesen als die der Makedonen und Griechen.

Reichsgründers, Apame, stammte wirklich aus Iran; Laodike, die erste Gattin des Antiochos III., war eine pontische Prinzessin, und die Familien der kappadokischen, pontischen und armenischen Fürsten, mit denen sich die Seleukiden verbanden, lebten schon seit mehreren Menschenaltern in Anatolien und waren mit der iranischen Heimat ihrer Vorväter wohl nur noch durch sehr lose Fäden verbunden. Auch in dieser Hinsicht haben die Seleukiden das Programm des großen Alexander nur sehr unvollkommen befolgt: wenn sie auch Heiratsverbindungen mit iranischen Dynastien keineswegs verschmähten, so stellten sie ihre Heiratspolitik doch ganz in den Dienst ihrer nach Westen gerichteten Interessen. Die Oberschicht in Iran selbst mußte sich dadurch hintangesetzt fühlen.

Auch hierin ist Antiochos seinen Vorgängern gefolgt. Im übrigen hat seine Heiratspolitik nicht die Früchte getragen, die er sich von ihr erhofft haben mag. Weder die Verbindung mit Baktrien noch die mit dem Ptolemäerhaus hat ihm während des Krieges mit Rom Vorteile gebracht; von Eumenes erlitt er sogar eine Abfuhr, und lediglich sein Schwiegersohn Ariarathes von Kappadokien hat ihm bei Magnesia Hilfe geschickt.

Den religiösen Gefühlen der Iranier scheint Antiochos III. nicht allzusehr entgegengekommen zu sein. Unter seinen Vorgängern hatten die persischen Kultinstitutionen wahrscheinlich die für die Griechen typische Toleranz genossen[1]. Antiochos III. hat jedoch im J. 209 die aus Edelmetall gefertigten Ziegel des Tempels der Aine (Anāhitā) in Ekbatana abnehmen und daraus Geld prägen lassen, mit dem er den Ostfeldzug finanzierte; und im J. 187 ist er in der Elymais erschlagen worden, als er versuchte, den Tempelschatz des dortigen Heiligtums des Belos-Zeus an sich zu nehmen[2].

[1] Die dafür von S. WIKANDER, Feuerpriester in Kleinasien und Iran (Skr. utg. av Kungl. Humanist. Vetenskapssamfundet i Lund 40 [1946]) S. 73 angeführten Stellen sind freilich wenig beweiskräftig. Nach Appian. Syr. 58, 300—307 hat Seleukos I. bei der Gründung von Seleukeia am Tigris die 'Magier' befragt; diese hätten absichtlich die Gründungsstunde falsch berechnet, um den Erfolg der Stadtgründung zu verhindern, οὐκ ἐθέλοντας ἐπιτείχισμα τοιόνδε σφίσι γενέσθαι. Diese Befürchtung deutet doch eher darauf hin, daß es sich nicht um persische, sondern um babylonische Priester handelte; auch die astrologische Berechnung der Gründungsstunde macht dies wahrscheinlich. (Vgl. auch Diod. II 31, 2; E. BIKERMAN, Institutions S. 251.) — Nach Polyän. IV 15 ließ Antiochos I. seine Truppen ein 'persisches Fest' feiern (eine Textverderbnis nimmt W. OTTO, Beiträge S. 13 A. 1, an). Dies war jedoch eine Kriegslist, mit der der König die Wachsamkeit der ptolemäischen Besatzung von Damaskus vermindern wollte, und besagt wenig für die allgemeine Haltung des Antiochos I. gegenüber dem persischen Kult. Allenfalls läßt sich folgern, daß sein Heer sich zu einem beträchtlichen Teil aus Iraniern zusammensetzte. Ein besonders 'Interesse (der Seleukiden) für die Religion ihrer persischen Untertanen' (WIKANDER) läßt sich daraus nicht ableiten.

[2] Ekbatana: Polyb. X 27. — Elymais: Diod. XXVIII 3; XXIX 15; Strab. XVI 1, 18 p. 744; Justin. XXXII 2, 1—2.

Man sieht darin des öfteren ein dezidiertes Vorgehen gegen die orientalischen Religionen, Vergeltungsakte gegen das orientalische Priestertum, den Mittelpunkt der griechenfeindlichen Reaktion[1]. Die Quellen bescheinigen dem König allerdings in beiden Fällen eine eindeutige Bereicherungsabsicht; so ist eher zu vermuten, daß der eigentliche Zweck dieser Maßnahmen eine Zwangsanleihe war, mit der der Herrscher seine leeren Kassen wieder auffüllen wollte — vermutlich ohne die Absicht, sie jemals wieder zurückzuerstatten. Die verzweifelte finanzielle Lage, in der sich das Seleukidenreich nach dem Frieden von Apameia befand, erklärt das Vorgehen des Königs in der Elymais zur Genüge. Zudem erwähnt Polybios nichts davon, daß bei der Plünderung des Tempels in der medischen Hauptstadt im J. 209 Gewalt angewendet worden sei; Antiochos nahm sich dort nur, was die früheren makedonischen Herrn übriggelassen hatten (Polyb. X 27, 11). Es läßt sich kein Beweis dafür erbringen, daß Ekbatana zwischen 220 und 209 v. Chr. revoltiert hätte oder in die Hand des Partherkönigs übergegangen wäre (s. o. S. 51 A. 2). Gewalt hat Antiochos freilich in der Elymais gebraucht; aber wenn er den Bewohnern der dortigen Tempelstadt drohen ließ, sie müßten die Folgen dafür tragen, daß sie ihm 'den Krieg erklärt' hätten (Diodor), wenn er den Tempel bei Nacht angegriffen hat (Justin), so braucht das nicht auf einen vorhergegangenen Aufstand in der Elymais zu deuten (so Eddy), sondern mag darauf zurückzuführen sein, daß die Priester sich geweigert hatten, den Tempelschatz herauszugeben. Der Haß der Elymaier wird wohl eher die Folge als die Ursache des Angriffs auf den Tempel gewesen sein. Ob sich solche Übergriffe auf iranische und elamische Heiligtümer beschränkten, ob Antiochos diese Tempel wählte, weil er mit den dortigen Priestern ohnehin nicht auf gutem Fuß stand, oder weil die anderen Tempel bereits früher ausgeplündert worden waren, wissen wir nicht.

Auch von Antiochos IV. ist überliefert, daß er sich die Schätze orientalischer Tempel angeeignet habe[2]. Einige Quellen berichten, der König habe sich dabei mit der Göttin, der die Tempel geweiht waren, vermählt[3]. Stig Wikander erkennt darin die Wiederbelebung eines altsemitischen Brauchs: des ἱερὸς γάμος des Königs mit der Landesgöttin[4], der, wie er glaubt, auch in die iranische Königsideologie eingedrungen sein könne.[5]

---

[1] Vgl. z.B. S. K. Eddy, a.a.O. S. 98f.; 133f.

[2] Polyb. XXXI 9; Appian. Syr. 66, 352; 2. Makk. 1, 15; 9, 2 (Artemis, Aphrodite oder Nanaia in Elymais bzw. Persis); vgl. dazu W. W. Tarn, Greeks S. 463 ff. (nicht überzeugend); Gran. Licin. p. 5 Flemisch (Dea Syria von Hierapolis).

[3] 2. Makk. 1, 14; Gran. Licin. p. 5.    [4] a.a.O. S. 73ff.

[5] Über eine 'heilige Hochzeit' in der iranischen Königsideologie in anderer Form handelt z.B. G. Widengren, Numen 1 (1954) S. 51 ff.; und in seinem Beitrag 'The Sacral Kingship of Iran' in dem Sammelband 'The Sacral Kingship' (Suppl. to Numen, IV, 1959) S. 252 ff.

WIKANDER bringt diese Vorgänge in Zusammenhang mit der Ausgestaltung des Herrscherkultes unter Antiochos III. (s. dazu u. S. 105) und glaubt, daß auch der Zug dieses Herrschers nach Susa die Heilige Hochzeit mit der Landesgöttin von Elymais, der Anāhitā, zum Ziel gehabt habe. Nun hatte freilich im semitischen ἱερὸς γάμος der König seiner Braut, der Göttin, eine Morgengabe überreicht, d. h. den Tempelschatz vermehrt, während ihn die Seleukiden vermindern oder gar völlig an sich bringen wollten. WIKANDER erklärt diesen Unterschied mit dem (auch in Susa geltenden) griechischen Eherecht, das nicht eine Morgengabe an die Braut, sondern eine Mitgift seitens der Braut verlangte; die 'Tempelplünderung' sei in Wahrheit die Übernahme der Mitgift durch den Bräutigam.

Eine Wiederbelebung alter religiöser Bräuche liegt durchaus im Bereich des Möglichen; nur wird neben die religionsgeschichtliche Betrachtung die politische treten müssen. Die eigentliche Absicht der Könige bei diesen Unternehmungen kann jedenfalls nicht gewesen sein, den Herrscherkult durch die Aufnahme alter orientalischer Bräuche auszugestalten, erst recht nicht, die Orientalen durch die Achtung ihrer Traditionen enger an das Reich zu binden. Wäre es den Königen hierauf angekommen, und hätten sie wirklich geglaubt, das griechische Recht anwenden zu müssen, so hätten sie sich mit einer symbolischen Mitgift zufriedengeben können. Die Plünderung der Tempelschätze war jedenfalls der beste Weg, die Orientalen gegen sich aufzubringen, anstatt sie zu beruhigen. Wenn die Könige wirklich den alten ἱερὸς γάμος unter griechischen Rechtsformen feiern wollten, dann war er ihnen sicher nur ein Vorwand, um das Vermögen der Heiligtümer an sich zu bringen[1]; und der erbitterte Widerstand, auf den – den Quellen zufolge – beide Herrscher gestoßen sind, ist Beweis genug dafür, daß Priester und Gläubige diese Absicht erkannten.

Zweifellos haben sich die Könige zur Beschlagnahme der Heiligtümer berechtigt gefühlt; sie waren Herren aller Tempel in ihrem Reich[2]. Die Orientalen sahen jedenfalls in diesen Maßnahmen rechtswidrige Übergriffe, παρανομίαι (Polyb. XXXI 9, 2).

Alle die genannten Fehler und Unterlassungssünden haben dazu beigetragen, daß Persis und Elymais schließlich in offenen Aufstand getreten und dem Reich endgültig verloren gegangen sind. Wann das geschah, wissen wir nicht genau (s. o. S. 46ff.); Antiochos' III. zweiter Nachfolger,

---

[1] Vgl. den ἱερὸς γάμος des M. Antonius mit Athene in Athen (Winter 39/8 v. Chr.), wobei 1000 Talente Mitgift gefordert wurden (Sen. suas. I 6).
[2] Vgl. M. ROSTOVTZEFF, Ges. u. Wirtsch. II S. 549; III S. 1257 A. 115 und die dort angegebene Literatur. S. WIKANDER, a.a.O. S. 73, versteht ROSTOVTZEFF falsch; R. hatte nicht gesagt, die Könige hätten ihre Rechte als 'Schutzherren' der Tempel geltend gemacht. W. W. TARN, Greeks S. 465: 'Hellenistic kings did not sack their own temples; that is first principles'. Man wird das eher eine petitio principii nennen müssen.

Epiphanes, fand jedenfalls in diesen Landschaften bereits ein Chaos vor, und auch ihm ist es nicht mehr gelungen, die verlorenen Provinzen auf die Dauer für sein Reich zurückzugewinnen [1].

Konsolidierungsmaßnahmen

Epiphanes hat gegenüber diesen Gärungen, die sich nicht auf Iran beschränkten — auch in Babylonien mehrten sich in seiner Zeit die Zeichen der Unzufriedenheit, und die Juden schritten zur offenen Rebellion — in der Stärkung des griechischen Elements den Weg zur Rettung gesehen. Zahlreiche orientalische, allenfalls oberflächlich hellenisierte Gemeinden sind unter seiner Regierung mit Griechen besiedelt und zu Poleis mit griechischer Verfassung umgestaltet worden.

Erstaunlicherweise hat die Überlieferung von solchen Maßnahmen des Antiochos III. so gut wie nichts bewahrt, wie überhaupt seit der großen Kolonisationstätigkeit der beiden ersten Seleukiden von Städtegründungen fast nichts bekannt ist. Nur zwei Siedlungen lassen sich mit Sicherheit mit dem Namen des dritten Antiochos verbinden: 196/5 wurde auf seinen Befehl die von den Thrakern zerstörte Stadt Lysimacheia an der Propontis wieder aufgebaut (s. o. S. 20 A. 2); und zwischen 197 und 193/2 wurden in der Gegend des lykischen Telmessos Kardaker, also Nichtgriechen, angesiedelt [2]. Es handelte sich um eine Militärkolonie, die nach M. Segres Annahme die Wache gegen die rhodische Expansion übernehmen sollte. Die Ansiedlung von 2000 jüdischen Familien aus Babylonien in Phrygien, die Antiochos III. in einem bei Josephus überlieferten Brief an den kleinasiatischen Statthalter Zeuxis angeordnet haben soll, ist möglicherweise nicht historisch; die Echtheit des Königsbriefes ist jedenfalls fragwürdig [3].

[1] Susa und die westlich davon liegenden Teile der Provinz Susiane blieben aber noch längere Zeit seleukidisch, wie die in griech. Sprache abgefaßten Freilassungsurkunden SEG VII 2 und 15 ff. zeigen.

[2] Inschr. publ. v. M. Segre, Clara Rhodos 9 (1938) S. 181—208; vgl. M. Rostovtzeff, Gesellsch. u. Wirtsch. II S. 512 f. Zur Herkunft der Kardaker, die bei Raphia im Dienst des Antiochos standen (Polyb. V 79, 11; 82, 11), vgl. F. W. Walbank, Comm. I S. 609.

[3] Joseph. A. J. XII 147 ff. Zur Echtheitsfrage s. vorläufig die bei H. Bengtson, Strat. II S. 111 zusammengestellte Literatur; für die Echtheit tritt neuerdings auch E. Bikerman, Mél. Isidore Lévy (1955) S. 11 ff. ein. Ich werde an anderer Stelle über die Frage handeln. — V. Tscherikower, Die hellenistischen Städtegründungen von Alexander d. Gr. bis auf die Römerzeit. Philologus Suppl. XIX 1 (1927) bringt noch folgende Gründungen mit Antiochos III. in Verbindung: Antiocheia τῶν Χρυσαορέων = Alabanda (S. 28); diese Stadt hat den Namen Antiocheia jedoch bereits um die Mitte des III. Jh. getragen (L. Robert b. M. Holleaux, Etudes III S. 157). Antiocheia am Samachonitischen See und Ἀντιόχου φάραγξ (S. 70) können auch von Epiphanes gegründet sein. Artaxata (S. 82), das von Hannibal für Artaxias erbaut worden sein soll, hat mit Antiochos sicher nichts zu tun.

Trotz der Spärlichkeit dieser Nachrichten ist nicht anzunehmen, daß Antiochos III. es versäumt haben sollte, den zentrifugalen Kräften durch Ansiedlung von treu ergebenen Griechen, vor allem Soldaten entgegenzuwirken. Unter den Fahnen des Königs haben riesige Heere gedient, die gewiß nicht stets vollzählig im Einsatz waren. Irgendwie mußten diese Menschenmassen, vor allem die älteren, zum ständigen Dienst nicht mehr tauglichen Soldaten, versorgt werden; das vornehmste Mittel dazu ist allezeit die Ansiedlung in Militärkolonien oder in bäuerlichen und städtischen Siedlungen gewesen. Wenn uns darüber fast nichts überliefert ist, dann mag die Schuld zum Teil an der Lückenhaftigkeit unserer Quellen liegen; über den Ostfeldzug haben wir ja nur die wenigen Fragmente des Polybios. Dazu kommt aber wahrscheinlich vor allem, daß Antiochos nur wenige Neugründungen vorgenommen haben dürfte; er hat sich wohl im wesentlichen darauf beschränkt, schon vorhandene, zum Teil vielleicht bereits zerfallene Siedlungen zu verstärken und wiederaufzubauen, bzw. Militärkolonien an schon bestehende städtische Organisationen anzugliedern. So mag es zu erklären sein, daß nur so wenige Gemeinden ihn als ihren Gründer bezeichnen können.

Gewiß war auch der Reichskult für die verstorbenen Könige und den lebenden Herrscher dazu bestimmt, als einigender Faktor zu wirken[1]. Die wenigen Zeugnisse für diesen Herrscherkult, die wir aus der Zeit des Antiochos III. besitzen, lassen allerdings nicht erkennen, inwieweit dieser König hier als Begründer oder Neuerer aufgetreten ist[2]. Eine Neuerung ist jedoch wohl in der Aufnahme der lebenden Königin in den Reichskult zu sehen[3]. Ob von der Verehrung der Herrscherdynastie wirklich eine einigende Kraft ausgegangen ist, muß jedoch dahingestellt bleiben. Sie konnte sich ohnehin nur auf die griechischen oder hellenisierten Teile der Reichsbevölkerung erstrecken. In den orientalischen Reichsteilen ist der König wohl in den Formen verehrt worden, die für die alten einheimischen Dynastien gegolten hatten; sobald die dortigen Priester dem Seleukidenkönig die Gefolgschaft versagten (s. etwa o. S. 99), haben sie ihn gewiß als unrechtmäßigen Herrscher, als Usurpator hingestellt, so daß er den sakralen Nimbus verlor.

In der Verwaltung des Reichs hat Antiochos III. eine gewisse Straffung angestrebt. Es war bereits davon die Rede, daß Hermeias, sein erster Berater in den Anfangsjahren, anscheinend die allzugroße Selbständigkeit

---

[1] Vgl. etwa W. W. Tarn, Greeks S. 190ff. zu Antiochos IV.
[2] RC 36, Z. 10ff., dazu der Paralleltext aus Nihawend, publ. v. L. Robert, Hellenica VII (1949) S. 5ff.; OGI 230. Zum seleukidischen Herrscherkult vgl. bes. E. Bikerman, Institutions S. 247ff.; auch F. Taeger, Charisma I (1957) S. 309ff. (S. 314ff. zu Antiochos III.)
[3] RC 36 und die Inschrift von Nihawend; vgl. o. S. 11.

der Provinzstatthalter einschränken wollte; die Teilung der ehemaligen Großprovinzen, die etwa in jene Jahre gehören könnte, mag zu diesen Maßnahmen gehört haben[1]. Die Forschungen Hermann BENGTSONS haben es wahrscheinlich gemacht, daß die Verwaltung des direkt beherrschten Reichsterritoriums unter Antiochos III. vereinheitlicht wurde: statt der Satrapen treten nun auch im Osten die — aus den westlichen Reichsteilen schon früher bekannten — Strategen auf, die zivile und militärische Macht in einer Hand vereinigt zu haben scheinen[2]. Die militärische Schlagkraft des Reichs wurde so erheblich gesteigert; und der Gefahr, daß einer der Gouverneure seine Militärmacht gegen das Reich wenden könnte, mag man durch ständige Überwachung und durch häufigen Wechsel der Funktionäre begegnet sein. Da die ersten Strategen in den Ostprovinzen bereits in den ersten Regierungsjahren des Antiochos auftauchen, liegt die Vermutung nahe, daß der König auch in diesen Maßnahmen Anregungen seines 'Kanzlers' verwirklicht hat. Mit der Schaffung neuer Sondergewalten — wie etwa der Privilegierung der Juden — hat er freilich den Erfolg dieser Verwaltungsvereinheitlichung teilweise wieder zunichte gemacht.

Alle diese Versuche einer inneren Konsolidierung, die sich nachweisen oder wenigstens vermuten lassen, blieben jedoch an der Oberfläche. Wie viele hellenistische Herrscher war Antiochos ein geborener Eroberer; aber es läßt sich nicht erkennen, daß er das Riesenreich, das er durch glänzende militärische Unternehmungen wiederhergestellt hatte, auch zu regieren wußte. Soweit man sehen kann, entstammen alle seine Maßnahmen dem wohlbekannten Instrumentar, mit dem bereits seine Vorgänger ihre ausgedehnten Territorien zu beherrschen gesucht hatten. Nirgends finden sich Anzeichen dafür, daß er sich der besonderen Probleme bewußt war, die sein Vielvölkerstaat aufwarf und die er durch die Erweiterung seines Herrschaftsgebiets noch vermehrte; nirgends zeigt sich, daß er neue Wege gesucht hätte, die heterogenen Bevölkerungselemente dem Staat näherzubringen. Die Vasallen im Osten hatten sich nur widerwillig seiner militärischen Überlegenheit gebeugt; die nichtgriechische Bevölkerung stand der Krone zu einem nicht geringen Teil uninteressiert oder gar feindlich gegenüber; und selbst die dünne griechisch-makedonische Herrenschicht scheint — trotz manchen Zeichen der Anhänglichkeit an die Dynastie — kein enges Verhältnis zu dem Staat gehabt zu haben, dessen Stütze sie doch bilden sollte: nicht zuletzt wohl deshalb, weil auch sie so gut wie keinen Anteil an seiner Lenkung hatte. Zudem wurde diese Schicht durch die Verluste in den unaufhörlichen Kriegszügen, z. T. auch durch die fortschreitende Orientalisierung, erheblich geschwächt; der Zuzug neuer

---

[1] S. o. S. 34; u. S. 121 f.  [2] H. BENGTSON, Strat. II S. 143 ff.

Siedler aus dem Mutterland und aus Westkleinasien konnte diese Einbußen anscheinend nur teilweise ausgleichen.

Als der König 187 v. Chr., drei Jahre nach seiner schweren Niederlage durch die Römer, den Thron seinem Sohn Seleukos IV. hinterließ, hatte sich längst gezeigt, daß die ungeheuren Anstrengungen, mit denen er sein Reich zu erweitern und zu festigen gesucht hatte, vergeblich gewesen waren. Die zentrifugalen Kräfte, die im Lauf des III. Jahrhunderts das Seleukidenreich hatten zerfallen lassen, waren nur zeitweilig zurückgedrängt worden. Armenien, Parthien, Baktrien, die Griechenstädte in Kleinasien und die einheimische Bevölkerung in Medien und Persis — sie alle hatten nur auf einen Augenblick der Schwäche gewartet, um sich, und diesmal endgültig, vom Staat der Seleukiden loszureißen. Es ist sehr wahrscheinlich, daß der Zusammenbruch der Seleukidenmacht im Osten früher oder später gekommen wäre, auch wenn Antiochos den Römern nicht unterlegen wäre. Das Reich war zu groß und im Innern zu wenig gefestigt, um sich gegen die zerstörenden Kräfte von innen und außen auf die Dauer halten zu können.

Unter den Nachfolgern traten die Schwächen, die sich bereits unter Antiochos' Regierung hinter der glänzenden Fassade der erfolgreichen Eroberungspolitik gezeigt hatten, immer stärker hervor. Die wirtschaftlichen Schwierigkeiten, mit denen schon Antiochos zu kämpfen hatte, wuchsen, nicht zuletzt infolge der Belastung, die der Friede von Apameia dem Seleukidenreich auferlegte[1]. Die griechisch-makedonische Bevölkerung ging weiter zurück; immer stärker machten sich die Unabhängigkeitsbestrebungen der Einheimischen und der Einfluß der orientalischen Kultur auf die Griechen bemerkbar. Dazu kam der wachsende Druck der parthischen Expansion und vor allem der römischen Politik, die immer unverhüllter in die inneren Verhältnisse des Seleukidenreichs eingriff und die Orientalen zum Abfall ermunterte. Der Zerfall des Reichs war unaufhaltsam.

---

[1] M. Rostovtzeff, Ges. u. Wirtsch. II S. 548 ff., bes. 554 f., betont mit Recht, daß das Seleukidenreich auch nach Apameia keineswegs ruiniert war. Einzelne, für sich durchaus bemerkenswerte Anstrengungen und die (im übrigen politisch notwendige) Prachtentfaltung auch der späteren Seleukiden dürfen indessen nicht darüber hinwegtäuschen, daß die Finanzierung immer schwieriger wurde.

3. KAPITEL

# DIE ERSTEN REGIERUNGSJAHRE DES ANTIOCHOS III.
(223—220 v. Chr.)

Für die Anfänge der Regierung des Antiochos III.[1] ist der Historiker fast ausschließlich auf das Werk des Polybios angewiesen. Ein Quellenvergleich ist also unmöglich, und der Bericht kann nur mit Hilfe von inneren Indizien der einzigen Quelle bewertet werden. Wenn die Quelle nicht, wie es üblich ist, am Anfang, sondern erst am Ende dieses Kapitels analysiert wird, so geschieht dies, damit Wiederholungen vermieden werden.

## I. DER REGIERUNGSANTRITT

Im Sommer des Jahres 223 v. Chr. führte Seleukos III. (225—223) sein Heer über den Tauros, um dem pergamenischen Herrscher Attalos I. Westanatolien wieder zu entreißen. Der König fiel jedoch in Phrygien einem Attentat zum Opfer[2]; auf dem Thron folgte sein jüngerer Bruder Antiochos.

Antiochos hatte sich während der Regierungszeit seines Bruders 'in den Oberen Gebieten aufgehalten'[3]; daraus ist zu schließen, daß er das 'Generalkommando der Oberen Satrapien'[4] bekleidete. Seine Residenz

---

[1] Im Herbst 1962, als diese Arbeit bereits der Philosophischen Fakultät der Universität Würzburg vorlag, erschien ein umfangreicher Aufsatz, in dem der gleiche Zeitabschnitt eingehend behandelt ist: Edouard WILL, Les premières années du règne d'Antiochos III. (223—219 av. J.-C.), REG 75 (1962) S. 72—129. Einzelheiten dieses Aufsatzes konnten in den Anmerkungen berücksichtigt werden; zur Hauptthese WILLS, der ich nicht zustimmen kann, ist in einem Nachtrag zu diesem Kapitel (u. S. 185 ff.) Stellung genommen.

[2] Vgl. o. S. 27 f.; 43; und zur Chronologie (Juli-August 223?) S. 2 f.

[3] Polyb. V 40, 5: διαδεξαμένου τἀδελφοῦ Σελεύκου τὴν βασιλείαν διὰ τὴν ἡλικίαν τὸ μὲν πρῶτον τοῖς ἄνω τόποις μεθιστάμενος ἐποιεῖτο τὴν διατριβήν ...

[4] Vgl. bes. H. BENGTSON, Strategie II S. 84 f.; vor ihm bereits J. G. DROYSEN, Gesch. d. Hell.². III 2, S. 122; A. BOUCHÉ-LECLERCQ, Séleucides I S. 122. Unklar W. W. TARN, CAH VII S. 723. Eine andere Interpretation läßt der Aufenthalt des jungen Prinzen im Osten kaum zu, es sei denn, man wollte an eine Entfremdung zwischen ihm und dem gekrönten älteren Bruder denken (s. dazu u. S. 109). Daß Antiochos lediglich Provinzstatthalter gewesen wäre, ist unwahrscheinlich. Zum Generalkommando allgemein s. o.

# I. Der Regierungsantritt

dürfte Seleukeia am Tigris gewesen sein, eher als Babylon, wo er sich nach Eusebius und Hieronymus zur Zeit seiner Ausrufung zum König aufgehalten haben soll[1]. Zum Mitregenten hat Seleukos seinen Bruder jedoch nicht erhoben[2]; ja er hat dem etwa Zwanzigjährigen[3] nicht einmal die Reichsverweserschaft übertragen, als er zum Kleinasienfeldzug aufbrach: Zum 'Kanzler' (ὁ ἐπὶ τῶν πραγμάτων) wurde der Karer Hermeias ernannt[4], und Antiochos' Aufenthalt im Zweistromland, fern von der Reichszentrale Antiocheia, beweist, daß der Prinz nicht einmal nominell seinen älteren Bruder vertreten durfte. An eine Entfremdung zwischen den Brüdern, ja etwa an Mißtrauen des Seleukos gegenüber Antiochos ist deshalb aber nicht zu denken: hätte der König befürchtet, daß sein jüngerer Bruder in seinem Rücken einen Aufstand anzetteln könne, so hätte er ihm wohl nicht den Aufenthalt im Osten gestattet, sondern ihn nach Anatolien mitgenommen oder an die Reichszentrale gebunden, wo er leichter beaufsichtigt werden konnte.

Die erste Gefahr für Antiochos' Herrschaft ging glücklich vorüber, noch ehe der junge König überhaupt von seiner Erhebung erfahren hatte: die in Phrygien stehenden Truppen[5] wollten den beliebten General Achaios, der sofort die Mörder des Königs hatte hinrichten lassen, zum König ausrufen[6]. Obwohl Achaios, gestützt auf die Ergebenheit des Heeres und seine Verwandtschaft zum Seleukidenhaus[7], sich vermutlich hätte durchsetzen können, blieb er — für diesmal wenigstens — loyal: er lehnte das Diadem, das die Soldaten ihm antrugen, ab, sandte einen Teil des Heeres

---

S. 45f. Die Wiedergabe des t. t. für die Stellung des ὁ ἐπὶ τῶν ἄνω σατραπειῶν (vgl. die Inschr. publ. von L. ROBERT, Hellenica VII [1949] S. 23; VIII [1949] S. 73) durch Polybios ist sehr unscharf und beruht wahrscheinlich darauf, daß der achäische Historiker von der seleukidischen Verwaltung zu wenig wußte; vgl. o. S. 15f.

[1] Euseb. Chron. I p. 253 Sch.; Hieron. in Dan. XI 10. Vielleicht ist *Babylonia* statt *Babylon* zu verstehen.

[2] U. WILCKEN, RE I 2 (1894) Sp. 2459; K. J. BELOCH, Gr. Gesch. IV 1, S. 687 A. 2; H. BENGTSON, a.a.O. II S. 85. Die Keilschrifttexte enthalten keine Angaben über eine Mitregentschaft.   [3] S. o. S. 10.

[4] Polyb. V 41, 2. Zu Hermeias vgl. u. S. 150ff. Zum Amt des ἐπὶ τῶν πραγμάτων vgl. G. CORRADI, Studi ellenistici (1929) S. 256ff.; V. EHRENBERG, Der Staat der Griechen II (1958) S. 37; 89. Das Amt wird für das Seleukidenreich hier zum erstenmal genannt; doch muß man deshalb nicht annehmen, daß es erst jetzt geschaffen worden sei.

[5] τῆς τῶν ὄχλων ὁρμῆς: ὄχλοι = 'Truppen', nicht 'Bevölkerung'; vgl. zuletzt F. W. WALBANK, Comm. I. S. 502. Die unnötige Diskussion bei F. GRANIER, Die maked. Heeresversammlung (1931) S. 166, entspringt ungenügender Kenntnis der polybianischen Ausdrucksweise. P. MELONI, Acheo I S. 537 A. 1 (auf S. 538) entscheidet sich zu Unrecht wieder für 'Bevölkerung'; wie Achaios sich die Anhänglichkeit der Bevölkerung von Provinzen hätte erwerben sollen, in die er eben erst vorgestoßen war, ist unerfindlich.

[6] Polyb. IV 48, 10.

[7] Vgl. o. S. 30f.

unter Epigenes nach Syrien zurück[1] und ließ seine in Kleinasien verbleibenden Streitkräfte wohl schon damals den Eid auf den rechtmäßigen Herrscher leisten[2].

Die offizielle Proklamation des jungen Herrschers durch die 'Heeresversammlung' geschah wohl wie üblich in der Reichshauptstadt Antiocheia[3], wohin Antiochos sofort nach Empfang der Nachricht vom Tod seines Bruders eilte[4]. Ob schon damals die Kerntruppen des Seleukidenheeres die Stelle der 'makedonischen Heeresversammlung' einnahmen[5], ist unbekannt; immerhin ist es wahrscheinlich, daß es sich bei den von Achaios nach Syrien zurückgesandten Streitkräften (s. o.) vor allem um die Gardekontingente[6] handelte, die Seleukos III. nach Kleinasien begleitet hatten: der General hatte kein Recht, sie bei sich zu behalten, so sehr er sie auch für den Krieg gegen Attalos I. brauchen mochte. Die Garde gehörte zum König, zur Hauptstadt: und sie wird mindestens den

---

[1] So verstehe ich die beiläufige Bemerkung Polyb. V 41, 4: 'Epigenes, der die mit Seleukos ausgezogenen Truppen zurückgebracht hatte'. Daß Epigenes nicht das ganze Heer zurückführte, geht m. E. daraus hervor, daß im Sommer 222 Achaios offenbar die Eroberungen des Attalos zum größten Teil zurückgewonnen hatte (s. u. S. 161f.); demnach scheint Achaios sofort nach dem Tod des Seleukos die Operationen fortgeführt zu haben, was auch aus Polyb. IV 48, 10 hervorzugehen scheint. A. BOUCHÉ-LECLERCQ, Séleucides S. 127, setzt die Rückführung der Truppen erst ins Jahr 222, nach die Erfolge des Achaios; dann hätte Polybios aber wohl nicht Seleukos, sondern Achaios erwähnt. [Anders E. WILL (vgl. u. S. 185f.)].

[2] Vom Fahneneid unter den Seleukiden ist wenig bekannt; vgl. E. BIKERMAN, Inst. S. 97; doch ist der Eid auf den neuen Herrscher selbstverständlich. Für den Fahneneid beim Thronwechsel im Ptolemäerreich vgl. Polyb. XV 25, 11; F. GRANIER, a.a.O. S. 140 (vgl. 130; 177). Die offizielle Ausrufung des Herrschers geschah in Antiocheia (s. u.); doch dürfte Achaios, um dem Drängen des Heeres entgegenzutreten, schon in Kleinasien den Soldaten den Eid auf Antiochos III. abverlangt haben. Zur Thronfolge im Seleukidenreich vgl. E. BIKERMAN, Inst. S. 17 ff.

[3] Vgl. F. GRANIER S. 176 f. mit zu weit gehenden Schlüssen. Die Rolle der Heeresversammlung bei der Bestätigung eines neuen Königs wird von E. BIKERMAN, Inst. S. 8–11 völlig geleugnet; doch vgl. dagegen W. OTTO – H. BENGTSON, Niedergang S. 58 A. 3; H. BENGTSON, Gr. Gesch.² S. 426f.; V. EHRENBERG, Der Staat der Griechen II (1958) S. 20 (doch vgl. ebd. S. 87). BIKERMANS Interpretation (S. 10f.) der in der folgenden Anmerkung wiedergegebenen Stellen ist nicht überzeugend. Für eine Widerlegung der allgemeinen Ansichten BIKERMANS über den 'makedonischen' Charakter des Seleukidenreiches vgl. Ch. EDSON, Cl. Phil. 53 (1958) S. 153–170. Die Bedeutung der Heeresversammlung darf nicht übertrieben, aber auch nicht unterschätzt werden. Gerade in Zeiten, in denen die Stellung der Dynastie schwankte, konnte ihr sonst nur formelles Votum Gewicht erhalten, weil es dem König Legitimität verlieh.

[4] Vgl. Euseb. I 253 SCH.: *exercitu a Babelone eum revocante*; Hieron. in Dan. XI 10: *exercitus, qui erat in Syria, Antiochum ... de Babelone vocavit ad regnum*. Zur Chronologie der Proklamation in Antiocheia (etwa Herbstanfang 223) s. o. S. 3.

[5] Vgl. F. GRANIER a.a.O.

[6] Zu ihnen vgl. E. BIKERMAN, Institutions S. 51–53.

## I. Der Regierungsantritt

Kern der Heeresversammlung gebildet haben, die dann auch den jungen Herrscher proklamierte.

Antiochos war zur Zeit seiner Thronbesteigung 19–20 Jahre alt (s. o. S. 10); wenn er nicht bereits volljährig war[1], so dürfte er spätestens jetzt für mündig erklärt worden sein. Ein Vormund ist für den jugendlichen König jedenfalls nicht bestimmt worden[2].

Der neue Herr auf dem Seleukidenthron vertraute die wichtigsten Reichsämter Männern an, die sich schon unter seinem Bruder Seleukos III. bewährt hatten. Das Amt des ἐπὶ τῶν πραγμάτων behielt Hermeias[3]; Achaios, des Königs Verwandter, wurde mit der Verwaltung der kleinasiatischen Provinzen betraut, in die er eben erst an der Seite Seleukos' III. gezogen war; und die 'oberen Gebiete des Reiches' wurden Molon und seinem Bruder Alexandros übergeben[4].

Die Wahl dieser Personen sollte sich bald als wenig glücklich erweisen. Hermeias wußte seinen Einfluß auf den König mit zweifelhaften Mitteln und nicht immer zum Besten des Reiches zu nutzen, und die hohen Funktionäre in Kleinasien und in Iran konnten der Versuchung nicht widerstehen, ihre bedeutende Macht im eigenen Interesse zu gebrauchen.

---

[1] Der Zeitpunkt der Mündigkeitserklärung in den hellenistischen Dynastien ist unsicher und möglicherweise uneinheitlich; vgl. W. Otto, Z. Gesch. d. Zeit d. 6. Ptolemäers S. 44. Der späteste Zeitpunkt ist nach griech. Recht wohl die Vollendung des 20. Lebensjahr; vgl. W. Becker, Platons Gesetze und das gr. Familienrecht (1932) S. 212; W. Otto a.a.O. Antiochos hatte dieses Alter mindestens nahezu erreicht; immerhin ist es möglich, daß Justins Angabe, Antiochos sei *impubes adhuc* gewesen (XXIX 1, 3), im Sinn der juristischen Unmündigkeit zutrifft; doch vgl. o. S. 9. Die kurze Zeitspanne, die bis zum normalen Mündigkeitsalter allenfalls noch bevorstand, macht es jedenfalls äußerst wahrscheinlich, daß der König jetzt für mündig erklärt wurde.

[2] Unzutreffend ist Graniers Ansicht (S. 165 f.), wonach der 'Minister' (!) Achaios erst Seleukos' III. und nun des 'unmündigen' Antiochos Vormund geworden sei. Aus Polyb. IV 48, 9 ('Ἀχαιὸς ... τῶν τε δυνάμεων καὶ τῶν ὅλων πραγμάτων φρονίμως καὶ μεγαλοψύχως προέστη...) kann das nicht geschlossen werden; wie sollte es denn zu erklären sein, daß der angebliche Vormund zugleich als Vizekönig nach Kleinasien gezogen wäre (Polyb. V 40, 7)? Zudem wäre bei einer Vormundschaft des Achaios ein Wort wie ἐπιτροπεῦσαι o. ä. zu warten. Die oben wiedergegebene Stelle ist etwa mit 'er meisterte die Truppen und die Lage des Reiches' zu übersetzen. Wenn ein Vormund eingesetzt worden wäre, dann wäre es sicher Hermeias gewesen. Die Frage wird jedoch eindeutig durch Polyb. V 40, 6: αὐτὸς ἐβασίλευσε entschieden, wo von einem Vormund nicht die Rede ist. Zu der Frage, ob der Ausdruck προέστη κτέ. eine 'Kanzlerschaft' des Achaios wiedergeben könne, vgl. die nutzlose Diskussion bei P. Meloni, Acheo I S. 537 A. 1.

[3] Polyb. V 41, 2: ὁ δ' Ἑρμείας ἦν μὲν ἀπὸ Καρίας, ἐπέστη δ' ἐπὶ τὰ πράγματα, Σελεύκου τἀδελφοῦ ταύτην αὐτῷ τὴν πίστιν ἐγχειρίσαντος, καθ' οὓς καιροὺς ἐποιεῖτο τὴν ἐπὶ τὸν ⟨Ἄ⟩τταλον στρατείαν; vgl. 41, 1: τοῦ τότε προεστῶτος τῶν ὅλων πραγμάτων. Ein Bruch in der Bekleidung dieser 'Vertrauensstellung' (πίστις) ist nicht wahrzunehmen. Vgl. dazu auch die vorige Anmerkung.

[4] Polyb. V 40, 7; Text u. S. 116.

## II. CHRONOLOGIE DER ERSTEN REGIERUNGSJAHRE

In die Zeit zwischen der Empörung des Molon und dem persönlichen Eingreifen des Königs fallen nach Polybios folgende Ereignisse: Erste Sitzung des Kriegsrats: die Hauptmasse des Heeres wird zum Krieg gegen das Ptolemäerreich gerüstet; gegen Molon ziehen nur zwei Generäle, Xenon und Theodotos; Hochzeit des Königs (V 41, 6–42, 5; 43, 1–4). Zug des Molon ins Zweistromland; Rückzug der beiden Generäle, Besetzung der Apolloniatis durch Molon (V 43, 6–8). Vergeblicher Versuch Molons, den Tigris zu überschreiten; Molon bereitet das Winterquartier in Ktesiphon vor (V 45, 3–4). Zweite Sitzung des Kriegsrats: Feldzug nach Koilesyrien; gegen Molon wird der General Xenoitas gesandt (V 45, 5–46, 4). Niederlage des Xenoitas; Abbruch des Feldzugs in Koilesyrien; längerer Aufenthalt in Apameia infolge einer Meuterei; Aufbruch des Königs nach Osten; Ankunft in Antiocheia in Mygdonien (Nisibis) um die Wintersonnenwende (V 46, 5–51, 1).

Aus dem Bericht über die folgenden Feldzugsjahre geht eindeutig hervor, daß es sich bei den zuletzt genannten τροπαὶ χειμεριναί um die des Winters 221/220 handeln muß. Wie K. J. BELOCH berechnet hat, lassen sich die oben aufgeführten Ereignisse nicht in ein einziges Jahr zusammenpressen; jene Winterquartiere, die Molon bei Ktesiphon vorbereitete, müssen also tatsächlich einen Jahreseinschnitt bezeichnen, auch wenn Polybios dies nicht ausdrücklich betont. Mithin fallen die Empörung des Molon, der erste Kriegsrat und der vergebliche Gegenangriff des Xenon und Theodotos noch ins Jahr 222 v. Chr.[1]

Eine etwas genauere Bestimmung des Zeitpunkts, zu dem Molon — zweifellos nach längerer Vorbereitung (s. u.) — seine Unabhängigkeit erklärte, ist wünschenswert. Die Sitzung des Kronrats, in der über die Maßnahmen gegen die ἀπόστασις des Molon beraten wurde (V 41, 6ff.), fand sicher sofort nach dem Eintreffen der Nachricht statt[2]; die Kunde von

---

[1] K. J. BELOCH, Gr. Gesch. IV 2, S. 193–195; vgl. IV 1, S. 687; vor ihm bereits J. G. DROYSEN, Gesch. d. Hell. III 2 S. 135. Vgl. u. a. E. A. HEYDEN, Beiträge S. 1; P. MELONI, Acheo I S. 539 A. 1; F. W. WALBANK, Comm. I S. 571 f.; o. S. 3 f. Es erübrigt sich, BELOCHS Berechnung wiederzugeben. Die sich aus dieser Chronologie ergebende Folgerung, daß Polybios im Bericht über den ersten Kriegsrat (V 42, 4: etwa Sommer 222) bereits Philopator (reg. seit Ende 222 oder Anfang 221; vgl. o. S. 8 A. 3) an der Regierung glaubte (vgl. M. HOLLEAUX, Etudes III S. 311 ff.), wiegt demgegenüber nicht schwer; Polybios vermochte offenbar die Regierungswechsel in den drei großen hellenistischen Reichen nicht in die rechte zeitliche Relation zu bringen.

[2] Der Abfall wird hier bereits als vollendete Tatsache betrachtet (vgl. 41, 6: ἀπόστασις, ἀποστάται; 42, 2: ἀποστάται). Molon hatte aber offenbar noch keine über Medien-Persis hinausgehende Aktionen unternommen, denn Epigenes meint, die Empörer würden beim persönlichen Erscheinen des Königs τὸ παράπαν οὐδὲ τολμήσειν ἀλλοτριοπραγεῖν; d. h.

den Bewegungen in Medien kann innerhalb von etwa 1—2 Wochen durch Eilboten nach Syrien gelangt sein. Wenn Xenon und Theodotos sofort abmarschierten, können sie frühestens 4—5 Wochen nach dem Kronrat in der Apolloniatis angelangt sein[1]. Es ist anzunehmen, daß sie bald danach mit Molon zusammentrafen (s. u.). Da sie καταπλαγέντες τὴν ἔφοδον (sc. τοῦ Μόλωνος) in die befestigten Städte des Euphrat-Tigris-Landes zurückwichen (43, 7), scheinen keine bedeutenden, zeitraubenden Kämpfe vorhergegangen zu sein. Molon hatte offenbar freie Hand, die Apolloniatis zu besetzen (43, 7—8; 45, 2); immerhin nahm all dies doch mindestens 1—2 Wochen in Anspruch. Gegenüber von Seleukeia angekommen, sah er sich außerstande, den Tigris zu überschreiten, und bereitete die Winterquartiere vor (45, 3—4); das dürfte etwa Mitte Oktober — Anfang November anzusetzen sein, denn die Regenfälle werden in diesen Breiten erst im Lauf des November stärker, so daß bis dahin eine normale Kriegsführung möglich ist. Die Addition der oben angenommenen Zeitspannen ergibt etwa 7—9 Wochen; Molons offene Rebellion ist also spätestens im August 222 anzusetzen, vermutlich aber um einiges früher, da oben stets die kürzesten Fristen berechnet wurden. Da Molon offenbar von vornherein einen Angriff auf das Zweistromland plante, ist anzunehmen, daß er nicht allzuspät im Jahr losschlug; man wird also nicht allzuweit fehlgehen, wenn man die Proklamierung des Aufstands etwa in den Juni oder Juli 222 datiert.

40 Tage nach der Wintersonnenwende 221/220 (s. o.), also Ende Januar oder Anfang Februar 220, brach Antiochos III. nach Südosten gegen Molon auf (V 51, 2; u. S. 133). Der Marsch nach Apollonia und die Schlacht gegen den Usurpator (S. 133ff.) nahmen nur kurze Zeit in Anspruch; Ende Februar 220 muß alles vorüber gewesen sein. Für die Dauer seines Aufenthalts in der Apolloniatis und in Seleukeia, wo er die Verhältnisse in den Ostprovinzen ordnete (S. 147f.), sowie für den Feldzug nach Atropatene (S. 148f.) besitzen wir keine chronologischen Unterlagen. Erst die Rückkehr des Königs aus dem Osten kann wieder einigermaßen festgelegt werden, da er nach seiner Ankunft in Syrien das Heer in die

---

der Aufstand würde noch im Entstehen erstickt werden können. [Anders E. WILL, REG 75 (1962) S. 90].

[1] Vgl. K. J. BELOCH, IV 2, S. 194 zum Marsch des Xenoitas im J. 221. Ungefähr in diese Zeit scheint die Hochzeit des Königs zu Seleukeia am Zeugma (am Euphrat) zu gehören (vgl. o. S. 10); die Richtigkeit dieses Ansatzes hängt freilich davon ab, ob die Gleichsetzung (κατὰ τοὺς καιροὺς τούτους) bei Polyb. V 43, 1 und 43, 5 einigermaßen zutreffend ist. Gegenüber solchen Synchronismen ist einige Vorsicht geboten; vgl. F. W. WALBANK, Comm. I S. 486 zu IV 37, 8. Daß WALBANK a.a.O. S. 584 (zu V 55, 4) die Hochzeit des Königs in den Frühling 221 setzt, ist wohl nur ein Versehen; denn im übrigen schließt sich WALBANK der Chronologie BELOCHS an und datiert auch den 1. Kriegsrat in den Sommer 222 (S. 572).

Winterquartiere entließ, anstatt noch Vorbereitungen für den Feldzug gegen Koilesyrien zu treffen (V 57, 1). Die Winterquartiere dürften wiederum nicht lange vor Ende Oktober — Anfang November bezogen worden sein.

Die Einordnung der genannten Vorgänge innerhalb der Zeit zwischen etwa Anfang März und Ende Oktober 220 wird ermöglicht durch die Heranziehung der Chronologie des Achaios-Aufstandes im gleichen Jahr (S. 164ff.). Achaios brach' um die Zeit, als der König auf dem Feldzug gegen Artabazanes war' (V 57, 3), von Sardes auf[1] und marschierte über Laodikeia am Lykos in Richtung auf Lykaonien; noch vor Überschreitung der Grenze dieser Landschaft wurde er durch die Meuterei seiner Truppen zur Änderung seiner Route gezwungen; er wandte sich nach Pisidien, ließ dort plündern und kehrte wieder nach Sardes zurück (S. 164f.). Kurz nachdem er sich zum König hatte ausrufen lassen (IV 48, 3: προσφάτως), wandten sich die Byzantier an ihn um Hilfe gegen die Rhodier und Prusias. Es folgten die Intervention der Rhodier bei Ptolemaios IV., der dadurch bewirkte Rückzug des Achaios aus dem Bosporos-Konflikt und schließlich die Beendigung des Krieges zwischen Rhodos und Byzanz (S. 166); daraufhin ein Hilfsgesuch der Knossier an Rhodos und der Konflikt zwischen Rhodos und Eleutherna (IV 53, 1–2). Daß alle diese Ereignisse noch vor dem Eintritt der ungünstigen Jahreszeit 220 v. Chr. vorgefallen sein müssen[2], ist längst erkannt worden[3]; es genügt, darauf hinzuweisen, daß die Entsendung kretischer Hilfstruppen nach Hellas durch beide Parteien (IV 55, 5) einen gewissen Gleichgewichtszustand im kretischen Krieg voraussetzt, also wohl nach dem vorübergehenden Eingreifen der Rhodier anzusetzen ist[4]. Die Hilfstruppen der knossosfeindlichen Koalition treten aber bereits im Sommer 219 in Griechenland auf[5], müssen daher spätestens im Frühjahr 219 abgeschickt worden sein. Da die rhodische Flottenhilfe an Knossos aber in unverkennbarem Zusammenhang mit der Beendigung des Meerengen-Konflikts steht, von diesem also nicht durch einen Winter getrennt ist, sind alle die genannten Vorgänge noch in die Zeit vor Eintritt des Winters 220/19 zu setzen.

Nun läßt sich aber unschwer erkennen, daß die Begebenheiten zwischen dem Eingreifen des Achaios in den Meerengenkonflikt und der Entsendung der rhodischen Flottille nach Kreta immerhin geraume Zeit beanspruchten. Die Verwicklung des Achaios in den Bosporos-Konflikt ihrerseits

---

[1] Dieser Zeitangabe darf man sicher Vertrauen schenken; denn Antiochos wäre wohl nicht nach Atropatene gezogen, wenn er bereits von der Usurpation des Achaios gewußt hätte.
[2] Trotz des trügerischen Synchronismus IV 37, 8 (Mai 219).
[3] Vgl. z.B. B. Niese, II S. 383f.; F. W. Walbank, Comm. I S. 486.
[4] F. W. Walbank, a.a.O. S. 510.   [5] Ebd.

liegt nach seiner Erhebung zum König (IV 48, 3); und es ist selbstverständlich, daß Achaios erst an eine Einmischung in den Meerengenstreit denken konnte, als er bereits wieder aus Pisidien nach Sardes zurückgekehrt war; da er 'mit seiner gesamten Streitmacht' nach Syrien aufgebrochen war (V 57, 4), kann er nur ein kleines Kontingent zurückgelassen haben, das zur Bewachung des Attalos ausreichte.

Aus alledem ergibt sich, daß die Erhebung des Achaios zum König nicht erst im Herbst 220 stattgefunden haben kann[1]; zu viele Ereignisse würden in die kurze Zeitspanne zwischen Herbst- und Winteranfang 220 fallen. Vielmehr ist der Usurpationsakt bereits in den Sommer, vermutlich sogar den frühen Sommer des Jahres 220 zu setzen; ebenso aber auch der Feldzug des Antiochos nach Atropatene, der etwa gleichzeitig mit der Erhebung des Achaios stattfand (V 57, 3). Was wir von den Taten des Antiochos zwischen der Schlacht gegen Molon und dem Aufbruch nach Atropatene wissen (s. o.), läßt sich mühelos in den Monaten zwischen März und Mai/Juni 220 unterbringen.

Für die Ereignisse zwischen dem Aufbruch des Antiochos nach Atropatene, den ich etwa Anfang Juni oder spätestens Anfang Juli ansetze, und der Rückkehr des Heeres nach Syrien (etwa Ende Oktober) bleiben also etwa 4—5 Monate. Die Distanz zwischen Seleukeia und der Gegend um den Urmia-See (über Arbela und Ruwandiz etwa 600 km) war in etwa einem Monat zu bewältigen; der Rückweg von dort nach Syrien (etwa 900 km) konnte in etwa $1^1/_2$ Monaten zurückgelegt werden. Die reine Marschzeit hätte so nicht mehr als $2^1/_2$ bis 3 Monate betragen; es blieben 1—2 Monate zu erklären. Da der Herrscher von Atropatene keinen Widerstand geleistet, sondern rasch kapituliert hat[2], müßte die genannte Zeit als Ruhepause für die Truppen als relativ lange erscheinen. Wir wissen jedoch nicht, auf welchem Weg[3] Antiochos marschiert und wie weit er vorgedrungen ist; eine längere Marschroute oder ein tieferer Vorstoß in das gebirgige Land könnten die lange Dauer des Feldzugs ohne weiters erklären[4].

Im Spätherbst 220 ist Antiochos jedenfalls nach Syrien zurückgekehrt. Damals war er über die Usurpation des Achaios längst informiert (V 57,

---

[1] So F. W. Walbank, a.a.O. S. 502.
[2] Polyb. V 55, 10: καταπλαγεὶς τὴν ἔφοδον τοῦ βασιλέως.
[3] Zu den möglichen Marschrouten vgl. o. S. 56 A. 2.
[4] Eine andere Erklärung sei wenigstens angedeutet: Nach Polyb. V 55, 1—2 hat sich Antiochos nach seinem Erfolg über Molon entschlossen, gegen die benachbarten 'barbarischen Dynasten' zu ziehen, 'und zwar zuerst gegen Artabazanes' von Atropatene. Dieses καὶ πρῶτον läßt annehmen, daß weitere militärische Unternehmungen zumindest geplant waren. Möglicherweise hat Antiochos also von Atropatene aus oder auf dem Rückweg nach Syrien andere Gebiete zu unterwerfen gesucht, wie etwa das östliche Armenien (vgl. o. S. 38). S. dazu u. S. 181 A. 4.

1; 58, 1), ebenso über die Freilassung des Andromachos (S. 166), die wohl mit der κοινοπραγία zwischen Achaios und Ptolemaios (V 57, 2) gemeint ist. Der Winter 220/19 verging mit Rüstungen gegen das Lagidenreich, gegen das der König im Frühjahr 219 den Angriff eröffnete (V 58, 2ff.).

| | |
|---|---|
| 223 Sommer | Ermordung des Seleukos III., Regierungsantritt des Antiochos III. |
| 222 etwa Juni – Juli | Empörung des Molon. 1. Kriegsrat: Zug der Generäle gegen Molon. Hochzeit des Königs. |
| etwa Aug. – Sept. | Rückzug der Generäle. |
| etwa Okt. – Nov. | Molon geht in die Winterquartiere. |
| 221 Winter | 2. Kriegsrat. — Thronwechsel im Ptolemäerreich. |
| Frühjahr | Xenoitas zieht gegen Molon. |
| Sommer | Feldzug gegen Koilesyrien. Molon schlägt Xenoitas und erobert große Teile des Zweistromlandes. |
| Herbst | 3. Kriegsrat: Abbruch des syrischen Feldzugs. Meuterei in Apameia. Abmarsch nach Osten. |
| gegen Ende Dez. | Ankunft in Nisibis, Winterlager. |
| 220 Februar | Niederlage des Molon. |
| Frühjahr | Aufenthalt des Antiochos im Zweistromland. |
| Frühsommer | Abmarsch nach Atropatene. Usurpation des Achaios, Zug nach Lykaonien und Pisidien. |
| Herbst | Achaios in den Bosporoskonflikt verwickelt. |
| Spätherbst | Rückkehr des Antiochos nach Syrien. |

### III. MOLON

Das Generalkommando der Oberen Satrapien

Polybios berichtet über die Übertragung der Kommanden im Nordwesten und Osten (V 40, 6—7): (Ἀντίοχος) αὐτὸς ἐβασίλευσε, (7) διαπιστεύων τὴν μὲν ἐπὶ τάδε τοῦ Ταύρου δυναστείαν Ἀχαιῷ, τὰ δ' ἄνω μέρη τῆς βασιλείας ἐγκεχειρικὼς Μόλωνι καὶ τἀδελφῷ τῷ Μόλωνος Ἀλεξάνδρῳ, Μόλωνος μὲν Μηδίας ὑπάρχοντος σατράπου, τἀδελφοῦ δὲ τῆς Περσίδος. Τὰ ἄνω μέρη (οἱ ἄνω τόποι) bezeichnet gewöhnlich die 'Oberen Satrapien' (αἱ ἄνω σατραπεῖαι)¹, also ein Gebiet, das erheblich mehr umfaßte als nur Medien und Persis. Zwar zeigt sich immer wieder, daß Polybios in der seleukidischen Verwaltungsterminologie nicht ganz sicher war². Aber wenn er mit τὰ δ' ἄνω μέρη . . . ἐγκεχειρικώς nur einen Oberbegriff für die folgenden speziellen Angaben hätte schaffen wollen, so hätte er sich wohl weniger umständlich ausgedrückt (etwa: τῷ μὲν Μόλωνι τὴν Μηδίαν, τῷ δ' ἀδελφῷ τὴν Περσίδα). Mit ἐγκεχειρικὼς τὰ ἄνω μέρη τῆς βασιλείας an Molon und Alexander ist also offenbar etwas anderes gemeint als die Übertragung der Gouverneursposten in den beiden Provinzen. Man hat seit langem erkannt³, daß Polybios von dem 'Generalkommando der Oberen Satrapien' spricht. Antiochos hat also den beiden Brüdern (bzw. einem von ihnen) zusätzlich zur Provinzstatthalterschaft die höhere Stellung des Generalgouverneurs der Ostprovinzen übertragen, die er bis zu seinem Regierungsantritt selbst bekleidet hatte (s. o.). Allerdings ist eine wichtige Änderung festzustellen.

Die Generalstatthalterschaft des Ostens hatte bisher wohl unter den Seleukiden außer den iranischen Provinzen auch das Zweistromland umfaßt; so hatte Antiochos I. als Kronprinz alle Gebiete östlich des Euphrat verwaltet, und für Antiochos III. ist vor seinem Regierungsantritt das Gleiche anzunehmen, da er wahrscheinlich in Seleukeia, jedenfalls in Babylonien residierte⁴. Molon hingegen gebot offenbar nicht über das Zweistromland; er residierte in Medien⁵, das, wie noch zu zeigen sein wird, für ihn auch tatsächlich der einzige zuverlässige Stützpunkt sein sollte (s. u. S. 131). Das Gebiet zwischen der Zagroskette und dem Euphrat mußte er erst erobern. Ähnlich wie er hat später Menedemos, der ἐπὶ τῶν ἄνω σατραπειῶν in den letzten Jahren des Antiochos III. und den ersten des Seleukos IV., das Generalkommando der Ostprovinzen mit der Statthalterschaft von Medien verbunden⁶; und bereits unter Antigonos Monophthalmos traf offenbar für den Strategen Nikanor dasselbe zu⁷.

Die Gründe für diese Verkleinerung des 'Generalkommandos' durch Antiochos III. lassen sich nur vermuten. Möglicherweise wollte der König angesichts der Abfallbewegungen, die dem Seleukidenreich in den vergangenen Jahrzehnten die wichtigen Provinzen Parthyene und Baktrien entrissen hatten, nicht allzugroße Macht in einer Hand vereinigt wissen.

---

[1] Vgl. o. S. 45 f.   [2] S. o. S. 108 A. 4.
[3] Vgl. E. R. Bevan, Seleucus I S. 301; W. W. Tarn, CAH VII S. 723; bes. H. Bengtson, Strat. II S. 85 f.; F. W. Walbank, Comm. I. S. 571. Polybios spricht also in beiden Fällen von Oberkommanden — sowohl in Kleinasien als auch in den Ostprovinzen.
[4] Vgl. H. Bengtson, Strat. II S. 80 ff.; 84 u. A. 1; 86; s. o. S. 108 f.
[5] H. Bengtson, Strat. II S. 86.   [6] S. dazu o. S. 19 f.
[7] H. Bengtson, Strat. I S. 183.

Die Teilung ehemaliger Großprovinzen, die damals anscheinend einsetzte[1], könnte in diesem Licht betrachtet werden. Vielleicht war es auch üblich geworden, das Zweistromland nur Generalgouverneuren zuzuteilen, die dem königlichen Haus entstammten, während sich einfache Funktionäre mit den Ländern östlich des Zagros begnügen mußten[2]. Auch kann bei dieser Abgrenzung mitgespielt haben, daß zur Zeit der Einsetzung des Molon das Reich nur aus dem 'fruchtbaren Halbmond' und West-Iran bestand, so daß ein Generalkommando über alle Lande östlich des Euphrats mehr als die Hälfte des Rumpfreiches umfaßt hätte[3]. Ganz allgemein wird man annehmen dürfen, daß das 'Generalkommando' keine ein für allemal fest umrissenen Grenzen hatte, sondern je nach den personellen und sachlichen Gegebenheiten einmal größer, ein andermal kleiner zugeschnitten wurde.

Die Generalstatthalterschaft Molons umfaßte wahrscheinlich nur Medien, Susiane, Persis und Karmanien. Auf das Partherreich und das Baktrische Reich des Euthydemos hatte sie keinen Einfluß; und wenn Drangiane, Arachosien und Gedrosien auch vielleicht noch nicht offen vom Reiche abgefallen waren[4], so dürfte die Hoheit des Königs (und damit die des Molon) dort doch allenfalls nominell gewesen sein. Falls alle diese Gebiete offiziell noch zur 'Generalstatthalterschaft' gerechnet wurden, so kann Molons Titel dort nur *in partibus infidelium* gegolten, d. h. in dem Auftrag bestanden haben, sie zurückzugewinnen, etwa so wie Eumenes im J. 323 v. Chr. Paphlagonien und Kappadokien erhalten hatte und wie auch jetzt dem Achaios das von Attalos besetzte Kleinasien zugewiesen wurde. An eine Rückgewinnung der verlorenen Provinzen war bei der augenblicklichen Lage des Reichs kaum zu denken; und so wird sich die Aufgabe Molons im wesentlichen in der Grenzsicherung erschöpft haben.

Ein Unikum wäre freilich, wenn man annehmen müßte, Molon und Alexandros hätten gemeinsam das Oberkommando im Osten bekleidet, wie Polybios' Worte anzudeuten scheinen: nicht nur, weil es dafür keinen Parallelfall gibt[5], sondern vor allem, weil eine solche Teilung des Oberkommandos organisatorisch sinnlos gewesen wäre, zumal bei dem relativ

---

[1] So treten in diesen Jahren zum ersten Mal die Provinzen 'am Roten Meer' und Parapotamia auf; vgl. o. S. 34f.

[2] Dem würde allerdings widersprechen, daß Euergetes bei seinem Ostfeldzug einen Strategen für die transeuphratischen Gebiete ernannt hat (Hieron. in. Dan. XI 7–9; H. BENGTSON, Strat. II S. 84 u. A. 1). Auch Timarchos hat in den sechziger Jahren des II. Jh. v. Chr. Babylonien mit dem Kommando verbunden (H. BENGTSON, Strat. II S. 87f.).

[3] Aber dies traf auch für die Zeit des Timarchos zu (vgl. vor. Anm.).

[4] Über die Ausdehnung des Reiches im J. 223 s. o. Kap. II.

[5] Vgl. immerhin Malalas p. 198 Bonn. und dazu M. ROSTOVTZEFF, Ges. u. Wirtsch. I S. 371; dagegen aber H. BENGTON, Strat. II S. 81 A. 1.

geringen Umfang des Gebietes[1]. Wenn Polybios Molon und seinen Bruder in einem Atemzug nennt, dann wohl vor allem, weil beide in der Folge gemeinsam abfielen[2].

## Molons Stellung vor 223

Allgemein werden die Worte des Polybios V 40, 7 so aufgefaßt, daß Molon und Alexandros erst beim Regierungsantritt des Antiochos III. Statthalter von Medien bzw. Persis gewesen seien. Dann läge aber zwischen ihrer Einsetzung und ihrer Empörung allenfalls ein knappes Jahr. Rechnet man dazu, daß für die Verhandlungen mit den Nachbarn und die Gewinnung des Offizierskorps und der Truppen (s. u.) geraume Zeit nötig war, so wird man zu dem Ergebnis kommen, daß der Rebellionsplan kaum ein halbes Jahr nach dem Regierungsantritt des Königs und der angeblichen Einsetzung der beiden Brüder in die Gouverneursstellen gefaßt worden sein müßte.

Es wäre überraschend, wenn ein Satrap nach kaum halbjähriger Amtsführung daran hätte denken können, seine Provinz zum Aufstand gegen den rechtmäßigen — wenn auch jungen und eben erst auf den Thron gekommenen — Herrscher zu bewegen. Viel wahrscheinlicher ist es, daß Molon — und ebenso sein Bruder — bereits vor dem Thronwechsel die Satrapien Medien bzw. Persis regierten und die wichtigen Stellen in langjähriger Amtszeit mit ergebenen Leuten besetzt hatten.

Es ist also mit einiger Wahrscheinlichkeit anzunehmen, daß die beiden Brüder bereits unter Seleukos III., wenn nicht schon unter Seleukos II. die beiden großen westiranischen Satrapien regierten. Dafür spricht auch der Wortlaut des Polybios: ... τὰ δ' ἄνω μέρη τῆς βασιλείας ἐγκεχειρικὼς Μόλωνι καὶ ... Ἀλεξάνδρῳ, Μόλωνος μὲν Μηδίας ὑπάρχοντος σατράπου, τἀδελφοῦ δὲ τῆς Περσίδος. Wenn Polybios sagen wollte, daß Molon und Alexandros die Statthalterschaft bereits innehatten, so hätte er es kaum anders ausdrücken können als mit ὑπάρχοντος (allenfalls ἤδη ὑπάρχοντος o. ä.); ὑπάρξαντος hätte ja etwas ganz anderes bedeutet[3]. Auch sprachliche Gründe hindern also zumindest nicht an der Annahme, daß die

---

[1] W. W. TARN, CAH VII S. 723 meint freilich, 'a divided authority might seem less dangerous'. Aber wenn diese Machtstellung zwischen zwei Brüdern geteilt wurde, hatte eine solche Vorsichtsmaßregel wenig Aussicht auf Erfolg!

[2] Vgl. gegen die Annahme einer Teilung des Kommandos bereits H. BENGTSON, Strat. II S. 85f. Nicht zuletzt wird für die Formulierung verantwortlich zu machen sein, daß Polybios von der Institution des Generalkommandos vermutlich nichts wußte; daher auch seine unspezifische Ausdrucksweise (vgl. bereits o. S. 108 A. 4). Die seleukidische Quelle wird Alexandros dem Molon kaum im Generalkommando assoziiert haben.

[3] Hingegen würde man, wenn Polybios die gleichzeitige Einsetzung in Provinz- und Generalstatthalterschaft hätte ausdrücken wollen, eher γενομένου erwarten.

Brüder die Satrapien bereits besaßen[1] und daß die Neuerung in der Übertragung der ἄνω μέρη zu suchen ist.

Antiochos hat also allem Anschein nach darauf verzichtet, bei seinem Regierungsantritt eine Umbesetzung dieser wichtigen Kommanden vorzunehmen. Ein solches Revirement wäre freilich möglich gewesen, zumal eine geordnete Verwaltungslaufbahn im Seleukidenreich unbekannt war; und sicher hat des öfteren ein neuer Herrscher die Gouverneurstellen mit Männern seines Vertrauens besetzt, auch wenn wir aus der spärlichen Überlieferung von einem regelmäßigen Wechsel nichts erfahren[2]. Antiochos hat jedenfalls die Pferde nicht gewechselt; so wie er Hermeias als 'Kanzler' behielt und Achaios in Kleinasien weiter amtieren ließ, hat er auch in Iran die Statthalterschaften nicht umbesetzt. Seine Unerfahrenheit, vor allem aber die Lage des Reichs erklären dies zur Genüge. Die von den Parthern drohende Gefahr erforderte erfahrene, landeskundige Männer in den wichtigen Amtstellen; sie erforderte vor allem einen tüchtigen Funktionär mit besonderen Vollmachten. Deshalb hatte in den vorhergegangenen Jahren Antiochos als Generalstatthalter im Osten amtiert; und deshalb mußte diese Stelle nun sofort neu besetzt werden. Der Satrap Mediens, der wichtigsten und am meisten bedrohten Provinz, schien naturgemäß für diese Funktion der Geeignetste.

Antiochos III. hat denn auch anscheinend sofort nach dem Eintreffen der Nachricht vom Tod seines Bruders und noch vor seinem offiziellen Regierungsantritt das Generalkommando an Molon übertragen. Das ist jedenfalls die nächstliegende Interpretation der Zeitformen in Polyb. V 40, 6—7: (Antiochos) αὐτὸς ἐβασίλευσε, διαπιστεύων τὴν μὲν ἐπὶ τάδε τοῦ Ταύρου δυναστείαν Ἀχαιῷ, τὰ δ' ἄνω μέρη τῆς βασιλείας ἐγκεχειρικὼς Μόλωνι ... καὶ Ἀλεξάνδρῳ: '... er begann zu regieren; die Herrschaft über die Gebiete nördlich des Tauros vertraute er dem Achaios an; die oberen Teile des Reichs hatte er Molon ... übergeben ...' Das part. perf. scheint doch anzudeuten, daß bei der Thronbesteigung (aor. ingress.) die Übertragung der ἄνω μέρη bereits Tatsache war[3].

---

[1] [So jetzt auch E. WILL, REG 75 (1962) S. 83 A. 23, der in Molon und Alexandros sogar Angehörige der königlichen Familie vermutet, wofür es freilich keinen Anhaltspunkt gibt].

[2] Die Neuverteilung der Gouverneursstellen nach dem Sieg über Molon (Polyb. V 54, 12; dazu u. S. 148), wurde durch die Säuberung der Verwaltung von Anhängern des Rebellen notwendig. An eine regelmäßige Umbesetzung der Stellen beim Regierungswechsel denkt H. BENGTSON, Strat. II S. 59f.

[3] Der klassische Gebrauch der Tempora ist bei Polybios in den hier interessierenden Fällen im wesentlichen erhalten; vgl. die drei Studien von F. HULTSCH, Die erzählenden Zeitformen bei Polybios. Abh. Akad. Leipzig 13 (1893) S. 1ff.; 347ff.; 14 (1894) S. 1ff.; bes. 67; 79ff. Von den mir bekannten Polybios-Übersetzungen gibt lediglich die von H. DREXLER, Bd. I (1961), S. 454, das Perfekt richtig wieder. Vgl. auch K. J. BELOCH, Gr. Gesch. IV 2 S. 195.

Antiochos hat also, während er noch im Osten weilte, den freigewordenen Posten des Generalstatthalters der Oberen Provinzen neu besetzt; erst nach seinem Regierungsantritt in Antiocheia verlängerte er das kleinasiatische Kommando des Achaios, der seine Zuverlässigkeit so eindrucksvoll bewiesen hatte.

Motive und Ziele der Erhebung

Zweifellos bedeutete die große Macht, die selbst das verkleinerte Generalkommando dem Molon bescherte, an sich bereits einen großen Anreiz zum Abfall. Dazu kam das Beispiel Atropatenes, Parthyenes und Baktriens, die sich bereits seit längerem vom Reich losgesagt und ihre Selbständigkeit gegen die Seleukiden erfolgreich verteidigt hatten. Molon, der anscheinend mit den benachbarten Herrschern auf gutem Fuß stand (s. u.), hatte wohl schon längere Zeit Abfallspläne gehegt; nun, da ein junger, unerfahrener Herrscher an der Spitze des Reiches stand, schien es ihm wohl an der Zeit, mit den neu hinzugekommenen Machtmitteln den entscheidenden Schritt zu wagen. Ob Molon wirklich mit Achaios' Hilfe rechnete (Polyb. V 41, 1), bleibt unklar; der Vizekönig hatte eben erst durch die Ablehnung des Diadems seine Loyalität gegenüber der Dynastie erwiesen. Doch ist es möglich, daß die inzwischen gegen Attalos I. errungenen Erfolge hoffen ließen, Achaios werde sich zum gemeinsamen Vorgehen überreden lassen. Vielleicht handelt es sich auch nur um einen Schluß *ex eventu*. Daß Molon mit Achaios Kontakt aufgenommen hat, ist freilich sehr wahrscheinlich.

Polybios (V 41, 1) nennt außer der Verachtung für Antiochos und der Hoffnung auf Achaios' Hilfe noch einen weiteren, ja vorherrschenden (μάλιστα) Grund für Molons Empörung: die Furcht vor der ὠμότης καὶ κακοπραγμοσύνη des Hermeias, der seit seiner Ernennung zum ἐπὶ τῶν πραγμάτων alle Inhaber der obersten Hofämter mit seiner Mißgunst verfolgt habe (V 41, 1. 3). Dieses Motiv kann freilich eine Erfindung von Polybios' Quelle sein, die Hermeias mit unverhüllter Abneigung gezeichnet hat (s. u. S. 150ff.); hier könnte der Versuch vorliegen, Hermeias zum indirekten Mitschuldigen an Molons Abfall zu stempeln. Vielleicht ist aber doch etwas Wahres an dieser Anklage gegen den 'Wesir': der Verdacht läßt sich nicht abweisen, daß Hermeias versucht hat, den zentrifugalen Kräften, dem 'föderativen' Aufbau des in dem langen Bruderkrieg zwischen Seleukos II. und Antiochos Hierax schwer erschütterten Reichs eine neue, zentralisierte Ordnung entgegenzusetzen und die Macht der einzelnen Provinzstatthalter und 'Vizekönige' zugunsten der Macht des Königs (und damit seiner eigenen) zu beschneiden. So ließen sich die 'Furcht' des neuernannten Oberstrategen vor Hermeias und die

Hoffnung auf Unterstützung durch Achaios begreifen. Der 'Kanzler' wäre dann als der Initiator jener Straffung der Reichsverwaltung zu betrachten, die im Laufe der Regierung Antiochos' III. zu beobachten ist[1].

Es ist ferner denkbar, daß die Ernennung Molons zum Oberstrategen nicht die Billigung des Kanzlers fand. Wie oben gezeigt worden ist, scheint Antiochos den Molon schon vor seinem offiziellen Regierungsantritt – und demnach wohl ohne Wissen des Hermeias – zu seinem Nachfolger in den Oberen Satrapien ernannt zu haben. Hermeias mag mit der personellen Entscheidung nicht einverstanden gewesen sein und gegen Molon, in dem er vielleicht einen Rivalen vermutete, intrigiert haben.

Weiter unten wird zu zeigen sein (s. S. 146), daß Molon sich in erheblichem Ausmaß auf Orientalen stützen mußte. Es stellt sich die (mit unserem Material allerdings nicht lösbare) Frage, inwieweit er sich dieser autochthonen Bevölkerung gegenüber zu Zugeständnissen bereit gefunden hat. Es darf wohl als sicher angenommen werden, daß die prekäre Lage des von ihm angestrebten Reichs zwischen dem stärker hellenisierten Syrien und der 'nationalen' Staatsgründung der Parther ihn auf die Dauer vor schwierige Probleme gestellt hätte. Entweder hätte er – wie später Antiochos IV. Epiphanes – durch Werbung in Griechenland und Makedonien eine intensive Hellenisierung seiner Länder einleiten oder aber der einheimischen Oberschicht größere Mitwirkungsrechte einräumen müssen, so wie es wahrscheinlich Euthydemos in Baktrien getan hat[2].

Aus unseren Quellen läßt sich kein Anzeichen dafür gewinnen, daß der Druck der Iranier innerhalb oder außerhalb der Grenzen des Seleukidenreichs zur Erhebung des Molon beigetragen hat, daß sich Molon also hätte zum König ausrufen lassen, um den Osten gegen parthische Angriffe oder Unruhen in Medien für die griechische Bevölkerung zu erhalten[3]. Im Gegenteil scheint Molon sofort zum Angriff auf das Zwei-

---

[1] Vgl. H. BENGTSON, Strat. II S. 143ff. Die Möglichkeit, daß bereits Hermeias die Reform eingeleitet hat, ist bereits ebd. S. 147 erwogen. [Auch E. WILL, REG 75 (1962) S. 84 sieht in der Abneigung gegen Hermeias den wesentlichen Grund für den Abfall, knüpft daran aber weitreichende Hypothesen; vgl. dazu u. S. 185ff.].

[2] Ein Entgegenkommen gegenüber der orientalischen Bevölkerung hat J. N. UNVALA, Rev. num. IV. ser., 38 (1935) S. 158–60, aus den in Susa gefundenen Münzen mit dem Namen eines ΒΑΣΙΛΕΥΣ ΤΙΓΡΑΙΟΣ herauslesen wollen: dieser sonst unbekannte Herrscher sei mit Molon identisch, der nach der Eroberung des Zweistromlandes einen orientalisierenden, vom Tigris abgeleiteten Namen angenommen habe. Vgl. gegen diese unhaltbare Hypothese bereits E. T. NEWELL, The Coinage of the Eastern Seleucid Mints (1938) S. 140, der an einen Rebellen zur Zeit Demetrios' I. denkt; ferner W. W. TARN, Greeks S. 485.

[3] Dies hat S. K. EDDY, The King is Dead (1961) S. 98 angenommen. Vgl. aber o. S. 51 A. 2.

stromland angetreten zu sein (s. u.); das macht es wahrscheinlich, daß er seine Machtbasis Medien für völlig gesichert halten durfte.

Hat Molon die Eroberung des ganzen Seleukidenreichs angestrebt oder gedachte er sich mit Iran und dem Zweistromland zu begnügen? Die Frage ist schwer zu beantworten; aber es ist doch wahrscheinlich, daß ihm zunächst nur eine autonome Herrschaft in begrenztem Rahmen vorschwebte, wie sie seine Nachbarn in Parthien und Baktrien begründet hatten[1]. Das schließt freilich nicht völlig aus, daß ein rascher Erfolg seine Aspirationen vergrößert hätte.

Vorbereitung des Aufstands

Molon hatte sich versichert, daß ihm bei seinem Kampf gegen den König niemand in den Rücken fallen werde: ἠσφαλισμένος δὲ καὶ τὰ κατὰ τὰς παρακειμένας σατραπείας διὰ τῆς τῶν προεστώτων εὐνοίας καὶ δωροδοκίας (43, 6). Um welche σατραπεῖαι handelt es sich? Die Persis unterstand seinem Bruder Alexandros, der kurz vorher eigens erwähnt wird (43, 6). Susiane und die Provinz 'am Roten Meer' blieben königstreu (46, 7; 48, 13—14), ebenso offenbar die Provinzen des Zweistromlandes, die Molon erst zu erobern hatte[2]. So bleiben von den wirklichen 'Satrapien' in der Nachbarschaft Mediens allenfalls Karmanien und Hyrkanien (s. o. S. 63f.). Polybios (bzw. seine Quelle) muß also die angrenzenden Fürstentümer meinen, die seit längerer Zeit mindestens de facto vom Reich selbständig waren: Atropatene, das Partherreich und Baktrien. Als 'Satrapien' im eigentlichen Sinn konnte man diese freilich nicht bezeichnen; und doch dürfte die Ausdrucksweise von Bedeutung sein: Es ist anzunehmen, daß Polybios' seleukidenfreundliche bzw. seleukidische Quelle hier die am Seleukidenhof übliche Bezeichnung wiedergibt, in der sich der weiterhin bestehende Anspruch der Dynastie auf diese Gebiete ausgedrückt hat[3].

---

[1] In diesem Sinne z.B. A. BOUCHÉ-LECLERCQ, Séleucides I S. 127; W. W. TARN, CAH VII S. 724; P. MELONI, Acheo I S. 539 A. 2.

[2] Ob die Apolloniatis damals eine eigene Provinz war, ist unbekannt und nicht sehr wahrscheinlich (vgl. o. S. 34 u. A. 4); allenfalls sie käme in Frage. Falls der dortige Statthalter auf Molons Seite trat, konnte sich dies nicht auswirken, da die Provinz vorher von den Strategen des Königs besetzt wurde.

[3] Ebenso XI 34, 14, nach dem Abschluß des Feldzugs in die Oberen Satrapien: οὐ μόνον τοὺς ἄνω σατράπας (= Arsakes und Euthydemos ebenso wie die Gouverneure der ostiranischen Provinzen) ὑπηκόους ἐποιήσατο τῆς ἰδίας ἀρχῆς κτέ. Etwas anders H. BENGTSON, Strat. II S. 60f., der σατράπης hier in der Bedeutung 'föderierter Vasallenfürst' versteht, also an eine Institution denkt. [Gegen BENGTSON neuerdings E. WILL, REG 75 (1962) S. 109f. WILL, S. 105ff. glaubt, sowohl in V 43, 6 als auch in XI 34, 14 seien die Satrapen von Areia, Drangiane, Gedrosien usw. gemeint. Wir kennen den Status

Daß Molon auf die εὔνοια der προεστῶτες dieser 'σατραπεῖαι' zählen konnte (43, 6), wird man vielleicht als weiteren Beweis dafür werten dürfen, daß er bereits längere Zeit Gouverneur von Medien war, bevor Antiochos ihn zum Oberkommandierenden der Ostprovinzen ernannte. Natürlich lag es im Interesse dieser Fürsten, wenn sich zwischen ihren Ländern und dem Seleukidenreich ein Pufferstaat etablierte. Immerhin ist es bezeichnend, daß sie Molon nicht oder höchstens in ganz geringem Maße unterstützt haben. Es heißt freilich später, Antiochos sei gegen Artabazanes von Atropatene gezogen, um die benachbarten 'Barbarenfürsten' davon abzuschrecken, künftighin Rebellen mit Nachschub oder Zuzug zu unterstützen[1]; aber alles Weitere spricht dagegen, daß Molon über fremde Truppen verfügen konnte: Von der Aufstellung seines Heeres in der Entscheidungsschlacht werden zwar keine Einzelheiten überliefert[2]; doch ist das Schweigen unserer Quelle eher ein Zeichen dafür, daß Molon nur die medische Armee einsetzen konnte; man hätte es wohl nicht versäumt, Molon besonders anzuprangern, wenn er sich mit dem 'Reichsfeind' verbunden hätte. Nach der Schlacht werden die aufrührerischen Truppen pardoniert und nach Medien zurückgeführt (V 54, 8); was mit den angeblich vorhanden auswärtigen Soldaten geschehen ist, wird nicht gesagt. Elefanten hat Molon jedenfalls – im Gegensatz zu Antiochos (V 53, 4) – nicht einsetzen können, und der oben wiedergegebene Satz V 43, 6 deutet eher darauf hin, daß Molon in dem Handel mit den προεστῶτες der Gebende war. Diese hüteten sich wohl, Molon allzu mächtig werden zu lassen, um nicht einen gefährlichen Nachbarn gegen einen anderen eintauschen zu müssen. Sich einen Erben der seleukidischen Machtansprüche heranzuziehen, konnte nicht in ihrem Interesse liegen.

Für Molon galt es also vor allem, die eigenen Truppen soweit hinter sich zu bringen, daß er sich in den bevorstehenden Kämpfen auf sie verlassen konnte. Es fiel wohl nicht allzu schwer, sie zum Abfall vom Königshaus zu bringen; etwas ganz anderes war es, sie gegen den rechtmäßigen, charismatisch geheiligten Herrscher zum Kampf zu führen. Die gleiche Erfahrung mußte zwei Jahre später Achaios machen[3]; und

---

dieser Provinzen im J. 222 nicht (s. Kap. II); wichtiger als ihre Neutralität war aber auf jeden Fall die Neutralität Baktriens und der Partherreichs, und wenn diese Staaten nicht eigens erwähnt werden, so müssen sie wohl in σατραπεῖαι und σατράπαι eingeschlossen sein. Wären sie nicht einmal implicite genannt, so wäre dies umso überraschender, als WILL S. 106 annimmt, Molon habe um den Preis seiner Anerkennung durch Arsakes und Euthydemos auf die ostiranischen Satrapien verzichtet! (WILL folgt hier der m. E. unrichtigen Interpretation F. ALTHEIMS zu Strab. XI 9, 2 p. 515; s. o. S. 70 A. 1)].

[1] V 55, 1–2; s. u. S. 149. An Beistand des Artabazanes für Molon denken u. a. B. NIESE, II S. 370; K. J. BELOCH, IV 1, S. 690; R. WUTZDORFF, Antiochos der Große (Progr. Gymn. Görlitz 1868) S. 9. nimmt an, daß A. vielleicht nur Zufuhr geleistet habe.

[2] V 53, 7–11; s. u. S. 145ff.   [3] V 57, 6f.

an der Loyalität der Truppen gegenüber Antiochos sollte Molon dann auch im J. 220 in der Entscheidungsschlacht scheitern. Vorerst gelang es ihm, die Soldaten hinter sich zu bekommen, indem er ihnen goldene Berge versprach [1]. Gegen die Bedenken der Offiziere (ἡγεμόνες) mußte er schwereres Geschütz auffahren lassen; er soll sie schließlich überwunden haben, indem er den Militärs Furcht einjagte ἀνατατικὰς καὶ ψευδεῖς εἰσφέρων ἐπιστολὰς παρὰ τοῦ βασιλέως (V 43, 5). Das erstaunlich häufige Vorkommen 'gefälschter' Briefe gerade in diesem Abschnitt der Geschichte des Polybios [2] läßt den Verdacht aufkommen, daß es sich um einen bei dem Gewährsmann des Polybios beliebten Topos handle; doch läßt die nächstliegende Erklärung dieser 'Drohbriefe' die Annahme, sie seien echt gewesen, kaum zu: Wenn, wie es den Anschein hat, die Rebellion bereits Tatsache war, so kann es sich wohl nur um die Drohung gehandelt haben, daß Antiochos die aufrührerischen Offiziere unnachsichtig bestrafen werde. Ein echter Brief des Königs hätte den Militärs aber mit Sicherheit Pardon versprochen, wenn sie zur Loyalität zurückfänden und Molon auslieferten. Wenn das nicht geschah, so muß ihnen durch die Briefe jeder Rückweg verbaut worden sein; d. h. die Briefe müssen Machwerke Molons gewesen sein [3].

## Molon und Ptolemaios

Molons Empörung stellte für das von Antiochos bedrohte Ptolemäerreich (dort regierte zur Zeit des Aufstandes noch Ptolemaios III. Euergetes) eine fühlbare Entlastung dar; sie zog zunächst beträchtliche Truppenkontingente von Koilesyrien ab und zwang Antiochos schließlich, im Herbst 221, zum Abbruch des syrischen Feldzuges. Der Gedanke liegt nahe, daß die ptolemäische Regierung Molon mit Geld oder in einer anderen Weise unterstützt habe, um dem seleukidischen Gegner ent-

---

[1] V 43, 5: ἑτοίμους παρεσκευακὼς πρὸς πᾶν τοὺς ἐκ τῆς ἰδίας σατραπείας ὄχλους διά τε τὰς ἐλπίδας τὰς ἐκ τῶν ὠφελειῶν, im wesentlichen Hoffnung auf Beute (nämlich aus den reichen mesopotamischen Provinzen); vgl. zu ὠφέλειαι V 57, 7–8.
[2] Vgl. V 42, 7 (durch Hermeias fingierter Brief des Achaios, s. u. S. 161 ff.); 50, 11 (von Hermeias gefälschter Brief des Molon an Epigenes, s. u. S. 152). Vgl. P. MELONI, Acheo I S. 542 A. 2. Weitere Beispiele von 'gefälschten' Schriftstücken aus dieser Zeit: Polyb. V 38, 1 ff.; XV 25, 5. Eumenes von Kardia soll mit gefälschten Briefen seine Soldaten ermuntert haben (Diod. XIX 23, 1 ff.). Für eine Brieffälschung durch Alexander d. Gr. vgl. Diod. XVII 39, 2.; für einen gefälschten Brief des Ptolemaios I. an Pyrrhos Plut. Pyrrh. 6, 6 f.; dazu E. J. BICKERMAN, Class. Phil. 42 (1947) S. 137 ff.; weitere vermeintlich oder wirklich gefälschte Briefe und Privilegien zitiert E. BIKERMAN, Mél. Isidore Lévy (1955) S. 11 ff.; bes. S. 17 A. 1.
[3] Gegen H. BENGTSONS Annahme, die 'Drohbriefe' seien der Mobilmachungsbefehl (παράγγελμα; vgl. Strat. II S. 86 A. 3), vgl. bereits F. W. WALBANK, Comm. I S. 574.

gegenzuwirken. Nichts davon steht in unseren Quellen; und da der zugrundeliegende seleukidische Historiker sich den Vorwurf des Landesverrats gegen Molon gewiß ebensowenig hätte entgehen lassen, wie Polybios die interessante Tatsache einer solchen Verbindung verschwiegen hätte, bleibt nur der Schluß, daß ein wirksamer Kontakt zwischen Ekbatana und Alexandreia nicht zustandegekommen ist. Da die Revolte in Iran der ptolemäischen Regierung nicht verborgen bleiben konnte — der rege Handelsverkehr in der Levante machte eine Nachrichtensperre unmöglich — kann der Grund nur in der (allerdings unbegreiflichen) Untätigkeit der ptolemäischen Regierung liegen, die es ja auch zwischen Herbst 221 und Herbst 219 versäumt hat, gegen Antiochos aufzurüsten[1].

Schon dies muß gegen die Behauptung SVORONOS'[2] bedenklich stimmen, daß Molon auf seinen Münzen[3] den ptolemäischen Zeuskopf übernommen, mithin mit Alexandreia kollaboriert habe. Ein Vergleich der in Seleukeia am Tigris emittierten Bronzen des Molon mit den früheren Serien aus Seleukeia, die nach dem Muster der Münzen des Seleukos I. gebildet sind[4], zeigt denn auch, daß Molons Münzmeister die Emissionen der Vorgänger zum Vorbild genommen hat; von einer Ähnlichkeit mit dem wildlockigen Zeus Ammon der gleichzeitigen Ptolemäermünzen ist nichts zu sehen.

Umgekehrt ist auch kein Zusammenhang zwischen Molons Empörung und dem syrischen Feldzug des Antiochos festzustellen; Molon rebellierte, als die Rüstungen gegen das Ptolemäerreich noch kaum begonnen hatten[5]. Es ist unwahrscheinlich, daß Molon von solchen Plänen nichts gewußt

---

[1] S. u. S. 154.

[2] J. N. SVORONOS, Τὰ νομίσματα τοῦ κράτους τῶν Πτολεμαίων IV (1908) S. 205.

[3] E. T. NEWELL, The Coinage of the Eastern Seleucid Mints (1938) Nr. 225—228 (Münzort Seleukeia), 574 (Münzort Ekbatana). Die Serie von Seleukeia zeigt auf der Vs. den lorbeerbekränzten Kopf des Zeus nach r., auf der Rs. den wohlbekannten, gegenüber den vorigen Typen wenig veränderten Apollon Kitharodos im langwallenden Gewand mit Lyra und Plektron, nach r. schreitend. Die Serie von Ekbatana zeigt Vs. einen lorbeerbekränzten Apollonkopf nach r., Rs. die beliebte Darstellung einer geflügelten Nike stehend nach l., die mit der ausgestreckten r. Hand des Namen des Molon bekränzt, wohl mit Bezug auf seine militärischen Erfolge. Die Legende der Rs. ist jeweils ΒΑΣΙΛΕΩΣ ΜΟΛΩΝΟΣ. Erhalten sind aus beiden Münzstätten nur Bronzen; das Silber ist offenbar nach 220 völlig unterdrückt worden (NEWELL S. 86; 205).

[4] E. T. Newell, a.a.O. pl. XVIII 6—10 bzw. XII.

[5] Im ersten Kriegsrat, also nach Bekanntwerden der Rebellion, ist erst der Entschluß zum Syrischen Feldzug gefaßt worden (V 41, 6 — 42, 9). Das heißt jedoch keineswegs, daß der Plan erst von diesem Zeitpunkt datierte. Der Plan des Hermeias, Koilesyrien zu erobern, wird von der Quelle in eigentümlicher Weise zurückgedrängt, womit eine negative Zeichnung des Hermeias angestrebt wird (W. OTTO, RE VIII 1 [1912] Sp. 727 Anm.). Der Kriegsplan stammte bereits aus der Zeit des Seleukos III. (s. u. S. 152 f.).

haben sollte; die Rüstungsanstrengungen mußten sich auch in seiner Satrapie bemerkbar machen. Wenn er nicht wartete, bis die Kräfte des Reiches in einem auswärtigen Krieg gebunden waren, sondern bereits losschlug, als der König noch die Hände frei hatte, so wird man auch dies als Zeichen dafür werten dürfen, daß er schon seit langer Zeit mit Aufstandsplänen umging.

## Molon und Alexandros

Molons Bruder Alexandros, dessen Mitwirkung von Polybios ausdrücklich betont wird[1], hat offenbar bei dem Aufstand nur eine ganz untergeordnete Rolle gespielt[2]. Wie es scheint, war auch die Unterstützung, die Molon durch ihn erfuhr, nicht gerade groß.

Als Xenoitas etwa im Frühsommer 221 in Seleukeia eintraf, beorderte er die Statthalter von Susiane und der 'Provinz am Roten Meer', Diogenes und Pythiadas, zu sich[3]. Diese beiden an die Persis des Alexandros angrenzenden Provinzen waren also damals noch unbesetzt; Molon mußte sie im Sommer 221 nach der Niederlage des Xenoitas selbst erobern[4]. Alexandros, von dem man eine Aktion gegen die Nachbarregionen hätte erwarten sollen, hat also offenbar nichts unternommen oder mindestens keinen Erfolg gehabt.

Auch in der Folge hören wir nichts von ihm. Zur Zeit der Entscheidungsschlacht in der Apolloniatis (Frühj. 220) befand er sich nicht beim Heer seines Bruders, sondern in seiner Satrapie; bei ihm weilten seine Mutter und Molons Kinder[5].

Worin bestand also seine Funktion als ἕτοιμος συναγωνιστής seines Bruders (V 43, 6)? Wohl kaum in der Grenzsicherung gegen Osten; denn wenn einer der 'benachbarten Satrapen' trotz der εὔνοια καὶ δωροδοκία (V 43, 6) im Trüben fischen wollte, dann war doch wohl weniger die Persis, sondern eher Medien bedroht. Oder standen die iranischen Herren von Istachr (s. o. S.47) damals noch auf der Seite des legitimen Herrschers? Wir wissen es nicht. Aber vermutlich hatte Alexandros lediglich die Reichstruppen und einheimischen Kontingente seiner Satrapie seinem Bruder zuzuführen, der im übrigen die Kriegsführung selbst in die Hand nahm, um nicht in Alexandros einen lästigen Nebenbuhler heranzuziehen.

---

[1] V 43, 6: ἕτοιμον ... συναγωνιστὴν ἔχων τὸν ἀδελφὸν 'Αλέξανδρον, vgl. die nach drückliche Nennung des Alexandros V 40, 7.
[2] Vgl. bereits W. W. TARN, CAH VII S. 724; H. BENGTSON, Strat. II S. 86.
[3] V 46, 7. Zu Xenoitas und Pythiadas vgl. Verf. in der RE (ersch. demnächst).
[4] V 48, 12f.
[5] V 54, 5.

## Die Erhebung zum König

Erstaunlicherweise sagt Polybios kein Wort davon, daß Molon sich das Diadem aufs Haupt gesetzt hat[1]. Wollte seine Quelle dieses Ereignis totschweigen? Nur die wenigen erhaltenen Münzen mit der Aufschrift ΒΑΣΙΛΕΩΣ ΜΟΛΩΝΟΣ (s. o.) geben davon Kunde, daß Molon sich den Königstitel beigelegt und damit auch öffentlich seinen Anspruch kundgetan hat, souveräner Herrscher zu sein. Wann dies geschehen ist, bleibt ungewiß; wahrscheinlich hat sich Molon bereits bei seiner Revolte im Sommer 222 v. Chr. von seinen Truppen zum König ausrufen lassen[2].

## Die ersten Kampfhandlungen 222 — 221

Nach dem Eintreffen der Nachricht, daß Molon abgefallen sei, trat der Kronrat zusammen, um über die Lage zu beraten. Gegen den Widerstand des Epigenes setzte Hermeias durch, daß nicht das Hauptheer unter dem König selbst, sondern nur eine kleinere Streitmacht unter den Generälen Xenon und Theodotos gegen den Empörer zog (s. u. S. 151). Unterdessen rückte Molon, vermutlich von Ekbatana aus auf der Königsstraße, die über die Zagrospässe in die Ebene des Osttigrislandes führte, nach Westen vor. Die beiden Strategen zogen sich 'aus Schreck über sein Herannahen' in die festen Städte zurück[3], so daß Molon, anscheinend ohne Schwertstreich, die reiche Landschaft Apolloniatis nehmen konnte (V 43, 7—8; 45, 2).

Da kaum anzunehmen ist, daß die beiden Generäle des Königs Feiglinge waren, bleibt nur der Schluß, daß ihre Streitkräfte zu einer offenen Schlacht zu schwach waren. Im darauffolgenden Frühjahr mußten denn auch neue Truppen nach Mesopotamien gesandt werden. Die Macht-

---

[1] Das hat J. G. Droysen, Gesch. d. Hell. III²2 (1877) S. 133f. und in der Folge viele andere zu der Annahme verführt, Molon habe zugunsten eines unmündigen Sohnes Seleukos' III. zu den Waffen gegriffen. Vgl. dazu zuletzt P. Meloni, Acheo I S. 137 A. 1.

[2] So E. R. Bevan, Seleucus I S. 301; Bevan nimmt S. 304 A. 1 an, Hermeias' Worte δεῖν πρὸς μὲν τοὺς ἀποστάτας στρατηγοῖς πολεμεῖν, πρὸς δὲ τοὺς βασιλεῖς ... αὐτὸν τὸν βασιλέα (V 45, 6) drückten aus, daß man den Königstitel des Molon nicht anerkennen wollte — freilich ein schwaches Argument. Andere Ansätze: W. W. Tarn, CAH VII S. 724: nach der Eroberung der Apolloniatis; K. J. Beloch, Gr. Gesch. IV 1, S. 687: im Winterquartier in Ktesiphon; F. Stähelin, RE XVI 1 (1933) Sp. 11: nach dem Sieg über Xenoitas. [E. Will, REG 75 (1962) S. 95f.: einige Monate vor dem Kampf gegen Xenoitas; Wills Ansicht, in Strab. XI 9, 2 p. 515 sei eine Anspielung auf den Königstitel des Molon erhalten (S. 94 A. 41), beruht auf F. Altheims Interpretation dieser Strabon-Stelle; vgl. o. S. 70 A. 1.].

[3] Insbesondere ist wohl Seleukeia am Tigris gemeint. F. Münzer, RE V A 2 (1934) Sp. 1954 s. v. Theodotos (10) denkt auch an Ktesiphon, das aber doch kurz darauf von Molon besetzt wird.

mittel Molons waren in der Reichszentrale selbstverständlich bekannt. Da man gleichzeitig einen Feldzug gegen das Ptolemäerreich planen konnte, dürfte Truppenmangel mindestens nicht der einzige Grund für die ungenügende Ausstattung der Generäle gewesen sein. Die nächstliegende Erklärung dürfte sein, daß Hermeias nicht beabsichtigte, Molon in Medien selbst angreifen zu lassen — dazu war das Kontingent Xenons und Theodotos' erst recht zu schwach — sondern zunächst nur die Zagrospässe sperren und damit Molon am Angriff auf das Zweistromland hindern wollte; für die Dauer des geplanten syrischen Feldzugs gedachte er also in der Defensive zu bleiben und erst nach dem erhofften Sieg über Ptolemaios den Unruheherd zu beseitigen. Dazu mag kommen, daß er die Aktivität des Molon unter- und die Anhänglichkeit der medischen Truppen an den König überschätzte. Mit einem so raschen Vormarsch des Usurpators scheint er jedenfalls nicht gerechnet zu haben. Offenbar gelang es Molon, die Zagrospässe zu überwinden, bevor die Generäle dort anlangten; er war wohl bereits in die Ebene der Apolloniatis hinabgestiegen, so daß die Strategen, in richtiger Beurteilung ihrer Schwäche, zurückweichen mußten.

Die Reaktion des Hofes auf die Nachricht von diesem Mißerfolg zeigt deutlich, wie falsch man Molon beurteilt hatte. 'Als der König von dem Vormarsch des Molon und vom Rückzug seiner eigenen Generäle vernahm, wollte er die Pläne gegen Ptolemaios aufgeben und selbst gegen Molon ziehen'[1]. Noch einmal vermochte Hermeias sich durchzusetzen; immerhin hatte man jetzt die Gefährlichkeit des Aufrührers erkannt und traf bessere Vorkehrungen: Xenoitas, der mit Verstärkung nach dem Zweistromland abmarschierte (Frühjahr 221), wurde mit umfassenden Vollmachten ausgestattet[2], die wohl seine Verfügung über die Reichstruppen des gesamten Zweistromlandes und seine Befehlsgewalt über alle dortigen Gouverneure und Strategen einschlossen[3].

Auch auf die Bewohner des Zweistromlandes und wohl des ganzen Reichs scheint Molons erster, leicht errungener Erfolg großen Eindruck gemacht zu haben[4]. In der Tat brachte ihm der Gewinn der fruchtbaren Landschaft Apolloniatis reiche Hilfsquellen zur Verpflegung seiner Armee[5]. Sein Versuch, im sofortigen Nachstoßen die westliche Tigrisseite zu gewinnen und die Hauptstadt Seleukeia zu zernieren, war freilich mißlungen, da der umsichtige Offizier Zeuxis (er tritt hier zum ersten

---

[1] V 45, 5 (2. Kriegsrat, Winter 222/1).
[2] V 45, 6; vgl. 46, 6.
[3] Vgl. H. BENGTSON, Strat. II S. 150f.
[4] V 45, 2: τελέως ἐδόκει φοβερὸς εἶναι καὶ ἀνυπόστατος πᾶσι τοῖς τὴν Ἀσίαν κατοικοῦσι. Zur Tendenz der Quelle vgl. u. S. 176.
[5] V 43, 8.

Mal auf)¹ rechtzeitig die Flußschiffe beschlagnahmt hatte. Da der Winter (222/1) bereits nahte, hatte sich Molon mit dem Erreichten vorerst begnügt und seine Truppen in das der Hauptstadt gegenüberliegende Militärlager Ktesiphon in die Winterquartiere geführt².

Die Unvorsichtigkeit des neuen Kommandeurs der königlichen Truppen, Xenoitas, sollte Molon jedoch bald die Möglichkeit verschaffen, den Fluß zu überschreiten (Frühj. 221)³. Dem Xenoitas soll die unverhofft erlangte hohe Vollmacht in den Kopf gestiegen sein; 'gegen seine Freunde zeigte er sich hochmütiger, gegen die Feinde unvorsichtiger, als es statthaft war' (V 46, 6). Nach seiner Ankunft in Seleukeia zog er die Statthalter von Susiane und der Provinz am Roten Meer, Diogenes und Pythiadas mit ihren Truppen an sich, vereinigte sicher auch die Streitkräfte des Xenon und Theodotos mit seinem Heer und schlug gegenüber der feindlichen Verschanzung ein Lager⁴. Ein Täuschungsmanöver ermöglichte es ihm, mit Elitekräften den Fluß unterhalb des feindlichen Heeres zu überschreiten; ein Kavallerieangriff auf seinen Brückenkopf wurde abgewiesen, und nun zog Xenoitas seine Reiter nach und schlug ein Lager nahe dem der Gegner auf, um die Unzufriedenen in Molons Heer zum Überlaufen zu bewegen. Molons fingierter Abzug wiegte Xenoitas in Sicherheit: seine Leuten besetzten die gegnerische Verschanzung und feierten mit dem Wein, den sie dort vorfanden, den vermeintlichen Sieg. Der Angriff Molons, der bald wieder umgekehrt war, traf ein völlig berauschtes Heer: den Soldaten des Usurpators war es ein leichtes, alle zusammenzuhauen. Xenoitas fiel im Kampf⁵. Die Schiffe, mit denen er über den Fluß gegangen war, lagen noch am Ostufer; Molon konnte kampflos den Fluß überschreiten und die Hauptstadt besetzen, da die schwachen Reste

---

¹ Und zwar ohne Beifügung einer näheren Bezeichnung, was Rückschlüsse auf die Quelle zuläßt; s. u. S. 181. Daß Zeuxis Statthalter von Babylonien gewesen wäre, wie E. R. Bevan, Seleucus I S. 303 (vgl. A. Bouché-Leclercq, Séleucides S. 129 A. 1) behauptet, ist nirgends belegt.

² V 45, 4. Zur Chronologie s. o. S. 112ff. Der Einwand H. Franks, Arch. f. Pap. XI (1935) S. 36 A. 1, es sei wohl möglich, daß Molon 'im August ... angesichts der augenblicklichen ungünstigen Lage Vorbereitungen für eine Winterquartier in Ktesiphon traf', besagt wenig: Molon wäre, nach allem Anschein, stark genug gewesen, um größere Detachements seines Heeres auf Eroberungszüge tigrisauf- und abwärts schicken zu können und so die Zeit zu nutzen. Aber davon berichtet Polybios nichts.

³ M. Cary, A Hist. of the Greek World from 323 to 146 B. C. (²1951) S. 69, erzählt von den ersten Erfolgen des Xenoitas: 'Advancing into Babylonia (!) the rebel leader was driven back across the Tigris (!) by ... Xenoitas'.

⁴ V 46, 7. Was mit Theodotos und Xenon geschah, ist unbekannt; vielleicht wurden sie nach Antiocheia zurückbeordert. Theodotos wurde wieder 219–217 im Syrischen Feldzug eingesetzt (Polyb. V 59, 2; 68–71; 79, 5; 83, 3; 87, 1); Xenon ist wahrscheinlich identisch mit dem letzten Stadtkommandanten von Sardes 190 v. Chr. (Liv. XXXVII 44, 7); vgl. Verf., RE s. v. (ersch. demnächst).    ⁵ V 46, 9–48, 9.

des königlichen Heeres, die unter Zeuxis am westlichen Ufer zurückgeblieben waren, und auch die Besatzung Seleukeias das Weite gesucht hatten[1]. Ohne Schwertstreich gewann er nun den Rest der Oberen Satrapien (im weiteren Sinn)[2]. Zunächst zog er flußabwärts. Babylonien und die Provinz am Roten Meer fielen ihm sofort zu; der Gouverneur der Küstenprovinz, Pythiadas, hatte sich zuletzt im Lager des Xenoitas befunden und war wohl mit Zeuxis geflohen[3]. Anders Diogenes, der Statthalter der Susiane: er war anscheinend nach der Katastrophe in seine Provinz zurückgekehrt[4] und hatte sich in die Zitadelle von Susa werfen können. Molon mußte sich damit begnügen, Stadt und Provinz zu besetzen; die Akropolis ließ er einschließen und kehrte selbst eilends nach Seleukeia zurück, um von hier aus an den beiden Flüssen entlang nach Norden vorzustoßen. Bei Eintritt der schlechten Jahreszeit hatte er auch Mesopotamien bis Dura (zwischen Tekrît und Samara am Ostufer des Tigris) und Parapotamien bis Dura-Europos[5] und damit die wichtigsten Teile des Zweistromlandes in seiner Hand. Von einer gesicherten Beherrschung dieser Lande konnte freilich noch keine Rede sein: die Bevölkerung Babyloniens und Susianes war mit dem neuen Herrn nicht einverstanden[6], weniger wohl aus Anhänglichkeit an Anti-

---

[1] V 48, 10–12.

[2] Dies ist wohl mit V 48, 12 προάγων κατεστρέφετο τὰς ἄνω σατραπείας gemeint. Sein eingeschränktes Generalkommando hatte nur die östlich des Zagros gelegenen Provinzen umfaßt; nun ging er daran, den Rest des üblicherweise vom Euphrat an gerechneten Gebietes zu erobern. Es liegt also die eingebürgerte Terminologie zugrunde. (Entsprechend heißt es V 41, 1, Molon habe τὰς ἄνω σατραπείας dem Reiche entreißen wollen; V 46, 5 erfährt Antiochos III., daß Molon nach Xenoitas' Niederlage πάντων τῶν ἄνω τόπων Herr geworden sei.) Der Satz ist gewissermaßen Überschrift zu den folgenden Paragraphen (V 48, 13–16). Unrichtig P. PÉDECH, REA 60 (1958) S. 68: '...et vint occuper Séleucie, puis, déjà maître des satrapies superieures..., il soumit encore la Babylonie et l' Erythrée...' M. CARY a.a.O. S. 70 von der Niederlage des Xenoitas: 'By this stroke Molon won all the remainder of Persia (!), and Babylonia into the bargain'.

[3] Von da ab wird er nicht mehr erwähnt. Seine Provinz wird 220 bei der Neuordnung anderweitig vergeben.

[4] Vielleicht war er gar nicht zu Xenoitas durchgekommen (vgl. H. BENGTSON, Strat. II S. 151).

[5] V 48, 14–16. Zur Lokalisierung vgl. die Diskussion bei F. W. WALBANK, Comm. I S. 579f., dessen Entscheidung zutreffend sein dürfte (vgl. auch o. S. 34 A. 2). Zur genaueren Lokalisierung Duras s. u. S. 136ff. In Dura-Europos sind keine Münzen Molons gefunden worden, woraus man nicht schließen darf, daß die Stadt nicht erobert wurde (gegen diese Ansicht A. R. BELLINGERS s. bereits F. W. WALBANK, Comm. I S. 579): Dura-Europos ist nur von Herbst 221 bis ins frühe Frühjahr 220 in Molons Besitz gewesen; so ist es nicht verwunderlich, daß die wenigen Münzen, die dorthin gelangt sein können, eingezogen werden konnten.

[6] V 52, 4. Am 30. April 221 v. Chr. (also noch vor der Besetzung Babyloniens durch Molon) kopierte ein Priester in Uruk alte Leberomina aus dem XXII. Jh. v. Chr., offenbar mit Bezug auf die Situation seiner Zeit. Darin wird das Seleukidenreich (oder allgemeiner

ochos als wegen der Plünderungen, die Molon vermutlich seinen Soldaten zum Lohn für ihre Dienste gewähren mußte. Das Heil des Usurpators hing von der Treue des Heeres ab — und wie diese einer ernsthaften Prüfung standhalten werde, mußte sich erst noch erweisen.

## Antiochos gegen Molon

Die Nachricht von der Katastrophe des Xenoitas und von den Eroberungen des Molon traf den König in Koilesyrien. Dem Plan des Hermeias entsprechend war Antiochos im Frühjahr 221 in der seit Beginn des Jahrhunderts umstrittenen nördlichsten Besitzung des Ptolemäerreiches eingerückt. Sein Angriff hatte sich aber bald festgelaufen[1]; und als nun die Meldung aus dem Osten eintraf, setzte sich im Kronrat endlich die Ansicht des Epigenes durch: Zwar versuchte Hermeias noch einmal, die Offensive gegen das Ptolemäerreich als die vordringlichste Aufgabe hinzustellen; aber obwohl der 'Wesir' leidenschaftlich für seine Idee eintrat, wurde schließlich der Abbruch des syrischen Feldzugs beschlossen (V 49).

Der Gegenangriff gegen Molon wurde aber zunächst durch den Geldmangel, an dem das Reich während der gesamten Regierungszeit des Antiochos III. kranken sollte, in Frage gestellt: die Soldaten meuterten, da sie seit geraumer Zeit keinen Sold erhalten hatten. Hermeias nutzte die Gelegenheit, seinen Rivalen Epigenes zu beseitigen: er zahlte den rückständigen Sold aus eigener Tasche unter der Bedingung, daß Epigenes kaltgestellt werde. Notgedrungen mußte der König auf den fähigen General verzichten. Das Korps der Kyrrhesten, an 6000 Mann stark, verweigerte jedoch auch jetzt noch den Gehorsam; und schließlich — anscheinend im folgenden Jahr — blieb keine andere Wahl, als die Meuterer zum größten Teil zusammenhauen zu lassen[2].

---

der bestehende Zustand) mit Akkad, der Feind aus dem Osten mit den Guti identifiziert. Vgl. A. T. OLMSTEAD, JAOS 56 (1936) S. 245; Class. Phil. 32 (1937) S. 8; N. C. DEBEVOISE, A Polit. Hist. of Parthia (1938) S. 13f.; S. K. EDDY, The King is Dead (1961) S. 131 ('Thus the Babylonian clergy, while eager to retain their own culture intact, were equally anxious to retain the Seleukid government at least for their military protection').

[1] Polyb. V 45, 7—46, 5.

[2] V 50, 1—8. Achaios hoffte im Sommer 220 auf die Unterstützung der 'aufständischen Kyrrhesten' (Polyb. V 57, 4); demnach wäre die Revolte damals noch nicht niedergeschlagen gewesen; vgl. P. MELONI, Acheo I S. 547 A. 2 mit der früheren Lit. Allerdings ist es möglich, daß damals nur noch die mit jenem Korps verwandte Bevölkerung der Kyrrhestike revoltierte (vgl. K. J. BELOCH, Gr. Gesch. IV 1 S. 691; F. W. WALBANK, Comm. I S. 584). Die Ansicht W. W. TARNS CAH VII S. 725, Epigenes sei Befehlshaber der Kyrrhestike (oder doch des Korps der Kyrrhesten) gewesen, und das Korps habe aus Anhänglichkeit an Epigenes rebelliert, ist plausibel. [E. WILL, REG 75 (1962) S. 110f., macht mit Recht auf den aor. ἐστασίασαν (V 50, 8) aufmerksam; demnach handelte es sich um eine neue, von der allgemeinen Meuterei zu unterscheidende Bewegung.]

Dieser Vorfall erlaubt Rückschlüsse auf die vermutliche Stärke des königlichen Heeres, für die wir im Molonkrieg keine Zahlen erfahren[1]. Wenn Antiochos III. trotz des Verlustes von nahezu 6000 Mann, ja mit diesen 6000 Aufrührern im Rücken den Krieg wagen und ohne Schwierigkeiten gewinnen konnte, muß er über bedeutende Streitkräfte verfügt haben. Im Jahr 217 konnte er bei Raphia etwa 55000 Mann ins Feld führen, worin die wiedergewonnenen medischen Garnisonen wohl nicht enthalten waren[2]; da er sich offenbar entschlossen hatte, dem Aufruhr im Osten ein für allemal ein Ende zu bereiten, wird man mit mindestens 20000 bis 30000 Mann rechnen dürfen, die Antiochos gegen Molon folgten. Dazu kam natürlich noch der umfangreiche Troß, der die antiken Heere zu begleiten pflegte.

Inzwischen war es Spätherbst geworden. Der König führte seine Armee von Apameia nach Antiocheia in Mygdonien (Nisibis), wo er um die Wintersonnenwende eintraf. Um diese Zeit und während des ganzen Januar ist es im nördlichsten Teil Mesopotamiens, wenigstens für vorderasiatische Verhältnisse, empfindlich kalt; die Nähe der verschneiten Tauruskette läßt es zu erheblichen Wetterstürzen kommen[3]. Der König ließ daher sein Heer in Nisibis lagern, bis die Kälte gebrochen war, und brach erst nach 40 Tagen, also Ende Januar oder Anfang Februar 220, wieder auf und marschierte zum Tigris[4]. Sein Marsch fiel so freilich in den Februar, die Zeit der stärksten Regenfälle, in der die Pisten teilweise ungangbar sind; aber sein Plan war wohl, die Entscheidung noch vor der Schneeschmelze (März — April) zu erzwingen, also bevor das rasche Ansteigen des Tigris dem Molon Gelegenheit geben würde, sich hinter einem schwer überschreitbaren Fluß zu verschanzen[5].

Die Marschpläne von Libba[6]

In Libba, am Tigris oder in der Nähe des Flusses, trat der Kriegsrat wieder zusammen. Es galt festzulegen, auf welchem Wege man Molon

---

[1] Über die Gründe vgl. u. S. 177.
[2] Sie wurden wieder nach Medien gebracht (V 54, 8).
[3] Vgl. z.B. W. B. Fisher, The Middle East. A Physical, Social and Regional Geography ($^3$1956) S. 354ff. Die Durchschnittstemperatur liegt für das bereits den Bergen fernere Mossul im Januar bei etwa 5°, im Februar bei etwa 9° C, die niedrigste für Mossul gemessene Temperatur beträgt etwa —11° C.   [4] V 51, 1–2f.
[5] Für die durchschnittlichen Regenmengen bei Mossul vgl. Fisher a.a.O. S. 356f., s. auch u. S. 139. Ende Januar und im Februar ist die feuchteste Periode (Fisher S. 356). Der Tigris steigt im Durchschnitt im November 8 Feet über Niedrigwasser, im Dezember und Januar $8^1/_2$, im Februar $9^1/_4$, im März $9^1/_2$, im April $11^1/_2$ Feet, um von dann ab wieder zu sinken und im September-Oktober den niedrigsten Stand zu erreichen.
[6] Vgl. hierzu Karte 3.

angreifen solle und wie man das Heer in den zum Teil unwirtlichen Gegenden, durch die der Marsch führen würde, verpflegen könne. Es war unmöglich, für so viele Tausende Lebensmittel und vor allem Wasser mitzuführen. Molon befand sich damals in der Gegend von Babylon. Hermeias riet, am Tigris entlang zu ziehen und dabei den Tigris, den Lykos und den Kapros (Großer bzw. Kleiner Zab) als Schutzwehr zu gebrauchen. Auch jetzt fand seine Meinung Widerspruch, diesmal von seiten des Zeuxis, des Offiziers, der seinerzeit Molon am Flußübergang gehindert hatte (222) und nach der Katastrophe des Xenoitas mit den restlichen Truppen über Seleukeia hatte fliehen müssen. Zeuxis wies darauf hin, daß man auf dem an sich schon beschwerlichen Weg am Fluß entlang bis zum Königskanal[1] die letzten 6 Tagesmärsche durch Wüstenei zurücklegen müsse. Sei der Kanal vom Feind besetzt, so werde man sich durch die Wüste zurückziehen und dabei Mangel leiden müssen. Sein Gegenvorschlag war, den Tigris zu überschreiten und sich in die Apolloniatis zu werfen; die reiche Landschaft werde dem Heer alles Notwendige bieten, zumal die dortigen ὄχλοι dem Molon nur widerwillig gehorchten. Vor allem aber könne man Molon auf diese Weise von seiner Basis Medien abschneiden; er müsse sich dann zur Entscheidungsschlacht stellen oder aber seine Truppen würden zum König überlaufen[2]. Dieser Plan wurde angenommen: das Heer überquerte in drei Kolonnen den Fluß; Antiochos marschierte nach Dura, das von einem Feldherrn Molons belagert wurde, und entsetzte die Stadt ἐξ ἐφόδου; von dort zog er, ohne Ruhetage einzulegen, zum 'Oreikon', das am achten Tage überschritten wurde, und hinab nach Apollonia[3].

Als Molon erfuhr, daß der König gegen ihn heranzog, handelte er rasch. In Babylonien und Susiane konnte er den Kampf nicht wagen, da er sich auf die dortigen ὄχλοι nicht verlassen konnte. Um nicht von Medien abgeschnitten zu werden, ließ er über den Tigris eine Brücke schlagen und das Heer hinüberbringen, 'um, wenn möglich, noch vor dem Gegner die gebirgigen (oder steinigen)[4] Teile der Apolloniatis (τὴν τραχεῖαν τῆς Ἀπολλωνιάτιδος) zu besetzen; denn er vertraute auf die große Zahl der sogenannten kyrtischen Schleuderer'. In Eilmärschen ging es vorwärts; 'zu der gleichen Zeit, als Molon in die erwähnte Gegend kam, marschierte der König mit seinem gesamten Heer aus Apollonia aus; da geschah es, daß die von beiden Seiten ausgesandten εὔζωνοι an einem Paß zusammenstießen'. Soweit Polybios[5].

---

[1] Zur Lokalisierung vgl. F. W. WALBANK, Comm. I S. 582 (auf der Höhe von Seleukeia zwischen Euphrat und Tigris).

[2] V 51, 3—11.   [3] 52, 1—3.

[4] Zu τραχύς 'steinig' vgl. F. PFISTER, Die Reisebilder des Herakleides (SB. Wien 227, 2 [1949]) S. 135 (freundl. Hinweis von Prof. PFISTER).   [5] 52, 4—7.

Das strategische Ziel beider Parteien war es also, dem Gegner in der Besetzung der nach Medien führenden Wege zuvorzukommen. Molon wollte mit dem Rücken zu seiner Satrapie kämpfen, aus der er seine Hilfsquellen bezog, und sich notfalls dorthin zurückziehen[1]; Antiochos — oder richtiger Zeuxis — plante umgekehrt, ihn von Medien abzuschneiden und ihn zu zwingen, mit verkehrten Fronten zu kämpfen. Aus dieser Planung beider Gegner geht mit Wahrscheinlichkeit hervor, daß Molons Heer der königlichen Armee weit unterlegen war, da er es sonst auf eine offene Schlacht hätte ankommen lassen können.

Über den Weg, den Molon nehmen mußte, um nach Medien zu gelangen, gibt es keinen Zweifel: es ist die alte Königsstraße, die noch heute von den städtischen Zentren Babyloniens über Šahraban (in der Nähe des alten Artemita?), Qyzrobat, Chanikin, Qasr-i-Širin und Sarpul (Chala-Holwân) zu den Zagros-Toren und nach Hamadan (Ekbatana) führt[2]. Das Gelände hebt sich auf diesem Weg nur allmählich; zwischen Šahraban und Chanikin sind nur die verhältnismäßig flachen Rücken des Dschebel Hamrîn und des Sakaltutān zu überwinden, die 200 m ü. d. M. kaum übersteigen (der Paß des Sakaltutān ist 206 m hoch; nur an der Wasserscheide des Karaghandagh erreicht die Straße 268 m ü. d. M.). Zwischen Dschebel Hamrîn und Sakaltutān liegt die nach der Dijala offene Ebene von Qyzrobat, zwischen dem Sakaltutān und Chanikin die weite Ebene des Alwan, eines Nebenflusses der Dijala. Erst hinter Chanikin (204 m ü. d. M.) steigt die Straße rasch und steil an und erreicht bereits in der Gegend der irakisch-persischen Grenze (wo etwa auch die Grenze zwischen Apolloniatis und Medien verlaufen sein dürfte[3]), 395 m ü. d. M. Sarpul, das alte Holwan, nach dem die Kallonitis (Chalonitis) ihren Namen hatte, liegt bereits 615 m ü. d. M.[4]

Steinig (τραχύς) sind alle eben genannten Bergrücken, so daß mit ἡ τραχεῖα τῆς Ἀπολλωνιάτιδος die gesamte Gegend zwischen dem Dschebel

---

[1] Unwahrscheinlich die Interpretation von P. Pédech, REA 60 (1958) S. 72: 'il s' embusquera dans les montagnes du Kurdistan (τὴν τραχεῖαν τῆς Ἀπολλωνιάτιδος) pour surprendre en pleine marche l'armée de son adversaire' (von mir gesperrt).

[2] Über ihren Verlauf vgl. z. B. E. Herzfeld, Petermanns Mitteilungen 53 (1907) S. 49ff., bes. 51f. und Karte auf Tf. 5; dens., Archäol. Reise im Euphrat- u. Tigris-Gebiet (= Forschg. z. islam. Kunst, hg. v. F. Sarre) II (1920) S. 76ff.; F. Weissbach, RE X 2 (1919) Sp. 1925 f. s. v. Κάραι.

[3] E. Herzfeld, Memnon, Zeitschr. f. Kunst- u. Kulturgesch. d. Alten Orients, I (1907) S. 223, auf Grund von Berechnungen nach Isid. Charac. I 2. Später hat Herzfeld, auf Grund rein geographischer Überlegungen, den Sakaltutān als Grenze angenommen, ohne Gründe für die Verwerfung des ersten, plausiblen Ansatzes anzugeben (Archäol. Reise II S. 83).

[4] Beschreibung nach E. Herzfeld, Petermanns Mitt. a.a.O. Zur Chalonitis, die Polybios anscheinend bereits zu Medien rechnet (V 54, 7), vgl. E. Herzfeld, Memnon I (1907) S. 125; F. W. Walbank, Comm. I. S. 583.

Hamrîn und der Provinzgrenze von Medien gemeint sein kann. Aus strategischen Gründen ist es jedoch sehr wahrscheinlich, daß Molon vor allem die östlichsten Teile dieses Striches erreichen wollte, also die Gegend jenseits von Chanikin am Agh-Dagh[1]. Denn die breiten, zum Dijala-Lauf hin offenen Täler zwischen den flachen Höhenzügen hätten eine Umgehung des Gegners ermöglicht, so daß Molon, hätte er sich dort verschanzt, doch von Medien hätte abgeschnitten werden können. Jenseits von Chanikin wäre dies unmöglich gewesen. Sein Bestreben mußte es also sein, jene Gegend zu gewinnen, in der übrigens wohl auch die 'kyrtischen' (kurdischen?) Schleuderer beheimatet waren. Ebenso mußte natürlich Antiochos versuchen, dorthin zu gelangen, wenn er den Usurpator nicht entkommen lassen wollte.

Das Ziel des Königs wäre so mit Wahrscheinlichkeit bestimmt. Umso schwieriger ist es dagegen, die Route festzulegen, auf der der König dorthin gelangt ist bzw. gelangen wollte. Denn der ursprünglich wohl sehr ausführliche Quellenbericht liegt bei Polybios in sehr verkürzter Form vor[2]; und die Lage der wenigen Punkte an Antiochos' Marschweg, die noch überliefert sind — Libba, Dura und Apollonia —, ist unbekannt.

Libba ist von E. Herzfeld[3] mit Kalaat Šergat-Assur am Westufer des Tigris identifiziert worden; dort gibt es tatsächlich drei Furten durch den Fluß[4]. Dura ist nach Herzfeld das heutige Dur 'Arabāyā bei Eski Bagdad (nahe Samarra)[5], nach M. Streck[6] das weiter nördlich gelegene Dur (Imâm Dur), etwa 18 km südlich von Tekrît. Das Ὀρεϊκόν ist mit Herzfeld im Dschebel Hamrîn zu sehen, der in syrischen Quellen noch als Urukh auftritt[7]. Demnach wäre Antiochos bei Assur über den Tigris gegangen, an dessen Ostufer entlang südwärts über die Mündung des kleinen Zab hinweg bis Tekrît oder Samarrâ gezogen, von dort nach Südosten oder Osten abgebogen und über den Dschebel Hamrîn nach Apollonia marschiert[8]. Diese Stadt lag offenbar nicht an der großen Heerstraße Seleukeia-Ekbatana, da Isidor von Charax sie nicht als σταθμός nennt[9]; Herzfeld suchte sie zunächst am linken Ufer der Dijala, bei

---

[1] Dies scheint auch P. Pédech anzunehmen (vgl. o. S. 135 A. 1). [2] S. u. S. 180f.
[3] Memnon, S. 231 ff.; Archäol. Reise I (1911) S. 229. Ähnliche Lage nehmen M. Streck, ZA 20 (1907) S. 458 und Moritz, RE XII 1 (1924) s. f. Labbana Sp. 243 an. Vgl. die Angaben bei F. W. Walbank, Comm. I S. 581.
[4] E. Herzfeld, Memnon I S. 234.
[5] Memnon I S. 126; Archäol. Reise I S. 69 A. 1; 229.
[6] RE V 2 (1905) Sp. 1846 s. v. Dura I; vgl. F. W. Walbank, Comm. I S. 579; dagegen E. Herzfeld, Archäol. Reise I S. 69 A. 1.
[7] G. Hoffmann, Auszüge aus syr. Akten pers. Märtyrer. Abh. f. d. Kunde d. Morgenld. VII 3 (1880) S. 253f.; E. Herzfeld, Memnon S. 126. Die Identifizierung ist allerdings nicht völlig sicher. [8] Memnon S. 126.
[9] Mans. Parth. I 2; E. Herzfeld, Memnon, S. 125.

Binkudrah in der Nähe von Chanikin[1], später, ohne Angabe von Gründen, auf dem Baradan-tepe in dem Dreieck, das die Dijala mit dem Narin-tschai vor dessen Einmündung bildet[2], also rechts der Dijala. Einigermaßen sicher scheint nur zu sein, daß Apollonia nicht allzuweit vom Oreikon entfernt gewesen sein kann; dies legt jedenfalls die Formulierung χρησάμενοι δὲ κατὰ τὸ συνεχὲς ἐντεῦθεν ταῖς ἀναζυγαῖς ὀγδοαῖοι τὸ καλούμενον Ὀρεικὸν ὑπερέβαλον καὶ κατῆραν εἰς Ἀπολλωνίαν (Polyb. V 52, 3) nahe, wo Oreikon und Apollonia in enger Verbindung genannt werden. (Sollte dies freilich nur auf eine wahllose Verkürzung des Quellenberichts zurückzuführen sein, so entfällt praktisch jede Möglichkeit der Lokalisierung.)

Eine ganz andere Lokalisierung der Städte Libba und Dura und des Oreikon und damit eine völlig neue Marschroute sind neuerdings von P. Pédech vorgeschlagen worden[3]. Pédech hat eingewandt, bei Assur, also unterhalb der Mündung des Großen Zab (Lykos), hätte man nicht sagen können, daß neben Tigris und Kapros auch der Lykos als Schutzwehr dienen werde. Der Marsch am linken Tigrisufer aufwärts bis Samarrâ (nach Herzfeld) führe mindestens sechs Tage durch Wüste; so könne man also nicht sagen, daß der Vorschlag des Zeuxis angenommen worden sei (V 52, 1), denn Zeuxis habe doch gerade vor dem Wüstenmarsch gewarnt (51, 6—7) und geraten, sich sofort in die Apolloniatis zu werfen[4]. Schließlich betrage die Entfernung von Samarrâ bis in die Gegend von Karatepe nur etwa 150 km, wozu eine antike Armee nicht acht, sondern höchstens fünf Tagemärsche gebraucht haben würde[5]. Pédech sucht daher Libba, wie schon andere[6], in der Gegend von Ninive-Mossul, 'au carrefour de la Route Royale et le Tigre'. Dura identifiziert er mit dem ca. 25 km nordöstlich von Mossul liegenden Chorsabad, dem alten Dur-Šarrukin. Von hier aus sei Antiochos auf der Königsstraße über

---

[1] Memnon S. 125f.; Archäol. Reise I (1911) S. 69 A. 1; 229: Binkudrah in der Nähe der Mündung des Schirwan in die Dijala. Danach R. Kiepert, FOA Blatt V und Text S. 7.

[2] Arch. Reise II (1920) S. 83. Der Grund war wohl lediglich, daß Polyb. V 52, 3 Apollonia näher am Oreikon vermuten läßt. C. Ritter, Erdkunde IX (1840) S. 513 hatte Apollonia noch weiter nördlich bei Karatepe gesucht. P. Pédech, REA 60 (1958) S. 72 folgt der zweiten Lokalisierung Herzfelds, argumentiert aber S. 71 mit Karatepe. — Mit den Angaben des Ptolemaeus ist wenig anzufangen; sie sind hier wie meistens ungenau.

[3] REA 60 (1958) S. 67—73.     [4] Ebd. S. 69—71.

[5] S. 71 unter Berufung auf Herod. V 53.

[6] C. Th. Fischer in C. Müllers Ptolemaeus-Ausgabe (b. Firmin-Didot) I 2 (1901) S. 1006; Tabulae (1901) Tf. XXXVI (unter Lambana oder Labbana); H. Kiepert, Atlas antiquus, tab. IV; E. R. Bevan, Seleucus I S. 307 A. 1; F. Stähelin, RE XVI 1 (1933) Sp. 11 s. v. Molon (5). — Chr. Cellarius, Notitiae orbis antiqui (2. Aufl., hg. v. L. J. C. Schwartz, Leipzig 1773) II S. 623, suchte Libba nahe bei Nisibis im Südosten dieser Stadt; J. Schweighäuser, Bd. VI S. 215 in größerer Entfernung im Nordosten von Nisibis.

Arbela am Fuß der kurdischen Berge entlang nach Apollonia gezogen (PÉDECH sucht diese Stadt mit HERZFELDS zweiter Lokalisierung in Baradan-tepe). Das Oreikon könne bei dieser Route nur mit dem Dschebel Tasak identisch sein, 'qui dépassent six cent mètres au nord de Kifri'.

Nun ist freilich der Verlauf der 'Königsstraße' (die ja keineswegs die einzige ihres Namens war) im Osttigrisland völlig unbekannt. Herodot (V 52) gibt für die Route zwischen Euphratübergang und Susa ganz allgemeine Angaben; vermutlich besaß er gar keine detaillierteren Unterlagen. Immerhin ist es wahrscheinlich, daß die Straßenführung etwa mit der heutigen Linie Mossul — Kelek (Gr. Zab) — Arbela — Altynköprü (Kl. Zab) — Kerkuk — Taûk — Kifri identisch war und ungefähr bei Chanikin in die Straße Bagdad — Ekbatana (s. o.) einmündete[1]. Diese Route verläuft vom Übergang über den kleinen Zab bei Altynköprü ab in einigermaßen sanft ansteigenden Nebentälern des Kleinen Zab und von Kirkuk ab stets in der steinigen, aber verhältnismäßig flachen Landschaft am Fuß der kurdischen Berge. Größere, isolierte Bodenerhebungen sind offenbar nirgends zu überwinden. Gerade diese Beschaffenheit fordert aber m. E. der Text Polyb. V 52, 3; wenn er trotz der offenkundig starken Raffung die Überschreitung (ὑπερέβαλον) des Oreikon erwähnt, muß es sich um eine — im Vergleich zur umgebenden Landschaft — nicht unbedeutende Erhebung gehandelt haben. Für den Dschebel Hamrîn und eine West-Ost-Route trifft dies zu, nicht aber für die Bergzüge, die, wie der Dschebel Tasak, dem nördlichen Zagros vorgelagert sind: diese werden von der Straße nirgend 'überschritten'[2]. Die Lokalisierung des Oreikon durch PÉDECH ist also unhaltbar.

Dazu kommt, daß die Strecke von Chorsabad bis etwa Kifri oder gar bis zu der Gegend, wo man Apollonia vermutet, von einem antiken Heer der errechneten Größenordnung (vgl. o. S. 133) nicht in acht Tagen zugelegt werden konnte. Von Chorsabad bis Baradan-tepe sind es mindestens 350 km, bis Binkudrah mindestens 325 km; das würde bei einem

---

[1] H. KIEPERT, Monatsber. d. Kgl. Preuß. Akad. Berlin 1857, S. 137f. nahm an, daß die Straße 'längs der höher gelegenen fruchtbaren Längenthäler' zwischen den Vorketten des Zagros über Suleimania nach Holwân gelaufen sei. Die Herodotkommentare schreiben das bis heute einhellig nach. F. JUSTI, im Grundriß d. iran. Philologie (hg. v. GEIGER und KUHN) II (1896—1904) S. 475, läßt die Straße in der Ebene über Kifri und Kerkuk laufen, die er mit Mennis und Korkura gleichsetzt, was mindestens für Kerkuk unzulässig ist (der Name ist erst später durch Zusammenziehung entstanden). Bei den arabischen Geographen ist eine Route im Osttigrisland nirgends beschrieben.

[2] Den folgenden Ausführungen ist die amerikanische Weltkarte 1:500000 (Blätter Mosul, Kirkuk und Bagdad) zugrundegelegt. — PÉDECH macht es sich zu leicht, wenn er ὑπερέβαλον übersetzt: 'l'armée ... atteignit (!) l'Oreicon' (S. 71) oder 'Antiochus suit donc la route ... au pied des montagnes' (S. 72; von mir gesperrt). Für ὑπερβάλλειν (-εσθαι) vgl. z. B. Polyb. IV 48, 6. 8; V 40, 6; 107, 4; 109, 5 (immer τὸν Ταῦρον).

mittleren Tagesmarsch von 25 km mindestens 13–14 Tagesetappen bedeuten. Selbst die rund 265 km von Chorsabad nach Kifri, wo PÉDECH die 'Berührung' (wie er 'übersetzt') des Dschebel Tasak vermutet, hätten ca. 10–11 Tagesmärsche erfordert. Aber selbst 25 Tageskilometer dürften für die Jahreszeit, in der der Marsch erfolgte, noch zu optimistisch sein: um die Mitte des Februar ist, wie schon erwähnt, in jener Gegend die Zeit der größten Regenfälle, die für Mosul in diesem Monat immerhin im Durchschnitt etwa 75 mm betragen[1]; die Geleisestraßen an den Ufern der beiden großen Flüsse sind dann mehrere Wochen lang unbenützbar[2]. Im steinigen Bergland mag das besser sein; aber wie ein Heer von vielen Tausenden, dazu Elefanten und Troß die Wege zurichten mußten, ist leicht vorstellbar. Dazu kommt, daß die Armee auf dieser Route den Großen (Lykos) und Kleinen Zab (Kapros) hätte überschreiten müssen, zwei in ihrem Oberlauf tiefe, reißende Flüsse, die gerade um diese Zeit rasch anschwellen und schwer zu überwinden sind, wie Reiseberichte aus der Zeit der Türkenherrschaft immer wieder melden[3]. Herodot sagt von ihnen, daß sie nur zu Schiff überschritten werden könnten[4]; ob zu Antiochos' Zeit Brücken über sie führten, ist mindestens fraglich[5]. Ein großes Heer auf Booten oder Kelleks über die raschfließenden Ströme zu setzen, dürfte viel Zeit beansprucht haben, von den vielen kleinen Gewässern, die von den Bergen herabkommen, ganz zu schweigen. Max FREIHERR VON OPPENHEIM[6] schreibt von dieser Straße: 'Im Winter und Frühjahr wird der Weg Tage, selbst Wochen lang durch das rapide Schwellen der starken, von den östlichen Gebirgen ... zuströmenden Nebenflüsse gesperrt.' Kurzum, in 8 Tagen hätte das Heer des Königs allenfalls bis Kirkuk kommen können (ca. 180 km); aber dort ist, wie gesagt, keine nennenswerte Höhe zu überschreiten, die mit dem Oreikon zu identifizieren wäre. Auch wäre dann Apollonia in der Nähe von Kirkuk, etwa in der Gegend von Taûk zu suchen, da es nicht weit vom Oreikon gelegen zu haben scheint (s. o.). Doch dann lägen zwischen der Stadt und der großen West-Ost-Route Seleukeia-Ekbatana, wo der König mit Molon

---

[1] W. B. FISHER, The Middle East (³1956) S. 356f.   [2] ebd. S. 369.

[3] Vgl. z. B. Baron Emil NOLDE, Reise nach Innerarabien, Kurdistan und Armenien, 1892 (ersch. 1895) S. 178ff., 188ff.

[4] V 52, 4: ποταμοὶ δὲ νηυσιπέρητοι ... τοὺς πᾶσα ἀνάγκη διαπορθμεῦσαί ἐστι.

[5] Xenophon fand Brücken über den Tigris und den Physkos (= Adhem?): Anab. II 4, 17ff. 25. Der kleine Zab ist erst spät von den Türken überbrückt worden (vgl. E. NOLDE a.a.O.); über den Großen Zab mußte man noch lange mit Kelleks übersetzen. Von Alexanders d. Gr. Übergang über den Lykos heißt es einfach 'διαβάς' (Arrian. anab. III 15, 4); aber das war am 1. Oktober, zur Zeit des niedrigsten Wasserstandes. Nach Curt. IV 16, 8 gab es eine Brücke. Schiffsbrücken halten jedoch dem Hochwasser selten stand; vgl. C. RITTER, Erdkunde XI (1844) S. 192f. Zudem ist es fraglich, ob Curtius Rufus zuverlässig ist.   [6] Vom Mittelmeer zum Persischen Golf II (1900) S. 193.

zusammenstieß, etwa 130 km, also etwa 6 Tagemärsche; und das ist mit Polyb. V 52, 7 nicht vereinbar: ἅμα δὲ τοῦ Μόλωνος συνάπτοντος τοῖς προειρημένοις τόποις καὶ τοῦ βασιλέως ἐκ τῆς Ἀπολλωνίας ὁρμήσαντος ... συνέβη τοὺς ... εὐζώνους ἅμα συμπεσεῖν ἐπί τινας ὑπερβολάς. Denn diese Stelle scheint doch wiederum dafür zu sprechen, daß Apollonia nicht allzuweit von dem Ort des Zusammentreffens entfernt gewesen sein kann.

Weiterhin: wäre, wie PÉDECH annehmen muß, alles Land bis Chorsabad bereits von Molons Truppen besetzt gewesen, so wäre der gesamte Marsch vom Tigrisübergang ab durch feindliches Gebiet gegangen; doch davon wird nichts gesagt. Und schließlich wäre es erstaunlich, wenn bei der unleugbaren Raffung des Marschberichtes die Übergänge über Lykos und Kapros (die doch eben noch genannt worden waren) und der Marsch über die auch im Altertum aus Alexanders Feldzug wohlbekannte Stadt Arbela verlorengegangen und nur die Überschreitung des Oreikon übrig geblieben wäre. Polybios (oder einer Zwischenquelle) wird hier eine sehr unvernünftige Auswahl zugetraut. Vielmehr scheint doch die kurze Routenangabe nahezulegen, daß der Marsch durch verhältnismäßig unbekanntes Gelände ging und die Stationen Oreikon und Apollonia die einzigen bedeutenden Markzeichen bildeten, was ja für die von HERZFELD angenommene Route zutrifft.

Die Lokalisierungen und der Marschverlauf, die PÉDECH vorgeschlagen hat, sind also nicht annehmbar. Wie steht es aber mit seinen Angriffen gegen HERZFELDS Route?

Da wird behauptet, die Beratung über die einzuschlagende Route könne unmöglich bei Assur stattgefunden haben, denn mit dem Marsch dorthin sei die Entscheidung praktisch bereits gefällt worden (S. 70). Das ist unzutreffend, was die Linienführung betrifft; denn die Luftlinienverbindung zwischen Nisibis und der mittleren Dijala läuft genau durch Assur, über die Piste Nisibis-Hatra, die aus den antiken Routenwerken bekannt ist. PÉDECH meint freilich vor allem eine Vorentscheidung zugunsten des Wüstenmarsches: 'Zeuxis ne peut pas dire que l'on aura six étapes à faire dans le désert; or Assur est déjà dans la Djézireh, la steppe mésopotamienne, ou l'eau est rare.' Daran ändert sich nichts, wenn man Libba 100 km weiter nördlich, bei Mossul ansetzt; denn die ὁδὸς ἔρημος ἡμερῶν ἕξ bis zum Königskanal kann allenfalls von Samarrâ (Luftlinie 125 km) oder Tekrît (Luftlinie 175 km) an gerechnet sein; so würde sich lediglich die 'bonne distance' (διανύσαντες ἱκανοὺς τόπους) verlängern, die bis zum Beginn des 'Wüstenmarsches' zurückzulegen war. Tatsächlich liegt die Grenze zwischen Steppe und Wüste, wenigstens heute, nördlich Tekrît[1]. Bis dorthin konnte das Heer

---

[1] R. GRADMANN, Die Steppen des Morgenlandes. Geogr. Abh. III. R. H. 6 (1934) S. 54.

seine Vorräte leidlich ergänzen; Wasser steht in der Steppe in der Regenzeit in erträglichem Maß zur Verfügung, und bei den Nomaden konnte man Schafe requirieren. Von Tekrît ab war man allenfalls auf die Vorräte in den wenigen Ortschaften am Flußufer angewiesen; vor allem aber — und das ist die wahre Pointe in Zeuxis' Argumentation — zweigte der direkte Weg zum Königskanal etwa bei Samarrâ vom Tigris ab und führte geradewegs nach Süden, durch ein Gebiet, in dem es auch heute weithin keine Ortschaften gibt[1]. Also 6 Tage ohne die Möglichkeit, die mitgeführten Lebensmittel zu ergänzen; würde man am Königskanal zum Rückzug gezwungen, so war der gleiche Weg noch einmal zurückzulegen, und nun würde sich der Lebensmittelmangel empfindlich spürbar machen. Auch auf der von Zeuxis vorgeschlagenen Route waren wohl Durststrecken zu überwinden (allerdings wissen wir nicht, ob nicht damals die Gegend zwischen Tigris und Dschebel Hamrîn besser bewässert und damit fruchtbarer war); aber am Ende des Marsches winkte eine reiche Landschaft, mit deren Vorräten man das erschöpfte Heer wieder stärken und die dezimierten Proviantvorräte wieder ergänzen konnte; auch stand so — statt des wahrscheinlichen Mißerfolges am Königskanal — ein strategisch wichtiges Ergebnis in Aussicht[2].

Rätselhaft bleibt das dem Hermeias zugeschriebene Argument, beim Marsch am rechten (westlichen) Tigrisufer werde man durch den Tigris und seine östlichen Nebenflüsse Lykos und Kapros geschützt sein (V 51, 4): Molon stand ja tief im Süden in der Gegend von Babylon (51, 3)! Diese Stelle hat schon viel Kopfzerbrechen verursacht; REISKE meinte, Polybios habe geglaubt, die beiden Nebenflüsse mündeten von Westen in den Tigris[3]. SCHWEIGHÄUSER, der Libba im Nordosten von Nisibis,

---

[1] Diese Beschaffenheit — 'unbewohnt' — meint ἔρημος hier ebenso wie bei Xenophons Beschreibung der Route am östlichen Tigrisufer aufwärts (Anab. II 4, 27f.). Auf einem solchen Abkürzungsweg auf der Sehne des Tigrisbogens (der damals flacher war als heute) verirrte sich im Juni 363 n. Chr. die Armee Julians (vgl. J. BIDEZ, Julian der Abtrünnige [o. J.] S. 345).

[2] Es ist auch nicht richtig, daß der Marsch am linken Tigrisufer bis Dura praktisch eine Verwirklichung des Planes des Hermeias bedeutete (S. 70): der Kern von Hermeias' Projekt war ja der Marsch zum Königskanal, der nach Zeuxis' Worten etwa von dort ab gefährlich wurde, wo man dann tatsächlich den Tigris verließ: auf der Höhe von Samarrâ. Auch ist die Behauptung unrichtig, daß man es versäumt habe, sich sofort in die Apolloniatis zu werfen (ebd.): wenn auch die Satrapieneinteilung im Osttigrisland sehr unklar ist, so ist es doch wahrscheinlich, daß der Nordteil (d. h. die Arbelitis) und der Uferstreifen noch zu Mesopotamien, der Südteil (d.h. die Apolloniatis) zu Babylonien gehörte. Man mußte also auf jeden Fall anderes Gebiet durchqueren, bevor man in die Apolloniatis kam, die sicher nicht so weit nördlich reichte, wie PÉDECHS Karte angibt. Vgl. dazu o. S. 33 u. A. 4. Jedenfalls beträgt der Umweg von Assur über Samarrâ nach der mittleren Dijala kaum mehr als 2 Marschtage gegenüber der direkten Linie.

[3] S. J. SCHWEIGHÄUSER, Bd. VI S. 216.

also wohl bei Sapphe (Dschezireh-ibn-Omar) suchte, erklärte es folgendermaßen: Hermeias habe erwartet, daß Molon nicht in der mesopotamischen Wüste, sondern auf der Ostseite des Tigris entgegenziehen werde und daher erst Kapros, Lykos und Tigris überschreiten müssen, bevor er Antiochos in dessen linker Flanke angreifen könne[1]. Aber selbst vorausgesetzt, daß Hermeias die wahren Entfernungen kannte — die Mündungen der beiden Zab mußten längst passiert worden sein, bevor Molon auf dem Ostufer herangezogen sein konnte.

Pédech glaubt die Lösung der Frage finden zu können, indem er den fraglichen Satz dem Zeuxis zuweist. Von Osten sei kein Angriff zu erwarten gewesen (S. 70); also könne Hermeias dieses Argument gar nicht benutzt haben[2]. 'L'historien qui a servi de source à Polybe a prêté à Hermeias un argument de Zeuxis, et Polybe, qui ne connaissait pas le pays, n'a pas rectifié' (S. 71). Nur zu dem Umgehungsplan des Zeuxis passe die Idee, daß die beiden Zab die vorrückende Armee schützen könnten: 'car Molon opère dans la Babylonie, et toute attaque sur le flanc droit d'Antiochus lui sera interdite par les entailles abruptes de ces deux rivières' (ebd.). Aber wieder ist zu sagen, daß Lykos und Kapros längst überschritten gewesen wären, bis Molon von Babylon hätte herankommen können; vorausgesetzt jedenfalls, daß man Molons Standort wirklich so genau kannte.

Ein so harter Eingriff in den Text ist denn auch nicht notwendig. Hermeias konnte durchaus einen Angriff von Osten befürchten; denn ohne Zweifel standen auch im Osttigrisland Truppen des Molon[3], gegen die er die linke Flanke des Heeres durch den Tigris schützen wollte. Vielleicht hat die Quelle, die ständig bemüht ist, ihn der Feigheit und Unerfahrenheit zu zeihen[4], in seiner Argumentation auch noch die beiden Zab eingesetzt, um ihn so als ausgemachten Hasenfuß hinzustellen, im Gegensatz zu dem kühnen Vorschlag des erfahrenen Zeuxis.

Vielleicht sind aber auch nur die mangelhaften geographischen Vorstellungen des Hermeias verantwortlich zu machen (im Gegensatz zu der Kenntnis des Landes, die bei Zeuxis festzustellen ist). Zweifellos lagen dem 'Kanzler' Routenkarten vor; und es ist fraglich, ob diese wesentlich genauer waren als etwa die Tabula Peutingeriana oder die Karten in den

---

[1] Ebd. Anstoß an der Stelle nahm auch E. R. Bevan, Seleucus I S. 307 A. 2.

[2] Pédech hat nicht gemerkt, daß er mit seiner Lokalisierung von Libba und Dura dieses Argument selbst entkräftet hat: wenn bei Chorsabad (und dann sicher auch an anderen Punkten südlich davon) Truppen Molons gestanden hätten, so wäre die königliche Armee ja vom Osten her bedroht worden!

[3] Vielleicht meint τῶν κατὰ τὴν Ἀπολλωνιᾶτιν χώραν ὄχλων (51, 8) doch 'Soldaten', nicht 'Bevölkerung' (so E. R. Bevan, Seleucus I S. 307; F. W. Walbank, Comm. I S. 582): die eingeborene Miliz, die Molon unter seine Fahnen gezwungen hatte?

[4] S. u. S. 150; 176.

Ptolemaeus-Handschriften. Diese Karten sind zwar in den Entfernungsangaben längs der einzelnen Routen recht genau (die Straßen waren ja durch Bematisten vermessen); aber die Linienführung der Routen gegeneinander ist oft hoffnungslos verschoben, da keine trigonometrische Vermessung vorlag. So zeigt z.B. die Karte des Ptolemaeus-Manuskripts des Vatopedi-Klosters[1] die Mündungen der beiden Zab und der Dijala eng zusammengedrängt in der Nähe Ktesiphons; die Nebenflüsse fließen nahezu von Nord nach Süd, fast parallel zum Tigris. Auf Grund einer Karte solcher Art konnte Hermeias leicht die Anschauung gewinnen, die beiden Zab hinderten die im Osten (d. h. in Wahrheit im Südosten) stehenden Truppen Molons an einem Angriff auf die Flanke des Heeres.

Jedenfalls sind PÉDECHS Aussetzungen nicht zwingend genug, um HERZFELDS Lokalisierungen völlig umstoßen zu können. In Einzelheiten wird man freilich zweifeln müssen. So ist die Lage des belagerten Dura weiterhin fraglich, zumal der Name in Ländern semitischer Sprache häufig vorkommt[2]; die Stadt kann weiter nördlich liegen oder auch tiefer im Landesinnern; nirgends wird ja behauptet, daß sie am Tigrisufer gelegen habe. Auch das Problem der Lokalisierung Apollonias ist noch ungelöst. Festzuhalten ist aber an der Identifizierung des Oreikon mit dem Hamrîn, da dieser, wie gesagt, in der in Frage kommenden Gegend die einzige größere, isolierte Bodenerhebung ist und da sein Name mit Wahrscheinlichkeit im syrischen Urukh der Märtyrerlegenden fortlebt.

Auch die Angabe der Marschzeit (8 Tage) läßt sich mit dieser Route durchaus vereinbaren. Für die rund 150 km vom Tigris bis über den Dschebel Hamrîn kann ein großes Heer bei den oben beschriebenen Witterungs- und Straßenverhältnissen ohne weiteres acht Tage gebraucht haben.

Die Schlacht

Molon hatte sofort den Befehl zum Aufbruch gegeben, als er vom Herannahen des Königs erfuhr. Ob der Usurpator den strategischen Plan des gegnerischen Heeres erkannte, ist unklar: jedenfalls bekam er von dem vor Dura vertriebenen Kommandeur die Nachricht, daß Antiochos östlich des Tigris stehe. Bis zum Abmarsch wird mindestens ein Tag vergangen sein; denn Molons Heer stand vermutlich noch im Winterlager, da mit einem Angriff in der Regenzeit wohl niemand gerechnet hatte. In Eilmärschen gelangte er in die τραχεῖα τῆς Ἀπολλωνιάτιδος. Dort stießen

---

[1] Rekonstruktion der Vorstellungen des Ptolemaeus auf E. HERZFELDS Karte, Memnon I (1907) nach S. 238.
[2] Vgl. bereits J. SCHWEIGHÄUSER, Bd. VI S. 212; P. PÉDECH S. 72.

die den Heeren vorausgeschickten leichten Truppen unvermutet auf einer Höhe zusammen (offenbar hatte also keiner der Gegner Kenntnis vom Standort des andern gehabt). Aus dem Geplänkel der Vorhuten entwickelte sich keine Schlacht; die gegnerischen Armeen verbrachten die Nacht etwa 40 Stadien (ca. 7 km) von einander entfernt, am Fuß der Erhebung, auf der der erste Zusammenstoß erfolgt war. Molon unternahm in der Nacht den Versuch, den Feind mit Elitetruppen von der Höhe aus anzugreifen, mußte den Plan aber aufgeben, da er ihn durch Überläufer verraten sah (V 52, 4—14). Am frühen Morgen stellte der König sein Heer auf; es kam zur Schlacht.

PÉDECH (S. 73) sucht die ὑπερβολαί, auf denen die Vorhuten zusammentrafen (V 52, 7), in der Fortsetzung des Dschebel Hamrîn südlich des Dijala-Durchbruches[1]; die beiden Lager seien während der Nacht durch die Hügelkette getrennt gewesen; Antiochos habe in aller Frühe die Höhe überquert und seine Armee am Fuß der Kette aufgestellt[2], also bei Molons Lager. Die Schlacht sei also zwischen den Hügeln und dem rechten Ufer des Nahr Baladruz, eines linken Nebenflusses der Dijala, geschlagen worden. Antiochos wäre demnach von Apollonia über die Dijala nach Südosten vorgestoßen, d. h. vermutlich in Richtung auf den Tigris.

Das wäre strategisch bedenklich gewesen, da es möglicherweise den Erfolg des Umgehungsmanövers in Frage gestellt hätte. Antiochos wußte, wie wir gesehen haben, nicht, wo der Gegner stand; wenn er von den kurdischen Vorbergen in die Ebene hinabstieg, so lief er Gefahr, daß Molon sich hinter den Tigris zurückzog und daß sich die Situation des Jahres 222 wiederholte, nur mit umgekehrten Fronten (vgl. o. S. 129f.).

Es läßt sich auch zeigen, daß die Lokalisierung falsch ist. Die felsigen Rücken des Hamrîn und seiner südlichen Fortsetzung sind dort breiter als 7 km; Baron NOLDE schätzte die Breite nördlich der Dijala auf der Strecke Delli Abbas — Karatepe auf etwa 20 km[3]. Es wird auch nirgends gesagt, daß die Höhe zwischen den beiden Heeren lag oder daß Molon in der Nacht oder der König am Morgen die Höhen überquert hätten. Vielmehr dürften sich die beiden Lager unterhalb zweier aneinander

---

[1] PÉDECH nennt diese Hügelkette Qyrmyzy-dereh (vgl. seine Karte). Nach der Routenbeschreibung E. HERZFELDS, Petermanns Mitt. 53 (1907) Tf. 5 ist aber der Qyrmyzy-dereh eine Erhebung, die von der Straße noch vor dem südlichen Ausläufer des Hamrîn überquert wird.

[2] Beweis dafür soll sein, daß Polybios sage, 'que la sortie des troupes de Molon hors du camp ne se fit pas sans peine'. V 53, 7: Μόλων δὲ δύσχρηστον μὲν ἐποιήσατο τὴν ἐξαγωγήν, ταραχώδη δὲ καὶ τὴν ἔκταξιν διὰ τὴν ἐν τῇ νυκτὶ προγεγενημένην ἀλογίαν. Die Disziplin der Truppen war gestört, weil sie bei Molons Rückkehr in der Nacht einen feindlichen Angriff vermutet hatten (52, 12—14).

[3] A.a.O. (s. o. S. 139 A. 3) S. 147.

angrenzender Seiten des Höhenzuges, etwa an der West- (Molon) bzw. Nordseite (Antiochos) befunden haben[1]; Molon περιήει κατά τινας τόπους, θέλων ἐξ ὑπερδεξίου ποιήσασθαι τὴν ἐπίθεσιν (V 52, 10); d. h. wohl: statt am Fuß entlang zu marschieren, schlich er durch die höhergelegenen Felsformationen, um von oben herab aufs feindliche Lager hinabzustoßen, so wie wohl oft genug kurdische Räuber, die sich mit Vorliebe in den felsigen Bergrücken versteckten, noch im 20. Jahrhundert Handelskarawanen angegriffen haben.

Diese Beobachtung wie auch die strategischen Vorteile legen es nahe, daß Antiochos nicht auf dem Wege zum Tigris war, sondern immer noch auf dem Marsch nach Südosten, in Richtung auf Chanikin, wo er den Aufgang zur Chalonitis und zu den Zagrospässen sperren konnte; d. h. die beiden Heere hatten das gleiche Ziel; sie stießen nicht frontal, sondern von der Seite aufeinander. Dies könnte etwa an dem flachen Sakaltutān (s. o. S. 135) geschehen sein; so wäre Molon von Südwesten, vom heutigen Qyzrobat, Antiochos von Norden, von Apollonia über die Dijala gekommen; Molons Lager hätte sich am Westufer, das königliche Lager am Nordfuß des Höhenrückens befunden, und die Schlacht hätte in der Ebene von Qyzrobat stattgefunden[2].

Von der Schlacht selbst hat uns Polybios zwar die Aufstellung (V 53, 2—11) der Formationen überliefert, aber leider nicht die Truppenstärken und Verlustziffern. Es darf angenommen werden, daß das Heer des Königs stark überlegen war[3], was sich nur in offener Schlacht, nicht aber in einem Stellungskrieg am Tigris oder am Königskanal hätte auswirken können; deshalb ja auch das Bemühen des Zeuxis, Molon zur Schlacht zu stellen.

Der linke Flügel des königlichen Heeres mit der Phalanx stand unter zwei Kommandeuren (Hermeias und Zeuxis), ein nicht seltener Brauch; so wurde auch bei Raphia (217 v. Chr.) die syrische Phalanx Nikolaos und Theodotos Hemiolios, die ptolemäische Andromachos und Ptolemaios,

---

[1] An der südlichen Fortsetzung des Hamrîn ist eine solche Verteilung der Lager wohl unmöglich, da die Dijala dort die Bergkette in engem Durchbruch durchstößt.

[2] Zeitlich ist dies durchaus möglich. Von Dura aus zog Antiochos 8 Tage zum Oreikon, von dort aus noch etwa 1 Tag nach Apollonia, wo er seinen Truppen sicher einen Tag zum Ausruhen und zur Verproviantierung einräumen mußte, wenn er sie nicht erschöpft in die Schlacht schicken wollte (sie waren ja seit Nisibis beinahe ununterbrochen unterwegs, das sind ca. 500 km). Von Dura zum Ort des Zusammentreffens brauchte er mindestens 8 + 1 + 1 + 1 = 11 Tage. Spätestens bei Dura bekamen Molons Leute Kenntnis von Antiochos' Herannahen; von der Gegend von Samarrâ konnte die Nachricht über Relaisstationen reitender Boten spätestens in 2 Tagen in Babylon sein. 1 Tag ging wohl für die Rüstung zum Abmarsch verloren; die rund 200 km von Babylon bis zum Sakaltutān konnte Molons ausgeruhtes Heer in Eilmärschen in ca. 8 Tagen zurücklegen, macht zusammen 11—12 Tage. [3] S. u. S. 177.

Sohn des Thraseas, unterstellt[1]. Eine solche Maßnahme war nicht unnötig, da die Front einer Phalanx trotz der 16 Mann tiefen Staffelung sehr langgezogen war. Reserveeinheiten der Infanterie und Kavallerie stellte Antiochos hinter den Flügeln auf, um mit ihnen den Gegner nach dem Zusammenprall der beiden Fronten umfassen zu können[2].

Die Herkunft der Soldaten des Königs läßt sich recht genau eruieren. Die Hetairenreiterei bestand aller Wahrscheinlichkeit nach zum größten Teil aus Makedonen[3], ebenso wohl die Phalanx[4]; die Infanterie des rechten Flügels bestand aus griechischen und galatischen Söldnern sowie kretischen σύμμαχοι. Der Anteil der Orientalen am königlichen Heer war also wohl gering; es handelte sich um den Kern des Reichsheeres. Für Molons Truppen besitzen wir keine so eingehenden Angaben: seine schweren Streitkräfte werden als θυρεαφόροι, Γαλάται καὶ καθόλου τὰ βαρέα τῶν ὅπλων bezeichnet (53, 8); auch hier wird man vor allem an Söldner, daneben freilich auch an griechische und makedonische Katöken denken müssen. Hingegen dürften sich die Reiterei und die τοξόται, σφενδονῆται καὶ συλλήβδην τὸ τοιοῦτο γένος (53, 9) großenteils aus Einheimischen zusammengesetzt haben; von den Schleuderern ist dies ausdrücklich bezeugt (52, 5), und die Bogenschützen werden vor allem Perser gewesen sein[5]. Molon hat wohl in beträchtlichem Maße auf Orientalen zurückgreifen müssen.

Die Schlacht selbst scheint nur ganz kurze Zeit gedauert zu haben; denn während Molons rechter Flügel der königlichen Phalanx standhielt, liefen seine Truppen am linken Flügel sofort über, als sie den König erblickten. Dadurch wurde binnen kurzem auch die Moral der Soldaten am rechten Flügel Molons gebrochen; sie flohen, und Molon, dem keine Hoffnung mehr blieb, gab sich den Tod, um wenigstens den Martern zu entgehen, die einen gefangenen Empörer nach dem grausamen orientalischen Brauch erwarteten[6].

Auch seine vornehmsten Anhänger flohen vom Schlachtfeld in ihre

---

[1] Polyb. V 83, 3.

[2] Polyb. V 53, 5. Auffällig ist, daß Antiochos nur 10 Elefanten mit sich führte; in der Schlacht bei Raphia (217 v. Chr.) verfügte er über 102 (Polyb. V 79, 13). Offenbar blieb also 221/20 der größte Teil dieser Tiere in den königlichen Ställen in Apameia oder war in der Grenzsicherung gegen das Ptolemäerreich eingesetzt.

[3] F. W. WALBANK, Comm. I S. 583.

[4] Der Phalanx in der Schlacht von Raphia (V 79, 5: 20000 Mann) standen 10000 Mann ἐπίλεκτοι aus dem ganzen Reich in makedonischer Bewaffnung zur Seite (79, 4). Teilweise dürften der Phalanx allerdings auch Orientalen angehört haben; vgl. M. LAUNEY, Rech. sur les armées hellén. I (1949) S. 96; F. W. WALBANK, Comm. I S. 608.

[5] Vgl. allg. G. T. GRIFFITH, Mercenaries of the Hellenistic World (1935) S. 143. Persische Bogenschützen bei Raphia: Polyb. V 79, 6; dazu WALBANK a. a. O.

[6] V 54, 1—4; vgl. die Hinrichtung des Achaios, VIII 21, 3.

Heimat, wo sie ihrem Leben ein Ende setzten. Molons Bruder Neolaos, der den linken Flügel kommandiert hatte, eilte in die Persis, wo sich am Hof des Satrapen Alexandros auch die Mutter der Brüder und Molons Kinder aufhielten. Auf die Hiobspost vom Mißlingen des Aufstandes hin endete der ganze Clan durch Selbstmord[1]. Molons Leiche wurde in der Chalonitis, am Aufstieg zu den Zagrospässen, gepfählt[2]. Der König gab das Lager der Aufrührer zur Plünderung frei; dann rief er die Gefangenen zusammen und hielt ihnen in längerer Rede ihre Untreue vor. Schließlich verzieh er ihnen aber und ließ sie nach Medien zurückmarschieren, unter der Führung bewährter Offiziere, die die abgefallene Satrapie wieder für die Zentralmacht übernehmen sollten[3].

Ordnungsmaßnahmen

Der König nahm Residenz in Seleukeia im Tigris, das einige Monate lang Hauptstadt des Usurpators gewesen war, und begann die Schuldigen zu bestrafen und die Verwaltung der wiedergewonnen Gebiete zu ordnen. Hermeias verfolgte die Anhänger Molons in Seleukeia hart; er legte der Stadt eine Strafsumme von 1000 Talenten auf, verbannte die Peliganen (den Rat der Stadt[4]), und wütete mit Hinrichtungen und Martern — jedenfalls erzählt dies Polybios. Offenbar hatte die Stadt also bereitwillig mit Molon kollaboriert. Dabei ist allerdings wohl nicht an einen Aufstand bestimmter Bevölkerungsschichten gegen die königstreuen Funktionäre im J. 221 zu denken[5]; die 'Verfehlung' der Seleukeer bestand wohl zunächst darin, daß sie nach dem fluchtartigen Abzug der königlichen Truppen unter Zeuxis und dem Epistaten Diomedon ohne Gegenwehr die Tore öffneten[6]; dann aber scheinen die reichen Handelsherren der Stadt doch mehr oder minder freiwillig den Usurpator materiell unter-

[1] V 54, 5.
[2] V 54, 6—7; zu ἀνασταυροῦν (nicht = kreuzigen) vgl. B. A. van Prosdij, Hermes 69 (1934) S. 349.    [3] V 54, 6. 8.
[4] V 54, 10. 'Αδειγάνας codd.: Πελιγᾶνας P. Roussel, Syria 1942/34, S. 31f.; vgl. H. Bengtson, Strat. II S. 402; F. W. Walbank, Comm. I S. 583. F. Altheim, Weltgesch. Asiens I S. 284; II S. 217 zweifelt, ob es sich um eine γερουσία oder eine βουλή gehandelt habe. Ob sie mit den *trecenti opibus aut sapientia delecti ut senatus* (Tac. ann. VI 42) identisch sind, ist nicht zu sagen. (Vgl. M. Streck, Seleuceia und Ktesiphon [AO 16, 1917, H. 3/4] S. 10f.; RE II A 1 [1921] Sp. 1162f. m. d. früheren Lit.).
[5] E. Aem. Fabian, *De Seleucia Babylonia* (1869) S. 28f. überträgt die Verhältnisse des I. Jh. n. Chr. (Tac. ann. VI 42) auf das III. Jh. v. Chr. und glaubt, '*non Graecos et Macedones a Seleucida descivisse, sed potius populares* (i. e. 'Volkspartei') ...*qui Graecorum dominationem indigne ferentes Molonis rebus faverent*'.
[6] So richtig J. H. Schneiderwirth, Seleuceia am Tigris (Progr. Gymn. Heiligenstadt 1878/9) S. 19. Zu ἄγνοια 'verfehlte Politik' (allerdings auch 'Aufstand' o. ä.) vgl. A. Mauersberger, Polyb.-Lex. s. v. II b β; F. Zucker, Stud. Robinson II (1953) S. 1063ff.

stützt zu haben. Die ungeheure Strafsumme von tausend Talenten, mit der die Stadt ihren kurzen Traum, wieder Hauptstadt zu sein, bezahlen mußte, läßt jedenfalls, selbst in Anbetracht des großen Reichtums in Seleukeia, an erhebliche politische 'Verfehlungen' denken[1].

Der König, dessen Milde im Gegensatz zur Strenge des Hermeias betont wird, verminderte allerdings, sehr zum Schaden der königlichen Kasse, die Summe auf 150 Talente. Dann setzte er in den teilweise herrenlos gewordenen Satrapien neue Gouverneure ein[2]: Diogenes, der tüchtige Verteidiger von Susa, wurde zum Statthalter von Medien ernannt, was eine Beförderung bedeutete[3]; von einer Erneuerung des Oberkommandos der Oberen Satrapien erfahren wir nichts. Apollodor erhielt die bisherige Provinz des Diogenes, Susiane[4]; der bisherige Stabschef (ἀρχιγραμματεὺς τῆς δυνάμεως), Tychon, wurde als Nachfolger des Pythiadas zum Strategen der 'Gebiete am Roten Meer', des Mündungsgebiets der beiden großen Ströme ernannt. Überraschenderweise sagt Polybios nicht, wer Alexandros' Stelle als Statthalter der Persis einnahm[5]. Auch von einer eventuellen Neuverteilung der Satrapien Babylonien und Mesopotamien ist nichts zu erfahren; offenbar hatten ihre Gouverneure sich in den Kämpfen gegen Molon treu gezeigt.

## Atropatene

Hermeias drängte nun, da die Empörung der 'Oberen Satrapien niedergeworfen war, den auf halbem Wege eingestellten Feldzug gegen

[Die Vermutung E. WILLS, REG 75 (1962) S. 103, Hermeias habe auch Zeuxis kompromittieren wollen, da dieser durch die Räumung der Stadt überhaupt erst Gelegenheit zum Abfall gegeben habe, ist etwas weit hergeholt].

[1] Antiochos III. mußte im Frieden von Apameia den Römern 12000 euböische Talente in 12 Jahresraten zu 1000 Tal. bezahlen! Auch wenn es sich bei Seleukeia um das kleinere attische Talent gehandelt haben sollte, ist die Summe für eine einzige Stadt immer noch überraschend hoch. Immerhin mußten aber auch 218 v. Chr. die Selgeer dem Achaios 400 Talente zahlen, V 76, 10. — Zum Reichtum von Seleukeia vgl. M. STRECK a.a.O. S. 12.

[2] V 54, 12; vgl. H. BENGTSON, Strat. II 154ff. über die damit verbundene Neuordnung der Verwaltung (Strategen statt, wie bisher, Satrapen).

[3] Zu Unrecht sieht W. W. TARN, Proc. Brit. Acad. 16 (1930) S. 133, in der Versetzung des Diogenes von Susiane nach Medien einen Beweis für seine 'Eparchen'-These (gegen diese vgl. allgemein H. BENGTSON a.a.O. II S. 30ff.). 'Had he been already general of a satrapy ... there was no particular reward; he must have been promoted from a subordinate position...', nämlich der des 'Eparchen' der Susiane, der dem Satrapen der Persis unterstanden habe. Die Statthalterschaft von Medien, wo so bedeutende Truppenkontingente standen, war der wichtigste Posten im Osten des Reichs; wenn Diogenes Medien gegen die Susiane eintauschte, so war das eine Beförderung. Das eigentliche Ziel war aber wohl die Sicherung Mediens durch den fähigen General.

[4] Er ist vielleicht identisch mit dem Apollodoros, S. d. Krateros, dessen Weihung an die Gottheit Ma aus Susa erhalten ist (SEG VII 10). [5] Vgl. dazu o. S. 46ff.

das Ptolemäerreich wieder aufzunehmen[1]. Aber der König hatte sich bereits daran gewöhnt, anderen Ratgebern sein Ohr zu leihen; man beschloß, an Artabazanes, dem Fürsten der 'Satrapeioi' (Atropatene = Aserbeidschan) ein Exempel zu statuieren, das künftig alle Anrainer des Reiches warnen sollte, 'Rebellen mit Nachschub oder Waffenhilfe zu unterstützen'[2].

So überschritt man im Frühsommer 220 den Zagros, vermutlich auf dem Weg über Arbela — Ruwandiz zum Urmia-See[3], und brach in Artabazanes' Reich ein. Hätten die 'Satrapeioi' Widerstand geleistet, so wäre die Eroberung des gebirgigen Landes für Antiochos keine ganz leichte Aufgabe geworden. Aber dem hochbetagten Artabazanes fehlte die Energie zur Gegenwehr; vielleicht hielt er es auch für klüger, heute Zugeständnisse zu machen, die man morgen nicht zu erfüllen brauche, wenn der König wieder fern sei: er verstand sich zur Annahme der Vertragsbedingungen, die Antiochos ihm diktierte[4]. Vermutlich mußte er die Oberhoheit des Königs anerkennen, sich wohl auch zu Tributzahlungen bequemen; dafür dürfte ihm und seinen Nachkommen die Herrschaft als Vasallenfürsten in Atropatene eingeräumt worden sein. Auch eine Verpflichtung, Truppen zu stellen, ist wahrscheinlich, und unter den Kadusiern, die Antiochos im J. 217 bei Raphia folgten (V 79, 7), mögen sich Untertanen des Artabazanes befunden haben.

Der König begnügte sich mit diesem Erfolg: mehr zu erstreben hätte weniger zu erreichen bedeutet. Das gebirgige Land zu erobern wäre schon schwer genug gewesen; es auf die Dauer zu halten und zu beherrschen, eine Unmöglichkeit. Dieselbe kluge Einsicht, dasselbe Sich-Bescheiden mit dem Erreichbaren sollte er geraume Zeit später auch den Fürsten von Parthien und Baktrien gegenüber zeigen. Vielleicht wurde die Mäßigung des Königs auch bereits mitbestimmt von den Nachrichten, die etwa um diese Zeit aus dem Westen des Reiches eintrafen: Achaios, der Vizekönig von Kleinasien hatte sich, als sein Vetter Antiochos in das Bergland von Aserbeidschan zog, das Diadem aufgesetzt und den — freilich mißglückten — Versuch unternommen, den Kern des Reichs zu erobern[5].

---

[1] Polyb. V 55, 3.
[2] V 55, 1—2. Zu der Frage, ob Artabazanes den Molon unterstützt hatte, vgl. o. S. 124; zu der Möglichkeit, daß außer Artabazanes auch andere Dynasten angegriffen werden sollten, o. S. 115 A. 4.
[3] Zu den verschiedenen Möglichkeiten, nach Atropatene einzufallen, vgl. o. S. 56 A. 2; zur Chronologie o. S. 113 ff.
[4] V 55, 6. 10. Zu Verträgen dieser Art vgl. H. BENGTSON, Strat. II S. 60f. Ob der Vertrag mit Artabazanes auch Antiochos zu einer Leistung verpflichtete (BENGTSON S. 61 u. A. 2), ist unbekannt. Zu den Vermutungen KIESSLINGS, RE XI 1 (1914) Sp. 501, über Abtretungen des Artabazanes an Antiochos, vgl. o. S. 62 u. A. 1.   [5] V 57, 3—8.

Nun schien es dem König an der Zeit, sich der Bevormundung durch den 'Kanzler' zu entledigen. Auf eine wenig königliche Weise ließ er den Unbequemen beseitigen (s. u. S. 156f.).

## IV. HERMEIAS

Hermeias hat bei Polybios eine äußerst ungünstige und, wie man längst erkannt hat[1], teilweise ungerechte Beurteilung erfahren. Über die Quelle, auf die Bericht und Stellungnahme des Polybios zurückzuführen sind, wird weiter unten ausführlicher zu sprechen sein; hier sei nur vorausgeschickt, daß anscheinend nur eine einzige, dem Hermeias feindliche Quelle zugrundeliegt, deren Urteile mit äußerster Vorsicht aufzunehmen sind. Freilich berechtigt nichts dazu, den 'Kanzler' völlig rein zu waschen[2].

So ist wohl unbestreitbar, daß Hermeias sich gegen Widerstände ohne jede Rücksicht auf andere durchsetzte, daß er unbedenklich zu Verleumdung und Intrige griff, wenn es galt, unbequeme Nebenbuhler beiseitezuschieben. Freilich werden diese Mittel selten verschmäht, wo sich ein Mann in der Politik emporarbeiten will; die bedenkliche Maxime, daß der Erfolg die Taten rechtfertige, verführt häufig dazu, unerfreuliche Methoden wo nicht zu billigen, so doch zu entschuldigen, wenn sie nur zum Ziele führen. Selbst moralisierende Historiker vom Schlage des Polybios vergessen dann rasch, daß dem Glück, dem man nachsagt, es unterstütze den Tüchtigen, auf fragwürdige Weise nachgeholfen worden war. Dem Hermeias war das Glück freilich auf die Dauer nicht hold; und so hat die Geschichtsschreibung nur ein düsteres Nachtgemälde seines Charakters überliefert, während wohl manche gute Absicht verschwiegen oder ins Negative verkehrt worden ist.

So lassen sich seine administrativen Fähigkeiten schwer beurteilen. Schon oben (s. S. 121f.) ist die Vermutung ausgesprochen worden, daß ein gut Teil seiner Unbeliebtheit bei den Höflingen und Funktionären auf seine Bemühungen zurückzuführen sei, die Reichsverwaltung zu straffen und so der drohenden Gefahr des Zerfalls entgegenzuwirken. Aber die Spärlichkeit der Nachrichten, die sich fast völlig auf Intrigen und Kriegsgeschehnisse beschränken, läßt eine gesicherte Beurteilung nicht zu.

Ein gleiches ist von seinen militärischen Fähigkeiten zu sagen. Dem Kanzler werden Feigheit und Unerfahrenheit in militärischen Dingen vorgeworfen; doch straft sich der mißgünstige Autor selbst Lügen, wenn er im gleichen Atemzug berichtet, Hermeias habe einen Krieg gegen

---

[1] Vgl. W. OTTO, RE VIII (1912) Sp. 726—730 s. v. Hermeias (1), mit der früheren Lit. Alles nachzuerzählen, was OTTO in seinem Artikel vorgelegt hat, empfiehlt sich nicht; hier soll nur einiges nachgetragen, anderes in abweichender Weise beurteilt werden.

[2] [So auch E. WILL, REG 75 (1962) S. 80].

Ägypten geplant¹. Aber auf der anderen Seite berechtigt nichts dazu, in Hermeias einen fähigen Strategen zu sehen². Zwar wird man ihm den etwas plumpen Kriegsplan, den er in Libba vorbrachte (s. o. S. 134), nicht zur Last legen dürfen; sein Gegenspieler Zeuxis konnte kraft seiner besseren Kenntnis des Kriegsschauplatzes begreiflicherweise vorteilhaftere Vorschläge machen, Aber aus der Tatsache, daß Hermeias (zusammen mit Zeuxis) in der Schlacht gegen Molon einen Flügel des königlichen Heeres kommandierte, ist nichts zu folgern; man wird sich fragen müssen, ob ein solches Kommando eines Ministers —wie etwa auch das des Sosibios im IV. Syrischen Krieg auf ptolemäischer Seite (V 65, 9; 83, 3) — nicht nur nominell war. Zudem ist die Schlacht auf dem anderen Flügel entschieden worden³.

Authentisch ist wohl im wesentlichen der Bericht über die Intrige, der Epigenes zum Opfer fiel. Der fähige General, der sich wohl bereits unter den Vorgängern Antiochos' III. ausgezeichnet hatte⁴ und beim Heer beliebt war, scheint einer der gefährlichsten Rivalen des Hermeias gewesen zu sein. In dem Kronrat, der nach dem Bekanntwerden von Molons Aufstand einberufen wurde⁵, scheint Hermeias ihm 'das Wort im Mund herumgedreht' zu haben. Epigenes hatte die Ansicht vertreten, vor allem sei die persönliche Anwesenheit des Königs im Osten vonnöten: wenn dieser μετὰ συμμέτρου δυνάμεως im Aufstandgebiet erscheine, so würden die Soldaten des Usurpators sofort überlaufen. Hermeias fiel ihm zornig ins Wort: Epigenes habe sich jetzt endlich als Verräter entlarvt; er wolle also die geheiligte Person des Königs 'mit geringem Schutz' (μετ' ὀλίγων) den Aufständischen ausliefern. Σύμμετρος bedeutet 'angemessen, entsprechend', aber auch 'mäßig, nicht allzu groß'; Epigenes hatte sagen wollen, im jetzigen Stadium des Aufstandes bedürfe es 'keines allzu großen' Heereseinsatzes, da der Eindruck, den das persönliche Auftreten des Königs machen müsse, den Ausschlag geben werde. Hermeias griff aus Epigenes' Worten nur dies eine heraus und stellte Epigenes als Verbündeten des Molon hin, der den König überreden wollte, zu wenige Regimenter mitzunehmen. 'Für jetzt begnügte er sich damit, die Verleumdung angefacht zu haben, und unternahm nichts gegen Epigenes, indem er sich den Anschein gab, es habe sich mehr um einen unange-

---

¹ V 42, 4; 55, 3; W. OTTO, Sp. 727 Anm. [Nach E. WILL, REG 75 (1962) S. 111 A. 80, fürchtete Hermeias nicht seine eigene militärische Unerfahrenheit, sondern die des jungen Königs].  ² [Im gleichen Sinn E. WILL, a.a.O. S. 81].
³ V 54, 1; vgl. o. S. 145f. Unrichtig W. OTTO, Sp. 730.
⁴ G. CARDINALI, Il regno di Pergamo (1906) S. 44 A. 1, will in Inschr. v. Perg. 36 (vgl. OGI 272 A. 1), Z. 3ff. ἀ[πὸ τῆς πρὸς]Ι᾿Ε[--- καὶ τοὺς]Σελεύκο[υ στρατηγοὺς μάχης] den Namen des Epigenes (᾿Επιγένη) ergänzen. Zur Frage der Identität des Epigenes mit dem OGI 280 genannten Feldherrn des Attalos I. vgl. H. BENGTSON, Strat. II S. 208 A. 2 [positiver E. WILL, REG 75 (1962) S. 79 A. 10].  ⁵ V 41, 7–42, 5; vgl. o. S. 128.

brachten Zornesausbruch als um Haß gehandelt.' Die Erzählung über dieses Wortgefecht ist aus einem Guß[1] und trägt, da man einen solchen Sophismus nicht erfindet, den Stempel der Authentizität.

Die Beschuldigung hatte natürlich nicht ausgereicht, ein Verfahren gegen Epigenes zu rechtfertigen. Immerhin hatte Hermeias Mißtrauen gesät, und ein Jahr später schienen sich seine Vorwürfe zu rechtfertigen. Epigenes mußte den Abschied nehmen; trotz der Soldzahlung meuterten die 6000 Kyrrhesten; das verstärkte vielleicht den Verdacht gegen Epigenes, wenn sie, wie man angenommen hat, sich aus Anhänglichkeit an den beliebten General empörten[2]. Den Ausschlag gab dann ein gefälschter Brief des Molon, den Hermeias durch einen Sklaven in die Korrespondenz des Epigenes hatte einschmuggeln lassen. Der Brief wurde nach dem Abmarsch des Heeres nach Osten bei einer Durchsuchung 'gefunden'; Epigenes wurde auf der Stelle hingerichtet. Und nun war es ein leichtes, den König von der Richtigkeit der Anschuldigungen gegen den General zu überzeugen[3]; wie es schien, hatte Hermeias schon vor einem Jahr die Wahrheit gesagt[4].

Freilich hatte der 'Kanzler' damals nicht vom persönlichen Auftreten des Königs im Aufstandsgebiet abgeraten, um Epigenes zu verderben; der wahre Grund war, daß er seinen Plan, die asiatischen Provinzen des Ptolemäerreiches zu erobern, nicht gefährdet sehen wollte. Dieses Motiv erscheint im Bericht gewissermaßen ganz nebensächlich; Polybios hat nicht gemerkt, daß er einer Verschiebung der Schwerpunkte in seiner hermeiasfeindlichen Quelle zum Opfer gefallen ist[5].

Dieser Plan, die seit der Schlacht bei Ipsos (301 v. Chr.) umstrittenen Provinzen zu erobern, war nicht erst jetzt entstanden. Hieronymus[6]

---

[1] Anders W. Otto Sp. 727 Anm. a. E.: '...Polybios beurteilt ... das ganze damalige Vorgehen des H. mit den seinen bisherigen Angaben ganz widersprechenden Worten πικρίαν ἄκαιρον μᾶλλον ἢ δυσμένειαν ἐπιφήνας (auf das hieraus sich ergebende interessante quellenkritische Problem kann ich hier leider nicht näher eingehen)'. Otto hat dies m. W. anderwärts nicht ausgeführt; was er meinte, bleibt unklar. Ἐπιφαίνω bedeutet hier 'den Anschein erwecken' (vgl. die obige Übersetzung; im gleichen Sinn A. Mauersberger, Polyb.-Lex. s. v. 1a; gleiche Bed. XXIII 5, 5), und es besteht somit kein Widerspruch zu Polybios' Behauptung, Hermeias habe es von Anfang an darauf abgesehen, Epigenes zu verderben.

[2] V 50, 6–8; dazu W. W. Tarn, CAH VII S. 725; vgl. o. S. 132.   [3] V 50, 10–14.

[4] Es war schon davon zu sprechen (s. o. S. 125), daß in dem Bericht über die ersten Jahre des Antiochos III. erstaunlich oft von gefälschten Briefen die Rede ist; und man könnte annehmen, daß es sich hier um eine Erfindung der mißgünstigen Quelle handle. Aber es gibt keinen Grund zu der Annahme, daß Epigenes wirklich mit Molon konspiriert habe; und die verdächtige Eile, mit der man Epigenes aus dem Wege räumte, zeigt doch, daß man bemüht war etwas zu vertuschen (vgl. bereits W. Otto, Sp. 728).

[5] V 42, 4ff. Sehr klar herausgestellt in der Analyse W. Ottos, Sp. 727 Anm.

[6] Hieron. in Dan. XI 10.

berichtet glaubwürdig, daß bereits Seleukos III. solche Absichten gehegt habe, und da Hermeias schon unter diesem König eine bedeutende Stelle bei Hofe eingenommen hat[1], wird man in ihm den Initiator dieser Expansionspolitik (oder, vom seleukidischen Standpunkt aus, Réunionspolitik) sehen dürfen. Der Zeitpunkt dafür schien günstig gewählt: Ptolemaios III. Euergetes hatte in den letzten Jahren seiner Regierung die Außenpolitik fast nur noch mit dem Einsatz seiner Goldschätze betrieben und die Rüstung vernachlässigt.[2]

Molons Revolte schien nun zu einem vorläufigen Aufschub dieser Pläne zu zwingen. Doch dagegen wehrte sich Hermeias mit aller Energie und allem Starrsinn; sein rauhes Vorgehen gegen die Opponenten und sein großer Einfluß beim König brachten es denn auch selbst nach dem ersten Mißerfolg der Generäle zuwege, daß es beim Krieg gegen Ptolemaios blieb und daß gegen Molon nur verhältnismäßig schwache Einheiten geschickt wurden. Um die Gefahr einer diplomatischen Offensive der ptolemäischen Regierung zu betonen, soll er sogar einen Brief des Achaios fingiert haben, demzufolge der ägyptische König den Achaios zum Abfall aufgefordert habe[3].

Walter Otto hat diese Politik für richtig gehalten: 'Die schnelle Niederwerfung der Erhebung zeigt, daß ihre innere Kraft nicht allzu bedeutend gewesen sein kann, daß es also seiner Zeit kein Leichtsinn von H. war, trotz des Aufstandes an seiner Angriffspolitik gegen Ägypten festzuhalten[4]. Die Fakten sprechen eine andere Sprache, und es gibt keinen Grund, der Quelle des Polybios hierin zu mißtrauen, mag sie im einzelnen noch so tendenziös sein: Der Usurpator konnte nur niedergeworfen werden, weil man (nach zweimaligen unzureichenden Gegenmaßnahmen) endlich mit dem vermutlich weit überlegenen Gros des Reichsheeres gegen ihn zog, vor allem aber, weil der König selbst sich im Osten zeigte, wie es ja Epigenes von Anfang an gefordert haben soll. Wäre dies sofort geschehen, so wäre der Aufstand sicher noch rascher erstickt worden; aber dies hat Hermeias' Starrsinn verhindert. So wurden die Kräfte verzettelt; ein bedeutendes Kontingent unter dem offenbar nicht sehr geeigneten Xenoitas wurde nahezu völlig aufgerieben, und der Usurpator konnte wichtige Provinzen des Reiches erobern und damit das Prestige des Königs empfindlich beeinträchtigen[5]. Es wäre richtiger gewesen, die Gefahr im Rücken mit einem raschen, energischen Schlag

---

[1] Vgl. W. Otto, Sp. 726.
[2] W. Otto Sp. 727; zu Ottos Beurteilung des dritten Ptolemäers vgl. H. Bengtson, Gr. Gesch.² (1960) S. 398 A. 4.
[3] V 42, 7f. Der Brief ist jedoch wahrscheinlich echt; s. dazu u. S. 161ff.
[4] Sp. 729; vgl. 727; 730: (Hermeias besaß) 'zum mindesten einen vorzüglichen Blick für die Erfordernisse der äußeren Politik'. [5] Vgl. V 45, 2.

zu bannen und dann erst Ägypten anzugreifen; so aber zwangen die Folgen der Verzettelungsstrategie des Hermeias endlich dazu, mitten im Krieg gegen Philopator das Steuer herumzuwerfen; Ptolemaios war gewarnt, und man lief Gefahr, daß er die Atempause zu neuen Rüstungen nützen werde. Niemand konnte ahnen, daß man in Ägypten das Gebot der Stunde so sträflich mißachten werde.

Freilich wird man in der Offensive des Hermeias gegen Ägypten nicht eine blinde 'Flucht nach vorne' sehen dürfen; er verfügte wahrscheinlich über Nachrichten, die ihn die Lage im Osten günstiger beurteilen ließen, als sie es war. Die Ereignisse haben jedenfalls seinen Gegnern recht gegeben; Hermeias muß vorgeworfen werden, daß er die Stärke Molons unterschätzt und die Anhänglichkeit der medischen Truppen an das Reich zu hoch bewertet hat[1]. Jedenfalls lassen es unsere Unterlagen nicht zu, seine politischen und strategischen Fähigkeiten besser zu beurteilen, als es seine Zeitgenossen getan haben.

Dieser offenkundige Fehlschlag hat denn auch sicher viel zur Erschütterung der Stellung des Hermeias und schließlich zu seinem Sturz beigetragen. Von einer 'Allmacht' des 'Kanzlers'[2] ist freilich nie die Rede gewesen. Die Position des Hermeias hat von Anfang an den Charakter eines außerordentlichen Amtes gehabt; Seleukos hatte ihn nur für die Zeit seiner Abwesenheit von Antiocheia zum Regenten ernannt[3]. Der unerfahrene Antiochos beließ den versierten Mann zunächst in der zweithöchsten Stellung des Reichs; und es ist unverkennbar, daß Hermeias eine Institutionalisierung seines Amtes erstrebte, wie sie im II. Jhdt. v. Chr. dann auch eingetreten zu sein scheint. Doch diese Stellung war, wie die aller anderen Funktionäre des Reichs, prekär; sie beruhte lediglich auf dem Vertrauen des Königs. Deshalb mußte der 'Kanzler' versuchen, aus der Umgebung des Herrschers alle zu entfernen, die nicht seine Geschöpfe waren[4]; deshalb konnte er nur mit Intrigen und falschen Anschuldigungen gegen seine Opponenten arbeiten[5], anstatt sie einfach beiseitezuschieben[6]. Doch er besaß offenbar nicht das Geschick, sich die Gunst des Königs zu erhalten; ihm fehlte die nötige Geschmeidigkeit, sich dem erwachenden Selbstbewußtsein des jungen Herrschers anzupassen[7], und so hing seine Sicherheit davon ab, wie lange seine Politik Erfolg haben würde; beging er einmal einen Fehler, so würde der König ihm sein

---

[1] Falsche Einschätzung auch bei E. R. Bevan, Seleucus I S. 301; 303.
[2] Vgl. W. Otto a.a.O. passim.   [3] Vgl. G. Corradi, Studi ellenistici (1929) S. 259.
[4] Vgl. V 50, 5; 56, 7.   [5] V 41, 3; 41, 4ff.; 50.
[6] Vgl. dazu W. Otto Sp. 727 Anm.
[7] Vgl. den Auftritt beim Kronrat des J. 221, bei dem Hermeias schließlich unterlegen ist (V 49, 3—5): μαρτυρόμενος δὲ τὸν βασιλέα μὴ παριδεῖν οὕτως ἀλόγως ... ἐλύπει δὲ καὶ τὸν Ἀντίοχον.

Vertrauen entziehen, und es gab genug Gegner und Neider, die ihn stürzen würden — dafür hatte er selbst gesorgt.

Das Fehlschlagen seiner Ägyptenpolitik untergrub schließlich das Fundament des königlichen Vertrauens; der König sah seine Befürchtungen bestätigt[1], und Hermeias wurde überstimmt[2]. Die Verabschiedung seines ärgsten Gegners, des Epigenes, mußte er sich mit dem Sold einhandeln, den er aus eigenen Mitteln der leeren Staatskasse vorschoß[3]. Der König verzichtete nur sehr ungern auf den tüchtigen Mann; doch die Situation ließ keine andere Wahl. Hermeias hat wohl einen schweren psychologischen Fehler begangen, als er sich die Dankbarkeit des Herrschers erkaufen wollte.

Wenn der 'Kanzler' sich wirklich nun 'auf dem Höhepunkt seiner Macht'[4] geglaubt haben sollte, so war das eine Täuschung, wie sich bald zeigen sollte. Zwar wird sich seine Stellung durch die scheinbare Rechtfertigung seiner Anwürfe gegen Epigenes noch einmal vorübergehend gefestigt haben; aber bereits im Kriegsrat von Libba konnte er sich mit seinem einfallslosen, gefährlichen Operationsplan nicht durchsetzen. Wie recht Zeuxis gehabt hatte, zeigte dann der Kriegsverlauf; der Sieg über Molon war gleichzeitig eine Schlappe für Hermeias. Von nun an vermochte sich der 'Wesir' nicht mehr durchzusetzen; der junge König, dessen Selbstbewußtsein durch die Wirkung seines Auftretens in der Schlacht gestärkt war, entglitt seinem Einfluß immer mehr, begann ihn schließlich zu hassen: 'Zwei Männer wie Hermeias und der König konnten nicht lange nebeneinander wirken' schrieb W. OTTO[5] im J. 1912, deutlich unter dem Eindruck einer nicht lange zurückliegenden Begebenheit der deutschen Geschichte.

Bereits bei der Bestrafung Seleukeias[6] trat Antiochos seinem Kanzler entgegen. Was Polybios' Quelle dem Hermeias da zum Vorwurf macht, ist freilich nur teilweise negativ zu beurteilen. Er mag in der Verfolgung

---

[1] Schon nach dem Rückzug des Xenon und Theodotos hatte Antiochos III. nach Osten marschieren wollen: V 45, 5.

[2] Wenn Hermeias auch jetzt noch, nachdem der Syrienfeldzug festgefahren und Xenoitas vernichtet worden war, auf der Fortsetzung des Kriegs gegen Ptolemaios bestand, so hat er wohl befürchtet, eine andere Entscheidung könne als Eingeständnis ausgelegt werden, daß seine bisherige Politik verfehlt war. Nach der Entscheidung des Rats beteiligte er sich eifrig an der Rüstung gegen Molon (V 49, 7); er wollte damit zum Ausdruck bringen, daß er trotz seiner entgegengesetzten Ansicht loyal zu den Beschlüssen stehe, und hoffte, auf diese Weise wieder das Heft in die Hand zu bekommen.

[3] W. OTTO Sp. 728.

[4] [Die Vermutung E. WILLS, REG 75 (1962) S. 99 A. 48, Hermeias habe absichtlich eine Krise der königlichen Finanzen hervorgerufen, um als Retter auftreten zu können, ist sehr gewagt.]

[5] W. OTTO Sp. 729.   [6] S. o. S. 147 f.

der Schuldigen zuweilen zu weit gegangen sein; aber es galt ja zu zeigen, daß man nicht ungestraft dem rechtmäßigen Herrscher den Gehorsam verweigern durfte. Und wenn er der Stadt eine schwere Strafsumme auferlegte, so wird er dabei vor allem die Staatskasse im Auge gehabt haben, deren Leere nicht wieder die Politik des Reiches gefährden durfte. Der König mag freilich daran gedacht haben, daß man die Kuh, die man melken will, nicht schlachten sollte; aber das Machtwort, mit dem er schließlich die Proskriptionen beendete und die Kontributionssumme so stark verminderte, ist wohl vor allem als ein Zeichen seiner zunehmenden Emanzipation aus dem Einfluß des unbequemen allzu eigenmächtigen Beraters zu werten. So werden die neuen Gouverneure, die Antiochos nun einsetzte, wohl auch Männer seines Vertrauens und nicht Geschöpfe des Hermeias gewesen sein[1].

Am augenfälligsten wurde der Niedergang der Macht des Kanzlers, als er seine Ansicht, man müsse nun unverzüglich wieder den Feldzug gegen Ägypten aufnehmen, nicht durchsetzen konnte. Hermeias befürchtete wahrscheinlich, daß der Feind inzwischen wieder aufgerüstet habe[2]. Aber der Entschluß des Königs, zunächst nach Atropatene zu ziehen, war zweifellos richtig; die Nordgrenze Mediens und des Iraks waren ungesichert, solange die kriegerische Bevölkerung Aserbeidschans nicht die Hoheit des Reichs anerkannte. Auch war seit der Schlacht in der Apolloniatis (etwa 2. Februarhälfte) über all den Maßnahmen doch geraume Zeit vergangen: noch war es früh im Jahr, aber bis das Heer in Syrien angelangt wäre, wären mehrere Wochen verstrichen, und erst im Hochsommer hätte man erneut in das ptolemäische Territorium einfallen können. Da war es wohl besser, für jetzt im Osten des Reichs reinen Tisch zu machen und im kommenden Frühjahr, sobald die Witterung es zuließ, in Koilesyrien anzugreifen.

Nach dem erneuten, freilich leicht errungenen Erfolg gegen Artabazanes hielt sich der König für fähig, künftig ohne den 'Kanzler' seine Politik selbst zu bestimmen. Die Gruppe der 'Freunde des Königs', die mit dem Terrorregiment des Hermeias seit langem unzufrieden waren, gewann nun endgültig die Oberhand. Der Leibarzt Apollophanes, der bei Antiochos in besonderer Gunst stand, soll dem König bedeutet haben, Hermeias plane einen Anschlag gegen das Leben des Herrschers.

Auf legale Weise war dem Kanzler nicht beizukommen[3]; er hatte sicher Fehler, wohl auch Verbrechen begangen, aber Verrat war ihm anscheinend nicht nachzuweisen. Ihn einfach in die Wüste zu schicken,

---

[1] Es sei denn, daß man in der Bestallung des bisherigen ἀρχιγραμματεύς Tychon mit der relativ unbedeutenden Statthalterschaft am Roten Meer eine Kaltstellung sehen müßte. Vgl. o. S. 148.   [2] W. Otto, Sp. 729. S. o. S. 154.

[3] W. Otto, Sp. 730.

schien offenbar zu gefährlich; sein Anhang war, wenn wir der Quelle des Polybios glauben dürfen, zu groß.

So schmiedete man ein einigermaßen würdeloses Komplott: die 'Freunde' wußten die Geschöpfe des Hermeias unter einem Vorwand festzuhalten, und bei einem Morgenspaziergang, den Antiochos mit seiner engsten Begleitung unternahm, wurde Hermeias von seinen Gegnern niedergestoßen. Der König hatte sich währenddessen für kurze Zeit entfernt, wie um seine Hände vom Blut rein zu halten. Wenig später rottete sich in Apameia der Mob zusammen und steinigte die Angehörigen des Ermordeten[1]. Zur Rechtfertigung erfand man das nicht gerade wahrscheinlich klingende Märchen, Hermeias habe seinerzeit den Widerstand gegen die Expedition nach Atropatene nur aufgegeben, weil er damit gerechnet habe, Antiochos werde fallen oder er selbst werde Gelegenheit finden, ihn zu beseitigen, und dann als Vormund des neugeborenen Kronprinzen das Reich regieren können[2]. Ob der König wirklich für sein Leben fürchtete[3], bleibt fraglich; es ist denkbar, daß er selbst an der Geschichte mitgewoben hat, die ihn vom Makel des Mordes befreite.

So endete der Mann, der in den ersten Regierungsjahren des Königs die Politik des Reiches bestimmt hatte, und mit ihm die erste Periode der Herrschaft Antiochos' III. Der Herrscher hat fortan allein regiert; keiner seiner Berater hat mehr in so bestimmender Weise auf ihn einwirken können wie Hermeias. Der Arzt Apollophanes hat es zwar im folgenden Jahr erreicht, daß der Feldzug gegen Ägypten mit dem Angriff auf Seleukeia in Pierien, seine Heimatstadt, eröffnet wurde[4]; aber von da an hören wir nichts mehr von ihm. Er hat es also offenbar nicht vermocht, die Stelle des Hermeias einzunehmen.

Auf den toten 'Kanzler' aber ist wohl so mancher Fehler abgewälzt worden, für den der König und seine anderen Berater mitverantwortlich

---

[1] V 56. [Die Freude der Bevölkerung über die Ermordung des Hermeias (V 56, 14f.) führt E. WILL, REG 75 (1962) S. 112, sicher mit Recht auf die harte Finanzpolitik des Ministers zurück. Man wird hinzufügen dürfen, daß wohl schon damals der tote Kanzler als Sündenbock für alle bisherigen Übel hingestellt worden ist.]

[2] V 55, 4—5; vgl. W. OTTO, Sp. 729. [Daran mag freilich etwas Wahres sein. Nach der plausiblen Erklärung von E. WILL, a.a.O. S. 111f., hatte Hermeias befürchtet, Antiochos könne im Feindesland den Tod finden, ohne einen Erben zu hinterlassen; dann wäre Achaios als der nächste Verwandte der Dynastie auf den Thron gekommen und hätte Hermeias beiseitegeschoben oder gar beseitigt. Diese Furcht war nach der Geburt des Thronerben unbegründet, und so gab Hermeias seinen Widerstand gegen den Feldzug auf. — Daß aber Hermeias selbst den König habe beseitigen wollen, ist eine Behauptung der Quelle, für die es wohl schon damals keinen Beweis gegeben haben dürfte.]

[3] W. OTTO, Sp. 729.   [4] V 58, 3—8. S. zu ihm auch u. S. 179 A. 4.

waren. Einiges von dieser offiziellen Darstellung hat sich noch bei Polybios, der alledem doch fern stand, niedergeschlagen.

## V. DIE ANFÄNGE DES ACHAIOS

Wäre es Antiochos nur um die Wiederherstellung des früheren Territorialbestands gegangen, so hätte er sich nun, nach der Beendigung des Feldzugs im Zweistromland und in Atropatene, gegen Achaios wenden müssen, der sich im Sommer 220 selbständig gemacht hatte. Aber Antiochos hatte höherfliegende Pläne: im Winter 220/19 begann er gegen das Ptolemäerreich zu rüsten; gegenüber Achaios begnügte er sich mit einem drohenden Notenwechsel[1] und gab dem abtrünnigen Statthalter so die Möglichkeit, in den folgenden Jahren des IV. Syrischen Krieges (219—217) die Macht weiter auszubauen, die er — Antiochos — ihm im J. 223, bei seinem Regierungsantritt, selbst verliehen hatte.

### Das Vizekönigtum Kleinasiens

Achaios hatte die Generalstatthalterschaft über die seleukidischen Teile Anatoliens inne, seit langem eines der wichtigsten Reichsämter[2]. Sitz des Generalstatthalters oder Vizekönigs sollte wohl auch jetzt Sardes sein; ob Achaios mit dieser Stellung gleichzeitig die des Strategen von Lydien verband — wie so mancher vor ihm — ist nicht zu sagen, allerdings sehr wahrscheinlich. In seiner Eigenschaft als Generalstatthalter hatte Achaios vermutlich den Oberbefehl über die in seinem Kompetenzbereich stationierten Reichstruppen[3].

Der Titel des in Stellung und Bedeutung vergleichbaren Oberstrategen der Oberen Satrapien, ὁ ἐπὶ τῶν ἄνω σατραπειῶν, ist vor kurzem durch eine Inschrift aus Medien bekannt geworden[4] (freilich steht nicht fest, ob dieser Titel allezeit unverändert blieb[5]). Leider ist die offizielle Bezeichnung für Amt und Herrschaftsgebiet des Generalstatthalters von Anatolien bisher nicht in gleicher Weise bezeugt; wenn Polybios den Machtbereich des Achaios mit ἡ ἐπὶ τάδε τοῦ Ταύρου δυναστεία o. ä. bezeichnet[6], so besteht von vornherein der Verdacht, daß diese litera-

---

[1] Polyb. V 57, 1—2; 58, 1.   [2] Vgl. dazu H. BENGTSON, Strat. II S. 90ff.
[3] Ebd. S. 107.   [4] S. o. S. 109 A. 4.
[5] So könnte es sich bei dem auf der Inschrift überlieferten Titel auch um eine verkürzte Form des von H. BENGTSON, Strategie II S. 88 vermuteten Titels στρατηγὸς ἐπὶ τῶν ἄνω τόπων (σατραπειῶν) καταλελειμμένος handeln.
[6] IV 2, 6: τῆς ἐπὶ τάδε τοῦ Ταύρου δυναστεύων. IV 48, 3: κρατῶν τῆς ἐπὶ τάδε τοῦ Ταύρου. IV 48, 10: ἀνεκτᾶτο τὴν ἐπὶ τάδε τοῦ Ταύρου πᾶσαν. IV 48, 12: φοβερώτατος

rischen Zeugnisse terminologisch nicht genau sind¹. Vor allem konnten die kleinasiatischen Provinzen des Seleukidenreichs wohl nicht offiziell τὰ ἐπὶ τάδε τοῦ Ταύρου, 'die Gebiete diesseits des Taurus', genannt werden.

Diese Bezeichnung Kleinasiens dürfte im III. Jh. v. Chr. noch nicht allgemein üblich gewesen sein. Eratosthenes hat die jeden Irrtum ausschließenden Ausdrücke 'nördlich' bzw. 'südlich des Taurus' gebraucht, wobei er unter 'Taurus' die Hochgebirgszüge von Kilikien bis zum Himalaya verstand, durch die seiner Ansicht nach Asien in zwei Teile geteilt wurde². Erst allmählich scheinen sich die Benennungen 'diesseits bzw. jenseits des Taurus' eingebürgert zu haben, die einen in Griechenland oder Kleinasien stehenden Betrachter implizieren. Zum erstenmal wird οἱ ἐπὶ τάδε τοῦ Ταύρου τόποι als Bezeichnung für Kleinasien greifbar in einer Ehreninschrift aus Ilion (!) aus dem ersten Drittel des III. Jahrhunderts³; nichts spricht dafür, daß die Ilier hiermit eine verwaltungstechnische Einheit bezeichnen wollten. Seit Polybios ist τὰ (oder ἡ) ἐπὶ τάδε τοῦ Ταύρου dann gang und gäbe; und man wird annehmen dürfen, daß zur Durchsetzung dieser Bezeichnung nicht zuletzt die Verhandlungen um den Frieden von Apameia in Phrygien beigetragen haben, in dem die Tauruskette die Grenze der von Antiochos III. abzutretenden Gebiete gebildet hat⁴. Auf jeden Fall ist fast stets der römische oder griechisch-kleinasiatische Standpunkt des Beschauers unverkennbar, wo immer in der Folge Kleinasien als 'das Gebiet diesseits des Taurus' bezeichnet wird⁵. So spricht Strabon (aus Amaseia) meist von ἡ ἐντὸς (bzw. ἐκτὸς) τῶν ἐπὶ τάδε τοῦ Ταύρου βασιλέων καὶ δυναστῶν. V 40, 7: τὴν ἐπὶ τάδε τοῦ Ταύρου δυναστείαν. VIII 20, 11: κύριος τῆς ἐπὶ τάδε τοῦ Ταύρου πάσης.

[1] Vgl. im gleichen Sinne zu ἄνω σατραπεῖαι o. S. 109 A. 4.
[2] Vgl. W. RUGE, RE V A 1 (1934) Sp. 41f. s. v. Tauros (5); vgl. o. S. 52ff.; 71.
[3] OGI 219, 12f.: Antiochos I. παραγενόμενος εἰς τοὺς τόπους τοὺς ἐπὶ τάδε τοῦ Ταύρου ... τὴν εἰρήνην κατεσκεύασεν.
[4] Z.B. Polyb. XXI 14,8; 17,3; 21,7; 24, 7. Besonders deutlich wird die Wichtigkeit des Standpunkts bei der Diskussion, die in Apameia zwischen Eumenes und den syrischen Gesandten um Pamphylien entbrannt ist, Εὐμένους μὲν εἶναι φάσκοντος αὐτὴν ἐπὶ τάδε τοῦ Ταύρου, τῶν <δὲ> παρ' Ἀντιόχου πρεσβευτῶν ἐπέκεινα (Polyb. XXI 46, 11). Liv. XXXVIII 39, 17 übersetzt falsch: *quia pars eius citra pars ultra Taurum est*; vgl. P. VIERECK, Klio 9 (1909) S. 373. VIERECK hat angenommen, daß zur Zeit des Friedens von Apameia 'der Begriff *cis Taurum montem* ein ganz feststehender' gewesen sei (danach M. HOLLEAUX, Etudes V S. 216 A. 5), wofür es keinen Beweis gibt. HOLLEAUX hat (a.a.O. S. 216ff.) die Ausdehnung der mit 'diesseits des Taurus' bezeichneten Gebiete untersucht, aber zur Frage der Benennung im Seleukidenreich nicht Stellung genommen. W. RUGE, a.a.O. Sp. 42, nimmt an, der Ausdruck sei 'von den kleinasiatischen Griechen zu einer Zeit geprägt worden ..., als die Randgebirge im Südosten der Halbinsel wiederholt in den Kämpfen der Diadochen eine wichtige Rolle spielten'.
[5] So sagt Memnon aus Herakleia (!) FGrHist 434 F 9, 2, Antiochos I. habe seinen Strategen Patrokles in die 'Gebiete diesseits des Taurus' geschickt (vgl. H. BENGTSON,

τοῦ Ταύρου und erwähnt dazu, diese Bezeichnung stamme von den Ἕλληνες[1].

Eine solche Betrachtungsweise kann aber nicht der offiziellen Terminologie im Seleukidenreich zugrundegelegen haben. Offizielle Bezeichnungen können nur aus der Sicht des Reichskerns formuliert werden; und der lag, als Kleinasien seleukidisch wurde, bereits in der Seleukis (Nordsyrien), also südlich des Taurus. Unter dem Ausdruck 'die Lande diesseits des Taurus' hätte man im Seleukidenreich zweifellos Syrien und das Zweistromland verstanden.

Selbst wenn — wofür kein Anhaltspunkt vorliegt — die Griechen bereits vor dem Alexanderzug Kleinasien als ἡ ἐπὶ τάδε (ἐντὸς) τοῦ Ταύρου bezeichnet hätten[2], wäre es unwahrscheinlich, daß diese aus der mutterländischen Sicht formulierte Bezeichnung sich im Seleukidenreich erhalten hätte. Bezeichnenderweise haben die Griechen auch die alte Bezeichnung für die westlich des Euphrat gelegenen Provinzen des Perserreiches, Ebirnâri, 'jenseits des Stroms', nicht übernommen[3]. Sie war von Assyrien und Susa, nicht aber von Antiocheia aus verständlich.

Auf der anderen Seite ist es aber wahrscheinlich, daß der Taurus als natürliche Grenzscheide den kleinasiatischen Provinzen des Seleukidenreichs den Namen gegeben hat. Man wird also für Achaios und seine Vorgänger einen Titel wie ὁ ἐπὶ τῶν ἐπέκεινα τοῦ Ταύρου (τεταγμένος στρατηγός)[4] annehmen dürfen, falls es überhaupt einen feststehenden Titel gegeben hat.

---

Strategie II S. 90). Und so kann Arrian aus Nikomedeia sagen, Alexander der Große habe von Phönizien aus Philoxenos beauftragt, τῆς Ἀσίας τὰ ἐπὶ τάδε τοῦ Ταύρου ἐκλέγειν, d.h. Kleinasien (Arrian. anab. III 6, 4; vgl. dazu H. BENGTSON, Griech. Gesch.[2] S. 350). Was in Arrians Quellen gestanden hat, wissen wir nicht. Falsch K. ABICHT im Kommentar zu der Stelle: 'Standpunkt der Betrachtung ist Alexanders damaliger Aufenthalt in Phoenikien'; ABICHT denkt also offenbar an Syrien als Amtsbereich des Philoxenos. — Die von W. RUGE, Sp. 42, angeführten Ausnahmen (Cass. Dio LXXI 23, 2: τὰ ἐντὸς τοῦ Ταύρου = Nordsyrien; Frontin. I 1, 6: *Cappadocia trans Taurum*) erklären sich aus dem Blickpunkt des Handelnden.

[1] Strab. II 5, 31 p. 129; XI 1, 2 p. 490; vgl. W. Ruge Sp. 42. Strabon meint übrigens wie Eratosthenes mit Taurus den gesamten Gebirgszug bis zum Himalaya, was M. HOLLEAUX, Etudes V S. 216ff. nicht genügend beachtet hat. Vgl. o. S. 71.

[2] Die Kenntnis des Namens Tauros ist erst seit Aristoteles bezeugt; man scheint darunter auch zunächst nur die westlichsten Teile am Golf von Issos verstanden zu haben (vgl. W. RUGE Sp. 39f.).

[3] Vgl. dazu O. LEUZE, Satrapieneinteilung S. 183f.; auch W. OTTO, Beiträge S. 11; 30ff.; H. BENGTSON, Gnomon 13 (1937) S. 120; Strategie II S. 71 A. 1; 181ff.

[4] Vgl. etwa den Brief des Dareios an die persischen Funktionäre bei Ps.-Kallisth. I 39 p. 43, 25 KROLL: τοῖς ἐπέκεινα τοῦ Ταύρου <στρατηγοῖς Β': σατράπαις KROLL> (freundl. Hinweis von Prof. PFISTER).

## Der Feldzug gegen Attalos

Zunächst bestand Achaios' Vizekönigtum freilich nur in dem Auftrag, die seleukidischen Gebiete nördlich des Taurus zurückzuerobern: das ehemals seleukidische Kleinasien befand sich seit Jahren in der Hand des Pergameners Attalos I. (s. o. S. 42). Achaios hat sich dieses Auftrages offenbar rasch und erfolgreich entledigt, obgleich er wohl nicht über allzugroße Truppenkontingente gebot[1]. Es ist anzunehmen, daß es ihm bereits bis zum Sommer 222 gelungen war, den Gegner in sein ursprüngliches Herrschaftsgebiet zurückzudrängen und in seiner Hauptstadt Pergamon einzuschließen[2]. Dafür spricht im wesentlichen die Tatsache, daß es Hermeias im Sommer 222 wagen konnte, einen Krieg gegen das Ptolemäerreich vorzubereiten, obwohl soeben die Nachricht von der Erhebung des Molon eingetroffen war (s. o. S. 112); es ist kaum denkbar, daß der 'Kanzler' einen Dreifrontenkrieg riskiert hätte. Offenbar hatte also Achaios in dem knappen Jahr seit seiner Ernennung zum Oberfeldherrn in Kleinasien so große Fortschritte gemacht, daß auf diesem Kriegsschauplatz keine Rückschläge mehr zu befürchten waren.

## Der 'gefälschte' Brief des Achaios

In die gleiche Richtung weist ein Brief des Achaios, den Hermeias um diese Zeit in die Diskussion um die Frage, ob man einen Krieg gegen Ägypten wagen solle, eingebracht hat[3]. Darin hieß es, Ptolemaios habe Achaios versprochen, ihn mit Schiffen und Geldmitteln unterstützen zu wollen, wenn er — Achaios — 'sich das Diadem aufsetze und öffentlich die Herrschaft sich aneigne, die er in Wirklichkeit schon jetzt besitze, während er sich den Titel mißgönne und den Kranz, den das Schicksal ihm biete, von sich weise'. Eine solche Ausdrucksweise ist nur verständ-

---

[1] Er hatte Epigenes mit einem Teil des Heeres nach Syrien zurückgeschickt; vgl. o. S. 109f.

[2] Polyb. IV 48, 11: τὸν μὲν Ἄτταλον εἰς αὐτὸ τὸ Πέργαμον συνέκλεισε, τῶν δὲ λοιπῶν πάντων ἦν ἐγκρατής, vgl. 48, 2. Die Zeit, zu der dieser Zustand erreicht war, gibt Polybios nicht an. Die frühere Lit. ist zusammengestellt bei P. MELONI, Acheo I S. 538 A. 2, der die zeitlichen Ansätze jedoch z.T. ungenau wiedergibt. Eine nähere Begründung für die Datierung, wie sie im Folgenden gegeben wird, fehlt in der früheren Literatur. [Anders E. WILL, REG 75 (1962) S. 82f.; s. u. S. 185f.]

[3] Polyb. V 42, 7—8: διὸ καὶ τὸ τελευταῖον ἐπιστολὴν πλάσας ὡς παρ' Ἀχαιοῦ διαπεσταλμένην προσήνεγκε τῷ βασιλεῖ κτέ. Polybios bringt diese Erzählung im Rahmen des 1. Kriegsrats; τὸ τελευταῖον läßt allerdings vermuten, daß der Brief nicht schon damals vorgelesen und auch der endgültige Entschluß zum Kampf gegen Ägypten nicht sofort gefaßt worden sei. Doch läßt der weitere Zusammenhang es nicht zu, die Verlesung des Briefs und den Kriegsbeschluß allzuweit von der Sitzung des Rates abzurücken.

lich, wenn Achaios um die Zeit, in der der Brief verfaßt wurde, bereits Herr Kleinasiens war.

Polybios — bzw. seine Quelle — behauptet, Hermeias habe diesen Brief gefälscht. Selbst wenn dies zutreffen sollte — es wird gleich davon zu sprechen sein, daß man an dieser Unterstellung zweifeln darf — so ist eines doch so gut wie sicher: Hermeias kann damit lediglich das Ziel verfolgt haben, den König zum Krieg gegen den 'Ränkeschmied' Ptolemaios zu treiben. Den Wunsch, Achaios beim König in Mißkredit zu bringen, den manche modernen Forscher dem 'Kanzler' unterstellen[1], kann Hermeias nicht gehabt haben; denn er hätte damit seinen eigenen außenpolitischen Zielen zuwidergehandelt: Der König, der wohl wie ein großer Teil seiner Berater dazu neigte, zunächst die von Molon drohende Gefahr zu beseitigen, hätte sicher nicht seine Zustimmung zu einem Angriff auf das Ptolemäerreich gegeben, wenn er Achaios als unsicheren Kantonisten in seinem Rücken vermutet hätte. Wenn Hermeias seinen Offensivplan bei der gegebenen Lage durchsetzen wollte, so durfte er im Gegenteil an der Treue des Achaios keinen Zweifel aufkommen lassen[2]; und zuverlässig erscheint der Vizekönig ja auch dem unbefangenen Leser seines Briefes, in dem er loyal berichtet, welche Versuchungen von außen an ihn herangetragen worden seien. Die Quelle des Polybios, die doch vorgibt, die Gedanken des Hermeias lesen zu können, hätte im übrigen doch sicher die Absicht des Kanzlers, Achaios zu verdächtigen, 'erkannt' bzw. unterschoben. Nichts davon bei Polybios: hier erscheint als einziger Zweck der Brieffälschung die Propaganda gegen Ptolemaios. Der Verdacht bzw. die Verdächtungen gegen Achaios existieren lediglich in der Vorstellung der modernen Forscher. Es scheint, daß Polybios (und wohl auch seine Quelle) sich gar keine Gedanken darüber gemacht hat, wo Achaios damals stand.

In der Tat gibt es auch kein einziges Anzeichen für illoyale Absichten des Achaios im Jahr 222 v. Chr. Der Vizekönig hatte eben erst (Sommer

---

[1] So z. B. E. R. BEVAN, The House of Seleucus I S. 302; Th. BÜTTNER-WOBST, Index zur Polyb.-Ausgabe s. v. Ἀχαιός 2. Unentschieden A. BOUCHÉ-LECLERCQ, Lagides I S. 295: Polybios sage nicht 'si Hermeias prétendait l'avoir reçue comme un avis ou interceptée comme preuve d'un commencement de trahison' (danach wörtlich P. MELONI, Acheo I S. 542); vgl. 297; Séleucides S. 138 (vgl. 127; 129) spricht BOUCHÉ-LECLERCQ von steten Verdächtigungen des Hermeias gegen Achaios. U. WILCKEN, RE I 1 (1893) Sp. 206, nimmt an, das Zerwürfnis zwischen Antiochos und Achaios sei durch Intrigen des Hermeias entstanden; vgl. auch W. OTTO, RE VIII 1 (1912) Sp. 728.

[2] W. W. TARN, CAH VII S. 724, vermutet jedoch, Hermeias habe wirklich an Kontakte zwischen Ptolemaios und Achaios geglaubt und deshalb den König nicht allzuweit von Syrien abziehen wollen (daher der Widerspruch gegen einen Feldzug des Königs gegen Molon). Hätte Hermeias wirklich an der Treue des Achaios gezweifelt, so wäre es Tollkühnheit gewesen, wenn er Ägypten angegriffen hätte, anstatt zunächst gegen Achaios vorzugehen.

223) das Diadem abgelehnt, das ihm die Truppen in Phrygien angeboten hatten, und seine militärische Stärke verringert, indem er einen Teil des Heeres nach Syrien zurückschickte; und während des Molon-Aufstandes scheint er ebenfalls loyal geblieben zu sein — entgegen den Hoffnungen der Aufrührer. Wenn er zwei Jahre später doch rebelliert hat und mit Ptolemaios in Verbindung getreten ist, so besagt das nichts für seine Haltung im J. 222. Allenfalls wird man daraus ableiten dürfen, daß es durchaus glaubhaft war, daß Ptolemaios geheime diplomatische Schritte bei Achaios unternahm.

War Hermeias also ein guter Prophet, als er den Brief des Achaios fälschte — oder war der Brief vielmehr echt, und hat Ptolemaios wirklich den Vizekönig Kleinasiens zum Abfall zu bewegen versucht? Eine Reihe von Forschern hat dies angenommen[1].

Den Achaios mit Versprechungen zum Abfall zu bringen, und sich so im Rücken des gefährlichen Nachbarn einen Verbündeten zu schaffen, hätte nicht nur den politischen Interessen, sondern auch den diplomatischen Gewohnheiten des Ptolemaios III. Euergetes entsprochen, der damals noch in Ägypten regierte. Seit langem hatte Euergetes in Griechenland mit seiner schlagkräftigsten Waffe, dem Gold, gekämpft; die scheinbar unerschöpflichen finanziellen Mittel des Lagidenreichs hatten ihm erst in den Achäern, dann in Kleomenes einen Festlandsdegen gegen die Aspirationen der Makedonenkönige geschaffen. Warum hätte er die gleiche Waffe nicht auch gegen das Seleukidenreich anwenden sollen? Selbst wenn er durch seine Spione nicht über die akute Gefahr informiert war, die die Pläne Hermeias' für ihn darstellten, so bedurfte es doch keiner prophetischen Gabe um vorauszusehen, daß ein durch die Wiedereroberung Kleinasiens erstarktes Seleukidenreich den Kampf um Südsyrien wiederaufnehmen werde. Wie in Griechenland war Euergetes auch in Kleinasien nicht bereit, eine direkte Unterstützung durch Truppen zu gewähren; die Schiffe, die er dem Achaios in Aussicht stellte, waren wohl vor allem dazu bestimmt, in Griechenland zu werbende Söldner nach Kleinasien zu transportieren[2].

---

[1] So z.B. J. G. DROYSEN, Gesch. d. Hell. III²2, S. 163; O. FLATHE, Gesch. Makedoniens usw. II (1834) S. 302; K. J. BELOCH, Griech. Gesch. IV 1, S. 691; W. OTTO, a.a.O. Sp. 728; schwankend A. BOUCHÉ-LECLERCQ, Lagides I S. 295 A. 1; 297f.; Séleucides S. 129. [Hingegen glaubt E. WILL, REG 75 (1962) S. 91f., der Brief habe überhaupt nur in der Phantasie eines späteren Historikers existiert (vgl. bereits P. MELONI, Acheo I S. 542); diese an sich schon unwahrscheinliche Annahme beruht auf WILLS Postulat, Achaios habe erst im Frühjahr 222 die Offensive eröffnet und sei im Sommer noch nicht so weit vorgedrungen gewesen, wie der Brief voraussetzt. Vgl. u. S. 185f.].

[2] Καὶ ναυσὶν καὶ χρήμασιν χορηγήσειν könnte der Vertragssprache entnommen sein. P. MELONI, Acheo I S. 542 hält es für unglaubhaft, daß Ptolemaios den Achaios in so offener Form zum Abfall aufgefordert habe. In der Situation des 'Kalten Kriegs', der seit

War also eine derartige Initiative des Lagiden alles andere als unwahrscheinlich, so gab es auf der anderen Seite kaum eine Möglichkeit, nachträglich die Fälschung des Briefes festzustellen — es sei denn, man wurde des Schreibers habhaft, der das Schreiben auf das Diktat des Hermeias hin zu Papier gebracht hatte.

Im übrigen ist es fraglich, ob der listenreiche Hermeias die Fälschung in einer Form vorgenommen hätte, die die Stellung des Achaios beim König stärken mußte. Auch wenn begründete Zweifel bestehen, daß Hermeias der Schurke war, als den ihn Polybios' Quelle hinzustellen bemüht ist, konnte er doch kein Interesse daran haben, die Autorität seines Rivalen um die Gunst des Herrschers künstlich zu erhöhen; aber gerade dies hätte er erreicht, wenn er ihm diesen Brief unterschob. Es hätte für seine Zwecke genügt, einen Brief des Ptolemaios an Achaios 'abfangen' zu lassen; so wäre die Intrige der alexandrinischen Regierung deutlich geworden, und an der Loyalität des Achaios hätte kein Zweifel zu entstehen brauchen, ohne daß sie jedoch in einer den privaten Interessen des 'Kanzlers' so sehr zuwiderlaufenden Weise betont worden wäre.

Es spricht also viel dafür, daß der Brief des Achaios echt ist und daß Ptolemaios Euergetes wirklich schon im J. 222 versucht hat, den Vizekönig zum Abfall zu bewegen. Das Märchen von der Fälschung des Briefes durch Hermeias ist wohl erst nach dessen Tod entstanden, als man versuchte, dem Sündenbock alle Fehler der Vergangenheit in die Schuhe zu schieben. Damals hatte Achaios gerade revoltiert, und es erschien im Rückblick unglaubhaft, daß der Rebell kaum zwei Jahre zuvor den König über die Wühlarbeit der ptolemäischen Geheimdiplomatie informiert habe; also mußte es sich wieder einmal um eine dunkle Tat des Hermeias handeln.

### Die Usurpation

Wenn Polybios, in dessen Erzählung Achaios immer nur als Randfigur auftaucht, auch von seinem Wirken in der Zeit zwischen Sommer 222 und Sommer 220 nichts berichtet, so ist es doch leicht zu erschließen, was den Vizekönig in diesen beiden Jahren beschäftigt hat. Es galt, die Spuren der ephemeren Herrschaft des Attalos in Kleinasien zu beseitigen, das seleukidische Regiment in den wiedereroberten Provinzen zu befestigen und die 'freien' Griechenstädte an der Küste des Mittelmeeres wieder unter die Botmäßigkeit des Reichs zu zwingen. Dies scheint ihm im wesentlichen gelungen zu sein; bei dem erfolgreichen Vorstoß, den

---

langem zwischen dem Ptolemäer- und dem Seleukidenreich herrschte, ist eine solche Aufforderung jedoch ohne weiteres verständlich.

## V. Die Anfänge des Achaios

Attalos im J. 218 im Abwesenheit des Achaios unternahm, spricht Polybios von den äolischen und benachbarten Städten, die sich 'früher dem Achaios aus Furcht angeschlossen hatten'[1]; und wenn er berichtet, Smyrna, Lampsakos, Alexandreia in der Troas und Ilion hätten dem Attalos 'die Treue gehalten'[2], so sagt das nicht ohne weiteres, daß es ihnen gelungen sei, sich gegen Achaios zu behaupten: Polybios kann auch meinen, daß sie dem Eroberer besonders ausdauernden Widerstand geleistet hätten, bis sie schließlich doch kapitulieren mußten[3].

Im Sommer 220, als Antiochos gegen Artabazanes von Atropatene zog, hat Achaios dann doch der Versuchung nachgegeben und sich zum König proklamiert. Er soll gehofft haben, der König werde in dem unwegsamen Gebirgsland umkommen; wenn nicht, so werde er — Achaios — doch noch vor der Rückkunft des Herrschers in raschem Zugriff Syrien erreichen und mit Hilfe jener Kyrrhesten, die im vorigen Herbst revoltiert hatten[4], die Kernlande des Reichs erobern können. So zog er den größten Teil seines Heeres an sich — es blieben wohl nur einige Kontingente, die Attalos in Pergamon einschlossen — und marschierte von Sardes aus nach Südosten. In Laodikeia am Lykos in Phrygien legte er sich das Diadem um, das Zeichen des selbständigen Herrschers. Aber als er sich bereits den Grenzen Lykaoniens näherte, meuterten seine Soldaten, 'weil es ihnen schien, der Zug gelte ihrem angestammten König.' Achaios sah sein Vorhaben vereitelt; er ließ ausstreuen, er habe gar nicht gegen Syrien ziehen wollen, und beschwichtigte die Truppen, indem er sie nach Pisidien führte und ihnen die Landschaft zur Plünderung überließ: ein Mittel, das noch nie seine Wirkung auf die Soldateska verfehlt hat. So gelang es ihm, das Heer wieder gefügig zu machen; mit gestärkter Autorität, aber ohne seinen eigentlichen Plan ausgeführt zu haben, kehrte er wieder nach Lydien zurück[5].

---

[1] Polyb. V 77, 2.    [2] Polyb. V 77, 6; 78, 6.
[3] M. Cary, A History of the Greek World from 323 to 146 ([2]1951) S. 112 (vgl. E. V. Hansen, The Attalids of Pergamon S. 40) nimmt an, daß die Städte der Troas nicht unterworfen wurden; vgl. dagegen den Widerspruch P. Melonis, Acheo I S. 538 A. 2 auf S. 539.
[4] S. o. S. 32; 152.
[5] Polyb. V 57, 3–8. Der Weg des Achaios führte anscheinend von Sardes aus nach Südosten bis Laodikeia am Lykos; von dort dürfte er nach Ostnordost weitergezogen sein, über Apameia und Antiocheia, um dann über Ikonion und Kilikien die Tauruspässe zu gewinnen. Der Ort der Meuterei ist unweit der lykaonischen Grenze (σχεδὸν ἤδη περὶ Λυκαονίαν ὄντος), d. h. etwa in der Gegend von Antiocheia Pisidica oder Philomelion zu suchen, also in einer Region, die wenigstens zeitweise zu Pisidien rechnete. So hatte seine Wendung nach Pisidien nicht Unwahrscheinliches an sich; sie konnte glaubhaft wirken und brauchte seine Autorität nicht zu beeinträchtigen. [Den anderslautenden Ausführungen von E. Will, REG 75 (1962) S. 120 vermag ich mich nicht anzuschließen. Will sucht irrigerweise Pisidien 'au Sud, et non à l'Est de Laodicée'.]

## Achaios und Ptolemaios

Woher kam diese scheinbar so plötzliche Sinnesänderung des Achaios? Wieso entschloß er sich jetzt, nach der Krone zu greifen, die er drei Jahre zuvor, als sie ihm angeboten wurde, ausgeschlagen hatte? Zweifellos hatte die ptolemäische Regierung unter Sosibios, zumal nach dem Angriff der seleukidischen Truppen im Sommer 221, ihre diplomatischen Vorstöße bei Achaios erneuert; und zahlreiche Forscher haben in den Versprechungen Alexandreias die alleinige oder doch die Hauptursache für Achaios' Abfall vom Reich gesehen[1]. Als Beweis dafür wird gern ein Schreiben des Antiochos an den Rebellen vom Herbst 220 zitiert, in dem der König erklärt, er wisse wohl, daß Achaios mit Ptolemaios gemeinsame Sache mache[2]. Abgesehen von dieser Stelle bietet der Bericht des Polybios freilich keine Stütze für diese Hypothese.

Achaios war kurz nach seiner Usurpation in die Händel verwickelt worden, die zwischen Rhodos und Byzanz wegen des von den Byzantiern erhobenen Bosporoszolls entbrannt waren[3]. Die Byzantier hatten in ihrer Not an Achaios appelliert, der ihnen daraufhin seine Hilfe versprach. Dabei scheint es freilich geblieben zu sein; von einer tatsächlichen Unterstützung der bedrängten Stadt erfahren wir nichts. Immerhin bereitete die Aussicht, den mächtigen Dynasten auf der Seite der Gegner auftreten zu sehen, den Rhodiern Sorge; und so verfielen sie darauf, ihren Einfluß bei Ptolemaios Philopator geltend zu machen und um die Freigabe des Vaters des Achaios, Andromachos, aus der ptolemäischen Gefangenschaft[4] zu bitten; durch diese Gefälligkeit hofften sie die Neutralität des kleinasiatischen Herrschers zu erwirken. 'Ptolemaios gedachte eigentlich, den Andromachos weiter festzuhalten; er hoffte nämlich, dieser könne ihm zu gegebener Zeit nützlich werden, da sein Streit mit Antiochos noch nicht geschlichtet war und da Achaios, der sich eben zum König proklamiert hatte, über eine bedeutende Macht gebot'; den Rhodiern zuliebe entließ er jedoch den Gefangenen, und so erreichte es der Inselstaat tatsächlich, daß Achaios nichts zu Gunsten der Byzantier unternahm[5].

---

[1] Z.B. K. B. STARK, Gaza und die philist. Küste (1852) S. 373; anscheinend J. G. DROYSEN, Gesch. d. Hell. III 2, S. 163; E. A. HEYDEN, Res gestae S. 16; A. BOUCHÉ-LECLERCQ, Lagides I S. 297; Séleucides S. 139; M. HOLLEAUX, Etudes III S. 131 f.; F. W. WALBANK, Comm. I S. 502. Hingegen datieren z.B. U. WILCKEN, RE I 1 (1893) Sp. 207, und P. MELONI, Acheo I S. 550 ff., die Beziehungen des Achaios zu Ägypten erst in die Zeit nach der Usurpation. [So auch E. WILL, a.a.O. S. 114 ff.].

[2] Polyb. V 57, 2.     [3] Polyb. IV 38 ff.; bes. 48, 3 f.

[4] Wann und bei welcher Gelegenheit Andromachos in ägyptischen Gewahrsam gekommen war, läßt sich nicht ausmachen.

[5] Polyb. IV 50, 10—51, 6; die übersetzte Stelle: 51, 3.

Diese Stelle spricht m. E. eindeutig dagegen, daß schon damals zwischen Alexandreia und Sardes eine engere diplomatische Verbindung, geschweige denn ein Bündnis bestanden hat. Noch einige Zeit nach der Unabhängigkeitserklärung des Achaios (Frühsommer 220) war sein Vater Andromachos Gefangener des Ptolemaios! Man würde doch annehmen, daß Achaios die Freilassung seines Vaters, an der ihm offenbar so viel lag, als erste Bedingung seiner Kooperation genannt hätte, ja, daß die ptolemäische Regierung, um Achaios zu gewinnen, von sich aus längst dieses Angebot gemacht hätte! Nichts von alledem: Ptolemaios hatte sich diese Trumpfkarte aufgespart, um sie 'zu gegebener Zeit' ausspielen zu können. Andromachos war offenbar auch nicht als Geisel zur Garantie eines Vertrages zwischen Achaios und Ptolemaios zurückgehalten worden; sonst hätte Ptolemaios ihn gewiß nicht gerade jetzt freigelassen, da Achaios den Angriff auf Syrien abgebrochen hatte, auf den Ptolemaios sicher große Hoffnungen gesetzt hatte. Es sieht vielmehr so aus, als hätten zu jener Zeit zwischen Ptolemaios und Achaios überhaupt noch keine engeren Verbindungen bestanden.

Freilich wird man einwenden können, daß dieser Passus des Polybios aller Wahrscheinlichkeit nach aus rhodischer Quelle stammt[1]; die Betonung des klugen diplomatischen Schachzugs der Rhodier, die Unterstreichung ihrer Freundschaft mit Ptolemaios zeigt dies zur Genüge. Aber es besteht kein Grund zu bezweifeln, daß die Rhodier über die politische Konstellation im Bilde waren; und sie hätten sich mit noch weit größerem Recht ihres Einflusses bei Ptolemaios rühmen können, wenn sie eine Geisel, den Garanten eines wichtigen Vertrages, losgebeten hätten.

So erscheint es doch recht fraglich, daß Achaios wirklich im Sommer 220 auf Betreiben und im Einvernehmen mit der ptolemäischen Regierung nach dem Diadem gegriffen haben sollte. Eine engere diplomatische Verbindung dürfte vielmehr frühestens im Verlauf des Jahres 219 angeknüpft worden sein, fraglos unter dem Eindruck der Freigabe des Andromachos, vor allem aber unter dem Zwang der politischen Lage, die die beiden Gegner des Antiochos zu natürlichen Verbündeten machte. Im Herbst 219 gestand Antiochos den Gesandten des Ptolemaios einen viermonatigen Waffenstillstand zu; wie Polybios berichtet, wollte der König damit erreichen, daß er das Gros seines Heeres bei Seleukeia in Pierien überwintern lassen konnte, 'weil Achaios offenkundig einen Angriff auf sein Reich plante und unumwunden mit Ptolemaios zusammenwirkte'[2].

---

[1] Vgl. H. ULLRICH, *De Polybii fontibus Rhodiis* (Diss. Leipzig 1898) S. 23 f.

[2] Polyb. V 66, 3: διὰ τὸ προφανῶς τὸν Ἀχαιὸν ἐπιβουλεύειν μὲν τοῖς σφετέροις πράγμασιν, συνεργεῖν δὲ τοῖς περὶ τὸν Πτολεμαῖον ὁμολογουμένως. [Vgl. zu dieser Stelle jetzt

Von einer Aktion des Achaios gegen Antiochos, von einer 'Zusammenarbeit' mit Ptolemaios ist freilich auch jetzt nicht die geringste Spur zu sehen. Polybios berichtet nichts über das Tun des Achaios im J. 219; aber da Antiochos in diesem Sommer ungestört seinen Eroberungsfeldzug in Südsyrien durchführen konnte, ist mit Sicherheit anzunehmen, daß Achaios sich in dieser Zeit in Kleinasien aufhielt, wo die Befestigung seiner illegitimen Herrschaft ihm sicher genug zu tun gab. Aus der eben wiedergegebenen Stelle, in der der Abschluß des Waffenstillstandes begründet wird, geht denn auch hervor, daß Achaios bislang nichts unternommen hatte, und daß allenfalls mit einem Angriff erst zu rechnen war. Dieser Angriff ist aber im Winter 219/18 nicht erfolgt — die Jahreszeit war ja auch für eine Überquerung des Taurus nicht gerade günstig; und im folgenden Jahr (218) sehen wir Achaios in Pisidien und Pamphylien beschäftigt[1]: Zwar hat er zunächst einen Feldherrn in diese Landschaften geschickt und selbst erst später in die Kämpfe eingegriffen; doch zeigt die Tatsache, daß Attalos erst zur Offensive überging, als Achaios nach Pisidien gezogen war[2], ganz eindeutig, daß der Usurpator sich bislang in Lydien befunden und dort den Pergamener in Schach gehalten hatte. Antiochos hat denn auch im Sommer 218 in aller Ruhe seinen Feldzug in Südsyrien fortsetzen können[3].

So bleibt kein Raum für ein Unternehmen des Achaios gegen Syrien, mit dem er Antiochos hätte in den Rücken fallen können. Man wird freilich annehmen können, Antiochos sei im Herbst 219 durch eine begrenzte Störaktion oder durch falsche Meldungen alarmiert worden. Aber sein Verhalten im Winter spricht doch eine andere Sprache: Polybios berichtet, der König habe es verabsäumt, die Truppen ständig in Übung zu halten, da er glaubte, die Eroberung des restlichen Südsyrien werde in einem militärischen Spaziergang zu erreichen sein[4]. Von einer Gefahr von seiten des Achaios wird gar nicht mehr gesprochen. So erhebt sich der Verdacht, daß Antiochos gar nicht mit einer solchen Gefahr rechnete und daß die Furcht vor Achaios gar nicht der Grund für seine Zustimmung zum Waffenstillstand war. Wollte man ihn auf diese Weise später von dem Vorwurf des Leichtsinns freisprechen, mit dem er sich von der ptolemäischen Regierung, der es nur auf Zeitgewinn ankam[5], hatte hinters Licht führen lassen? Entscheiden läßt sich die Frage freilich nicht, da die Quellenlage in dem Bericht über den IV. Syrischen Krieg weit komplizierter ist als in den Teilen der Erzählung, die nur über die seleukidische Geschichte handeln[6].

auch E. WILL, REG 75 (1962) S. 124f. der an eine Täuschung des Königs durch ptolemäische Propaganda denkt.]
[1] Polyb. V 72—77.  [2] Polyb. V 77, 2.  [3] Polyb. V 68—71.  [4] Polyb. V 66, 6—7.
[5] Polyb. V 63, 4ff.; 66, 8—9.  [6] Zur Quellenlage vgl. F. W. WALBANK, Comm. I S. 570.

Immerhin hat in den Verhandlungen, die während des viermonatigen Waffenstillstands geführt wurden, die ptolemäische Regierung sich bemüht, Achaios in einen künftigen Vertrag 'einzubegreifen'; Antiochos lehnte freilich jede Diskussion über diesen Punkt ab und machte der Gegenseite Vorwürfe, sie nehme einen Empörer in Schutz[1]. Zu der Annahme, zwischen Achaios und Ptolemaios habe ein Bündnis bestanden[2], berechtigt dieses Eintreten der alexandrinischen Unterhändler freilich nicht. Der Verlust Kleinasiens für das Seleukidenreich, das Fortbestehen einer Gefahr im Rücken des Antiochos lagen im Interesse des Lagidenreichs: Achaios war eine Karte im Spiel des Sosibios, weiter nichts.

Und so erklärt es sich auch, wieso Ptolemaios sich nach seinem Sieg über Antiochos bei Raphia (217) nicht weiter darum bemühte, eine Garantie für Achaios in den Friedensvertrag aufzunehmen. Man hat freilich behauptet, Sosibios habe die Anerkennung des kleinasiatischen Sonderreiches durchsetzen versucht, sei aber an dem hartnäckigen Widerstand des besiegten Antiochos gescheitert[3]; davon steht indessen bei Polybios kein Wort. Andere bezeichnen es als einen 'unglaublichen Fehler', daß der träge Philopator auf eine solche Garantie für Achaios verzichtet habe; Philopator habe die Verhandlungen selbst geführt und Sosibios nur als ausführendes Organ eingesetzt: der kluge Kanzler des Lagidenreichs hätte, wenn man ihm freie Hand gelassen hätte, es sicher nicht unterlassen, die Anerkennung des Achaios auszuhandeln[4]. Dagegen ist manches zu sagen. Sosibios wird sicher weithin überschätzt; und der negativen Charakteristik des Philopator, die Polybios seinen Quellen entnommen hat, wird man nicht ohne weiteres folgen dürfen. Vor allem aber ist die ptolemäische Regierung wahrscheinlich durch innere Schwierigkeiten an der völligen Ausnützung ihres Sieges gehindert worden[5], weshalb sie wohl auch auf die Rückgabe von Seleukeia in Pierien verzichten mußte. Auf jeden Fall lag dem Lagidenreich jetzt, da die syrische Offensive abgeschlagen war, nichts mehr daran, Achaios zu schützen: sie mußte im Gegenteil wünschen, daß Antiochos in einen Krieg mit Achaios verwickelt werde. Auf diese Weise war der unbequeme Nachbar für längere Zeit beschäftigt; der Kampf gegen den Usurpator mußte bedeutende

---

[1] Polyb. V 67, 12—13. Zu (συμ)περιλαμβάνειν vgl. E. BICKERMANN, Philologus 87 (1932) S. 277ff.; Rev. de phil. 61 (1935) S. 59ff.

[2] So B. NIESE II S. 376; 387; verworfen von A. BOUCHÉ-LECLERCQ, Lagides I S. 299f.; Séleucides S. 141; anscheinend auch von P. MELONI, Acheo I S. 553. Unentschieden M. HOLLEAUX, Etudes III S. 132 A. 2; F. W. WALBANK, Comm. I S. 593. [Ablehnend auch E. WILL, REG 75 (1962) S. 125ff.]

[3] A. BOUCHÉ-LECLERCQ, Séleucides S. 142; vgl. P. MELONI, Acheo II S. 177.

[4] M. HOLLEAUX, Etudes III S. 132 u. A. 5.

[5] Vgl. A. MOMIGLIANO, Aegyptus 1929 S. 180ff.; dagegen F. W. WALBANK, Comm. I S. 612f.

Kräfte des Seleukidenreichs binden und, auch im Fall eines Sieges des Antiochos, viel Geld und Blut kosten. Tatsächlich hat Antiochos auch vier Feldzugsjahre benötigt, um Achaios endgültig niederzuschlagen (216–213 v. Chr.). Die ptolemäische Regierung hat während dieser Zeit anscheinend Achaios weiterhin mit Geld unterstützt[1] und so den Seleukiden gehindert, das durch innere Unruhen geschwächte Reich am Nil anzugreifen; sie ist also nach dem glücklichen Waffengang wieder zu ihrer traditionellen Politik zurückgekehrt, und nichts gibt das Recht, daran zu zweifeln, daß dieser Gang der Ereignisse von vornherein in der Absicht der alexandrinischen Politiker gelegen habe.

Die Bindungen zwischen Achaios und Ptolemaios waren also, wie es scheint, äußerst lose[2]; sie beruhten lediglich auf der gemeinsamen Gegnerschaft gegen Antiochos. Vor allem ist es offenbar nie zum Abschluß eines Bündnisses gekommen, weder in der Zeit der Usurpation noch in den folgenden Jahren. Die Gründe dafür lassen sich nur vermuten; es liegt nahe anzunehmen, daß Achaios eine zu enge Bindung an Ägypten ablehnte. Sie hätte ihn möglicherweise zu einem Eingreifen zu einem für ihn ungünstigen Zeitpunkt gezwungen: in Kleinasien warteten Attalos und Prusias nur darauf, daß Achaios in auswärtige Händel verstrickt war. Auch hätte er sich durch ein Bündnis den Zugriff auf die ptolemäischen Besitzungen in Kleinasien erschwert, auf die er es gewiß abgesehen hatte. Schließlich hatte er in dem Augenblick, da er die Hand nach Syrien

---

[1] M. HOLLEAUX, Etudes III S. 133ff.

[2] J. N. SVORONOS, Τὰ νομίσματα τοῦ κράτους τῶν Πτολεμαίων IV (1908) S. 205, glaubt aus den Münzen des Achaios eine politische Verbindung mit Philopator herauslesen zu können. Die Rs. der Doppelbronzen des Achaios zeigen einen Adler nach r. gewendet mit einem Palmzweig auf der Schulter, die der Bronze-Einheiten einen Adler nach r. mit einem Kranz. SVORONOS will in dem Adler das ptolemäische Wappentier, im Kranze den στέφανος τῆς τύχης erkennen, von dem Ptolemaios in seinem Brief (Polyb. V 42, 8) spricht! Diese 'Beeinflussung' gehört ebenso wie die o. S. 126 erwähnte 'Beeinflussung' der Münzen Molons durch ptolemäische Typen der Phantasie an. Der ptolemäische Adler ist stets nach links gewendet (Ausnahme: SVORONOS Nr. 1139), der des Achaios nach rechts. Zudem wäre es erstaunlich, wenn das 'Bündnis' nur auf doppelten und einfachen Bronzen verewigt wäre: die kleineren Bronzen zeigen auf der Rs. den Dreifuß bzw. einen Pferdekopf, die einzigen erhaltenen Stücke in Edelmetallen (der Münchener Goldstater und das Tetradrachmon aus der Jameson-Collection) eine Athena Promachos. E. T. NEWELL, The Coinage of the Western Seleucid Mints (1941) S. 270 sieht mit Recht im Adler ein bloßes Siegeszeichen. Hingegen ist zu beachten, daß Achaios — sicher mit Absicht — seleukidische Typen nachgeahmt hat, vor allem den Apoll auf der Vs. der Bronzen; auch Dreifuß und Roß-Protome sind alte Seleukidentypen (vgl. G. KLEINER, Jahrb. f. Numism. u. Geldgesch. 5/6 [1954/55] S. 145). Besonders bedeutsam ist der Seleukidenanker, der auf dem Schild der Athena Promachos des Tetradrachmons auftritt (vgl. NEWELL S. 269). Bei solcher Betonung der seleukidischen Herkunft des Achaios ist es doppelt unwahrscheinlich, daß er seine Verbindung mit dem Feind der Seleukiden auf seinen Münzen ausgedrückt hätte.

ausstreckte, die Erfahrung machen müssen, daß sein Heer nicht gewillt war, gegen Antiochos zu kämpfen. Im eigenen Herrschaftsgebiet war zunächst genug für ihn zu tun; und so beschied er sich wohl zunächst damit zuzusehen, wie sich Antiochos und Ptolemaios ineinander verbissen, und währenddessen in Ruhe seine Stellung in Kleinasien zu verbessern. Vielleicht hoffte er auch, einen geschlagenen oder mindestens geschwächten Antiochos leichter zu einer Verständigung bewegen zu können.

Das mag kurzsichtig erscheinen. Aber das Verhalten des Achaios steht nicht vereinzelt da. In diesen Jahrzehnten läßt sich immer wieder ein erstaunlicher Mangel an politischem Weitblick, eine überraschend eng-egoistische Haltung der hellenistischen Mächte beobachten, die oft genug auf lange Sicht zu ihrem Nachteil ausschlug. Philipp V. und Hannibal schlossen zwar ein Bündnis gegen Rom — aber sie arbeiteten nicht zusammen; Philipp verfolgte lediglich seine eigenen Ziele. Der Geheimvertrag, den Philipp und Antiochos gegen das Lagidenreich schlossen[1], war von vornherein zum Mißlingen verurteilt, weil jeder der beiden Kontrahenten nur sein eigenes Interesse verfolgte. Antiochos sah ruhig zu, wie die Römer Philipp niederwarfen, und glaubte wohl noch, daß die fremde Macht aus dem Westen sein Geschäft besorge; wenige Jahre später rührte Philipp keinen Finger, als die römischen Waffen die letzte hellenistische Großmacht, das Seleukidenreich, zerschlugen. Es ist zweifelhaft, ob wirklich jener Ätoler bei den Friedensverhandlungen zu Naupaktos (217 v. Chr.) die prophetischen Worte von der Wolke aus dem Westen gesprochen hat[2]; die hellenistischen Fürsten haben solchen Weitblick jedenfalls nicht bewiesen. Sie haben nicht einfache politische Rechenfehler begangen; die Gründe ihrer Mißerfolge liegen tiefer, in einem übersteigerten Selbstbewußtsein, das diesen großen Herren vorspiegelte, sie seien zur Nachfolge Alexanders berufen, und das sie doch nur hinderte, die Gebote der Zeit zu erkennen.

## Motive und Ziele der Usurpation

So bedurfte es wohl nicht erst der Einflüsterungen der ptolemäischen Diplomatie, um Achaios zum Abfall vom Reich zu bewegen. Die Macht, die der Vizekönig sich in überraschend kurzer Zeit mit dem Schwert errungen hatte, tat allein schon das Ihre, ihn bereuen zu lassen, daß er in jener glücklichen Stunde, da das Heer ihn auf den Schild erheben wollte, das Diadem ausgeschlagen hatte; und es hat in seiner Umgebung gewiß

---

[1] S. u. Kap. IV.
[2] Polyb. V 104, 10—11. — Zu dem oben Gesagten vgl. etwa H. E. STIER, Roms Aufstieg zur Weltmacht und die griech. Welt (1957) S. 34f.

nicht an Schmeichlern gefehlt, die ihm bedeuteten, jener junge Mann auf dem syrischen Thron verdanke doch alles, was er habe, nur seiner — des Achaios — Loyalität und Energie. Den Namen des Mannes, dem es schließlich gelang, die Bedenken des Achaios zu überwinden und ihn zum entscheidenden Schritt zu drängen, hat Polybios überliefert: es war ein Heimatloser namens Garsyeris[1]. Er hat dem Achaios in der Folge wertvolle Dienste als Feldherr geleistet.

Noch anderes mag den selbstbewußten Mann dazu getrieben haben, die Bande der Loyalität zu zerreißen und selbst nach dem Diadem zu greifen. Es ist bereits davon gesprochen worden, daß Hermeias vielleicht versucht hat, der Feudalisierung des Reichs entgegen zu wirken und auf Kosten der Statthalter dem König wieder größere Geltung zu verschaffen (s. o. S. 121). Solche Bestrebungen mußten besonders den Mann kränken, der dem Reiche eben erst die kleinasiatischen Provinzen wiedergewonnen hatte und der sich als naher Verwandter des Königs wohl etwas Besseres dünkte als ein beliebiger Provinzgouverneur[2].

Daß Achaios es anfangs nicht dabei bewenden lassen wollte, sich in Kleinasien eine selbständige Herrschaft zu gründen, ist unbestreitbar. Seine Ziele waren höher gesteckt: sein Plan, Syrien zu erobern, beweist, daß er Antiochos vom Thron stoßen und selbst Herr des Reichs werden wollte. Erst die Weigerung seiner Soldaten, ihm gegen den rechtmäßigen Herrscher zu folgen, hat ihn dazu bewogen, sich wenigstens vorläufig mit Kleinasien zu begnügen.

Diese Loyalität der Truppen gegenüber Antiochos hat manchen Forschern Grund zur Verwunderung gegeben; man hat sich gefragt, was Söldner zu einer solchen Anhänglichkeit gegenüber ihrem Dienstherrn bewogen haben könne[3]. Bei Söldnern wäre diese Haltung freilich

---

[1] Polyb. V 57, 5: Γαρσυήριδος τοῦ φυγάδος. P. MELONI, Acheo I S. 553 glaubt, Garsyeris müsse entweder ein von Antiochos Verbannter im Dienst des Achaios gewesen sein oder ein verbannter Ägypter, der Achaios in den Verhandlungen mit dem Ptolemäerhof gedient habe; die Namensendung spreche für die zweite Möglichkeit. Aber der Name scheint eher kleinasiatischen Ursprungs zu sein; warum sollte Garsyeris nicht aus einer anatolischen Stadt, etwa aus Pisidien oder Pamphylien stammen? Vermutlich war in der Quelle des Polybios schon vorher von ihm die Rede, und Polybios, der hier vieles nur sehr kurz exzerpiert hat (vgl. u. S. 180f.), hat dies übergangen. Man würde sonst doch etwa Γαρσυήριδος φυγάδος τινός o. ä. erwarten. (Oder ist hier enklit. τοῦ = τινος zu lesen?) [E. WILL, REG 75 (1962) S. 118f., nimmt an, Garsyeris sei ein Mitglied des Offizierskreises um Epigenes gewesen, den WILL postuliert (vgl. u. S. 185ff.), vielleicht ein Abgesandter der Kyrrhesten; er sei erst in Laodikeia am Lykos mit Achaios zusammengetroffen.]

[2] Es war wohl eher Verärgerung über den Kanzler oder Furcht vor ihm, was Achaios zur Rebellion trieb, nicht die Hoffnung, daß Antiochos sich des fähigen Beraters entledigen werde und dann leichter bekämpft werden könne (so P. MELONI, Acheo I S. 548).

[3] M. J. TETZLAFF, De Antiochi III Magni Syriae regis rebus gestis ... (Diss. Münster 1874) S. 11, glaubt, die Soldaten hätten sich nur geweigert, so große Entfernungen zurück-

überraschend; der IV. Syrische Krieg hat ja gezeigt, daß damals nicht selten ganze Kontingente von Reisläufern mit ihren Kommandeuren die Fahne wechselten. Es ist aber nicht anzunehmen, daß hier die Erfindung einer königstreuen Quelle vorliege. Die Meuterei an den Grenzen Lykaoniens zeigt vielmehr, daß das Heer des Achaios zu einem beträchtlichen Teil aus Reichstruppen bestand, aus Angehörigen der makedonisch-griechischen Schicht, die sich Generationen hindurch der Dynastie verpflichtet gefühlt hat. Wahrscheinlich sind unter den Soldaten des Achaios zahlreiche Militärsiedler aus den kleinasiatischen Katoikien gewesen, die mit einem Kleros belehnt waren und als Gegenleistung dem König ins Feld folgen mußten[1]. Diese Männer waren bereit, dem energischen und offenbar sehr beliebten Führer zu folgen, solange es ihm nur darum ging, sich in den Provinzen nördlich des Taurus ein eigenes Reich nach dem Vorbild des Antiochos Hierax aufzubauen; gegen Antiochos zu kämpfen verbot ihnen die Scheu vor dem Charisma, das den legitimen Fürsten über die gewöhnlichen Sterblichen hinaushob[2].

Diese Haltung der Soldaten des Usurpators hatte es später Antiochos wohl vor allem zu verdanken, daß er Achaios sehr rasch, wohl schon nach einem Feldzugsjahr, in seiner Hauptstadt Sardes einschließen konnte[3]. Freilich hatte Achaios damals wohl nicht mehr nur über die alten Reichstruppen verfügt; er hat gewiß zwischen 220 und 216, vielleicht mit ägyptischem Geld, Söldner angeworben, um seine Truppen mit Leuten zu verstärken, die nur ihm ergeben waren. Im Jahr 218 schickte er Garsyeris mit 6500 Mann nach Pisidien; er selbst kam erst später, jedenfalls mit dem Gros des Heeres, nach[4]; man wird also damit rechnen dürfen, daß er mindestens 15—20000 Mann kommandierte.

Antiochos und Achaios im IV. Syrischen Krieg

Einige Zeit nach der Usurpation und dem mißglückten Angriff des Achaios auf Syrien kehrte Antiochos als Sieger aus dem Osten zurück (Spätherbst 220; s. o. S. 113f.). Die gefährliche Lage, in die Molons Auf-

---

zulegen. Vielleicht habe Achaios auch nur seine Pläne geändert, weil er von den Erfolgen des Antiochos im Osten gehört habe; vgl. E. A. HEYDEN, Res gestae S. 16; A. BOUCHÉ-LECLERCQ, Séleucides S. 140.

[1] Vgl. W. W. TARN, CAH VII S. 725; G. T. GRIFFITH, The Mercenaries of the Hellenistic World (1935) S. 168 A. 2. Die Existenz dieser Militärkolonien wird von E. BIKERMAN, Institutions S. 100ff., geleugnet; vgl. dagegen H. BENGTSON, Strategie II S. 68f. Zu den κατοικίαι allg. vgl. L. ROBERT, Études anatoliennes S. 191ff.

[2] Vgl. P. MELONI, Acheo I S. 549.

[3] Vgl. auch M. HOLLEAUX, Etudes III S. 130. Zur Chronologie vgl. P. MELONI, Acheo II S. 178.      [4] Polyb. V 72, 3; vgl. G. T. GRIFFITH, a.a.O. S. 143.

stand das Reich gebracht hatte, war glücklich gemeistert; aber schon sah er seine Expansionspolitik durch eine neue Rebellion im eigenen Lande in Frage gestellt. Wie zwei Jahre zuvor galt es zu wählen: sollte er zuerst den Empörer niederwerfen, oder konnte er es wagen, das Lagidenreich anzugreifen, solange noch die Gefahr in seinem Rücken drohte?

Antiochos entschied sich für die Offensive in Südsyrien. Dem Rebellen gegenüber beschied er sich mit den schon erwähnten drohenden Noten: 'er brachte Vorwürfe und Proteste vor, weil Achaios es gewagt habe, sich das Diadem umzulegen und den Königstitel anzunehmen, und erklärte, er wisse sehr wohl, daß Achaios mit Ptolemaios gemeinsame Sache mache und überhaupt in seinen Unternehmungen die Grenzen des Erlaubten weit überschreite[1]. ... Der König, der die Vorgänge (scil. bei der Usurpation des Achaios) in allen Einzelheiten genau kannte, schickte dem Achaios unablässig Drohbriefe ...; den Rüstungen gegen Ptolemaios aber widmete er sich mit aller Kraft'[2].

Wahrscheinlich hat die eigentümliche Ausdrucksweise des Antiochos zu der Ansicht geführt, der König habe 'einen offenen Bruch mit Achaios noch vermeiden' wollen[3], und durch 'Versöhnungsversuche'[4] einen 'annehmbaren Ausgleich mit Achaios'[5] zustandegebracht. Von Ausgleich oder Versöhnung kann indessen keine Rede sein. In der kurzen Zusammenfassung des Briefes ist noch die gewundene Sprache der hellenistischen Diplomatie hörbar, die es verstand zu drohen, ohne zu beleidigen, wenn die Umstände dies verboten. In Wahrheit bedeutete die Annahme des Königstitels durch Achaios den offenen, irreparablen Bruch; darüber war keiner der beiden im Unklaren. Es herrschte Kriegszustand; einer Kriegserklärung bedurfte es nicht, und Antiochos hätte sich dazu nie herbeigelassen: für ihn war Achaios nicht König, sondern Rebell, ἀποστάτης; deshalb war es ihm nicht möglich, der von Philopator geforderten Anerkennung des Achaios zuzustimmen[6]. Der Kampf, den

---

[1] Polyb. V 57,2: ἐγκαλῶν καὶ διαμαρτυρόμενος πρῶτον μὲν ἐπὶ τῷ τετολμηκέναι διάδημα περιθέσθαι καὶ βασιλέα χρηματίζειν, δεύτερον δὲ προλέγων ὡς οὐ λανθάνει κοινοπραγῶν Πτολεμαίῳ καὶ καθόλου πλείω τοῦ δέοντος κινούμενος. — Διαμαρτύρεσθαι = (feierlich) protestieren (vgl. A. Mauersberger, Polyb.-Lexikon s. v.); die Übersetzung P. Meloni, Acheo I S. 550 (nach der Polybios-Übers. von I. Cohen [Mailand 1825] III S. 165) 'asserendo di aver prove (dei rapporti fra lui ed il sovrano di Egitto)' ist schon wegen der Stellung unmöglich.

[2] V 58, 1.     [3] K. J. Beloch, IV 1 S. 691.     [4] P. Meloni, Acheo I S. 550.

[5] M. Rostovtzeff, Social and Econ. Hist. of the Hell. World I (1941) S. 49 (= S. 38 d. deutschen Übers.); vgl. ebd. über die Lage im J. 217: 'It was evident that Achaeus was acting as an independent king (!) ... and that he was prevented from open rebellion (!) only by the fact that his troops would not fight against the legitimate king of the Seleucid Empire'. Vgl. auch W. W. Tarn, CAH VII S. 726. Auch die Erklärung der Stelle durch E. Will, REG 75 (1962) S. 123, läuft auf eine Anerkennung des status quo durch Antiochos hinaus.     [6] Polyb. V 67, 12–13; s. o. S. 169f.

er in den Jahren 216—213 gegen Achaios führte, war, wie man heute sagen würde, kein Krieg, sondern eine Polizeiaktion gegen einen Aufrührer; und als solcher wurde Achaios dann auch hingerichtet[1].

Der Bruch mit Achaios war unwiderruflich. Wenn Antiochos nicht sofort den offenen Kampf wählte, sondern es vorerst bei einer bloßen diplomatischen Geste bewenden ließ, so hatte er sicher seine guten Gründe dafür. Er hatte unter dem Einfluß des Hermeias den Krieg mit dem Ptolemäerreich vom Zaune gebrochen; vielleicht befürchtete er einen Angriff in Syrien, während er in Kleinasien in schwierige Kämpfe verwickelt sein würde. Vielleicht hatte er auch schon erkannt, daß zwischen Achaios und Ptolemaios noch keine enge Verbindung bestand; wenn es ihm gelang, auch fernerhin ein Bündnis zwischen seinen beiden Gegnern zu verhindern, konnte er hoffen, einen nach dem anderen besiegen zu können. Vielleicht hat er das mit seinem Verhalten bezweckt und auch erreicht: Achaios mochte glauben, sein Verwandter könne nichts gegen ihn unternehmen, und er selbst werde Zeit haben, seine Herrschaft zu befestigen, während Antiochos von Ptolemaios festgehalten und möglicherweise so geschwächt werde, daß er eine Auseinandersetzung mit Achaios nicht mehr wagen könne (s. o. S. 170f.).

Der König hat also in den Jahren 219—217 die Politik des Hermeias in gewissem Sinne fortgesetzt; auch er zog gegen das Ptolemäerreich, während in seinem Rücken Gefahr von einem Rebellen drohte. Und doch bestand ein grundlegender Unterschied: Während Molon scheinbar unaufhaltsam vorgedrungen war, hatte Achaios bei seinem Versuch, Syrien zu erobern, bei den Truppen keine Gefolgschaft gefunden; Antiochos konnte darauf bauen, und er wußte im Rücken seines aufständischen Verwandten den pergamenischen König Attalos I., dessen nur vorübergehend eingedämmter Expansionsdrang starke Kräfte des Achaios binden würde, sobald dieser erneut den Angriff auf das Kernland des Reichs wagen sollte. Wahrscheinlich hat Antiochos schon damals mit Attalos Kontakt aufgenommen; im J. 216, als er selbst zur Offensive gegen den Empörer schritt, schloß er mit ihm sogar einen Vertrag[2]. Der Bedrohung durch Attalos — und vielleicht auch durch Prusias I. von Bithynien — ist es wohl zuzuschreiben, daß Achaios offenbar nicht dazu kam, rechtzeitig die Tauruspässe zu sperren.

## VI. POLYBIOS UND SEINE QUELLEN

Mit welcher Animosität die Quelle des Polybios dem 'Kanzler' Hermeias gegenübergestanden hat, ist oben (S. 150ff.) bereits erwähnt worden.

---

[1] Polyb. VIII 21, 3; vgl. B. A. van Prosdij, Hermes 69 (1934) S. 349.
[2] S. u. S. 264ff.

Es ist nicht uninteressant zu beobachten, wie auf der anderen Seite der König behandelt wird. Antiochos erscheint in seinen ersten Regierungsjahren als ein etwas farbloser, aber wohlmeinender und vernünftig denkender junger Mann, dessen Vertrauen und Unerfahrenheit der skrupellose 'Kanzler' mit allerlei Winkelzügen zu lenken und auszunützen weiß. Sein Mut[1] wird der angeblichen Feigheit des Hermeias[2], seine Milde und Freundlichkeit[3] der Strenge und Grausamkeit des Kanzlers[4] gegenübergestellt. Die gleiche Tendenz ist während des ganzen Berichts über den Molon-Aufstand spürbar. Molon wird als äußerst gefährlich gezeichnet[5]; die Generäle Xenon und Theodotos ergreifen vor ihm die Flucht (43, 7); dann wird unüberhörbar betont, Molon sei schon vorher infolge der Bedeutung seiner medischen 'Hausmacht' furchtbar gewesen, nun aber sei er endgültig allen Bewohnern Asiens schrecklich und unüberwindlich erschienen (43, 8; 45, 1—2). Der König will das einzig Richtige tun und sich gegen den Empörer wenden — aber Hermeias ist so verrannt in seine Idee, daß er gegen diesen gefährlichen Mann wiederum nur einen General einsetzt, mit der prahlerischen Begründung: gegen Aufrührer müsse man Generäle senden; einem König gezieme es, mit Königen um den höchsten Einsatz zu kämpfen (45, 5—6). Aber sein Geschöpf Xenoitas — ein aufgeblasener Mensch — erweist sich wieder als unfähig, Molon zu besiegen. Eine Katastrophe scheint sich anzubahnen. Erst als sich der König und seine einsichtigen Berater durchsetzen, wendet sich das Blatt, und die Folgen der stümperhaften Planung des Hermeias werden beseitigt. Schließlich kehrt der König unter dem Jubel der Bevölkerung als strahlender Sieger aus dem Osten heim; er hat den 'furchtbaren' Empörer niedergeworfen, vor allem aber den ebenso verhaßten wie unfähigen Kanzler aus dem Wege geräumt (56, 14). Das alles dürfte zwar faktisch großenteils richtig sein; aber die Art, wie es erzählt wird, verrät doch immer wieder die Absicht, den König und seine 'Freunde' in dem gleichen Maß zu entschuldigen und hervorzuheben, in dem Hermeias belastet wird[6].

Der Achäer Polybios kann Antiochos und erst recht Hermeias nicht das persönliche Interesse entgegengebracht haben, das er etwa an Philipp V. und seinen Beratern hatte; so wird man annehmen dürfen, daß nicht er es war, dem dieses für Antiochos positive, für Hermeias negative

---

[1] Z. B. V 42, 9; 55, 1.   [2] V 42, 4; 55, 3.
[3] V 49, 5; 54, 8. 11.   [4] Bes. V 41, 1. 3; 54, 10.

[5] Dazu gehört wohl auch die Behauptung, Alexandros sei 'bereitwilliger Komplize' seines Bruders gewesen, für die sich in der Folge keine Bestätigung findet; vgl. o. S. 127.

[6] Bezeichnenderweise wird vom Tod des Hermeias ab von der Jugend des Antiochos — er war inzwischen etwa 22 Jahre alt geworden — nicht mehr gesprochen!

Kolorit zuzuschreiben ist[1]. Diese Tendenzen entstammen vielmehr aller Wahrscheinlichkeit nach bereits der Quelle, auf der Polybios' Bericht direkt oder indirekt fußt. Wie die eingehende Kenntnis der Vorgänge bei Hofe, vor allem in den Ratssitzungen zeigt, scheint sie dem königlichen Hof sehr nahegestanden zu sein. Die Nachrichten dürften auf jenen Kreis der φίλοι des Königs zurückgehen, die, wie immer wieder beteuert wird, nur aus Furcht vor Hermeias' Rachsucht nicht für eine bessere Politik zu stimmen wagten[2].

Auch aus anderen Anzeichen läßt sich erkennen, daß die Quelle dem Hof nahestand. Es ist überraschend, daß Polybios uns zwar die Aufstellung der Heere in der Molon-Schlacht, aber keine einzige Ziffer überliefert hat[3]; ja in dem ganzen Bericht über die Empörung des Molon wird keine Truppenzahl genannt außer der der 6000 Kyrrhesten. Nun gibt es kaum einen antiken Historiker, der sich Truppenstärken oder Verlustziffern hätte entgehen lassen, und Polybios war gewiß der letzte, der solche Angaben unterdrückt hätte; wie gern er in diesen Dingen seine Quellen wiedergegeben hat, zeigt z. B. die minutiöse Aufstellung über die ptolemäische und syrische Heeresstärke im IV. Syrischen Krieg (V 65; 79). Auch wenn man eine Zwischenquelle annimmt, läßt sich kaum ein einleuchtender Grund denken, warum die Heeresstärken hätten gestrichen werden sollen. Diese Angaben fehlten wohl bereits in der Urquelle — nennen wir sie die 'seleukidische Hofquelle'; und der Grund dafür dürfte eine allzugroße Überlegenheit des königlichen Heeres über die Truppen Molons gewesen sein, wie sie oben (S. 145) bereits aus der Tatsache erschlossen wurde, daß Zeuxis den Molon zur offenen Feldschlacht zwingen, dieser sie um jeden Preis vermeiden wollte. Wer den König loben wollte, durfte nicht zu erkennen geben, daß seine drückende Übermacht allein schon den Sieg über den Empörer garantierte.

Bezeichnend ist auch, daß uns völlig verschwiegen wird, daß Molon den Königstitel geführt hat (s. o. S. 128). Eine so wohlunterrichtete Quelle muß auch darüber informiert gewesen sein. Wieder erklärt sich das Phänomen am leichtesten durch die Annahme, daß die höfische Geschichtsschreibung die Königserhebung totschweigen wollte: so wie die Münzen mit Bild und Namen des Empörers (s. o. S. 126 A. 3) sollte auch die Erinnerung daran unterdrückt werden, daß Molon seine Insurrektion mit dem höchsten Frevel, der Annahme des Königstitels gekrönt hatte: Molon war ἀποστάτης, nicht βασιλεύς. Wenn im Gegensatz dazu ausdrücklich bezeugt wird, daß Achaios sich diesen Titel beigelegt habe (IV 48, 3; V 57, 5; vgl. IV 2, 6), so ist die Lage dort doch etwas anders:

---

[1] Anders W. Otto (vgl. aber o. S. 152 A. 1!).
[2] Intrigen gegen die Hofchargen: V 41, 3ff. Furcht: 42, 5; 49, 3ff.; 50, 6. 9. 14; 51, 5; 56, 1ff.   [3] S. o. S. 145f.

anders als Molon, dessen Erhebung nur ephemer war, konnte sich Achaios immerhin sieben Jahre lang (220—213) behaupten; zudem war er ein Verwandter des königlichen Hauses und spielte in der internationalen Politik eine ganz andere Rolle als Molon.

In die gleiche Richtung deutet die Bezeichnung σατραπεῖαι für die in Wahrheit de facto selbständigen Nachbarländer (V 43, 6; vgl. XI 34, 14) hin. Wie schon oben (S. 123) ausgeführt, liegt hier wahrscheinlich die Terminologie des königlichen Hofes vor, der die Autonomie dieser abgefallenen Provinzen nicht anerkannte. In der Behauptung, Hermeias habe es auf das Leben des Königs abgesehen gehabt, hat bereits Walter Otto die offizielle Begründung für die Beseitigung des 'Kanzlers' erkannt[1]. Als Parallele läßt sich diesem Propagandamärchen die Behauptung an die Seite stellen, Artabazanes habe Molon unterstützt, was sich als unwahrscheinlich erwiesen hat (s. o. S. 124): die Annahme liegt nahe, daß wir es hier mit der offiziellen Begründung des Angriffskrieges auf Atropatene zu tun haben. Und wenn im gleichen Atemzug berichtet wird, Atropatene habe sich seit der Perserzeit selbständig halten können, da es in der Zeit Alexanders des Großen links liegen geblieben sei (V 55, 9), so wird man darin vielleicht eine Spur zeitgenössischer *adulatio* sehen dürfen: Was in den Tagen des großen Makedonen nicht geschehen war, hatte nun Antiochos erreicht. Neben der *damnatio memoriae* des Hermeias, die wie ein roter Faden den gesamten Bericht durchzieht, sprechen alle diese Anzeichen für eine höfische Redaktion des historischen Berichts.

Wie wohlunterrichtet die Quelle ist, zeigt sich an mehreren Stellen. Die Nachrichten über die Sitzungen des Kronrats, vor allem über das Wortgefecht während der ersten Sitzung (s. o. S. 151f.) verraten einen Augenzeugen, ebenso die Wiedergabe des Briefs des Achaios, mag dieser nun echt sein oder nicht (s. o. S. 161). Auch mehrere Passagen aus den Feldzugsberichten beweisen das Vorliegen einer ausführlichen, auf authentisches Material zurückgehenden Schilderung, so die Beschreibung der Aktionen des Xenoitas[2], vor allem aber die Schilderung der Beratung bei Libba, des Vormarsches in die Apolloniatis[3] und der Heeresaufstellung in der Schlacht gegen Molon. Dazu mag man die Kenntnis des Namens der 'Stadträte' von Seleukeia am Tigris, Πελιγᾶνες, stellen, der wahrscheinlich erst in den Handschriften verschrieben worden ist[4]. Eine 'inside story' ist auch die Erzählung von dem Komplott gegen Hermeias.

---

[1] S. o. S. 157.

[2] V 46, 6—48, 10. Im übrigen trägt die Schilderung der Metzelei unter den Leuten des Xenoitas (48, 2ff., bes. 9) alle klassischen Züge der 'tragischen' Historiographie.

[3] Man beachte Einzelheiten wie die Durchquerung des Tigris in 3 Kolonnen (52, 1), das — außer in Mesopotamien — sicher unbekannte Oreikon (52, 3), vor allem aber die eingehende Schilderung des Kriegsplanes des Zeuxis (51, 5—11). [4] S. o. S. 147 A. 4.

Diesen oder diese Augenzeugen mit einiger Sicherheit zu identifizieren, ist kaum möglich, außer in einem Fall: Die Schilderung der Xenoitas-Affäre geht wahrscheinlich in letzter Instanz auf den offiziellen Bericht des Zeuxis zurück, der als Kommandant des Lagers auf dem rechten Tigrisufer zurückgeblieben war und sich so retten konnte[1]. Man könnte auch bei den übrigen Kriegsereignissen an Zeuxis als Quellenschriftsteller denken: er könnte Quelle für 45, 4 sein, wo der Offizier zum ersten Male auftritt, als er (222 v. Chr.) dem Molon den Übergang über den Tigris verwehrt. Auf ihn zurückgehen könnte auch die Beschreibung des Feldzugs vom Kriegsrat bei Libba, wo seine strategische Weitsicht so stark herausgestrichen wird[2], bis zur Schlacht, in der er mit Hermeias den linken Flügel kommandiert; interessanterweise wird im Kampfbericht selbst nur noch von οἱ περὶ τὸν Ζεῦξιν gesprochen[3]. An dem Feldzug nach Atropatene nahm Zeuxis wahrscheinlich teil; er könnte also auch diese Expedition und die Ermordung des Hermeias beschrieben haben. Schließlich könnte Zeuxis dem (ausführlich beschriebenen) ersten Kriegsrat beigewohnt haben und erst mit Xenon nach Babylonien gekommen sein; über den zweiten Kriegsrat, während dessen er sicher noch im Osten stand, wird nur ganz kurz berichtet (45, 5f.); die wieder ausführlich berichtete dritte Sitzung schließlich und die Meuterei in Apameia könnte er miterlebt haben, wenn er, was nicht unwahrscheinlich ist, sich von Seleukeia aus zu Antiochos nach Syrien zurückgezogen und die Katastrophenmeldung selbst überbracht hatte. Zu erhärten ist all dies aber nicht; und anstatt eine eigene literarische Darstellung des Molonkrieges durch Zeuxis zu postulieren, genügt es anzunehmen, daß der Autor, der zum ersten Mal die Geschichte jener Jahre beschrieb, ein dem Zeuxis nahestehender Höfling war[4].

Ob zwischen dieser Darstellung und der des Polybios eine Zwischenquelle liegt, ist nicht zu ergründen. Die Einheitlichkeit der Tendenz, die zu beobachten war, macht es jedenfalls wahrscheinlich, daß Polybios

---

[1] Die kritische Bemerkung Ξενοίτας ... ὑπεροπτικώτερον ... ἐχρῆτο τοῖς αὐτοῦ φίλοις (V 46, 6) wird sich wohl vor allem auf eine Zurücksetzung der bereits im Zweistromland bewährten Offiziere beziehen, d. h. auch auf Zeuxis, der sich nicht seinen Verdiensten entsprechend behandelt fühlte. (Er mußte beim Angriff auf Molon im Lager auf dem westlichen Tigrisufer zurückbleiben.)

[2] Vgl. auch die Schilderung, wie Zeuxis mit seiner Furcht vor Hermeias kämpft, schließlich aber aus Pflichtgefühl doch opponiert (V 51, 5).

[3] V 54, 1. W. Otto, RE VIII 1 (1912) Sp. 730 wertet dies als Hermeias-feindliche Tendenz. Doch würde dies der oben angedeuteten Möglichkeit keineswegs widersprechen.

[4] Der Annahme T. S. Browns, The Phoenix 15 (1961) S. 187–195, daß der Arzt Apollophanes der Autor dieses (auch von ihm angenommenen) höfischen Geschichtswerks sei, steht Polyb. V 56, 1 entgegen: ... Ἀπολλοφάνης ὁ ἰατρὸς ἀγαπώμενος ὑπὸ τοῦ βασιλέως διαφερόντως θεωρῶν τὸν Ἑρμείαν οὐκέτι φέροντα κατὰ σχῆμα τὴν ἐξουσίαν ἠγωνία μὲν

für die Geschichte des Molonkrieges lediglich diese eine Darstellung (wenn auch vielleicht indirekt) benutzt hat[1].

Aus dem Rahmen fällt lediglich der Medien-Exkurs, Kap. 44. Er ist so unorganisch in die durchlaufende Erzählung eingebaut, daß er sich ohne weiters herausheben läßt. 43, 8: ὁ δὲ Μόλων κύριος γενόμενος τῆς Ἀπολλωνιάτιδος χώρας εὐπορεῖτο ταῖς χορηγίαις ὑπερβαλλόντως. ἦν δὲ φοβερὸς μὲν καὶ πρὸ τοῦ διὰ τὸ μέγεθος τῆς δυναστείας. Folgt die Begründung (44, 1): Alle königlichen Gestüte liegen in Medien, und das Land ist überreich an Getreide und Vieh; (2) seine natürliche Uneinnehmbarkeit und Größe läßt sich kaum beschreiben; (3) es liegt mitten in Asien und zeichnet sich durch Größe und Höhenlage vor allem anderen Landschaften Asiens aus. Was nun noch kommt, eine Geographie Mediens (4—11), hat mit der ursprünglichen Absicht, Molons 'Hausmacht' zu charakterisieren, nur noch wenig zu tun: es ist ein geographischer Exkurs, der aus jedem Handbuch übernommen sein könnte. Und nun nimmt Polybios die Erzählung fast mit den gleichen Worten wieder auf, mit denen er sie abgebrochen hatte: (45, 1) κυριεύων δὲ ταύτης τῆς χώρας βασιλικὴν ἐχούσης περίστασιν, καὶ πάλαι μὲν φοβερὸς ἦν, ὡς πρότερον εἶπα, διὰ τὴν ὑπεροχὴν τῆς δυναστείας; (2) nun aber, da die Strategen des Königs ihm das Feld geräumt haben ... τελέως ἐδόκει φοβερὸς εἶναι καὶ ἀνυπόστατος πᾶσι τοῖς τὴν Ἀσίαν κατοικοῦσι. Die Wiederaufnahme ist äußerst plump, die Nahtstelle allzu deutlich sichtbar[2]. Inhalt und Quellenfragen des Medien-Exkurses sind schon im vorigen Kapitel (s. bes. S. 59f.) behandelt worden; es kann nicht geklärt werden, ob Polybios die eratosthenischen Vorstellungen selbst mit den neueren geographischen Erkenntnissen vereinigt oder ob er eine fertige Medien-Beschreibung in einem geographischen Werk vorgefunden hat.

Gegenüber der Ausführlichkeit, mit der manche Dinge berichtet werden (s. o. S. 178), fällt die in Inhalt und Form summarische Behandlung anderer Begebenheiten umso stärker auf. Am deutlichsten wird das in der Schilderung des Heereszugs gegen Molon im Winter und Frühjahr 221/220. Während die Beratung bei Libba und der Flußübergang ausführlich erzählt werden, geht Polybios über das Folgende sehr rasch hinweg; über den Marsch vom Tigrisübergang bis zum Zusammentreffen

καὶ περὶ τοῦ βασιλέως, τὸ δὲ πλεῖον ὑπώπτευε καὶ κατάφοβος ἦν ὑπὲρ τῶν καθ' αὑτόν. Apollophanes kommt hier doch recht schlecht weg; es ist kaum denkbar, daß er selbst geschrieben haben sollte, seine Hauptsorge habe seinem eigenen Leben, nicht dem seines königlichen Patienten gegolten. Und welches Interesse sollte ein dem Hof fernstehender Historiker (Polybios oder die Zwischenquelle) haben, den Hofarzt derart herunterzusetzen?

[1] Vgl. o. S. 152 A. 1 zu W. OTTO, a.a.O. Sp. 727 Anm.

[2] Kaum weniger unerfreulich ist die Anknüpfung an den zuletzt wiedergegebenen Satz: (§ 3) διὸ τὸ μὲν πρῶτον ἐπεβάλετο ... πολιορκεῖν τὴν Σελεύκειαν. Der Kausalnexus ist nicht erkennbar.

der beiden Armeen macht er nur ganz oberflächliche Angaben. Es ist unwahrscheinlich, daß bereits der ursprüngliche Feldzugsbericht so unausgewogen war; Kürzungen sind anzunehmen, doch läßt sich kaum unterscheiden, wieviel davon Polybios selbst und wieviel einer eventuellen Zwischenquelle zuzuschreiben ist.

Immerhin kann man an einigen Fällen mit ziemlich großer Sicherheit die Hand des Polybios erkennen. V 41, 4 sagt Polybios von Epigenes τὸν ἀποκομίσαντα τὰς δυνάμεις τὰς Σελεύκῳ συνεξελθούσας Ἐπιγένην; es sieht beinahe so aus, als ob der Leser das wissen müßte. Von dem Zug des Seleukos III. nach Kleinasien und seiner Ermordung hatte Polybios allerdings eben (40,6) ganz kurz, im vorhergehenden IV. Buch (48, 5ff.) etwas ausführlicher berichtet; doch war dabei die Rückführung der Truppen mit keinem Wort erwähnt worden. Vermutlich glaubte er jetzt, im Buch IV davon gesprochen zu haben[1]; und merkte nicht, daß diese Bemerkung hier gewissermaßen in der Luft hing.

Ähnlich ist es wohl zu erklären, daß V 45, 4 Zeuxis ohne nähere Bestimmung (wie etwa τῶν ἡγεμόνων τις o. ä.) auftritt, obwohl er hier zum ersten Mal erwähnt wird. Wahrscheinlich war dieser Mann, der in der Folgezeit häufig zu erwähnen war, in der Quelle bereits früher genannt worden, und Polybios hat bei der Raffung der Vorlage nicht gesehen, daß er von ihm noch nicht gesprochen hatte.

Schließlich sei noch hingewiesen auf die sehr kurze Zusammenfassung der ersten Maßnahmen des Antiochos[2] und die Vorbereitungen des Molon auf den Aufstand[3]; an beiden Stellen reiht Polybios Partizipialkonstruktionen, das vorzügliche Mittel der Raffung, aneinander. Beachtenswert ist auch, daß Hermeias, der doch im Folgenden neben Molon die Hauptperson ist, sein Stichwort zum Auftritt erst vom Molon-Aufstand her bekommt (V 41, 1—2); auch dies dürfte in der Quelle ganz anders gewesen sein[4].

Welche Quellen Polybios für die Geschichte des Achaios benutzt hat, läßt sich nicht leicht beurteilen. Achaios wird zum ersten Mal[5] im Zusammenhang mit dem rhodisch-byzantinischen Konflikt des J. 220/19

---

[1] Beachte den Verweis aufs IV. Buch in V 40, 6: καθάπερ καὶ πρότερον εἰρήκαμεν.
[2] V 40, 7; s. o. S. 116.    [3] V 43, 5f.; s. o. S. 123.
[4] Gekürzt ist wahrscheinlich auch der Abschnitt V 55—56. V 55, 1—2 ist von einer Expedition gegen die barbarischen Dynasten die Rede, und zwar zuerst gegen Atropatene. Von weiteren Unternehmungen wird jedoch nichts mehr berichtet. Möglicherweise stand in der Quelle darüber mehr, etwa daß weitere Pläne aufgegeben wurden, als die Nachricht vom Abfall des Achaios eintraf. Das Folgende ist thematisch eng verbunden: nach dem Feldzug nach Atropatene folgt die Ermordung des Hermeias (56, 1—13), darauf der Bericht über die glorreiche Heimkehr, die Freude der Bevölkerung über Hermeias' Tod und die Steinigung seiner Angehörigen (56, 14—15). Dieser engen Verknüpfung sind vielleicht andere Nachrichten zum Opfer gefallen. (Vgl. o. S. 115).
[5] Abgesehen von der allgemeinen Übersicht IV 2, 6.

im IV. Buch genannt (IV 48—51). Polybios berichtet bei dieser Gelegenheit kurz, wie Achaios emporgekommen war (48, 5—12); alles Weitere dürfte der rhodischen Quelle (Zenon?) zugehören, der Polybios den Bericht über den Meerengenkonflikt entnommen zu haben scheint[1]. Im V. Buch wird Achaios nur insofern erwähnt, als sein Verhalten für die Geschichte des Antiochos III. von Bedeutung war — mit einer Ausnahme freilich: V 72—77, 1 wird, im Anschluß an den Bericht über den syrischen Feldzug des Antiochos im J. 218, sehr eingehend von den Kämpfen erzählt, die Achaios im gleichen Jahr in Pisidien und Pamphylien führen ließ bzw. selbst führte (s. o. S. 168). Diese Schilderung enthält so viele Einzelheiten, daß man annehmen muß, es liege ihr in letzter Instanz ein Augenzeugenbericht zugrunde. Was über die späteren Geschicke des Achaios erhalten geblieben ist, stammt wohl aus einem Werk über die Geschichte des Antiochos, nicht aus einer Spezialgeschichte des Achaios; mit Sicherheit gilt dies vom Bericht über die Einnahme der Stadt Sardes (VII 15—18), der ganz vom Lager des Antiochos aus gesehen ist. Die Erzählung über das Ende des Achaios (VIII 15—21) bringt zwar viele Einzelheiten aus dem gegnerischen Lager, so über die Machenschaften des Sosibios und über die Stimmung in der Zitadelle von Sardes; aber sie gehen wohl letztlich auf die Aussagen des Kreters Bolis zurück, der in ptolemäischem Auftrag Achaios heimlich aus der Burg herausbringen sollte, ihn aber an Antiochos verriet. Die Schilderung der Szene im Zelt des Königs (VIII 20, 8 ff.) beseitigt jeden Zweifel daran, daß auch diese Episode vom Lager des Antiochos aus gesehen ist.

Leider läßt sich dies für die früheren Partien nicht mit der gleichen Sicherheit sagen. Die gelegentlichen Erwähnungen des Achaios im Rahmen der Geschichte des Antiochos[2] passen durchaus in das Werk des seleukidischen Hofhistoriographen, dessen Existenz oben wenigstens wahrscheinlich gemacht wurde. Dies gilt auch für den Kurzbericht über die Usurpation des Achaios und seinen vergeblichen Zug gegen Syrien (V 57, 3—8); die Sätze vorher und nachher (57, 1—2; 58, 1) weisen diese Passage als Einschub aus, doch konnte dies schon in der Hofquelle so oder ähnlich gestanden haben. Der ausführliche Bericht über die Expedition des Achaios nach Südkleinasien (V 72—77, 1) läßt sich hingegen nicht ohne weiteres dieser Hofquelle zuschreiben. Zwar ist es nicht ausgeschlossen, daß der Höfling auch die Taten des gefährlichen Gegenspielers seines Helden eingehend beschrieben hat; näher liegt jedoch die Annahme, daß hier von Polybios oder bereits von einer Zwischenquelle eine Geschichte des Achaios verarbeitet worden ist[3].

---

[1] S. o. S. 167.
[2] V 40, 7; 41, 1; 42, 7 f. 61, 6; 66, 3; 67, 12 f.; 87, 2. 8; ferner 107, 4; 111, 2.
[3] Man fragt sich vergeblich, warum die Taten des Achaios in den Jahren 219 und 217 völlig fehlen. Hat er damals nichts Bedeutenderes unternommen?

Und auch bei dem schon erwähnten kurzen Bericht über den Aufstieg des Achaios zur Macht im IV. Buch (48, 5—12) läßt sich nicht entscheiden, ob Polybios ihn selbst in starker Raffung der Hofquelle entnommen hat oder ob ihn bereits eine Zwischenquelle (Zenon von Rhodos?) aus anderen Quellen, etwa einer Achaiosgeschichte, eingesetzt hat.

Leider bringen auch die Wertungen und einige wörtliche Übereinstimmungen keine völlige Klarheit. In der Vorgeschichte seines Emporkommens wird Achaios zunächst sehr positiv beurteilt[1]; dann freilich, heißt es, sei er durch den günstigen Lauf der Ereignisse übermütig geworden und auf Abwege geraten[2]. Das könnte freilich ein Parteigänger des Antiochos geschrieben haben; aber auch ein Außenstehender, wie etwa der Moralist Polybios, könnte so urteilen. Vom Tod des Seleukos III. wird in der Vorgeschichte des Achaios (IV 48, 7—8) und in der Vorgeschichte des Antiochos (V 40, 6) mit den gleichen Worten berichtet[3]; aber καθάπερ καὶ πρότερον εἰρήκαμεν weist die zweite Stelle sofort als Selbstzitat aus. Schließlich wird die Bedeutung und Gefährlichkeit des Achaios im IV. und im V. Buch mit nahezu den gleichen Worten beschrieben: IV 48, 12: διάδημα περιθέμενος καὶ βασιλέα προσαγορεύσας αὐτὸν βαρύτατος ἦν τότε καὶ φοβερώτατος τῶν ἐπὶ τάδε τοῦ Ταύρου βασιλέων καὶ δυναστῶν; vgl. V 77, 1: πᾶσι δ'ἦν φοβερὸς καὶ βαρὺς τοῖς ἐπὶ τάδε τοῦ Ταύρου κατοικοῦσι.

Die beiden Stellen sind sicherlich nicht voneinander unabhängig. Natürlich könnte ein Hofhistoriograph des Antiochos diese Worte geschrieben haben, um die Gefährlichkeit des Gegners seines Herrn zu unterstreichen. Aber die zweite Stelle steht am Ende des Berichts über die Pamphylienexpedition des Achaios, der, wie gesagt, nur mit Vorsicht auf die Hofquelle zurückzuführen ist. Und nichts berechtigt dazu anzunehmen, daß Polybios die Worte seiner Vorlage sklavisch übernommen habe[4].

[1] IV 48, 9—10: ... τῶν τε δυνάμεων καὶ τῶν ὅλων πραγμάτων φρονίμως καὶ μεγαλοψύχως προέστη. (10) τῶν γὰρ καιρῶν παρόντων αὐτῷ καὶ τῆς τῶν ὄχλων ὁρμῆς συνεργούσης εἰς τὸ διάδημα περιθέσθαι, τοῦτο μὲν οὐ προείλετο ποιῆσαι, τηρῶν δὲ τὴν βασιλείαν Ἀντιόχῳ ... ἐνεργῶς ... ἀνεκτᾶτο τὴν ἐπὶ τάδε τοῦ Ταύρου πᾶσαν.

[2] IV 48, 11: τῶν δὲ πραγμάτων αὐτῷ παραδόξως εὐροούντων ... ἐπαρθεὶς τοῖς εὐτυχήμασι παρὰ πόδας ἐξώκειλε ...

[3] IV 48, 7—8: (Σέλευκος) ... ὑπερβαλὼν δὲ μεγάλῃ δυνάμει τὸν Ταῦρον, καὶ δολοφονηθεὶς ὑπό τε Ἀπατουρίου τοῦ Γαλάτου καὶ Νικάνορος, μετήλλαξε τὸν βίον. V 40, 6: ἐπεὶ δὲ Σέλευκος μετὰ δυνάμεως ὑπερβαλὼν τὸν Ταῦρον ἐδολοφονήθη, καθάπερ καὶ πρότερον εἰρήκαμεν ...

[4] Auch die Verwandtschaftsbeziehungen des Achaios bzw. des Andromachos sind zweimal in gleicher Weise wiedergegeben: IV 51, 4: ἦν γὰρ Ἀνδρόμαχος Ἀχαιοῦ μὲν πατήρ, ἀδελφὸς δὲ Λαοδίκης τῆς Σελεύκου γυναικός; vgl. VIII 20, 11 (beim Ende des Achaios): Ἀχαιὸς γὰρ ἦν Ἀνδρομάχου μὲν υἱὸς τοῦ Λαοδίκης ἀδελφοῦ τῆς Σελεύκου γυναικός. Doch braucht hier nicht mehr als sachliche Übereinstimmung vorzuliegen.

Immerhin ist es überraschend, daß zwar mehrmals von der Proklamation des Achaios zum König gesprochen (IV 48, 3. 12; 51, 3; V 57, 2. 5), Achaios aber in der fortlaufenden Erzählung nie als 'König' bezeichnet wird; im Gegensatz dazu spricht Polybios des öfteren etwa von Attalos als ὁ βασιλεὺς Ἄτταλος o. ä. Die Machtstellung des Achaios wird vielmehr stets mit κυριεύειν, δυναστεύειν und ähnlichen, juristisch völlig neutralen Ausdrücken wiedergegeben, die lediglich das Faktische bezeichnen. Nicht von ungefähr kommt wohl auch die Ausdrucksweise des Polybios in der allgemeinen Übersicht über die Lage beim Beginn der 140. Olympiade, also um die Zeit der Usurpation des Achaios: Ἀχαιὸς ... οὐ μόνον προστασίαν εἶχε βασιλικήν, ἀλλὰ καὶ δύναμιν (IV 2, 6): er hatte Ansehen und Macht wie ein König — aber es wird nicht gesagt, daß er König gewesen sei. Man wird bezweifeln können, daß republikanische Historiker wie Polybios und etwa Zenon aus Rhodos sich viel darum kümmerten, ob Achaios vom Standpunkt des Seleukidenreichs aus König oder Usurpator war; die Vermeidung des Königstitels läßt eher vermuten, daß Polybios (oder bereits seine Zwischenquelle) hier unter dem Einfluß der seleukidischen Hofquelle standen. Entscheidend kann freilich auch dieses Argument nicht sein, da auf der anderen Seite die Stellen, an denen Achaios erwähnt wird, doch nicht sehr zahlreich sind.

Im ganzen entsteht der Eindruck, daß Polybios für die ersten Jahre des Antiochos bis zum Sommer 220 ein einheitliches Werk proseleukidischer Tendenz benutzt und verkürzend exzerpiert habe. Ob er das Buch des Hofhistoriographen direkt konsultieren konnte oder ob er es nur über eine Zwischenquelle kennengelernt hat, läßt sich nicht mit Sicherheit ausmachen. Für die Jahre nach 220/19 dürfte die Zahl der benützten Quellen größer sein; für die Geschichte des IV. Syrischen Kriegs liegt mit Sicherheit neben einem antiochosfreundlichen auch ein ptolemaiosfreundliches Werk vor, und es hat sich nicht ausschließen lassen, daß auch eine Geschichte des Achaios benutzt worden ist.

Aus der besonderen Situation der Bücher III–V läßt sich dieser Unterschied zwischen der Zeit vor und nach 220 leicht begreifen. Diese Bücher enthalten dem Plan nach den Bericht über die 140. Olympiade (220/19–217/16); doch hat Polybios, um dem Leser die Lage zu erklären, die vorhergehenden Ereignisse in mehreren Rückgriffen erzählen müssen. Einen solchen Rückblick stellt der gesamte Bericht über den Molon-Aufstand dar (222–220), der ja etwa um die Zeit endete, mit der das 'eigentliche' Werk des Polybios einsetzt (Sommer 220). Dem Historiker kann es dabei nicht auf Einzelheiten angekommen sein, sondern nur auf die großen Linien. So sind wohl manche Flüchtigkeiten wie die oben geschilderten zu erklären; so läßt es sich aber auch am leichtesten begreifen, daß in mehreren Punkten die Gewichte sehr ungleich verteilt sind, wie eben im

Marschbericht des Winters 221/220, wo es sich um Gegenden handelte, von denen Polybios aller Wahrscheinlichkeit nach keine genauere Kenntnis besaß und für die er bei seinen Lesern auch kein spezielles Interesse voraussetzen konnte. Es spricht also einiges dafür, daß manche Einzelheiten, insbesondere Ortsangaben nicht einer Zwischenquelle, sondern dem Stift des Polybios zum Opfer gefallen sind[1].

Auch für die Geschichte des großen Ostfeldzugs des Antiochos (212–205/4) hat Polybios offenbar eine seleukidenfreundliche Quelle benutzt, die sich auf Augenzeugenberichte stützt, wie aus den wenigen Fragmenten hervorgeht. Diese Abschnitte näher zu behandeln, ist hier nicht der Ort; einiges ist dazu schon oben im 2. Kapitel gesagt. Es ist wahrscheinlich, daß diese Quelle mit der für die Jahre 223 ff. identisch ist; Sicherheit läßt sich darüber aber nicht gewinnen.

Nachtrag: Zu dem Aufsatz von Édouard WILL, REG 75 (1962) S. 72–129.

Zur Erklärung der Vorgänge in den ersten Regierungsjahren des Antiochos III. hat neuerdings E. WILL eine interessante Hypothese vorgelegt. Im Gegensatz zu Polybios glaubt WILL zwischen den Aufständen des Molon und des Achaios und der Obstruktion des Epigenes einen Zusammenhang erkennen zu können: Den drei hohen Offizieren sei der Wunsch gemeinsam gewesen, dem Zivilisten Hermeias die Machtstellung des ersten Ministers zu nehmen. Für WILL stellen sich die Ereignisse folgendermaßen dar: **1** Achaios ließ nach dem Tod des Seleukos III. sofort das Heer durch Epigenes nach Syrien zurückführen; er selbst eilte voraus, um bei der Besetzung der wichtigsten Stellen seinen Einfluß geltend machen zu können. Er war es, der seinen Vertrauten Molon und Epigenes das Generalkommando der Oberen Satrapien bzw. den Befehl über die Truppen in Syrien übertrug; sich selbst behielt er das Kommando in Kleinasien vor. Erst im Frühjahr 222 nahm er wieder den Kampf gegen Attalos auf (S. 81–83). **2** Molons Revolte galt nicht dem Sturz des Antiochos, sondern des Hermeias, den er aus unbekannten Gründen haßte; unter dem 'roi adulte' Seleukos III. hatte er den Premierminister geduldet; nun, da der 'adolescent' Antiochos völlig unter dem Einfluß des Hermeias stand, glaubte er ihn beseitigen zu müssen (84 f.). **3** Er revoltierte daher in Medien, um den König nach Osten locken und ihm dort die Reorganisation der Regierung nach den Wünschen der Offiziersclique aufnötigen zu können; WILL zufolge ist es bemerkenswert, daß Molon gerade in dem Augenblick losschlug, als der König sich bei Zeugma am Euphrat befand, 'presque à mi-chemin des territoires de Molon' (85–87). **4** Epigenes, den Achaios zur Überwachung des Hermeias in Syrien zurückgelassen hatte, kannte und billigte die Absichten Molons; es handelte sich um ein regelrechtes 'complot des colonels'. Deshalb der Rat des Epigenes, der König solle mit 'geringer Bedeckung' nach Osten ziehen (88 f.). **5** Hermeias wußte jedoch ein Zusammentreffen zwischen Antiochos, Molon und Epigenes zu verhindern, indem er Antiochos auf den Syrienfeldzug lenkte (89). **6** Dadurch vereitelte er den Plan

---

[1] Die Rückblicksituation macht es im übrigen auch unnötig, für den in sich geschlossenen Bericht über die Molon-Episode mehrere Quellen des Polybios anzunehmen (s. o. S. 179 f.). Wenn Polybios für die (ebenfalls vor 220/19) liegende Kleomenes-Geschichte (V 35–39) mehrere Quellen benützt haben sollte (vgl. A. MOMIGLIANO, Boll. fil. class. 1928/29, S. 257 f.; F. W. WALBANK, Comm. I S. 566: Phylarchos und Ptolemaios von Megalopolis?), so ist die Lage dort anders: der spartanische König Kleomenes mußte den Achäer weit mehr interessieren als die Seleukidenherrscher.

der Verschwörer, und Molon blieb nur die Wahl zwischen der Unterwerfung und der 'Flucht nach vorn'. Die rasche Besetzung des Zweistromlands war vielleicht noch ein letzter Versuch, den König nach Osten zu rufen; als er mißlang (statt des Königs kam Xenoitas), ließ Molon sich zum König ausrufen. Dies führte aber zu Differenzen mit seinem Stab und seinen Truppen, die nur die Beseitigung des Hermeias gebilligt hatten (90; 96f.). Molon hatte seinen Leuten glaubhaft machen können, der König sei praktisch machtlos; als sie in der Schlacht den Herrscher erblickten, erkannten sie die Täuschung und liefen sofort über (102 A. 55). **7** Hermeias stimmte dem Zug nach Atropatene zu, weil er hoffte, der König werde fallen und er, Hermeias, werde als Vormund des eben geborenen Thronfolgers regieren können; diese Absicht wurde durchschaut, und so stürzte der Kanzler (111f.). **8** Achaios hatte dem ursprünglichen Vorhaben des Molon positiv gegenübergestanden, aber infolge seines kleinasiatischen Feldzugs nichts unternommen (90f.). Auf die Nachricht vom Tod des Epigenes hin beschloß er zu rebellieren, aber wiederum nicht gegen Antiochos, sondern gegen Hermeias; er wartete jedoch den Ausgang des Feldzugs gegen Molon ab (115f.). Als er von der scheinbaren Sinnesänderung des Hermeias erfuhr, durchschaute er seine Absichten; er beschloß Syrien zu besetzen; so hätte er im Fall von Antiochos' Tod als Vormund für den Thronfolger regieren oder, falls der König am Leben blieb, ihm die Beseitigung des Hermeias aufzwingen können. Die Krone wollte Achaios nicht; daher schreibt Polybios nicht κρατῆσαι τῆς βασιλείας, sondern κρατῆσαι τῶν κατὰ τὴν βασιλείαν πραγμάτων (V 57, 4). Aber in Laodikeia erfuhr er, der König sei nicht mehr am Leben; daher nahm er das Diadem mit Zustimmung seiner Truppen (116—118). **9** In Lykaonien erfuhr man aber von der kurz zuvor erfolgten Rückkehr des Königs nach Syrien und vom Tod des Hermeias; damit war der Feldzug unnötig geworden, und Achaios kehrte nach Lydien zurück (118—121). **10** Den Königstitel wieder abzulegen war aber unmöglich; so blieb Achaios βασιλεύς, aber nach seiner Absicht nicht gegen, sondern mit Antiochos; der Seleukidenanker auf seinen Münzen zeigt, daß er 'im Schoß der Dynastie bleiben' wollte. So unternahm er auch in den folgenden Jahren nichts gegen Antiochos. Dieser freilich wollte die Loyalität seines Verwandten nicht erkennen; in seinen Augen war Achaios ein Rebell (121—128).

Zu **1** Für eine Unterbrechung des Kleinasienfeldzugs um ein halbes Jahr gibt es keinen Anhaltspunkt; vielmehr sind die wichtigsten Erfolge anscheinend bereits vor Sommer 222 erzielt worden (s. o. S. 161), was den Ansatz der Offensive ins Frühjahr 222 nicht gerade wahrscheinlich macht. Eine andere Erklärung für die Rückführung der Truppen unter Epigenes habe ich o. S. 110 zu geben versucht. — Molon ist offenbar nicht von Achaios, sondern bereits in Babylon von Antiochos eingesetzt worden (o. S. 119f.). — Man versteht nicht recht, wieso Achaios es zuließ, daß Hermeias weiterhin Minister bleiben durfte, wenn er sonst alle seine personellen Wünsche durchsetzte; mit dem Heer hinter sich hätte er doch den unbequemen 'Zivilisten' beseitigen können, wenn dieser der Offiziersclique bereits verdächtig war.

Zu **2** Wie oben (Kap. I) gezeigt wurde, war Seleukos III. nur etwa 2 Jahre älter als Antiochos; es erscheint mir daher fraglich, ob er erfahrener und selbständiger war als sein jüngerer Bruder, zumal ihn Appian (Syr. 66, 348) einen Schwächling nennt. Und warum hat Molon nicht seinen Einfluß bei seinem Freund Achaios geltend gemacht, wenn er Hermeias schon von früher her haßte?

Zu **3** Den König mit Hilfe einer scheinbaren Revolte nach Osten zu locken, war wohl der komplizierteste Weg, um ihn dem Einfluß des Hermeias zu entziehen, zumal es keineswegs sicher war, daß dieser den König nicht begleiten würde. Warum inszenierte Epigenes nicht einen Staatsstreich und ließ den Minister verhaften? Er hatte ja die Truppen hinter sich (V 41, 4). Daß der König sich bei Zeugma nicht 'presque à mi-chemin' nach Medien befand, lehrt ein Blick auf die Karte; selbst in Luftlinie ist die Strecke Antiocheia-Zeugma nicht mehr als ein Siebtel der Distanz Antiocheia-Ekbatana. Für die angeblichen Absichten des Molon war es völlig gleichgültig, in welchem Teil Syriens (denn dort und nicht in 'Haute Mésopotamie' liegt Zeugma) der König sich aufhielt (vorausgesetzt, daß der Satrap über den augenblicklichen Aufenthalt des Königs überhaupt informiert war)[1].

Zu 4 Zum Rat des Epigenes vgl. die Erklärung o. S. 151. Wenn WILL in Epigenes einen Vertrauten des Molon sieht, so müßte er eigentlich den gefälschten Brief Molons, der Epigenes zum Verhängnis wurde (V 50, 11), für echt halten (vgl. aber WILL S. 101).

Zu 5 Daß der Feldzug nach Koilesyrien nicht nur ein Ablenkungsmanöver des Hermeias war, beweist das Festhalten des Kanzlers an diesem Plan nach dem Ende des Molon (V 55, 3).

Zu 6 Wenn die Unzufriedenheit bei Offizieren und Soldaten wirklich nur durch die Usurpation des Königstitels hervorgerufen wurde, so fragt man sich, warum das Heer den Molon überhaupt zum König ausgerufen hat.

Zu 7 Die Erklärung der Sinnesänderung des Hermeias ist plausibel; doch bleibt es fraglich, ob Hermeias wirklich den Tod des Herrschers wünschte und ob die Einsicht in seine angeblichen Pläne seinen Tod herbeiführte (vgl. o. S. 157). — Wenn Achaios wirklich so gute Verbindungen zum Hauptquartier hatte (vgl. 8), und wenn wirklich er und seine Parteigänger am Hofe so loyal zum König standen — warum beseitigte man den Kanzler nicht, bevor er dem König gefährlich werden konnte?

Zu 8 Hätte Achaios nur die Rechte des Thronfolgers wahren wollen, so hätte er nicht das Diadem annehmen müssen. Oder glaubte er, auch der Säugling sei tot? — Zur Ausdrucksweise des Polybios: Polybios will hier doch sagen, daß Achaios sich durch die Besetzung Syriens und die Hilfe der Kyrrhesten des Reiches zu bemächtigen hoffte; daß er sich außerhalb Syriens und ohne die Hilfe der Kyrrhesten die Königswürde beilegen konnte, bewies er ja in Laodikeia.

Zu 9 Die Behauptung, Achaios habe Lykaonien erst erreicht, als der König bereits nach Syrien zurückgekehrt war, ist unrichtig. Ich habe o. S. 115 zu zeigen versucht, daß der Zug des Achaios in den Sommer 220 gehören muß, während die Rückkehr des Königs in den Spätherbst fällt. Vor allem aber hätte die Nachricht vom Überleben des Königs doch wohl zuerst Achaios, und erst dann seine Truppe erreicht; hätte Achaios wirklich nichts anderes beabsichtigt als die Erhaltung des Throns für die Dynastie, so hätte er seinen Truppen die frohe Nachricht bekanntgeben und sofort umkehren müssen. Es kam aber zur Meuterei; das beweist, daß Achaios auch jetzt noch Syrien erobern wollte.

Zu 10 Der Seleukidenanker auf den Münzen des Achaios beweist nicht seine Loyalität gegenüber Antiochos oder der Dynastie; er zeigt vielmehr, daß Achaios seine Zugehörigkeit zum Seleukidenhaus und damit die Legitimität seines Herrschaftsanspruchs unterstreichen wollte (vgl. o. S. 170 A. 2).

---

[1] Daß es sich bis zum ersten Kriegsrat und der Absendung von Xenon und Theodotos nicht um eine wirkliche Revolte gehandelt habe, will WILL (S. 90) daraus lesen, daß Polybios von den Vorbereitungen des Molon (V 43, 5ff.) erst nach dem Kriegsrat (V 41, 6—42, 8) berichtet. Diese Reihenfolge ist jedoch nur auf den Wechsel des Schauplatzes der Erzählung zurückzuführen. Wie Polybios die zeitliche Relation gesehen hat, wird aus V 43, 5ff. deutlich: 'Um die gleiche Zeit (wie der Kriegsrat und die Hochzeit des Königs) zog Molon gegen die Generäle des Königs, παρεσκευακώς ..., ἠσφαλισμένος' usw. Zudem brauchten Xenon und Theodotos nur einige Wochen, um von Syrien in die Apolloniatis zu gelangen; in dieser kurzen Zeit konnte Molon keinesfalls seine Vorbereitungen treffen und ins Zweistromland marschieren!

Schon die Behandlung der Einzelpunkte zeigt, daß Wills These allzu kühn ist und in den Quellen keine Stütze hat, ja ihnen teilweise geradezu widerspricht. Dies gilt erst recht für die Grundkonzeption. Von den Verbindungen zwischen den Empörern weiß Polybios nichts. Will beschränkt sich auf die Bemerkung, es liege eine 'disjonction arbitriare' dieser Verbindungen vor, und fügt — sicher zu Recht — hinzu, Polybios sei nicht derjenige gewesen, der diese Fäden zerschnitten habe. Im übrigen betont er ausdrücklich, es sei nicht sein Ziel, die Quellen für diesen Bericht zu untersuchen (S. 78 f.). Gerade dies hätte er aber tun müssen, um das Schweigen der Überlieferung zu erklären.

Will führt als Stütze seiner Hypothese immer wieder 'les détails' an, 'qui sont chez Polybe le résidu d'une tradition plus large et plus cohérente' (S. 129), wie z. B. jene Formulierung κρατῆσαι τῶν κατὰ τὴν βασιλείαν πραγμάτων. Es gab also eine oder mehrere Quellen, die die von Will vermuteten Hintergründe kannten. Zwischen dieser Traditionsstufe und Polybios müßten demnach andere Historiker stehen, die die Zusammenhänge willkürlich zerrissen, ja manches geradezu fälschten[1], ohne aber jene subtilen Details, jene verräterischen Ausdrucksweisen zu beseitigen, aus denen Will die verlorene Wirklichkeit rekonstruieren will. Das ist an sich schon wenig wahrscheinlich. Aber es stellt sich die Frage: *Cui bono?* Warum hätte ein an den Kabalen im Seleukidenreich persönlich nicht interessierter Historiker, der Verfasser 'd'un de ces ouvrages d'histoire pathétique' (S. 78), das große Offizierskomplott seiner Vorlage in unzusammenhängende Einzelaktionen auseinanderreißen sollen? Welch prächtiger Anlaß wäre dies doch gewesen darzustellen, wie die Absichten der Menschen durch das Eingreifen der Tyche ins Gegenteils pervertiert werden, wie der schlechte Charakter eines einzelnen — des Hermeias — die Gutwilligen zu falschen Handlungen treibt! Oder warum hätte ein dem Seleukidenhof Nahestehender die besseren Berichte seiner Vorgänger zusammenstreichen sollen? Um den König in besseres Licht zu stellen? Daß Antiochos ganz in den Händen des Hermeias war, daß er sich von ihm täuschen ließ, daß Hermeias an den Fehlern der ersten Jahre schuld war, wird oft genug gesagt; man sieht nicht recht ein, wieso jener Historiker hätte verschweigen sollen, daß Hermeias auch der eigentlich Schuldige an den großen Aufständen dieser Jahre war. Man müßte schließlich allenfalls annehmen, daß Molon, Epigenes, Achaios und Hermeias ihr großes Geheimnis ins Grab mitnahmen, daß die Zeitgenossen die Zusammenhänge nicht begriffen, aber getreulich alle ihnen unverständlichen Züge aufzeichneten, so daß sie sich — *miro quodam modo* — über mehrere Traditionsstufen hin bis zu Polybios erhielten (der sie ebenfalls nicht zu deuten verstand) und so in der Neuzeit zum ersten Mal erklärt werden konnten.

Ich halte freilich die von Polybios gegebenen Gründe für ausreichend, um das Verhalten der Empörer zu erklären. Schließlich waren Molon und Achaios nicht die einzigen, die es unternahmen, sich auf dem Boden des riesigen, innerlich so wenig gefestigten Reiches eigene Herrschaften zu gründen. Vor ihnen hatten Antiochos Hierax, Diodotos und Arsakes den gleichen Weg beschritten, und sechzig Jahre später sollte Timarchos einen ähnlichen Versuch machen. Die große Macht, die die Seleukiden ihren Vizekönigen übertragen mußten, lud herrscherliche Persönlichkeiten geradezu ein, dem König die Gefolgschaft aufzusagen und sich selbständig zu machen.

---

[1] Gefälscht müßte z. B. die Ausrede des Achaios sein, er habe überhaupt nicht nach Syrien marschieren wollen (V 57, 7), wenn das Heer dieses Ziel kannte und anfangs auch billigte.

4. KAPITEL

## DER REGIERUNGSANTRITT DES PTOLEMAIOS EPIPHANES UND DER GEHEIMVERTRAG ZWISCHEN PHILIPP V. UND ANTIOCHOS III.

Als Ptolemaios IV. Philopator in einem der letzten Jahre des III. Jh. v. Chr. starb, hinterließ er einen unmündigen Sohn, Ptolemaios V. Epiphanes, gegen den sich bald Philipp V. von Makedonien und Antiochos III. verbündeten, um ihm sein Reich ganz oder teilweise zu entreißen. Dies ist der Kern des Berichts unserer literarischen Quellen, vor allem des Polybios, auf den wahrscheinlich alle anderen Nachrichten direkt oder indirekt zurückgehen.

In welche Jahre sind diese Ereignisse zu setzen? Ist die Nachricht von dem Bündnis der beiden Könige historisch? Mit diesen beiden Fragen soll sich dieses Kapitel befassen.

### I. DER THRONWECHSEL IM LAGIDENREICH

Die Datierung des Thronwechsels in Alexandreia ist seit langem ein umstrittenes Problem in der Forschung. F. W. WALBANK[1] hat die Geschichte dieses Problems ausführlich dargestellt; hier sei davon nur wiederholt, was zum Verständnis des Folgenden notwendig ist.

### *1. Quellen*

Urkunden

Die letzte bekannte Datierung nach Philopator bietet ein Ostrakon aus Philadelpheia vom 15. Dezember 205 v. Chr.[2]. Da es eine gewisse Zeit dauern konnte, bis sich die Kunde von einem Thronwechsel im

---

[1] F. W. WALBANK, The Accession of Ptolemy Epiphanes: A Problem in Chronology. JEA 22 (1936) S. 20—34 (hier zitiert: WALBANK, JEA); vgl. auch T. C. SKEAT, The Reigns of the Ptolemies (1954) S. 32 A. 8; H. VOLKMANN, RE XXIII 2 (1959) Sp. 1687; 1692f.; [und neuerdings A. E. SAMUEL, Ptolemaic Chronology (Münchener Beitr. z. Papyrusforschung u. ant. Rechtsgesch. H. 43, 1962) S. 108 ff.].

[2] BGU 1555 (Jahr 18, Hathyr 4).

ganzen Faijum verbreitete[1], wird man auf Grund dieses Ostrakons Ende November/Anfang Dezember 205 als *terminus post quem* für den Regierungsantritt des Epiphanes ansetzen dürfen.

Das letzte bekannte Datum nach Epiphanes ist ein Ostrakon vom 16. Pharmuthi seines 25. Jahres[2]. Literarische und urkundliche Quellen legen das Todesjahr des Epiphanes auf 181/80 fest[3]. Demnach wäre als sein 2. (ägypt.) Jahr das Jahr 204/3 anzusetzen; d. h. entsprechend dem ägyptischen Brauch, die Zeit zwischen dem Tod des Vorgängers und dem folgenden 1. Thoth als 1. Jahr des neuen Herrschers zu zählen, muß Epiphanes zwischen dem 13. Oktober 205 und dem 12. Oktober 204 den Thron bestiegen haben. Die oben erwähnte letzte Datierung nach Philopator verkürzt die zur Verfügung stehende Spanne auf die Zeit zwischen Ende November 205 und 12. Oktober 204.

Auf das gleiche Antrittsjahr des Epiphanes führt das dreisprachige Priesterdekret von Memphis, die sog. Rosettana[4]. Der Beschluß ist datiert vom 18. Mecheir des J. 9 des Epiphanes, d. i. nach der auf astronomischen Grundlagen beruhenden Berechnung DINSMOORS[5] vom 27. März 196 v. Chr.; das 9. Jahr ist also 197/6, das 1. (Antritts-)Jahr 205/4. Der Beschluß der Preister erhebt [τὴν ἑπτακαιδεκάτην τοῦ Φαῶφι] ἐν ἧι παρέλαβεν (scil. ὁ βασιλεύς) τὴν βασιλείαν παρ‹α› τοῦ πατρός zum Feiertag[6]. Während die meisten früheren Forscher[7] in diesem 17. Phaophi (Ende November) den Tag des Regierungsantritts Epiphanes' sahen, denkt F. W. WALBANK (S. 30) an den Tag der Erhebung zum Mitregenten im J. 210[8]; E. BIKERMAN[9] deutet schließlich den 17. Phaophi als das Datum der Krönung nach ägyptischem Ritus bald nach der Thronbe-

---

[1] Mindestens 2 Wochen nach A. E. SAMUEL S. 106f.
[2] J. G. TAIT, Greek Ostraca I (1930) S. 17, Bodleian Nr. 96.
[3] Vgl. F. W. WALBANK, JEA S. 23. Zum Todesdatum des Epiphanes vgl. jetzt auch A. E. SAMUEL, a.a.O. S. 139.
[4] OGI I 90. Weiteres Exemplar SEG VIII 784.
[5] W. G. DINSMOOR, The Archons of Athens in the Hellenistic Age (1931) S. 471ff.
[6] OGI I 90, Z. 46f. Das Datum ist im griechischen Text verloren, aber aus dem hieroglyphischen Text der Rosettana und der Stele von Damanhur ergänzt. Der demotische Text der Rosettana führt hingegen auf den Mecheir; vgl. L. BORCHARDT, Etudes de Papyrologie 5 (1939) S. 80. [Vgl. A. E. SAMUEL, a.a.O. S. 111 A. 9, dessen Erklärung S. 114 für die Diskrepanz zwischen hieroglyphischer und demotischer Datierung nicht einleuchtend ist; am wahrscheinlichsten ist es doch immer noch, daß der demotische Schreiber versehentlich den Monat der Beschlußfassung einsetzte; ein Versehen, das umso leichter möglich war, als sowohl Mecheir als auch Phaophi 'zweite Monate', nur in verschiedenen ägyptischen Jahresabschnitten sind].
[7] Vgl. die Übersicht bei F. W. WALBANK, JEA S. 26f.    [8] Vgl. JEA S. 22.
[9] E. BIKERMAN, Chronique d'Egypte 29 (1940) S. 127ff.

steigung, nachdem bereits W. Otto[1] das Datum sowohl der Thronbesteigung, als auch der — Jahre später erfolgten — Krönung in Memphis hatte erkennen wollen. Festzuhalten ist jedenfalls, daß der 17.Phaophi nicht unbedingt der Tag der offiziellen Proklamation des Epiphanes zum König sein muß[2].

Eine andere Urkunde erlaubt, den zur Verfügung stehenden Zeitraum weiter einzuengen[3]. In UPZ I 112 (col. I Z. 1) ist von der Verpachtung der Steuereinhebung im Oxyrhynchites 'für das 1. [und 2. Jahr] vom Mesore ab für 12 Monate und die 5 Epagomenen' die Rede. Es kann sich nur um das von Mecheir bis Tybi laufende Finanzjahr handeln, dessen nach dem Tode eines Herrschers verbleibender Rest, wie beim ägyptischen Regierungsjahr, als 1. Jahr des neuen Königs gezählt werden konnte[4]; hier werden also die Steuern der 2. Hälfte des 1. (Finanz-) Jahres und der 1. Hälfte des 2. (Finanz-) Jahres verpachtet[5]. Da der Papyrus nur unter Epiphanes geschrieben sein kann, hat dieser seine Regierung vor dem 1. Mesore (*terminus ante quem* des Papyrus), aber nach dem 1. Mecheir (Neujahrstag des Finanzjahres) angetreten, mithin zwischen dem 12. März und dem 8. September.

Auch diese Spanne muß noch etwas verkürzt werden. Denn da man die Steuerverpachtung gewiß nicht erst am Beginn des Rechnungsabschnittes, sondern mindestens eine oder mehrere Wochen vorher ausgeschrieben haben dürfte, und da ferner wieder eine Zeitspanne für die Verbreitung der Nachricht vom Thronwechsel angesetzt werden muß, wird man als *terminus ante quem* des Regierungsantritts etwa den 15. August annehmen dürfen.

Das Zeugnis der Urkunden[6] gestattet also, den Regierungsantritt des Epiphanes in die fünf Monate zwischen dem 12. März und dem 15. August

---

[1] SB München 1926, II, S. 29 A. 2. Vgl. H. Volkmann, a.a.O. Sp. 1696f.: Krönung am 28. Nov. 197.

[2] Vgl. Walbank, JEA S. 30. Trotzdem entscheidet sich T. C. Skeat, Reigns S. 32 A. 8 eindeutig für den 17. Phaophi = 28. Nov. 205 als Tag der Thronbesteigung des 5. Ptolemäers.

[3] Das Folgende nach E. Bikerman, a.a.O. S. 128f.

[4] S. dazu jetzt P. Hamburg II 172 und die Bemerkung Chr. Habichts auf S. 185f.

[5] Vgl. bereits J. G. Smyly, Hermathena 1906, S. 106ff.; U. Wilcken, UPZ I S. 503.

[6] Aus der Münzprägung ist für die Datierung nichts zu gewinnen. Zu den datierten Münzen des Epiphanes vgl. zuletzt A. B. Brett, The Amer. Numism. Society, Museum Notes 2 (1947) S. 1ff. Mrs. Brett hat nachgewiesen, daß eine Reihe von Gold- und Silbermünzen mit den Porträts von Arsinoe III., Ptolemaios IV. und Ptolemaios V. und den Buchstaben A bis M (lückenhaft) in Alexandreia geprägt sein müssen; sie hält aber daran fest, daß in den Buchstaben Jahresdatierungen zu sehen seien. Daneben gibt es aber einige andere Münzen des Epiphanes, die die Sigle L (= ἔτους) und reguläre Kardinalzahlen (auch ϛ = 6) tragen (Brett S. 8ff.). Da die alexandrinischen Münzen die Sigle nicht haben und nach dem alphabetischen Zahlensystem numerieren, dürfte es sich dort nicht um Jahreszahlen, sondern um Emissionszeichen handeln. — Brett teilt S. 8f.

204 zu setzen. Eine genauere Datierungsmöglichkeit gibt es vorerst noch nicht.

Nur ein einziges Dokument scheint dieser einhelligen Aussage zu widersprechen: eine demotische Stele mit dem Lebenslauf des Priesters Kha'ḥap[1], der am 14. Phamenoth des 11. Jahres eines Ptolemaios gestorben sein soll, nach einer Lebensdauer von 69 Jahren, 9 Monate und 20 Tagen. Es kann sich nur um das 11. Jahr des Philadelphos bzw. um das 2. Jahr des Epiphanes handeln; zählt man nach der jüngeren Rechnung die Regierungszeit des Philadelphos seit seiner Mitregentschaft[2], so ergäbe sich als Antrittsjahr des Epiphanes das J. 206/5, was auf jeden Fall zu früh ist; nach der früheren Rechnung (vom Tod des Ptolemaios I. Soter ab) ergibt sich dagegen als 1. Jahr des Epiphanes das Jahr 204/3, mithin ein Ansatz des Regierungsantritts, der gegenüber den aus den anderen Urkunden gewonnenen Angaben ein Jahr tiefer liegt[3].

## Literarische Quellen

Leider geben die literarischen Quellen erst recht kein einheitliches Bild. Der im Almagest des Ptolemaeus überlieferte astronomische Königskanon[4], der durchweg sehr zuverlässig ist, datiert allerdings den Regierungsantritt des Epiphanes in das ägyptische Jahr 13. Okt. 205– 12. Okt. 204, ebenso wie die meisten Urkunden. Dagegen scheint Polybios die Thronbesteigung des jungen Königs in das Jahr 203/2 zu setzen.

Vom Bericht des Polybios über die ägyptische Geschichte jener Jahre sind nur wenige Fragmente erhalten, die sich allerdings teils durch Angaben der Exzerptoren, teils durch die Stellung innerhalb der Exzerptensammlungen und teils durch ihren inneren Zusammenhang mit Sicherheit bestimmten Büchern zuweisen lassen.

In dem das Olympiadenjahr 144, 1 (= 204/3) umfassenden Buch XIV hat Polybios, unter Abweichung vom gewohnten annalistischen Schema

---

die (eindeutig datierten) Münzen aus den Regierungsjahren 5 (201/00) und 6 (200/199) den Münzstätten Ioppe und Ptolemais-Ake zu. Diese Zuteilung ist fraglich; denn Antiochos hat bereits im Sommer 201 Gaza belagert und im Frühjahr/Sommer 200 den Sieg am Panion erfochten. Freilich könnte sich Ioppe 201 noch eine Zeitlang gehalten haben, ähnlich wie das viel weiter südlich gelegene Gaza. Aber Ptolemais ist wohl zu Beginn des äg. Jahres 200/199 bereits längst in seleukidischer Hand gewesen. Die als 'Ioppe' bzw. 'Ptolemais' gedeuteten Ligaturen wird man wohl auch anders auflösen können; vermutlich handelt es sich um Münzmeister-Marken.

[1] ÄZ 22 (1884) S. 101 ff. Zum Folgenden vgl. F. W. WALBANK, JEA S. 24.
[2] Vgl. zu diesen Rechnungsweisen T. C. SKEAT, Reigns S. 29 A. 5.
[3] Für eine mögliche Erklärung dieser Diskrepanz vgl. u. S. 221 A. 1.
[4] Wiedergegeben u. 'a. bei K. J. BELOCH, Griech. Gesch. IV 2 (1927) S. 167. Über die Qualität des Kanons vgl. T. C. SKEAT, Reigns S. 2f.

# I. Der Thronwechsel im Lagidenreich

(vgl. XIV 12), einen größeren Abschnitt der Geschichte des Ptolemäerreiches behandelt und darin, wie uns die spärlichen Fragmente zeigen, über den Charakter des Philopator, über seine Gattin Arsinoe, über die Hofclique und ihr Treiben und über den Eingeborenenaufstand gesprochen[1]. Dieser Bericht umfaßt anscheinend die Jahre von 216 bis herunter auf die in Buch XIV beschriebene Zeit (204/3)[2].

In den *Res Macedoniae et Graeciae* des XV. Buches (Ol. 144, 2 = 203/2) ist eine moralische Wertung des zwischen Philipp und Antiochos abgeschlossenen Vertrags zur Teilung der ägyptischen Territorien erhalten (XV 20); das Kapitel enthält auch die Bemerkung, daß die beiden Könige noch zu Lebzeiten des Philopator ein Hilfsangebot gemacht hatten — vermutlich gegen den Eingeborenenaufstand. Philopator ist also jetzt bereits tot; der Vertrag richtet sich gegen seinen Nachfolger, den unmündigen Epiphanes (XV 20, 2). Die weiteren Reste der makedonischen Geschichte dieses Jahres (XV 21—24) berichten von der Einnahme von Kios und Thasos durch Philipp.

XV 24a—36 stehen die Reste der *Res Aegypti* des Olympiadenjahres 144, 2 = 203/2. Erhalten ist davon im wesentlichen ein Bericht über die Bekanntgabe des Todes des Königspaars, die Proklamation des Epiphanes zum König und die ersten Maßnahmen des Regenten Agathokles (XV 25)[3] sowie, nach einer Lücke, über Sturz und Tod des Agathokles (XV 26—36).

Polybios hat also den Regierungsantritt des Epiphanes unter den Ereignissen des Jahres 203/2 aufgeführt. Das bedeutet, daß bei strenger Auslegung der polybianischen Chronologie der Thronwechsel nicht vor September 203 angesetzt werden könnte. Man pflegt freilich den Beginn des polybianischen Olympiadenjahrs in den Anfang des August zu legen; dabei wird jedoch außer Acht gelassen, daß der Olympiadentermin auch in die zweite Hälfte des August fallen konnte[4], und daß die ersten Er-

---

[1] Reste: XIV 11—12. Im Peirescianus ist zu 12, 3 hinzugesetzt: ζήτει. ἐνέλειπε γὰρ φύλλα μη̄ (= 48) ἐν οἷς περὶ τοῦ Πτολεμαίου ἐνεφέρετο καὶ περὶ 'Αρσινόης. Die Richtigkeit der Zahl 48 wird von J. J. REISKE (b. J. SCHWEIGHÄUSER, Bd. VII der Polybiosausgabe [1793] S. 178) bezweifelt.

[2] Vgl. XIV 12, 3: μετὰ τὸ συντελεσθῆναι τὸν περὶ Κοίλης Συρίας πόλεμον. Die Erzählung wird also wohl vom Ende von Buch V wieder aufgenommen. Ich verstehe nicht, wieso Th. BÜTTNER-WOBST in der chronologischen Übersicht (Bd. V S. 247 seiner Ausgabe) diese ägyptische Geschichte nur die Jahre Ol. 141, 4—144, 1 (*ab aut.* 541/213 *ad aut.* 550/204) umfassen läßt. Richtig F. HULTSCH, Index S. 79.

[3] P. MAAS hat dieses Kapitel überzeugend rekonstruiert (Ann. de l'Inst. de philol. et hist. orient. et slaves 9 = Mél. Grégoire I [1949] S. 443—448). Nach MAAS ist zu ordnen: 25, 3—10; größeres Stück ausgefallen, davon ein Rest 25, 1—2; 25, 11; (Lücke?); 25, 12—19; 24a; 26a (und anderes); 25, 20—37. Vor 25, 12 eine Lücke anzunehmen, ist allerdings nicht unbedingt nötig.

[4] Vgl. K. J. BELOCH, Griech. Gesch. I² 2 (1926) S. 139f.

eignisse, von denen Polybios berichtet, die ätolischen Strategenwahlen an den Herbstäquinoktien zu sein pflegen. Das Olympiadenjahr 144, 2 umfaßte also die Zeit von September 203 bis August 202[1].

Zwischen dem Ansatz des Thronwechsels bei Polybios und der aus den Urkunden und dem Königskanon gewonnen Datierung ergibt sich somit eine Differenz von über einem Jahr, selbst wenn man möglichst nahe an den 1. Mesore des J. 204 heruntergeht (etwa Mitte August 204) und innerhalb des Olympiadenjahrs so weit wie möglich hinaufgeht (Anfang September 203).

Die weitere literarische Überlieferung gibt wenig aus. Porphyrios[2] scheint das Jahr 204/3 als erstes Jahr des Epiphanes anzusetzen; aber da er offenbar zwischen antedatierender und postdatierender Rechnungsweise schwankt[3], kann man auf sein Zeugnis nicht bauen. Das gilt ebenso für Eusebios, Hieronymus und das Chronicon Paschale, die man, wegen ihrer augenfälligen Ungenauigkeit, in diesem Fall getrost vernachlässigen kann[4].

Es bleibt noch die Angabe des Justin, Philopator habe einen fünfjährigen Sohn hinterlassen und sein Tod sei lange Zeit verheimlicht worden[5]. Der Geburtstag des Epiphanes ist mit größter Wahrscheinlichkeit auf den 9. Oktober 210 anzusetzen[6]; im August 204 wäre er also etwa 5 Jahre 10 Monate alt geworden[7], was zu Justins Bericht passen würde[8].

[1] Nach der von vielen postulierten 'elastischen Chronologie' des Polybios hätte das 'manipulierte Olympiadenjahr' auch noch den Rest der guten Jahreszeit, also auch den Herbst oder sogar Spätherbst 202 umfaßt; vgl. G. DE SANCTIS, Storia dei Romani III 1, S. 219ff.; K. ZIEGLER, RE XXI 2 (1952) Sp. 1565f.; F. W. WALBANK, Comm. I S. 35–37. Demgegenüber hat neuerdings R. WERNER, Die Begründung der römischen Republik (1963) S. 42ff., bes. 46ff., 68f., den schlagenden Beweis geführt, daß zumindest für die προκατασκευή und für Ol. 140 das Olympiadenjahr streng eingehalten wird, mit einem 'manipulierten' Olympiadenjahr also nicht zu rechnen ist.   [2] FGrHist 260 F 2, 5–6.

[3] Vgl. dazu T. C. SKEAT, Reigns S. 3f.; A. E. SAMUEL, Ptolemaic Chronology (1962) S. 110.

[4] Vgl. O. LEUZE, Hermes 58 (1923) S. 221ff.; F. W. WALBANK, JEA S. 22f.

[5] Justin. XXX 2, 6: ... *relicto quinquenni ... filio moritur; sed mors eius ... diu occultata fuit.*

[6] Vgl. F. W. WALBANK, JEA S. 22 (nach W. G. DINSMOOR); W. OTTO bei W. SPIEGELBERG, Demot. Pap. Loeb. I S. 111f.; H. VOLKMANN, a.a.O. Sp. 1691. Der Geburtstag wird in der Rosettana Z. 46 mit dem 30. Mesore angegeben; er muß vor der ersten Bezeugung der Mitregentschaft liegen (P. Gurob 12: J. 13, Pharmuthi 25 = 6. Juni 210 nach dem Finanzjahr, 6. Juni 209 nach dem ägypt. und dem maked. Regierungsjahr. Die Unsicherheit, die WALBANK S. 22 noch für das maked. Jahr annimmt, verschwindet durch die Berechnung des Regierungsantrittes Philopators auf Ende 222 oder Anfang 221; vgl. o. S. 8 A. 3).   [7] Vgl. F. W. WALBANK, JEA S. 22.

[8] Aber nicht zu Hieronymus in Dan. XI 13–14, wonach Epiphanes beim Tod seines Vaters erst 4 Jahre alt gewesen wäre.

So stehen sich also gegenüber[1]: einerseits das Zeugnis fast aller Urkunden (Inschriften und Papyri), des Königskanons und (indirekt) des Justin, die für einen Regierungsantritt des Epiphanes vor dem 13. Oktober 204 (genauer, nach UPZ I 112, vor Mitte August 204) sprechen, und andererseits das des Polybios, da die Stellung des Berichts über die Proklamation innerhalb seines Werks keine Datierung vor September 203 zuzulassen scheint. Zu Polybios tritt weiterhin die demotische Stele des Priesters Kha'ḥap (Regierungsantritt zwischen 13. Okt. 204 und 12. Okt. 203).

## 2. Der Erklärungsversuch Walbanks

Mit den früheren Versuchen, den Regierungswechsel zu datieren (November 205, 204 oder 203) hat sich bereits F. W. WALBANK[2] ausführlich auseinandergesetzt, so daß sich eine erneute Behandlung erübrigt. Keiner von ihnen vermag zu befriedigen, da jeder einen Teil des Beweismaterials unberücksichtigt läßt, so daß der Widerspruch zwischen den Zeugnissen nicht gelöst wird.

### WALBANKS System

WALBANK selbst stützt sich auf Justins Angabe (XXX 2, 6), der Tod Philopators sei 'lange verheimlicht worden'. Philopator sei gegen Ende seines letzten (18.) Regierungsjahres (13. Okt. 205—12. Okt. 204) gestorben, etwa im August/September 204. Polybios habe von seinem Tod im XIV. Buch (Ol. 144, 1 = 204/3) erzählt; doch seien diese Teile verloren. Wegen der Krisensituation im Osten (Philipp hatte nach dem Frieden von Phoinike die Hände frei und beunruhigte bereits den ägäischen Raum; Antiochos war im Winter 205/4 aus Innerasien zurückgekommen, seine Pläne gegen das Ptolemäerreich waren schon deutlich zu erkennen) hätten die Minister Sosibios und Agathokles den Tod des Königs verheimlicht, so lange es möglich gewesen sei. Etwa ein Jahr nach dem Ableben des Herrschers habe sich die Geheimhaltung nicht mehr durchführen lassen; die Verschworenen hätten die Königin ermordet, die Heeresversammlung einberufen und den fünfjährigen Epiphanes zum König proklamiert (August/September 203). Somit habe man damals vom 13. Oktober 203 an das 2. (äg.) Regierungsjahr des jungen Königs gerechnet; damit ist die Angabe der Stele des Kha'ḥap (2. Jahr = 203/2) erklärt. Einige Jahre später, als die Vorgänge um den Thronwechsel allgemein bekannt geworden waren,

---

[1] Vgl. F. W. WALBANK, S. 25f. Zu Johannes Antiochenus, der keine Datierung bietet, s. weiter unten. [2] JEA S. 26ff.

habe man sich entschlossen, die falsche Zählweise zu revidieren; man habe entweder ein Jahr übersprungen oder das laufende doppelt gezählt, indem man mitten im Jahr einen Schnitt setzte und den Rest des Jahres bis zum 1. Thoth mit erhöhter Ziffer und einem neuen Kollegium eponymer Priester weiterführte. Im Gegensatz zur bisherigen Übung, die sich nach der Proklamation des Epiphanes richtete, habe also die nunmehrige Zählung vom Tod des Philopator ab gerechnet. So erklärt es sich nach WALBANK, daß das Jahr der Rosettana, 197/6, als 9. und nicht nach der früheren Rechnung als 8. geführt wird.

Von den beiden vorgeschlagenen Methoden der Revision hatte WALBANK die erste bevorzugt, da er keinen Beleg für das 6. Jahr kannte. Er glaubte, man habe das 6. Jahr übersprungen und am 13. Oktober 199, nach Ablauf des 5., sofort das 7. Jahr begonnen. Damals sei Epiphanes in den Kult der vergöttlichten Vorfahren aufgenommen worden (zum erstenmal im 7. Jahr belegt); für Arsinoe Philopator habe man, zur Sühnung ihrer Ermordung, eine eigene eponyme Priesterin geschaffen (ebenfalls zum erstenmal im 7. Jahr belegt). WALBANK sah darin Maßnahmen zur Stärkung der durch die schweren militärischen Mißerfolge des Jahres 199 geschwächten nationalen Widerstandskraft.

Dieser Weg ist nicht mehr gangbar, seit Chr. F. NIMS[1] auf einen WALBANK noch unbekannt gewesenen Beleg für das Jahr 6[2] aufmerksam gemacht hat. NIMS[3] entscheidet sich daher für die zweite Möglichkeit; da zwischen J. 5, Phaophi und J. 6, Choiak sowie zwischen J. 7, Mecheir und J. 8, Pharmuthi jeweils für etwas über 1 Jahr keine Belege vorliegen, nimmt er an, daß in einer dieser beiden Lücken der Wechsel von der alten zur revidierten Jahrzählung anzusetzen sei. Da das von NIMS erwähnte Dokument aus J. 6, Choiak den König noch nicht unter den Göttern aufführt und auch die Priesterin der Arsinoe noch nicht nennt[4], entfällt die Verbindung zwischen der Revision der Jahrzählung und den erwähnten religiösen Maßnahmen.

Die Lücken in unseren Belegen liegen etwa im Hathyr des J. 5–6, also etwa im Dezember 200, bzw. im Phamenoth des J. 7–8, d. i. etwa April 197.

Somit ergibt sich folgende schematische Übersicht (siehe folgende Seite).

Es muß anerkannt werden, daß WALBANKS Erklärung tatsächlich auf den ersten Blick alle rechnerischen Schwierigkeiten zu beseitigen vermag; die Doppelzählung eines Jahres läßt die Kluft zwischen den Angaben des Polybios und denen des Kanons und der dokumentarischen Evidenz

---

[1] JEA 24 (1938) S. 73f.; vgl. bereits JEA 22 (1936) S. 51 A. 2.
[2] Demot. Doppelurkunde P. Mich. 4526 A 1, 2. [Siehe Nachtrag!]
[3] Ihm scheint sich WALBANK inzwischen anzuschließen; vgl. Philip V (1940) S. 112 A. 2.
[4] Ch. F. NIMS S. 73.

| jul. Jahr (Okt.–Okt.) | alte Rechnung | bei Wechsel 5./6. J. | bei Wechsel 7./8. J. | neue Rechnung |
|---|---|---|---|---|
| 205/4 | — | — | — | 1 |
| 204/3 | 1 | 1 | 1 | 2 |
| 203/2 (Kha'ḥap) | 2 | 2 | 2 | 3 |
| 202/1 | 3 | 3 | 3 | 4 |
| 201/00 | 4 | 4 | 4 | 5 |
| 200/199 | 5 | 5/6 | 5 | 6 |
| 199/8 | 6 | 7 | 6 | 7 |
| 198/7 | 7 | 8 | 7/8 | 8 |
| 197/6 (Rosettana) | (8) | 9 | 9 | 9 |

verschwinden. Aber es darf nicht übersehen werden, daß Walbanks Konstruktion lediglich auf einem *argumentum e silentio* aufgebaut ist und auch alle Schwächen eines solchen aufweist. Es dauerte nicht einmal zwei Jahre, bis durch das Auftauchen einer Urkunde aus dem Jahr 6 die erste der beiden von WALBANK zugelassenen Möglichkeiten ausfiel; zwei Papyri, die sich in die zur Zeit noch bestehenden Lücken einschieben, müssen auch die zweite Möglichkeit eliminieren und damit das ganze System zusammenbrechen lassen[1].

Doch das ist nicht das einzige Bedenken. Ein Wechsel in der Zählung der Regierungsjahre wäre in der Tat nichts völlig Neues gewesen[2]; auch Philadelphos hatte bis etwa 270 v. Chr. seine Regierung vom Tod seines Vaters an gerechnet, dann aber die Zählung auf den Beginn seiner Mitregentschaft umgestellt. Gerade dieser näherliegende und in jeder Beziehung weniger komplizierte Weg wurde aber anscheinend verschmäht[3]. Aber auch der nächstbeste, vor allem im Hinblick auf das Urkunden- und Rechnungswesen einigermaßen praktikable Weg, ein Jahr zu über-

---

[1] Vgl. bereits Ch. F. NIMS, JEA 24 (1938) S. 74 A. 16: 'It should be emphasized that the appearance of documents having dates in both these periods so as to make the elapsed time in each less than twelve months would, of course, necessitate a new theory for the solution of this chronological problem'. Auch der Umstand, daß zwischen der Revision der Jahreszählung und den zweifellos bedeutsamen Maßnahmen des Jahres 7 kein Zusammenhang mehr hergestellt werden kann, vermindert die Anziehungskraft des Systems beträchtlich. Hingegen besagt es in Anbetracht unserer beklagenswert geringen Kenntnis der ägyptischen Geschichte jener Jahre wenig, wenn keine bedeutenden politischen Ereignisse mit den für die Reform anzunehmenden Daten (Winter 200/199 bzw. Frühj. 197) verknüpft werden können.

[2] Vgl. F. W. WALBANK, JEA S. 24; 32.

[3] Es ist fraglich, ob das wahre Todesdatum des Philopator später überhaupt eruiert werden konnte, da die Hauptfiguren der Konspiration tot waren. Das Datum der Erhebung zum Mitregenten wäre also auf jeden Fall besser gewesen — zumal nach WALBANKS Ansicht der 17. Phaophi, 'an dem (der König) die Herrschaft von seinem Vater übernahm', eben der Tag der Mitregentschaft sein soll (s. o. S. 190).

springen, scheint nicht eingeschlagen worden zu sein; denn, wie gesagt, die Urkunden lassen für die Annahme einer solchen Maßnahme keinen Raum. Statt dessen sollte die schlechteste der drei Möglichkeiten gewählt worden sein, eben daß man mitten in einem Jahr X einen neuen Neujahrstag setzte, von dem ab mit der Zählung X + 1 fortgefahren wurde, und für dieses Jahr sogar ein neues Priesterkollegium ernannte. Denn die urkundlichen Belege datieren ja jeweils nach neuen eponymen Priestern des Herrscherkultes! Mit einer einfachen Erhöhung der Jahresziffer war es also nicht getan. Nicht einmal die Gelegenheit, am 1. Mecheir, also am Beginn eines neuen Finanzjahres, den Sprung zu machen, scheint man wahrgenommen zu haben. Man stelle sich vor, welche Verwirrung das bei längerlaufenden Verträgen usw. hervorgerufen haben muß, zumal bei den parallel benutzten Kalendersystemen des ägyptischen Regierungsjahres, des Finanzjahres und möglicherweise auch noch des unrevidierten makedonischen Kalenders[1]!

Ferner ist Walbanks System überhaupt nur dann anwendbar, wenn man mit der unbewiesenen Annahme rechnet, daß Polybios über den Tod des Philopator im XIV. Buch berichtet habe[2], und wenn man für das Ableben des alten und den Regierungsantritt des neuen Herrschers die (innerhalb der Relation zwischen ägyptischer und polybianischer Jahrzählung) allergünstigsten Ansätze wählt. Denn wenn die Rechnung aufgehen soll, muß Philopator möglichst kurze Zeit vor dem Beginn des neuen ägyptischen Jahres (1. Thoth = 13. Oktober 204) gestorben sein. Je weiter man von diesem Datum nach oben abweicht, desto mehr müßte man annehmen, daß Polybios – falls er über die genaue Chronologie Bescheid wußte – den Tod des Königs in Buch XIII (2. Hälfte) = Herbst 205–Herbst 204 gesetzt hätte. Dies umso mehr, als das ägyptische Jahr ziemlich genau mit dem ätolischen und achäischen Amtsjahr, der Grundlage der polybianischen Zeitrechnung, zusammenfiel, was Polybios sicher gewußt hat.

Das Gleiche gilt für den Regierungsantritt des Epiphanes, der nach UPZ I 112 vor dem 1. Mesore = 8. September anzusetzen ist, d. h. nach Walbanks Rechnung 8. Sept. 203. Da die Steuern sicher geraume Zeit vor dem Stichtag verpachtet wurden, wird man den Regierungsantritt mindestens mehrere Wochen vor dem 8. September ansetzen müssen (s. o. S. 191). Auch das verträgt sich, streng genommen, nicht mit der polybianischen Jahreseinteilung; eigentlich müßte der Regierungsantritt des Epiphanes im XIV. Buch (Herbst 204–Herbst 203) stehen.

---

[1] Vgl. F. W. Walbank, JEA S. 21. Der makedonische Kalender scheint allerdings bereits im 4. Jahr des Epiphanes an den ägyptischen assimiliert gewesen zu sein; vgl. Grenfell-Hunt, P. Hibeh I, Appendix I zu P. Teb. 820; A. E. Samuel, Ptolemaic Chronology (1962) S. 129 ff.    [2] S. dazu u. S. 209 f.; 212.

So strenge Maßstäbe wird man freilich nicht anlegen müssen. Ungenaue Unterlagen, Fehler in der Umrechnungsmethode und der Wunsch, Zusammengehöriges in einem Stück zu behandeln, können für die Zuweisung an die einzelnen Bücher verantwortlich gemacht werden. Mit diesen Zugeständnissen mag man das geschilderte System zunächst annehmen. Rechnen wir also vorläufig damit, daß der Tod Philopators etwa im August 204, der Regierungsantritt des Epiphanes etwa im Juli oder August 203 anzusetzen sind, und daß zwischen diesen Ereignissen etwa 11—12 Monate der Geheimhaltung und der Regentschaft einer Clique unter dem Namen des toten Königs lagen.

Die angebliche Geheimhaltung des Todes

Mit einer solchen Geheimhaltung, die uns — wenn auch mit unbestimmter Dauer — durch Justin überliefert ist, hatten bereits B. NIESE und A. BOUCHÉ-LECLERCQ[1] gerechnet. Aber ist sie wirklich in dieser Dauer wahrscheinlich?

Justins Angabe *sed mors eius, dum pecuniam regiam mulieres rapiunt et imperium inita cum perditissimis societate occupare conantur, diu occultata fuit* (XXX 2, 6) gibt dafür wenig Anhaltspunkte. Man möchte annehmen, daß Justin, hätte er in seiner Vorlage gefunden, daß es sich um ein volles Jahr handelte, dies auch zum Ausdruck gebracht und sich nicht mit einem unbestimmten *diu* begnügt hätte. Auch *imperium ... occupare conantur* spricht nicht gerade für eine lange Zeit der Geheimhaltung, in der es der Clique des Agathokles doch wohl gelungen wäre, ihre Herrschaft wirklich zu befestigen. Und wir werden noch sehen, daß Agathokles' Stellung nach der Thronbesteigung in der Tat noch keineswegs gefestigt war[2]. Aber wenn Justins Bericht auch anscheinend auf gute, wahrscheinlich polybianische Überlieferung zurückgeht, so ist er doch so verworren[3], daß man seine Worte nicht auf die Goldwaage legen darf. Begnügen wir uns also vorläufig mit dem Ergebnis, daß Justin — der einzige, der etwas von der 'langen' Geheimhaltung berichtet — die Annahme einer so langen Verheimlichung mindestens nicht stützt.

An der Tatsache einer Geheimhaltung — mag sie nun einige Tage oder ein ganzes Jahr gedauert haben — braucht jedenfalls nicht gezweifelt

---

[1] B. NIESE II S. 573: 'mehr als ein Jahr später, gegen Ende 203, ward das Geschehene bekannt gemacht; A. BOUCHÉ-LECLERCQ, Lagides I S. 335—7: 'environ un an après' (S. 336); beide ohne Auseinandersetzung mit dem Zeugnis der Urkunden. E. A. HEYDEN, *Res gestae* S. 39 glaubt sogar an eine dreijährige Geheimhaltung!

[2] S. dazu unten S. 211f.

[3] Zu den zahlreichen Fehlern im Bericht des Justin s. A. BOUCHÉ-LECLERCQ, Lagides I S. 332f. und unten S. 202f.

zu werden. Wozu aber sollte sie dienen? Nach Justin zur gefahrlosen Bereicherung der Hofclique und zur Befestigung ihrer Stellung[1]; nach WALBANK[2] vor allem zur Abwendung eines Angriffs der Nachbarn auf das verwaiste Reich; deshalb das Bestreben der Regenten, so lange wie möglich die Fiktion aufrecht zu erhalten, als regiere immer noch Philopator.

Ein undurchführbares Beginnen war es vielleicht nicht, den Tod des Heerschers wenigstens für einige Wochen geheimzuhalten. Man nimmt, allerdings ohne Rückhalt in den Quellen, an, der König habe sich in den letzten Jahren seiner Regierung selten in der Öffentlichkeit gezeigt[3]; so mochte es eine gewisse Zeit lang nicht auffallen, wenn er nicht erschien. Aber es mußte doch Gelegenheiten vor allem religiöser Art geben, die von Zeit zu Zeit sein Auftreten verlangten. Es erscheint jedenfalls recht fraglich, ob man es wirklich ein ganzes Jahr lang fertigbrachte, die Bevölkerung Alexandreias, die Beamten und Priester zu täuschen. Nicht etwa, daß man darauf erpicht gewesen wäre, den König in der Öffentlichkeit zu sehen — er war unbeliebt (Polyb. XV 25, 9); aber wenn Monat um Monat verging, ohne daß der König sich bei den Feiern zeigte, wenn immer wieder Audienzen verweigert wurden, wenn selbst hohe Funktionäre des Staates von den Ministern abgefertigt wurden, dann mußte das doch allmählich Mißtrauen gegen die ohnehin verhaßten Höflinge erregen. Wie konnte man es der zahlreichen Dienerschaft des Palastes und den Teilnehmern an den ausschweifenden Festen[4] plausibel machen, daß der König überhaupt nicht mehr zu sehen war, daß er nicht mehr an seinen gewohnten Orgien teilnahm? Auswechslung der Dienerschaft, Bestechung von Dutzenden von Mitwissern, vielleicht sogar Beseitigung einiger Leute, von denen man die Offenlegung des Geheimnisses befürchten mußte[5] — das alles mochte für einige Wochen gelingen. Aber solche Maßnahmen mußten Verdacht erregen; man mußte sich über die Entfernung der Diener wundern, die Ermordeten vermissen; und früher oder später mußte doch einer der Bestochenen ausplaudern. Auf diese Weise ließ sich der Tod des Herrschers allenfalls für einige Wochen, keinesfalls ein ganzes Jahr lang geheimhalten!

Etwas besser mochte es gelingen, wenn man den König für schwer krank erklärte. So war der Kreis der zu ihm Zugelassenen naturgemäß auf die Ärzte und einige Diener beschränkt; diese konnte man aus willfährigen Elementen nehmen, jene bestechen — der Kreis der Mitwisser

---

[1] So auch B. NIESE II S. 572f.; keine Begründung bei A. BOUCHÉ-LECLERCQ.
[2] JEA S. 28f.
[3] So B. NIESE II S. 573; A. BOUCHÉ-LECLERCQ, Lagides I S. 337f.; F. W. WALBANK, JEA S. 31.    [4] Polyb. XIV 11; Justin. XXX 1, 7—2, 3.
[5] Vgl. F. W. WALBANK, JEA S. 31.

## I. Der Thronwechsel im Lagidenreich

war also relativ klein. Noch leichter mochte es sein, wenn der König wirklich vor seinem Tode längere Zeit siech war.

WALBANK lehnt diese Methode allerdings ab, da seiner Ansicht nach vor allem außenpolitische Gründe für die Geheimhaltung maßgeblich waren; ein angeblich schwerkranker König hätte die Räuber sicher ebenso rasch angelockt wie ein unmündiger. Aber es ist doch sehr fraglich, ob es für die Nachbarn, insbesondere für Antiochos eine wesentliche Rolle spielte, wer auf dem Thron der Lagiden saß. Antiochos hatte seinerzeit (im J. 221) Philopator ebensowenig gefürchtet wie den alternden Euergetes, gegen den sich seine Vorbereitungen (und anscheinend sogar die Pläne seines Bruders[1]) schon gerichtet hatten. Über den Zustand des Heeres und der Finanzen und über die Aufsässigkeit der Eingeborenen dürfte der Seleukide ebensogut informiert gewesen sein wie über die geringe Achtung, die Philopator bei seinen Untertanen und vor allem beim Heer genoß; es ist nicht zu sehen, warum er vor Philopator mehr Scheu gehabt haben sollte als vor dem unmündigen Epiphanes. Im Gegenteil: das Heer hätte, entsprechend beeinflußt, wahrscheinlich das Kind mit größerer Bereitwilligkeit verteidigt als den verachteten Vorgänger[2]. Es wird noch davon zu sprechen sein, daß es auch eine irrige Meinung ist, die Nachricht vom Tod des Philopator habe unverzüglich die Feinde auf den Plan gerufen[3].

Wenn also außenpolitische Gründe für die Geheimhaltung wohl nicht in Frage kommen, welche dann? Vermutlich diejenigen, die Justin dafür angibt: *dum pecuniam regiam mulieres rapiunt et imperium inita cum perditissimis societate occupare conantur.* Man brauchte einige Zeit, um seine Herrschaft zu befestigen, Leute, die gefährlich werden konnten, zu beseitigen, und sein Schäfchen ins Trockene zu bringen. Freilich, dazu hätte man schon zu Lebzeiten des Königs Gelegenheit gehabt, falls dieser wirklich so willfährig war, wie es unsere Quellen in schöner Einmütigkeit behaupten. Aber erstens ist es wahrscheinlich, daß Polybios und seine Nachschreiber hier erheblich übertrieben haben, und zweitens kann der Tod des Königs ja überraschend eingetreten sein[4]. Man mußte notfalls das Testament fälschen[5] (wenn es wirklich gefälscht ist) und die

---

[1] Vgl. Hieron. in Dan. XI 10; o. S. 153.
[2] Aufruf des Agathokles ans Heer zur Loyalität gegenüber dem jungen König: XV 25, 6; 26, 3ff. Beliebtheit des Kindes bei Heer und Volk: XV 34, 2.
[3] S. dazu ausführlicher unten S. 227.
[4] Zum Vergleich sei an die Behauptung erinnert, Livia habe den Tod des Augustus für kurze Zeit geheimgehalten, *donec provisis quae tempus monebat simul excessisse Augustum et rerum potiri Neronem fama eadem tulit* (Tac. ann. I 5,4).
[5] Polyb. XV 25, 5. Wir stehen hier wieder einmal vor einem gefälschten Schriftstück (vgl. oben S. 125; 151; 161ff.). Es ist schwer zu sagen, ob die Behauptung zutrifft oder ob der Haß, den der Verfasser von Polybios' Vorlage gegen Agathokles hegte, den Regenten

Königin aus dem Wege räumen, um Ansprüchen auf die Regentschaft vorzubeugen. Zu all dem war einige Zeit notwendig, während der man gut tat, den Tod des Königs zu verheimlichen. Länger als einige Tage oder Wochen brauchte man dazu aber nicht[1]; im Gegenteil, man mußte mit jedem Tag, den man das Geheimnis länger aufrecht erhielt, mehr mit plötzlicher Entdeckung und so mit unabsehbaren Folgen rechnen[2].

Allgemeine politische Erwägungen machen also eine lange Geheimhaltung nicht gerade wahrscheinlich. Befragen wir nun die Quellen, ob sie über die zeitliche Relation zwischen dem Tod des Königs, dem Tod der Königin und der Bekanntgabe des Thronwechsels etwas auszusagen vermögen. Dazu ist es nötig, vor allem die Fragmente des Polybios zu rekonstruieren, soweit das möglich ist.

## Der Tod der Arsinoe

Nach Justin ist Arsinoe (die er allerdings stets Eurydice nennt) bereits zu Lebzeiten Philopators ermordet worden; durch die starke Kürzung

die Fälschung nur unterschoben hat. Der König hatte außer seiner Schwestergemahlin Arsinoe keine Geschwister mehr; aber von ihr scheint er sich längst getrennt zu haben (s. u.). Was lag eigentlich näher, als daß er seine bisherigen Minister zu Vormündern und Regenten bestimmte? — A. BOUCHÉ-LECLERCQ I S. 333 A. 3 hält das Testament für apokryph, scheint aber zu glauben, daß sich bei Polybios die römische Legende von der römischen Vormundschaft über Epiphanes bemerkbar mache (Justin. XXX 2, 8; XXXI 1, 2). Diese Tradition scheint sich jedoch erst nach der Abfassung von Polybios' Werk entwickelt zu haben (vgl. zu der Frage W. OTTO, Zur Gesch. d. Zeit d. 6. Ptol. S. 27 ff.).

[1] Eine solche Spanne ist mit *diu occultata fuit* ohne weiteres vereinbar. Im Vergleich zu der normalen Praxis, das Ableben eines Herrschers sofort bekanntzugeben, ist schon ein Monat 'lange'. CHAMPOLLION-FIGEAC, Annales des Lagides II (Paris 1819) S. 87 richtig: 'La mort ... fut tenue quelques jours secrète'.

[2] Die von WALBANK S. 31 genannten Beispiele für Geheimhaltung tragen für unseren Fall nichts bei. Im Fall des 'falschen Smerdis' existierte ja ein 'Herrscher', der mit dem wahren Träger des Namens offenbar große Ähnlichkeit hatte. Im übrigen gelang die Geheimhaltung auch hier nur etwa 2 Monate lang (vgl. P. J. JUNGE, Dareios I., König der Perser [1944] S. 48). Und wenn es Euergetes gelungen sein sollte, den Tod seiner Schwester Berenike zu verheimlichen und so die Loyalität der seleukidischen Gouverneure auszunützen, so konnte das in Kriegszeiten und beim schnellen Vormarsch der ptolemäischen Truppen leichter geschehen, als mitten im Frieden in der ägyptischen Hauptstadt. Auch hier ist übrigens nicht mit einer langen Zeitspanne zu rechnen. Und W. OTTO hat (Beitr. z. Seleukidengesch. S. 55 ff.; bes. 59 ff.) wahrscheinlich gemacht, daß die Königin noch am Leben und nur ihr Kind ermordet war. Daß der Tod eines kleinen Kindes leichter zu verheimlichen war als der eines regierenden Königs, liegt auf der Hand. — Man könnte noch Val. Max. IX 14 ext. 1 anführen, wonach Laodike für den toten Antiochos II. einen Doppelgänger aus der Verwandtschaft substituierte; auch da handelte es sich aber nur um einige Tage: Laodike wollte angeblich nur die Einsetzung ihrer Söhne durch den sterbenden 'Vater' erreichen. Wahrscheinlich ist die (nur bei Valerius überlieferte) Geschichte aber eine der ptolemäischen Propaganda entstammende Erfindung.

I. Der Thronwechsel im Lagidenreich 203

seiner Vorlage entsteht der Eindruck, dies sei nicht lange nach der Schlacht bei Raphia geschehen, und die Liaison mit Agathokleia habe erst nach dem Tod des Arsinoe begonnen[1]. Natürlich kann Arsinoe frühestens Ende 210 v. Chr. ermordet worden sein; denn ihr Sohn Epiphanes wurde erst im Oktober 210 geboren, und mehrere Inschriften ehren noch Arsinoe neben Philopator und dem Kronprinzen (OGI I 86—88).

Demgegenüber hat nach Johannes Antiochenus[2] Philopator seine Schwestergemahlin zugunsten der Agathokleia verstoßen oder verbannt (ἐκβαλόντος); erst nach seinem Tod habe Agathokleia die Königin durch eine List umgebracht. Der Rest des Fragments strotzt freilich von Fehlern und Ungereimtheiten, mehr noch als der Bericht des Justin[3].

Eine Entscheidung kann nur von Polybios kommen. Der Teil des Werkes, in dem Polybios von der Ermordung der Königin gesprochen hatte, ist freilich nicht erhalten; und aus den wenigen erhaltenen Resten des XV. Buchs geht nicht sofort deutlich hervor, auf welche Weise Arsinoe ums Leben kam, und in welcher zeitlichen Beziehung ihre Ermordung zum Tod ihres Gatten und zum Regierungsantritt ihres Sohnes steht. Sicher ist zunächst nur, daß bei der Ermordung der Königin die beiden Minister Sosibios und Agathokles sowie die Familie des Agathokles ihre Hand im Spiele hatten[4].

Immerhin spricht Polybios davon, Arsinoe habe zu ihren Lebzeiten ὕβριν und αἰκίαν erdulden müssen (XV 25, 9); dies scheint doch die Angabe des Johannes Antiochenus zu bestätigen, daß Philopator seine

---

[1] XXX 1, 7: *facta pace avide materiam quietis adripuit revolutusque in luxuriam occisa Eurydice, uxore eadem sorore sua, Agathocliae meretricis inlecebris capitur.* Eurydice statt Arsinoe ferner XXX 2, 6 f.

[2] Johann. Antioch. fr. 54 (MÜLLER FHG IV p. 558): ὅτι Πτολεμαίου Ἀγαθόκλειαν τὴν ἑαυτοῦ γυναῖκα ἐκβαλόντος, καὶ μιᾷ τινι τῶν ἑταιρίδων συναφθέντος, εἶτα τελευτήσαντος Πτολεμαίου ἡ Ἀγαθόκλεια Ἀρσινόην διαφθείρει δόλῳ. καὶ ταύτης σὺν τοῖς βασιλείοις διαφθαρείσης, πολλῆς τε ταραχῆς ἐντεῦθεν Αἰγυπτίοις ἀναφθείσης, ὅ τε τῆς Συρίας βασιλεὺς Σέλευκος καὶ τῆς Μακεδονίας Φίλιππος ἐλπίδι τοῦ κρατήσειν τῆς χώρας σὺν προθυμίᾳ στρατεύουσιν. οὓς δὴ Ῥωμαῖοι φθάσαντες τῆς ἐγχειρήσεως, τὴν τῶν Αἰγυπτίων ἐμφύλιον ἀπέσβεσαν ἐπανάστασιν, Πτολεμαῖον τὸν Ἐπιφανῆ αὐτοκράτορα τοῦ ἔθνους ἀποδείξαντες, Προυσίου τότε τῶν Βιθυνῶν βασιλεύσαντος.

[3] Agathokleia statt Arsinoe; Seleukos statt Antiochos. Anscheinend wird der Eingeborenenaufstand mit dem Aufstand in Alexandreia gegen Agathokles zusammengeworfen. Die angebliche Beendigung des Eingeborenenaufstands und die Einsetzung des Epiphanes durch die Römer ist offensichtlich eine Weiterbildung der Behauptung, Rom habe die Vormundschaft über Epiphanes übernommen.

[4] Polyb. XV 25, 2 wird Sosibios beschuldigt, neben anderen Mitgliedern des Lagidenhauses auch Arsinoe ermordet zu haben; 32, 7—8 genehmigt der junge König die Lynchjustiz an den Angehörigen des Agathokles, 'die sich an ihm und seiner Mutter vergangen hatten' (was sich allerdings auch auf die Verdrängung der Arsinoe beziehen kann).

Frau verstoßen und sich mit Agathokleia verbunden habe[1]. Man wird daher geneigt sein, auch seiner anderen Angabe, Arsinoe habe erst nach ihrem Mann den Tod gefunden, größeren Glauben zu schenken.

Nachdem Agathokles und Sosibios im Hof des Palastes den Tod des Königspaares bekanntgegeben hatten, wurden zwei silberne Urnen gezeigt; die eine von ihnen enthielt die Reste des Königs, die andere war mit Spezereien gefüllt (XV 25, 6—7). Die Überreste der Königin waren also damals nicht mehr vorhanden; man mußte daher zu einer Täuschung greifen[2], die aber sicher nicht sofort entdeckt, sondern erst später durch Geständnisse der Beteiligten oder bei einer Öffnung der Urne bekannt wurde, als man die Gerüchte um den Tod der Königin nachprüfte.

Im Augenblick war das Publikum jedoch über die Umstände des Todes der Königin im Unklaren. Die beiden Regenten scheinen, so erstaunlich das auch sein mag, keine genaueren Angaben über die Todesursache gemacht zu haben. Man begann zu überlegen, zu fragen; gerüchtweise war die Wahrheit durchgesickert. Zunächst wollte man dem Gerücht nicht glauben, aber 'die wahren Geschehnisse prägten sich der Überzeugung eines jeden ein'[3].

Woher kam das Gerücht? Hier ist wohl ein anderes Fragment heranzuziehen (XV 26 a); es handelt von der Ermordung eines gewissen Deinon, Sohn des Deinon, durch Agathokles. 'Als Deinon das Schreiben über die Ermordung der Arsinoe erhielt und es in seiner Hand war, den Anschlag anzuzeigen und das Reich zu retten, hatte er mit Philammon (dem 'Leiter des Mordanschlags', vgl. XV 25, 12; 33, 11) gemeinsame Sache gemacht und so all das folgende Unheil herbeigeführt; als aber der Mord ausgeführt war, besann er sich, klagte vielen gegenüber und bedauerte es, daß er eine solche Gelegenheit habe vorübergehen lassen. Dies bekam Agathokles zu Gehör, und so erlitt Deinon bald die verdiente Strafe und

---

[1] So wäre dann das Fehlen der Königin in der Weihung OGI 89 zu verstehen.

[2] Daß man nicht zugab, die zweite Urne nur mit Weihrauch gefüllt zu haben, wird aus ὡς ... ἐχούσης deutlich.

[3] Das etwa muß der Sinn der unklar gebauten Periode XV 25, 8 sein: τοῦ γὰρ θανάτου φωτισθέντος ὁ τρόπος ἐπεζητεῖτο τῆς ἀπωλείας· οὐκ οὔσης δὲ προφάσεως ἄλλης οὐδεμιᾶς, τῆς ἀληθινῆς φήμης προσπεπτωκυίας, ἀκμὴν δ' ἀμφισβητουμένης, τὸ κατ' ἀλήθειαν γεγονὸς ἐν ταῖς ἑκάστων γνώμαις ἐπεσφραγίσθη. Die Konstruktion ist wahrscheinlich vom Exzerptor verdorben worden; vgl. die Anmerkung F. HULTSCHS: 'pro his paulo plura eaque concinnius composita scripserat Polybius'. Eindeutig ist jedenfalls: 'Als ihr Tod ans Licht gekommen war, begann man weiter nach der Art und Weise ihres Sterbens zu fragen'. d.h. darüber war nichts bekannt geworden. Vgl. auch οὐκ οὔσης δὲ προφάσεως ἄλλης οὐδεμιᾶς. Ob ἀμφισβητουμένης ungläubige Aufnahme des Gerüchts bei der Bevölkerung oder amtliches Dementi bedeutet, ist unklar; ebenso, ob sich das Gerücht schon vor oder erst nach der Bekanntmachung des Todes verbreitet hatte (part. perf.: προσπεπτωκυίας).

I. Der Thronwechsel im Lagidenreich

verlor sein Leben.'[1] Vermutlich waren die Gerüchte um den Tod der Arsinoe vor allem auf die Schwatzhaftigkeit dieses Deinon zurückzuführen.

Der Zeitpunkt der Beseitigung des Deinon läßt sich glücklicherweise einigermaßen bestimmen. Fragment 26 a folgt im Cod. Vaticanus M auf Fragment 24 a. Paul MAAS hat (mit Hilfe des Paralleltextes XXVIII 16, 10f.) zeigen können, daß Fragment 24 a unmittelbar an 25, 19 angeschlossen werden muß (s. o. S. 193 A. 3). Nun erweist sich in fast allen kontrollierbaren Fällen, daß die Exzerpte in der ursprünglichen Reihenfolge stehen. Demnach muß Frgm. 26 a irgendwo nach 25, 19 + 24 a gestanden haben. MAAS hat das Exzerpt wohl mit Recht ebenfalls in die Lücke zwischen 25, 19 und 25, 20 gesetzt; denn in § 20 resümiert Polybios die in §§ 12—18 eingehend behandelten Bemühungen des Agathokles, 'sich die bedeutendsten Männer aus dem Weg zu schaffen'; das paßt auch auf die Beseitigung des Deinon.

Deinon ist also auf jeden Fall einige Zeit nach der Bekanntgabe des Todes des Königspaars (25, 4) ermordet worden; aber auch bald (παραυτίκα), nachdem er begonnen hatte, das Geheimnis auszuplaudern. Er hat demnach erst nach der Bekanntgabe des Todes oder allenfalls kurz vorher zu schwatzen begonnen. Nun sagt aber Polybios, Deinon habe geredet μετὰ τὸ συντελεσθῆναι τὸν φόνον; demnach scheint Arsinoes Tod eben erst erfolgt zu sein, d. h. kurz bevor man ihn bekannt gab. Denn wäre zwischen der Mordtat und ihrer Bekanntgabe längere Zeit verstrichen (so Justin), so hätte Polybios τότε δέ oder ἐπεὶ δὲ φανερὰ ἐγένετο ἡ τελευτή oder etwas Ähnliches schreiben müssen.

Dies und der Umstand, daß das Volk offenbar bis zur Proklamation nichts oder zum mindesten nichts Genaues wußte, macht es wahrscheinlich, daß Arsinoe erst kurz vor der Szene im Palasthof ermordet wurde, daß also die Darstellung Justins unrichtig ist, derzufolge sie längere Zeit vor ihrem Mann den Tod gefunden hat. Und nun wird man wohl nicht mehr zögern müssen, der Angabe des Johannes Antiochenus zu vertrauen, daß sie erst nach dem Tod ihres Mannes ermordet wurde — wie lange danach, wird noch zu eruieren sein.

Das Volk erfuhr also durch die Schwatzhaftigkeit eines der Mitwisser, eben jenes Deinon, von der Art und Weise, wie man Arsinoe beseitigt

---

[1] XV 26a: ... καθ' ὃν μὲν γὰρ καιρόν, τῶν γραμμάτων αὐτῷ προσπεσόντων ὑπὲρ τῆς ἀναιρέσεως τῆς Ἀρσινόης, ἐξουσίαν ἔσχε μηνῦσαι τὴν πρᾶξιν καὶ σῶσαι τὰ κατὰ τὴν βασιλείαν, τότε δὴ συνεργήσας τοῖς περὶ τὸν Φιλάμμωνα, πάντων ἐγένετο τῶν ἐπιγενομένων κακῶν αἴτιος, (2) μετὰ δὲ τὸ συντελεσθῆναι τὸν φόνον ἀνανεούμενος καὶ πρὸς πολλοὺς οἰκτιζόμενος καὶ μεταμελόμενος ἐπὶ τῷ τοιοῦτον καιρὸν παραλιπεῖν δῆλος ἐγένετο τοῖς περὶ τὸν Ἀγαθοκλέα. διὸ καὶ παραυτίκα τυχὼν τῆς ἁρμοζούσης τιμωρίας μετήλλαξε τὸν βίον.

hatte. Wir wüßten gern mehr darüber; aber Polybios ist nicht mehr näher darauf eingegangen, eben weil er kurz zuvor davon erzählt hatte. Einiges läßt sich immerhin vielleicht aus den Andeutungen in den erhaltenen Fragmenten eruieren.

Deinon hatte ein Schreiben erhalten, in dem von Arsinoes Ermordung die Rede war — also offenbar den Mordbefehl. Ein Philammon hatte die Tat auszuführen (er wurde nach der Proklamation als Libyarch nach Kyrene geschickt, XV 25, 12). Zweimal gebraucht Polybios die Wendung τὸν ἐπιστάντα τῷ τῆς Ἀρσινόης φόνῳ (XV 25, 12; 33, 11): 'der die Ausführung des Mordes geleitet (bzw. in die Wege geleitet) hatte'. Diese Ausdrucksweise zeigt, daß man nicht einfach einen Mann in die Gemächer der Königin schickte, der Arsinoe erstechen oder erwürgen mußte; man hat vielmehr offenbar mit einem größeren, wohlvorbereiteten Plan zu rechnen.

Darauf führt auch der Umstand, daß Deinon einen Brief erhielt, in dem Arsinoes Ermordung befohlen wurde. Allgemein wird offenbar angenommen, daß Arsinoe sich bis zuletzt im Palast in Alexandreia aufgehalten habe, also am gleichen Ort wie die Regierung, die ihre Ermordung anordnete. Aber es wäre doch eigentümlich, wenn man sich in diesem Fall, statt eine mündliche Anordnung zu geben, schriftlicher Unterlagen bedient und so der Gefahr einer Entdeckung ausgesetzt hätte. Vielmehr führt die Tatsache, daß es γράμματα über Arsinoes Tod gab, mit Wahrscheinlichkeit zu dem Schluß, daß die Königin zur Zeit ihrer Ermordung nicht am gleichen Ort wie die Regierung weilte. Falls sich Arsinoe in Alexandreia befand, so müssen beide Regenten außerhalb der Stadt gewesen sein, etwa in der Chora, wo damals der Eingeborenenaufstand tobte. Befanden sich aber — und das ist bei weitem wahrscheinlicher — die Regenten in der Hauptstadt, so muß die Königin an einem außerhalb gelegenen Verbannungsort gelebt haben; ἐκβάλλειν (Johann. Antioch.) kann ja sowohl 'verstoßen' als auch 'verbannen' bedeuten. Sowohl der schriftliche Mordbefehl als auch die größere Zahl der Beteiligten ließen sich so am leichtesten verstehen. Welche amtlichen Funktionen Deinon und Philammon ausübten, kann allenfalls vermutet werden; vielleicht war Philammon der Chef der Bewachungsmannschaft, Deinon sein Vorgesetzter, etwa der lokale Gouverneur[1], der den Befehl weiterzuleiten hatte; oder aber Arsinoe stand unter der Bewachung des Deinon, und der ominöse Brief war das Beglaubigungsschreiben, das dem Philammon die Türen zu seinem Opfer öffnete.

---

[1] In den letzten Jahren des Philopator war ein Deinon Stratege von Kypros (Inscr. Lind. I 139; vgl. H. Bengtson, Strategie III S. 231 Nr. 135). Es ist nicht unmöglich, daß es sich um unseren Deinon handelt; Arsinoe könnte nach Kypros verbannt worden sein, Deinon als Gouverneur Kenntnis von dem Mordbefehl erhalten haben. Daß er eine amt-

Wie die Tat ausgeführt worden ist, läßt sich wohl nicht mehr feststellen. Die Bemerkung des Johannes Antiochenus ἡ Ἀγαθόκλεια Ἀρσινόην διαφθείρει δόλῳ scheint darauf hinzudeuten, daß ein Unglück vorgetäuscht wurde[1]. Die folgenden Worte ταύτης σὺν τοῖς βασιλείοις διαφθαρείσης haben zu der Annahme geführt, der Palast sei in Brand gesteckt worden, so daß die Königin umkam bzw. ihre vorherige Ermordung durch die Zerstörung ihrer Leiche verdeckt wurde[2]; diese Brandstiftung sei 'a clever device for the creation of an official legend of the simultaneous and accidental deaths of the king and queen' gewesen[3].

Bei Polybios dürfte das nicht gestanden haben; wie schon oben gezeigt wurde, hat man – nach Polybios – anscheinend darauf verzichtet, eine offizielle Todesursache bekanntzugeben. Wäre diese der Brand des Palastes gewesen, so wäre doch nicht ὁ τρόπος τῆς ἀπωλείας (XV 25,8), sondern etwa ἡ αἰτία τῆς ἐμπρήσεως gesucht worden. Im übrigen hätte vermutlich niemand geglaubt, daß König und Königin, die doch wohl – zumal sie getrennt lebten – verschiedene Flügel des ausgedehnten Palastes bewohnten, beide in den Flammen umgekommen seien. Zudem scheinen zumindest größere Teile des Palastes zur Zeit der Proklamation im Schloßhof noch intakt gewesen zu sein[4]. Und schließlich hätte ein Brand wahrscheinlich die Leiche der Königin nicht so vollständig zerstört, daß man keine Reste mehr hätte finden können; wäre das Feuer die πρόφασις des Todes gewesen, so wäre man nicht nur in der Lage, sondern auch verpflichtet gewesen, nach den Überresten suchen zu lassen, und hätte nicht einfach die Urne mit Spezereien füllen können.

Ein Brand im Palast scheidet also wohl als vorgebliche und als wirkliche Todesursache aus. Wie oben gezeigt wurde, ist es vielmehr wahrscheinlich, daß die Königin sich zur Zeit ihrer Ermordung gar nicht in der Hauptstadt aufhielt. Wenn man statt der Reste der Königin Weihrauch in die Urne füllte[5], so bedeutet das entweder, daß man sich nicht die Mühe

---

liche Stellung bekleidete, wird auch durch συνεργήσας nahegelegt; es scheint doch eher von einer materiellen Hilfe als von einer Unterstützung durch Schweigen gesagt zu sein. – Auf eine andere Möglichkeit macht mich Prof. BENGTSON aufmerksam: Arsinoe III. könnte, wie einst Arsinoe I., nach Koptos in Oberägypten verbannt worden sein (vgl. Schol. Theocrit. XVII 128). [1] A. BOUCHÉ-LECLERCQ, Hist. des Lagides I S. 351 A. 2.

[2] MÜLLER, FHG IV p. 558.   [3] F. W. WALBANK, JEA S. 31; vgl. 29.

[4] XV 25, 3: die Proklamation findet 'in dem größten Säulenhof des Palastes' statt; 25, 11: die Urnen werden εἰς τοὺς βασιλικοὺς οἴκους gebracht; allerdings könnte an der zweiten Stelle auch die seltene Bedeutung οἶκος = 'Gruft, Grabbau' angenommen werden (vgl. LSJ s. v., I 3; PATON: 'in the royal vaults'; MAUERSBERGER s. v. βασιλικός I c versteht 'Königspalast').

[5] M. L. STRACK, Dynastie der Ptolemäer (1897) S. 195, und B. NIESE, II S. 573 A. 4, folgern aus dieser Tatsache, daß Arsinoe schon seit längerer Zeit irgendwo heimlich bestattet war.

machte, die Asche der Ermordeten in die Hauptstadt zu transportieren, sondern die Leiche irgendwo verscharrte, oder aber, daß man eine Todesart wählte, die die Leiche menschlichem Zugriff entzog. Über die Einzelheiten lassen sich allenfalls Vermutungen anstellen[1].

Arsinoe ist also auf schriftlichen Befehl hin, vermutlich in einem fern von Alexandreia gelegenen Verbannungsort getötet worden. Ihre Ermordung, die Proklamation ihres Todes, die darum entstehenden Gerüchte, die Beseitigung des Deinon, der diese Gerüchte in Umlauf setzte, und die Beisetzung der Urne, die angeblich ihre Überreste enthielt, scheinen kurz aufeinandergefolgt zu sein. Der Bericht des Polybios über ihren Tod ist also wohl in den verlorenen Kapiteln vor dem Fragment XV 25 zu suchen. Es ist sehr wahrscheinlich, daß Arsinoe erst nach dem Tod ihres Mannes ermordet wurde; den Befehl dazu hat in diesem Fall sicher entweder der bereits eingetretene oder kurz bevorstehende Tod des Königs ausgelöst oder allenfalls die Erkenntnis, daß die Geheimhaltung seines Ablebens nicht mehr aufrecht erhalten werden konnte.

Der Tod des Philopator

Leider geben diese Fragmente über den Tod der Königin keinen Fingerzeig für die Lösung der Frage, welcher dieser beiden Gründe den Mord ausgelöst hat, bzw. welcher zeitliche Abstand zwischen dem Tod des Königs und dem Tod der Königin verstrichen ist. Es ist allerdings unwahrscheinlich, daß dieser Zeitraum groß war. Sterben mußte die Königin auf jeden Fall, wenn die Minister ihre Pläne durchführen wollten; die Königin war ihre Feindin, mindestens die des Agathokles; und war einmal der Tod des Königs bekannt, so war zu erwarten, daß die Königin, auf ihre Beliebtheit (XV 25, 8f.) gestützt, die Regentschaft für ihren

---

[1] Falls man Arsinoe auf eine Insel oder nach Koptos am Nil verbannt hatte (vgl. o. S. 206 A. 1), liegt die Annahme nahe, daß sie ertränkt wurde; man konnte sie nach dem Tod des Königs vorgeblich zu Schiff nach Alexandreia holen und unterwegs einen 'Unfall' inszenieren. Vgl. den Anschlag auf das Leben der Agrippina durch Anbohren des Schiffs (Tac. ann. XIV 3ff.), ferner die Ermordung der Amastris von Herakleia (Memnon FGr Hist 434, cap. 5, 2). Allerdings hätte man dies ja als offizielle Todesursache angeben können. — Die Annahme, Arsinoe sei fern von Alexandreia umgekommen, läßt sich freilich mit der nächstliegenden Übersetzung der Worte σὺν τοῖς βασιλείοις ('mit dem Palast') bei Johannes Antiochenus nicht vereinbaren, es sei denn, man dächte an ihre Behausung im Verbannungsort. MÜLLER hat allerdings selbst die Brandhypothese zugunsten einer anderen verworfen: Die Stelle sei *de direptis regiae thesauris* zu verstehen; vgl. Justin. XXX 2, 6: ... *dum pecuniam regiam mulieres rapiunt* ... (τὸ βασίλειον bzw. τὰ βασίλεια = 'königliche Schätze' bei Herod. II 149,5; Isocr. III 31). Diese Erklärung ist zwar auch nicht sonderlich zufriedenstellend; immerhin ist das Exzerpt aus Johannes so stark komprimiert (vgl. o. S. 203 A. 3; S. 28 A. 7), daß eine Verbindung dieser an sich nicht zusammengehörigen Fakten nicht unmöglich erscheint.

Sohn beanspruchen würde — oder daß ein Gegner des Regimes (etwa Tlepolemos) sie benützen würde, um eigene Machtgelüste zu verwirklichen. Die Folgen für die Minister lagen auf der Hand. Je eher die potentielle Gegnerin im zu erwartenden Machtkampf beseitigt wurde, desto besser also; der Tod des Königs war ihr Todesurteil, und man wird dessen Vollstreckung nicht lange hinausgeschoben haben. Das würde bedeuten, daß der Tod des Königs nicht lange vor der Ermordung der Königin und damit nicht lange vor der Proklamation seines Nachfolgers eingetreten ist.

Die Entscheidung hängt im wesentlichen davon ab, wo Polybios über den Tod des Philopator berichtet hat. Allgemein scheint man anzunehmen, daß dies im XIV. Buch, in der Übersicht über die Geschichte des Lagidenreiches seit Raphia (vgl. o. S. 192f.) geschehen sei[1]. Das ist jedoch keineswegs sicher. Aus XIV 11—12 geht mit Gewißheit nur hervor, daß Polybios von dem Lotterleben des Königs (11; 12, 3) und von dem Krieg in Ägypten (12, 4) berichtet hat. Daß die 'Gesamtdarstellung der Lebensführung des Königs'[2] den Bericht über den Tod des Herrschers eingeschlossen haben müsse, ist nicht von vornherein zu erweisen[3]. Einen 'Aufhänger' mußte diese ausführliche, zurückgreifende Darstellung freilich haben. Aber das brauchte nicht unbedingt der Tod des Philopator zu sein; ein ebenso guter Anlaß konnte der Eingeborenenaufstand oder ein anderer, uns nicht mehr bekannter Vorfall zu sein. Vor allem aber tritt das Ptolemäerreich in der 144. Olympiade zum ersten Mal seit Raphia wieder in die große Politik im östlichen Mittelmeer ein, wenn auch in einer völlig passiven Rolle. In der Geschichte der beiden großen Akteure auf dieser politischen Bühne, Philipp und Antiochos, waren in der vorhergegangenen Olympiade (143 = 208/7—205/4) Abschnitte zu Ende gegangen, in denen sich ihr Blick vom östlichen Mittelmeer abgewandt hatte: für Philipp der Krieg mit Rom, für Antiochos der Zug nach Oberasien. Nun betreten beide wieder die Bühne, von der sie jahrelang fern gewesen waren; Buch XIV, das erste der neuen Olympiade, in der die Krise ausbrechen sollte[4], hat sicher von ihren ersten Unternehmungen berichtet. Aber die Darstellung der beiden Subjekte des kommenden

---

[1] E. A. HEYDEN, Beiträge S. 57; 64; G. DE SANCTIS St. d. R. IV 1, S. 1 A. 1; F. W. WALBANK, JEA S. 26f.; E. BIKERMAN, Chron. d'Egypte 29 (1940) S. 129f.

[2] XIV 12, 5: εἰσάπαξ οἷον εἰ σωματοειδῆ ποιήσας τὴν τοῦ βασιλέως προαίρεσιν. Zu προαίρεσιν vgl. die Übersetzung SCHWEIGHÄUSERS: 'studia ac mores'; PATON: 'character'.

[3] Das gilt erst recht von der Annahme BIKERMANS, a.a.O. S. 130, daß hier auch vom Tod der Königin und der Übergangszeit bis zur Proklamation des Nachfolgers berichtet worden sei. Wenn es im Peirescianus heißt, auf 48 Seiten sei von Ptolemaios und Arsinoe die Rede gewesen (s. o. S. 193 A. 1), so kann sich das auch auf die Verstoßung bzw. Verbannung der unglücklichen Königin beziehen.

[4] Vgl. das Proömium zur 144. Olympiade (XIV 1a). Insoweit ist E. BIKERMAN (s. dazu u. S. 213f.) sicher zuzustimmen.

Kampfes verlangte auch eine Darstellung des Objektes: des Lagidenreichs. Dies allein könnte schon hinreichend erklären, warum Polybios die Geschichte des Ptolemäerreichs im XIV. Buch nachgetragen hat[1]. Aber selbst wenn dieser Nachtrag den Tod des Philopator eingeschlossen hat bzw. durch die Nachricht von diesem Tod bewirkt worden ist, bedeutet das nicht, daß Polybios den Tod des Königs an den Anfang von Ol. 144, 1 = 204/3 gesetzt hat; es ist ebenso möglich, daß er ihn auf das Ende dieses Jahres datiert hat, also auf Sommer 203, und daß er seine Ägypten-Geschichte mit den Worten einleitete: 'Gegen Ende dieses Jahres starb aber in Ägypten der König Ptolemaios Philopator. Dieser König... usw.'

Beweisen läßt sich auf diese Weise freilich nicht, in welche Zeit Polybios den Tod des Königs datiert hat. Da kommt eine andere Notiz des Polybios zu Hilfe. XV 25, 25 ff. wird von dem beginnenden Konflikt zwischen Agathokles und Tlepolemos erzählt. Dort heißt es (§ 26): 'Tlepolemos hatte sich, solange der König am Leben war, ins Privatleben zurückgezogen; sofort nach dessen Tod vermochte er die Gunst der Massen zu gewinnen und wurde wieder Kommandant von Pelusion'[2]. Er war also offenbar in den letzten Jahren des Philopator aus dieser militärischen Stellung verdrängt worden, sicher durch Agathokles, denn zwischen diesem und Tlepolemos bestand Feindschaft (XV 25, 28). Trotz der angeblich so langen Zeit, in der Agathokles und Sosibios völlig allein schalten und walten konnten, war ein gefährlicher Feind noch am Leben; mehr noch, die Herrschaft des Agathokles war so schlecht befestigt, daß Tlepolemos durch seine Beliebtheit seine Bestallung mit dem früheren Posten durchsetzen konnte. Agathokles hatte also offenbar die Zeit, in der er seine 'Vormundschaft' in aller Ruhe hätte untermauern können, schlecht genutzt!

Das Wichtigste aber ist die Ausdrucksweise ἅμα δὲ τῷ μεταλλάξαι 'κεῖνον.. Tlepolemos konnte natürlich erst nach Bekanntgabe des Todes in sein Amt zurückkehren. Hier aber ist vom Tod selbst die Rede! Hätte Polybios vorher berichtet, daß der König bereits ein volles Jahr tot gewesen sei, so wäre diese Wortwahl völlig unverständlich; man müßte vielmehr erwarten, daß er geschrieben hätte ἅμα δὲ τῷ φανερὰν γενέσθαι τὴν ἐκείνου τελευτήν o. ä. Bei einem nebensächlichen Ereignis mag eine solche Ungenauigkeit des Polybios möglich sein; bei einer ein volles Jahr lang durchgeführten Täuschung mit all ihren Konsequenzen, auf die Polybios sicher immer wieder hätte hinweisen müssen, ist sie m. E. undenkbar.

---

[1] S. dazu ferner u. S. 222f.

[2] ὁ δὲ Τληπόλεμος, ἕως μὲν ὁ βασιλεὺς ἔζη, τὰ καθ' αὑτὸν ἔπραττεν· ἅμα δὲ τῷ μεταλλάξαι 'κεῖνον ταχέως ἐξομαλίσας τὰ πλήθη στρατηγὸς πάλιν ἐγενήθη τῶν κατὰ Πηλούσιον τόπων. (Grenzkommando, vgl. H. BENGTSON, Strat. III S. 225 Nr. 115).

Als Resultat ergibt sich, daß der Tod des Königs und seine Bekanntgabe (die Voraussetzung für die Rückkehr des Tlepolemos aus dem Privatleben) völlig oder nahezu zusammenfielen. Allenfalls bei einer Geheimhaltung von wenigen Tagen oder höchstens Wochen wäre Polybios' Ausdrucksweise verständlich.

Dem widerspricht nicht, daß XV 25, 2 für die Bekanntgabe des Todes des Königspaares das Verbum ἀνθωμολογήσαντο verwendet ist. Polybios gebraucht dieses Wort entweder im Sinn von 'übereinstimmen, seine Zustimmung erklären' oder von 'eingestehen, sich (zu etwas) bekennen'; hier kann nur die zweite Bedeutung in Frage kommen[1]. Die Nachricht vom Tod des Königs und der Königin scheint also bei seiner Bekanntgabe bereits durchgesickert zu sein; daß er längere Zeit geheimgehalten worden wäre, ist damit keineswegs gesagt.

Die gewonnenen Resultate fügen sich also zu folgendem Bild zusammen: Beim (vielleicht unerwarteten) Tod des Philopator verhängten die Regenten für einige Zeit über den Palast eine Nachrichtensperre. Während dieser Zeit versuchten sie sich über die notwendigen Maßnahmen klar zu werden. Das echte Testament des toten Herrschers wurde aufgesucht; falls es den Interessen der Minister widersprach, wurde es vernichtet und durch eine Fälschung ersetzt. Der Befehl zur Ermordung der Königin wurde gegeben, die Vollzugsmeldung abgewartet; ebenso wurden vielleicht einige unbequeme Personen beseitigt. Während der Tage oder allenfalls Wochen, die diese Maßnahmen in Anspruch nahmen, sickerte aber die Nachricht vom Tod des Königs allmählich durch. Das Volk, das Heer wurden unruhig. So mußten sich die Regenten entschließen, das Geheimnis zu lüften. Inzwischen war die Leiche des Königs eingeäschert worden; da die Leiche der Königin nicht in den Händen der Mörder war, mußte man eine neue Täuschung anwenden. Nun wurden Teile des Heeres (als fiktive Heeresversammlung) in den Palast gerufen, wo man den Tod des Herrscherpaares 'eingestand' und den neuen König vorstellte. Μετὰ δ' ἡμέρας τρεῖς ἢ τέτταρας (XV 25, 3) bezieht sich also wahrscheinlich auf irgend eine Stufe dieser Entwicklung, vielleicht auf einen Volksauflauf vor dem Palast, bei dem Gewißheit über das gerüchtweise bekanntgewordene Ableben des Philopator verlangt worden war.

Zu einer wirklichen Befestigung der Herrschaft der 'Vormünder' und ihrer Clique hatte diese kurze Zeit aber nicht ausgereicht. Agathokles wurde zwar offenbar bereits nach wenigen Tagen durch den plötzlichen

---

[1] Vgl. F. W. WALBANK JEA S. 33; A. MAUERSBERGER, Polybios-Lexikon s. v., Nr. 1 u. 3 (zur ersten Bed.) bzw. Nr. 2 (zur 2. Bed.). MAUERSBERGER gibt für unsere Stelle die Übersetzung 'etwas bekanntgeben'; da er sie aber unter Nr. 2 ('etwas eingestehen' usw.) gestellt hat, scheint auch er zu verstehen 'etwas (scil. bereits Bekanntes oder Vermutetes) bekanntgeben', d.h. eingestehen, zugeben.

Tod des Sosibios[1] von seinem bedeutendsten Rivalen befreit; aber es gab noch einige andere bedeutende Männer am Hofe, die ihm die Vormundschaft streitig machen konnten. Es wurde erwartet, daß ein Vormundschafts- und Regierungskollegium sich bilden werde (XV 25, 27f.). Um die unbequemen Nebenbuhler für längere Zeit unschädlich zu machen, schickte Agathokles sie ins Ausland oder in die Außenbesitzungen des Reichs; Philammon ging nach Kyrene; Pelops, Ptolemaios, der Sohn des Sosibios und ein anderer Ptolemaios wurden als Gesandte zu den befreundeten Regierungen geschickt, und Skopas ging nach Griechenland, wo die Anwerbung von Söldnern ihn für längere Zeit festhalten sollte. Noch war die Macht des Regenten nicht so groß, daß er die Berufung des Tlepolemos auf sein altes Kommando hätte verhindern können; und von diesem Unzufriedenen sollte denn auch die Bewegung zum Sturz des Agathokles ausgehen.

Hätten Agathokles und Sosibios wirklich ein Jahr lang Zeit gehabt, sich auf den Tag einzustellen, an dem das Geheimnis schließlich doch gelüftet werden mußte, so hätten sie sich die unbequemen Hofchargen einen nach dem andern in aller Ruhe vom Halse schaffen können. Unter den Aufträgen der Gesandtschaften an Philipp und Antiochos waren solche, die mit dem Regierungswechsel nicht unmittelbar zu tun hatten; Verhandlungen über die Heiratsverbindung mit dem Antigonidenhause und eine warnende Note an Antiochos konnten die betreffenden Personen lange von Hofe fernhalten. Ebenso hätte man den Skopas schon lange vor Herbst 203 nach Griechenland schicken müssen, wenn die Auseinandersetzung mit Antiochos bereits seit der Rückkehr des Königs aus dem Osten vorauszusehen war, und vor allem, wenn die Regenten sich mit Hilfe neuangeworbener Truppen sichern wollten, wie Polybios (XV 25, 17f.) berichtet. Daß diese Sicherung notwendig war, beweist der Sturz des Agathokles, der anscheinend nicht zuletzt auf den Unmut der alten Soldaten zurückzuführen war; Skopas scheint also nicht rechtzeitig mit neuen Truppen zurückgekehrt zu sein.

Auch diese Überlegungen führen also zu dem Schluß, daß der Tod des Königs die Regierung unvorbereitet traf, und daß sie keine Zeit hatte, ihre Stellung hinreichend zu befestigen. D. h. Philopator ist allenfalls einige Tage oder Wochen, keinesfalls aber ein volles Jahr vor der Bekanntgabe seines Todes und dem Regierungsantritt seines Sohnes gestorben. Da Polybios den Regierungsantritt des Epiphanes augenscheinlich in den Herbst 203 datiert, dürfte er demnach den Tod des Königs und der Königin in den verlorenen Kapiteln vor XV 25 mitgeteilt haben; falls er diese Ereignisse bereits in Buch XIV gebracht hat, dürfte er dies mit

---

[1] Vgl. P. Maas (o. S. 193 A. 3) S. 444f.; 447.

I. Der Thronwechsel im Lagidenreich

der Bemerkung getan haben, daß sie ans Ende des in diesem Buch behandelten Olympiadenjahres (204/3) gehörten.

Somit entfällt die Möglichkeit, die Divergenz zwischen dem Zeugnis des Kanon und der Urkunden einerseits und dem des Polybios andererseits mit einer ein Jahr dauernden Geheimhaltung und mit einer nachträglichen Revision der Jahrzählung zu erklären.

### 3. Der Erklärungsversuch Bikermans

BIKERMANS System

Einen anderen Weg, die Diskrepanz zwischen unseren Quellenzeugnissen zu überbrücken, hat E. BIKERMAN[1] vorgeschlagen. Wie bereits bemerkt, stützt sich BIKERMAN auf UPZ I 112[2]; er scheint mir eindeutig erwiesen zu haben, daß Epiphanes seine Regierung von einem Zeitpunkt zwischen dem 1. Mecheir und dem 1. Mesore, d. h. zwischen 12. März und 8. September an gerechnet hat.

Das ließe sich durchaus mit der Ansicht WALBANKS vereinbaren, derzufolge die Proklamation des jungen Herrschers etwa im August – September 203 stattgefunden hat. BIKERMAN weist aber die Annahme eines 'changement de comput brutal', wie WALBANKS System es erfordert, ebenfalls zurück (S. 125) und hält sich mit Recht an die Angaben des Kanons und der Urkunden, denenzufolge Epiphanes im Laufe des äg. Jahres Okt. 205–Okt. 204 den Thron bestiegen hat. In Verbindung mit UPZ I 112 ergibt sich für ihn damit die Zeit zwischen 12. März und 8. September 204.

Die Lücke zwischen der urkundlichen und der polybianischen Datierung versucht BIKERMAN durch folgende Erklärung zu schließen (S. 129 ff.): Polybios hat im XIV. Buch die 144. Olympiade begonnen (204/3 –201/00), in der sich die Krise im östlichen Mittelmeer und die römische Intervention anbahnten; der Hannibalkrieg ging in dieser Zeit zu Ende, so daß Rom zu neuen Unternehmungen frei wurde; zugleich wurden die imperialistischen Absichten Philipps und Antiochos' offenbar[3], die zum römischen Eingreifen führten. Diese Krisensituation wurde hervorgerufen durch das machtpolitische Vakuum, das in Ägypten durch die Dekadenz von Hof und Staat entstanden war. Der natürliche Platz für einen ausführlichen Bericht über diesen Abstieg des Lagidenreiches sei Buch XIV gewesen; eine jahrweise Schilderung habe den Absichten des

---

[1] E. BIKERMAN, L'avènement de Ptolémée Epiphanes. Chronique d'Egypte 29 (1940) S. 124–131.
[2] A.a.O. S. 128f.; vgl. o. S. 191.   [3] Vgl. das Proömium zu Ol. 144, XIV 1a.

Polybios nicht entsprochen, denn die Schilderung der Schwäche Ägyptens beim Ausbruch der Krise 'demandait l'unité du sujet et son plein développement dans le cadre d'un seul morceau'. Diese zusammenfassende Darstellung habe auch den Tod des Philopator und der Arsinoe sowie die Wochen zwischen dem Ableben des Herrschers und der Thronbesteigung seines Nachfolgers umfaßt, während deren die Hofclique Philopators Tod noch geheimhielt und in seinem Namen regierte. Hätte Polybios nun über die Thronbesteigung des Epiphanes und die ihr folgenden Maßnahmen im Anschluß daran berichtet, so würde er — meint BIKERMAN — die eben gewonnene Einheit der Darstellung wieder zerstört haben. Polybios habe sich also gezwungen gesehen, diese Geschehnisse erst im nächsten Buch (XV) zu erzählen, das freilich die Jahre 203/2 umfaßte. Aber dieser Mangel habe leicht ausgeglichen werden können, indem im XV. Buch einige Fakten aus dem Bericht des XIV. ein- und überleitend rekapituliert wurden, so daß die Verschiebung deutlich wurde. Diese Rückverweise seien uns aber nicht erhalten geblieben, so daß der irrige Eindruck entstanden sei, Polybios habe den Thronwechsel ins Jahr 203/2 gesetzt[1].

Demnach hätte also Epiphanes' Thronbesteigung zwischen März und September 204 stattgefunden, der Tod des Philopator einige Zeit vorher, also spätestens im Sommer 204. Wieder ist zu sagen, daß streng genommen, und wenn man glaubt, daß Polybios die genaue Chronologie gekannt habe, beide Ereignisse in das XIII. Buch gehörten, dessen zweite Hälfte das Olympiadenjahr Herbst 205—Herbst 204 umfaßte. Dem Aufbau zuliebe hätte demnach Polybios den Tod des Philopator um 1, den Regierungsantritt des Epiphanes um 2 Bücher nach unten verschoben, bzw. um ebensoviele Jahre, da die Bücher XIV und XV jeweils nur ein Jahr umfassen. Und nur mit den Konzessionen, die bereits oben (S. 199) gegenüber den Ansätzen Walbanks gemacht wurden, ließe es sich verstehen, wenn der Regierungsantritt des Epiphanes im XIV. Buch gebracht und dem natürlichen Zusammenhang zuliebe auch Philopators Tod in dieses Buch hineingezogen worden wäre. Statt dessen hat Polybios aber den Regierungsantritt des 5. Ptolemäers im XV. und allenfalls den Tod seines Vaters im XIV. Buch gebracht — und selbst das hat sich als fraglich erwiesen (s. o. S. 209 ff.).

Polybios wird hier eine absichtliche Verschiebung zugetraut, die nicht nur an sich sehr bedenklich ist, sondern auch für die auf den Polybiosfragmenten aufgebaute Chronologie anderer Abschnitte von unabsehbaren Folgen wäre. Ein Historiker, der eine in den Verlauf von Ol. 143, 4 ge-

---

[1] [Eine ähnliche Lösung scheint A. E. SAMUEL, Ptolemaic Chronology (1962) S. 110 A. 8 vorzuschweben; vgl. u. S. 225 A. 1.]

hörende Begebenheit willentlich frühestens am Anfang von Ol. 144, 7 berichtet und eine damit eng zusammenhängende Tatsache, die spätestens an den Beginn von Ol. 144, 1 gehörte, gar erst am Beginn von Ol. 144, 2 aufführt, wird auch sonst nicht gerade großes Vertrauen verdienen. Freilich, wenn er (in den für uns verlorenen Kapiteln) die chronologischen Zusammenhänge durch entsprechende Angaben wieder zurechtrückte, konnte er seinen antiken Leser ins rechte Bild setzen[1]. Auf jeden Fall bereitete er ihm erhebliche Schwierigkeiten, sich zurechtzufinden.

Als natürliche Folge einer solchen Verschiebung ergäbe sich ferner, daß die *Res Aegypti* von Buch XV nicht einen, sondern zwei Jahresberichte enthielten, nämlich den nachgeholten von 204/3 und den allein ins XV. Buch gehörenden von 203/2. BIKERMAN hat diese Konsequenz nicht deutlich gezogen und infolgedessen auch nicht versucht zu bestimmen, wo in Buch XV die Trennungslinie zwischen diesen beiden Jahresberichten verläuft, an der die von ihm vermutete Richtigstellung der Chronologie zu erwarten wäre.

Und wozu das alles? Dem Aufbau zuliebe; denn die sich ankündigende Krise habe ein lebendiges Bild der Schwäche des Lagidenreichs verlangt. Und weiter: der Harmonie der Komposition zuliebe; denn diese wäre beim Weitererzählen verloren gegangen. Aber diese Komposition war ja, nach BIKERMAN, gar nicht Selbstzweck! Polybios wollte doch angeblich nicht etwa ein Charakterbild des Anti-Helden auf dem Thron um seiner selbst willen zeichnen, sondern die Dekadenz des Reichs am Vorabend der großen Krise darstellen. Dazu hätte aber auch alles gehört, was auf den Tod des Königs folgte: die Thronbesteigung eines unmündigen gekrönten Strohmanns, Palastintrigen, Unzufriedenheit des Heeres, Korruption und Mord. Agathokles hat, wie uns Polybios (XV 25, 20ff.) berichtet, das bisherige Treiben in der gewohnten Weise weitergeführt. Als Exposition der großen Krise hätte das Ägypten-Résumé auch diese Dinge umfassen müssen! Das Natürlichste wäre also gewesen, alle diese Ereignisse dort zu berichten, wohin auch die Thronbesteigung des Epiphanes nach BIKERMAN eigentlich gehört hätte: im XIV. Buch. Eine Verschiebung konnte der von Polybios angeblich verfolgten Absicht eher hinderlich sein.

Angebliche Verschiebungen bei Polybios

Für eine solche Verschiebung werden allerdings Parallelen aus dem polybianischen Werk angeführt. In den gängigen Behandlungen der polybianischen Chronologie kann man lesen, daß Polybios auch ander-

---

[1] E. BIKERMAN, S. 130f.

wärts dem Gang der Erzählung zuliebe Geschehnisse aus zwei verschiedenen Jahren in einem Zug erzählt habe, wenn sie innerlich eng zusammengehörten, und umgekehrt Ereignisse, die eigentlich in ein und dasselbe Jahr gehörten, auseinandergerissen habe[1]. So pflegt man anzuführen, daß Polybios in den Büchern III–V (Ol. 140) Ereignisse nachgetragen habe, die noch in Ol. 139 gehörten[2]. Aber nach Polybios' eigenen Worten (V 31) gilt für diese Bücher eine andere Ökonomie als für das übrige Werk; mit Ol. 140 beginnt die ausführliche Darstellung der 'Weltgeschichte', und wenn Polybios hier Zug um Zug Begebenheiten aus der makedonischen, ägyptischen und syrischen Geschichte der vorhergegangenen Olympiade nachgetragen hat, dann nur deswegen, weil sie für das Verständnis des Folgenden unbedingt notwendig waren[3]. Wo sonst hätte er diese einleitenden Bemerkungen bringen sollen? Für die Ökonomie der Bücher XIV–XV, die (im Gegensatz zu III–V) nach annalistischem Schema aufgebaut sind, kann diese scheinbare Parallele nicht herangezogen werden.

Man pflegt ferner darauf hinzuweisen, daß Polybios den Bericht über den Feldzug Hannibals des J. 216 mit Cannae (etwa Juni 216) enden läßt, hier also im Gegensatz zum späteren Verfahren nicht das Feldzugsjahr zu Ende führe, sondern wirklich um die Zeit des Festtermins abbreche. Einige Vorfälle des restlichen Feldzugsjahres seien also von Polybios ins VII. Buch gesetzt worden, so vor allem der Abfall Capuas; auf der anderen Seite habe er in den kurzen abschließenden Bemerkungen (III 118) den Untergang des Prätors Postumius Albinus (wahrscheinlich erst Winter 216/5) und den Abfall der Tarentiner (erst 213 oder 212!) erwähnt, um dieses Buch mit einem möglichst düsteren Bild der Lage Roms beenden zu können[4]. Nichts davon ist wirklich erwiesen. Eine 'elastische Chronologie', die es dem Polybios erlaubte, einen Feldzug über den Olympiadentermin hinaus zu Ende zu erzählen, war bisher nicht nötig gewesen; denn in den Büchern III–V hatte Polybios nicht jahrweise erzählt, sondern die Vorgänge auf den einzelnen Kriegsschauplätzen während der ganzen 140. Olympiade durchgehend aufgeführt, so daß es keine störenden Jahreseinschnitte gab. Eine 'elastische Chronologie' braucht sich, wenn überhaupt, erst in den annalistischen Teilen des Werks, also ab Buch VII, als notwendig erwiesen zu haben, weil

---

[1] Vgl. G. DE SANCTIS, St. d. R. III 1 S. 219ff.; K. ZIEGLER, RE XXI 2 (1952) Sp. 1566f.; F. W. WALBANK, Comm. I S. 35f.

[2] S. o. S. 184f.

[3] Vgl. bereits in diesem Sinn F. W. WALBANK, JEA 22 (1936) S. 27 (gegen G. DE SANCTIS).

[4] G. DE SANCTIS, III 1 S. 222f.; K. ZIEGLER, Sp. 1566; F. W. WALBANK, Comm. I S. 36; 448f.

sonst allzuoft Zusammengehöriges auseinandergerissen worden wäre[1]. Da nicht genau bekannt ist, wann Capua wirklich abgefallen ist, genügt es also, für Buch III an ein strenges Festhalten an der Rechnung nach Olympiaden- bzw. ätolischen Strategenjahren zu denken. Auch die Chronologie der Vorgriffe in III 118 ist keineswegs geklärt. Die Nachricht vom Abfall der Tarentiner (118, 3) hat ihre Parallele bei Liv. XXII 61, 12; man kann doch nicht annehmen, daß Polybios zur Ausmalung des Nachtbildes der Lage nach Cannae ein Ereignis aus dem Jahre 212 verwendet hätte! Entweder machten die Tarentiner 216 wirklich einen Aufstandsversuch, oder aber Polybios fand in seiner Vorlage einen undeutlichen Vorverweis, den er mißverstanden hat. (Das erste ist wahrscheinlicher.) Der Untergang des Postumius (118, 6) mag durchaus in den Winter 216/5 (d. h. ins nächste Olympiadenjahr) gehören[2]; aber daß Polybios auf eigene Faust einen Zeitraum von 6—8 Monaten mit 'wenige Tage später' wiedergegeben habe, 'in order to complete the picture of unmitigated disaster which book III was to give'[3], halte ich für ausgeschlossen; er hätte diesen Zwischenraum, wenn überhaupt, durch ein legitimes 'nicht lange darauf' überbrückt. Auch hier dürfte eher ein zeitraffendes Bild seiner Vorlage zugrundeliegen[4]. Und in dieser Vorlage wird Polybios auch bereits den schroffen Einschnitt nach Cannae vorgefunden haben, den wir ebenso bei Livius finden (Buch XXII des römischen Historikers endet mit Cannae). Die Quelle zu nennen, ist hier nicht allzuschwer: Was auf Cannae folgt, ist eine Rechtfertigung der Politik des Fabius Maximus. Es ist also wohl fabische Geschichtsschreibung, aus der Polybios und nach ihm Livius den dramatischen Einschnitt nach Cannae übernommen haben, und ihr Verfasser wird bei Livius wenig später genannt: Fabius Pictor kehrt (Liv. XXIII 11) aus Delphi zurück[5].

Schließlich bleibt noch zu erwähnen, daß dem Polybios gerade im XV. Buch eine zeitliche Verschiebung zur Last gelegt wird. Er soll die

---

[1] Vgl. in diesem Sinn bereits H. UNGER, Philol. 33 (1874) S. 239; SB. München 1879, S. 119ff.; dagegen K. ZIEGLER, Sp. 1567. Zur Fragwürdigkeit dieser 'elastischen Chronologie' vgl. o. S. 194 A. 1.

[2] F. W. WALBANK, Comm. I S. 448ff.      [3] ebd.

[4] Vgl. auch DE SANCTIS, III 2 (1917) S. 328: '...ben inteso, i'pochi giorni' non vanno presi in senso troppo rigoroso, ma è chiaro che la fonte di Polibio riferiva la rotta di Postumio alla stessa campagna del 216 in cui i Romani furono battuti a Canne'. Vgl. ebd. S. 234.

[5] H. HESSELBARTH, Hist.-krit. Unters. z. dritten Dekade des Livius (1889) S. 360 meint bereits, Fabius Pictor sei auf das Detail der Wahlen (durch die die Niederlage des Postumius datiert werden kann) nicht näher eingegangen. 'Dann mag irgend eine Wendung ähnlich der Livianischen: *aliam super aliam* (scil. *cladem*) *cumulante fortuna*, Polybios irregeführt haben'. Auch HESSELBARTH S. 359 lehnt es ab, 'an Polybios' Unfehlbarkeit' zu glauben.

Friedensverhandlungen zwischen Rom und Karthago nach Zama in dieses Buch (also 203/2) gesetzt haben, obgleich sie erst in den Winter 202/1, der Abschluß des Friedens ins Jahr 201 fielen[1]. Nach den erhaltenen Teilen ist dies jedenfalls nicht zu beweisen; XV 17–19 stehen lediglich die Verhandlungen, die Scipio in Afrika führte, und die Beratung im karthagischen Senat. Beides kann gut und gern noch ins Feldzugsjahr 202 und so mit Recht ins XV. Buch gehören. Ob Polybios auch die Verhandlungen in Rom und den Abschluß des Friedens in dieses Buch gesetzt hat, entzieht sich unserer Kenntnis.

Verschiebungen in Polyb. XV 25?

Diese angeblichen Verschiebungen im Werk des Polybios sind also mindestens zu wenig gesichert, um als Beweis für eine ähnliche absichtliche Verschiebung zwischen den Büchern XIV und XV herangezogen werden zu können. Freilich, eine (scheinbare) Verschiebung gibt es auch im Fragment XV 25; aber sie entspringt anderen Gründen als etwa die Rückgriffe in den Büchern III–V.

XV 25, 13–18 spricht Polybios von der Aussendung der Gesandten zu Philipp, Antiochos und den Römern, von der Reise des Skopas und von den Gründen dieser Maßnahmen. Dann fährt er fort (25, 19 + 24a): 'Dies geschah aber vor der Beratung (διαβούλιον) bei Philipp --- (geringfügige Lücke) ---, wie wir berichtet haben; aber da wir diese Geschehnisse nach der Ordnung unseres Berichtes vorhernehmen mußten, wurde es notwendig, diese Dinge so zu behandeln, daß wir die Reden und Verhandlungen der Gesandten früher brachten als ihre Ernennung und Absendung. (24a) Da wir in jedem Jahre alle gleichzeitigen Begebenheiten in der Oikumene erzählen, so ist es notwendig, bei einigen das Ende früher zu erwähnen als den Anfang, wenn nämlich bei der Einteilung des gesamten Stoffes und dem Gange der Erzählung die Stelle, in welche das Ende einer Begebenheit fällt, früher an die Reihe kommt als diejenige, welche die ersten Keime enthält.'[2]

In den *Res Graeciae* des XV. Buchs, d. h. des Jahres 203/2, hatte Polybios also bereits vom Eintreffen des Gesandten bei Philipp erzählt, dessen Absendung (XV 25, 13) erst jetzt, in den (auf die *Res Graeciae*

---

[1] G. DE SANCTIS III 1 S. 223; K. ZIEGLER Sp. 1566; F. W. WALBANK, Comm. I S. 36.
[2] P. MAAS (s. o. S. 193 A. 3) rekonstruierte diese Stelle nach der inhaltlich völlig parallelen XXVIII 16, 10f., die auch schon manches Unheil angerichtet hat (vgl. meine Bemerkungen, Rom und Rhodos S. 144 A. 1). Ebenso wie dort handelt es sich nicht um eine 'observation générale sur les décalages chronologiques' (E. BIKERMAN S. 131 A. 2), sondern um eine ganz spezielle, durch die augenblicklichen Schwierigkeiten motivierte Anweisung an den Leser.

folgenden) *Res Aegypti* vermerkt wird, und hatte von einem διαβούλιον bei Philipp berichtet; damit sind nicht die Verhandlungen des Gesandten mit dem König gemeint, wie man meist lesen kann, sondern eher die Debatte im Kronrat der φίλοι des Königs, in der über die gegenüber dem Lagidenreich und gegenüber Antiochos einzuschlagende Politik beratschlagt wurde.

Dem eiligen Leser, dem das (durch die geographische Ordnung bedingte) Nacheinander in der Erzählung als ein zeitliches Nacheinander erscheinen konnte, diente die oben übersetzte Bemerkung als Warnung. Man kann sich nicht vorstellen, daß Polybios im gleichen Atemzug gesagt haben sollte: 'Das, was ich soeben erzählt habe, geschah aber bereits im vorhergegangenen Jahr!' (So würde es die Erklärung BIKERMANS, S. 130f., verlangen.) Vielmehr ist eindeutig ausgesprochen, daß nach Ansicht des Polybios die Absendung der Gesandten in das gleiche Jahr fällt wie ihre Ankunft am Bestimmungsort und die Verhandlungen, also ins Jahr 203/2.

Die Trennungslinie zwischen den beiden Jahresberichten (204/3 und 203/2), die nach BIKERMANS Erklärung im XV. Buch zu erwarten wären (s. o. S. 215), müßte also spätestens vor der Aussendung der Gesandten, also vor 25, 13 verlaufen. Aber der Kontext des Fragments XV 25 beweist, daß nirgends eine solche Trennung zu ziehen ist. Zwar ist dort, wie MAAS wahrscheinlich gemacht hat, manches ausgefallen; aber was uns erhalten geblieben ist, ist doch ein in sich konzinner, in seinen Teilen eng zusammenhängender Bericht. §§ 3—7 berichten von der Bekanntgabe des Todes des Herrscherpaares, der Proklamation des Epiphanes und der Vorbereitung der Beisetzung. § 11 wird der Faden nach der Beisetzung der Urnen wieder aufgenommen; es beginnen die Maßnahmen des Agathokles: die Beschwichtigung des Heeres durch Auszahlung eines Zweimonatssoldes und die Vereidigung der Truppen (§ 11); dann die Entfernung der bedeutendsten Männer vom Hof durch Ämter und Gesandtschaften (§§ 12—15) und des Skopas durch seine Entsendung nach Griechenland, wo er neue Truppen anwerben sollte (§§ 16—18). Nach der uns schon bekannten chronologischen Erklärung (§ 19 + cap. 24 a) wird dies alles zusammengefaßt in § 20: 'Nachdem Agathokles die bedeutendsten Männer entfernt und den Zorn der Massen durch die Auszahlung des Soldes zum größten Teil beschwichtigt hatte, kehrte er sofort wieder zu seiner früheren Gewohnheit zurück.'

Ob dies in Wahrheit alles kausal und zeitlich so eng zusammenhing, steht vorläufig nicht zur Debatte; hier geht es nur um die polybianische Chronologie, und es ist eindeutig, daß es sich für Polybios um zeitlich zusammenhängende Ereignisse, also um eine eng begrenzte Zeitspanne handelte. Für die Scheidung zwischen zwei Jahresberichten mit den entsprechenden Rückverweisen ist kein Raum. Für Polybios lag also die Proklamation des Epiphanes im gleichen Jahr wie die Aussendung der Gesandten und der Kronrat bei Philipp, also im Jahr 203/2. Der Kronrat wiederum hängt mit aller Wahrscheinlichkeit eng zusammen mit dem XV 20 kommentierten, also wohl in den vorhergegangenen Kapiteln beschriebenen Vertrag zwischen Philipp und Antiochos.

Unzweckmäßigkeit einer Verschiebung

Schon oben (S. 215) ist betont worden, daß das Zerreißen des Zusammenhangs zwischen dem Tod des Philopator und der Thronbesteigung des Epiphanes dem vermuteten Zweck nicht unbedingt dienlich war. Mehr noch: Polybios, der XIV 12, 5 wenigstens vorgibt, sich (und dem Leser) durch die zusammenhängende Darstellung der ägyptischen Geschichte des vergangenen Jahrzwölfts die Arbeit erleichtern zu wollen, hätte sich durch eine solche Verschiebung vielmehr die größten Schwierigkeiten bereitet. Denn indem er den Regierungsantritt des Epiphanes um einer angeblich geschlosseneren Darstellung willen aus dem XIV. ins XV. Buch versetzte, hätte er freiwillig die Schwierigkeit auf sich genommen, von den Gesandtschaften und von einem Pakt der beiden Könige gegen den unmündigen Nachbarn zu sprechen, bevor noch von dessen Thronbesteigung die Rede war — obgleich er diese notwendige Voraussetzung des Gesandtschaftsverkehrs und des Vertrages ohne weiteres vorher im Zusammenhang mit den vorausgegangenen Ereignissen hätte bringen können, ja müssen, wenn sie in Wahrheit nicht gleichzeitig mit den *Res Graeciae* von 203/2 war, sondern um ein Jahr früher. Er hätte, um eines zweifelhaften Vorteils willen, freiwillig die logische und zeitliche Ordnung zerschlagen und hinterher mühsam durch umständliche Rückverweise und chronologische Anknüpfungen (vgl. XV 25, 19 + 24 a) wieder zusammenleimen müssen[1].

Was geht aus alledem hervor? Einfach, daß Polybios überzeugt gewesen sein muß, daß die Ereignisse in den Jahren vorgefallen seien, denen er sie zugeschrieben hat. Er setzt die Thronbesteigung, den Gesandtschaftsverkehr und die sich daraus ergebenden Verhandlungen in das Jahr 203/2; er muß also angenommen haben, daß Epiphanes seine

---

[1] Die Schwierigkeit wird noch größer, wenn man (wie E. BIKERMAN S. 131 A. 1) eine nicht sehr glückliche Idee D. MAGIES (JRS 29 [1939] S. 32) wieder aufgreift. Demnach habe die moralische Reflexion XV 20 über den Vertrag nicht unmittelbar im Zusammenhang mit dem Vertragsabschluß selbst gestanden. Vielmehr könne dieser bereits in einem früheren Teil des Werks gebracht worden sein. Dann hätte Polybios also den Vertrag bereits in Buch XIV gebracht, also ein volles Jahr, bevor er die Bekanntgabe des Todes Philopators, von der doch der Vertrag abhing, berichten konnte! Das ist völlig undenkbar.

Regierung spätestens im Spätsommer 203 angetreten habe. Sollte Polybios wirklich, wie BIKERMAN und andere annehmen, den Tod des Philopator im XIV. Buch gebracht haben, so muß er ihn entweder ans Ende des ins XIV. Buch gehörenden Jahresberichtes (204/3), also ebenfalls in den Sommer 203 gesetzt haben — oder er muß der Ansicht gewesen sein, daß zwischen ihm und dem Regierungsantritt seines Sohnes ein größerer Zeitraum verflossen sei. Aber diese letztere Annahme ist, wie oben zu zeigen versucht wurde, mit den Resten des polybianischen Berichts nicht vereinbar (s. o. S. 208 ff.).

Das heißt nicht, daß Polybios' Ansätze richtig sind. Jedenfalls aber ist das Rätsel der Diskrepanz zwischen Kanon und Urkunden einerseits und Polybios andererseits auf die eben besprochene Weise nicht zu lösen.

### 4. Versuch einer Erklärung

Aus den Resten des polybianischen Berichtes hat sich mit Wahrscheinlichkeit ergeben, daß Polybios vom Tod des Herrscherpaares, vom Regierungsantritt des Epiphanes und den folgenden Maßnahmen in engem Zusammenhang im XV. Buch berichtet hat, und daß er offenbar der Ansicht war, daß alle diese Vorgänge mit den außerägyptischen Ereignissen dieses Buches annähernd gleichzeitig waren, mithin etwa in die Zeit zwischen Herbst 203 und Herbst 202 gehörten.

Wenn gegenüber dieser polybianischen Datierung dem Zeugnis der Urkunden und des Königskanons der Vorzug gegeben wird[1], so bedarf das wohl keiner Rechtfertigung. Es ist daran festzuhalten, daß Epiphanes vor Herbst 204 die Regierung angetreten hat, und daß demnach die bei Polyb. XV 25, 3 ff. berichteten Ereignisse in den Sommer und Herbst 204 gehören. Davon wird jede Rekonstruktion ausgehen müssen.

Wenn die bisherigen Versuche, die Diskrepanz zwischen Polybios und den Urkunden zu lösen, schweren Bedenken begegnen, so bleibt wohl nur die Annahme, daß die Datierung bei Polybios auf einen Irrtum oder mindestens auf eine erhebliche Unsicherheit in der Chronologie zurückzuführen ist, die man entweder Polybios selbst oder bereits seinen Quellen zur Last legen muß. Dieser Gedanke mag vielen mißlich erscheinen,

---

[1] Wie oben gezeigt wurde, fällt nur die Stele des Priesters Kha'ḥap aus dem Rahmen der urkundlichen Datierungen heraus; sie scheint auf eine Datierung des Regierungsantritts in das Jahr Okt. 204 — Okt. 203 zu deuten (vgl. o. S. 192; 195). Was die Erben des Priesters wußten, war außer seinem Todesdatum gewiß nur sein Lebensalter, nicht das Datum seiner Geburt. Sollte hier nicht, wie so oft in den Papyri, ein einfacher Rechenfehler vorliegen? Die Rechnung hatte mehrere Regierungszeiten zu überbrücken und zwei verschiedene Rechnungsarten (s. o. S. 192) zu berücksichtigen; es ist sehr wahrscheinlich, daß sich hier ein Fehler eingeschlichen hat.

zumal man der Zuverlässigkeit der polybianischen Angaben beinahe blindlings zu vertrauen pflegt. Aber Polybios war bei allem kritischen Bemühen abhängig von dem, was ihm seine Quellen boten; und wenn man bedenkt, welchen Schwierigkeiten er bei der Aufstellung seines chronologischen Schemas, bei der Umrechnung der verschiedenen Kalendersysteme und Rechnungsweisen auf seine Olympiadenrechnung und bei der Kontrolle der Angaben in seinen Quellen begegnet sein muß, so werden gelegentliche falsche Ansätze nicht nur verzeihlich, sondern beinahe unvermeidlich erscheinen[1].

Die Fehlerquelle aufzuspüren erscheint freilich als ein beinahe aussichtsloses Beginnen, da wir von der Darstellung jener Jahre im Werk des Polybios nur geringe Bruchstücke haben und von seinen Quellen nicht einmal den Namen, geschweige denn den Charakter kennen. Ein Erklärungsversuch muß sich also hier, mehr noch als sonst, auf Vermutungen beschränken.

## Quellen des Polybios

Sicher ist nur, daß Polybios' Wissen von den innerägyptischen Vorgängen letztlich auf Quellen zurückgeht, die dem Ptolemäerhofe nahestanden und die Untätigkeit des Philopator, das ausschweifende Treiben des Hofes und die Intrigen um den Regierungswechsel in liebevoller Kleinmalerei beschrieben haben, wie es die Art biographischer Darstellungen von der Art eines Sueton oder der Scriptores Historiae Augustae ist[2].

Schriftsteller dieser Art pflegen sich um Chronologie wenig zu kümmern. Wird gar die biographische Darstellung gewählt, die im allgemeinen nicht nach chronologischer Ordnung vorgeht, sondern nach sachlichen Themen gruppiert, so ist ein zeitlicher Aufbau in den meisten Fällen kaum herzustellen. (Könnten wir nicht Tacitus und Cassius Dio heranziehen, so wäre aus Sueton allein die Chronologie der augusteischen und der frühen Kaiserzeit kaum zu rekonstruieren!) Eine solche Darstellungsweise lag gerade für die Regierung des Philopator nahe; sie war — nach Raphia — an außenpolitischen Ereignissen anscheinend äußerst arm, während die inneren Zustände beinahe unerschöpflichen Stoff boten.

[1] Vgl. die Würdigung der Leistung des Polybios bei K. ZIEGLER, RE XXI 2 (1952) Sp. 1564ff.

[2] Dies beginnt bereits bei der Darstellung des Kleomenes-Putsches (V 35–39). — Die Worte, mit denen Polybios die Quellen charakterisiert (XV 34, 1: τερατείας καὶ διασκευὰς ... πρὸς ἔκπληξιν), zeigen jedenfalls, daß es sich um die ausgeschmückte 'tragische Geschichtsschreibung' handelt.

## I. Der Thronwechsel im Lagidenreich

Hinweise auf die Benutzung solcher Nachrichten fehlen nicht. Am augenfälligsten ist das Abweichen vom annalistischen Schema im Bericht über die innerägyptische Geschichte im XIV. Buch. Polybios erklärt freilich, er habe sich für eine zusammenfassende Darstellung entschieden, weil in den einzelnen Jahren nicht genügend Bemerkenswertes vorgefallen sei[1]. Eine solche Begründung ist in der annalistischen Geschichtsschreibung nicht einmalig[2]. Es fragt sich nur, ob Polybios sie nicht bereits in seiner Quelle vorgefunden hat oder zu dieser Zusammenfassung gezwungen war, weil er selbst in seinen Vorlagen keinen chronologischen Aufbau vorfand, sondern nur über die (zusammenhängenden) Kapitel 'Hofleben', 'Königshaus', 'Eingeborenenaufstände' usw. verfügte, die er mangels geeigneter Anhaltspunkte nicht auf die einzelnen Jahre aufteilen konnte[3].

Auch die beiden folgenden 'Jahresberichte' (B. XV und XVI, 1. Hälfte) bringen offenbar nicht zeitlich, sondern sachlich zusammenhängende Berichte: Die *Res Aegypti* des XV. Buches reichen vom Thronwechsel bis zum Sturz des Agathokles, die des XVI. Buches (1. Hälfte) beginnen mit der Regentschaft des Tlepolemos;[4] wie weit sie herabreichen, ist unbekannt — möglicherweise bis zum Sturz des Tlepolemos durch Aristomenes, den wir allerdings nicht datieren können. Mit anderen Worten: der Ägyptenbericht in Buch XV könnte die Überschrift 'Regentschaft des Agathokles' tragen, der in Buch XVI (1. Hälfte) den Titel,'Regentschaft des Tlepolemos'. Es wäre doch ein seltsamer Zufall, wenn die Einschnitte (Thronwechsel, Sturz des Agathokles) jeweils ungefähr mit dem Wechsel des Olympiadenjahres zusammengefallen wären, so daß sich die sachlichen Abschnitte mit chronologischen Unterteilungen deckten. Viel eher ist anzunehmen, daß chronologisch nicht genügend fixierte Sachkapitel einer im wesentlichen mit innenpolitischen Vorgängen befaßten Quelle vorliegen.

Falls die Nachrichten für die Ptolemäergeschichte des ausgehenden III. Jhdts., auf die ein außerägyptischer Historiker zurückgreifen konnte, sich im wesentlich aus diesem literarischen Genus rekrutierten, so mußte

---

[1] XIV 12, 4—5.

[2] Vgl. z.B. Tac. ann. XII 40,5 (über Britannien): *haec, quamquam ... plures per annos gesta, coniunxi, ne divisa haud perinde ad memoriam sui valerent; nunc ad temporum ordinem redeo.*

[3] Auch E. BIKERMAN, S. 129f., betrachtet Polybios' Erklärung als einen Vorwand (s. o. S. 214f.).

[4] Daß XVI 21, 1 den Beginn des Ägyptenabschnitts darstellt, ist wahrscheinlich; denn die Erklärung ὁ Τληπόλεμος ὁ τὰ τῆς βασιλείας τῶν Αἰγυπτίων πράγματα μεταχειριζόμενος stammt wohl nicht vom Exzerptor, sondern von Polybios selbst, der damit ans vorige Buch anknüpft. Der Hiat ist vermieden.

die Einordnung des Wechsels auf dem Lagidenthron in die absolute Chronologie äußerst schwierig sein. Ebensolche Mühe mußte es bereiten, die auf den Thronwechsel folgenden innerägyptischen Vorgänge bis zur Übernahme der alleinigen Macht durch Tlepolemos (XVI 22, 11) zu entwirren, wenn keine absoluten Datierungen vorlagen. Denn es dürfte kaum innere Anhaltspunkte gegeben haben, da innenpolitische und diplomatische Vorgänge — im Gegensatz zu militärischen — nicht durch die natürlichen Einschnitte der Jahreszeiten gegliedert sind.

Wenn die direkte Benützung solcher Spezialwerke durch Polybios auch nicht ausgeschlossen ist[1], so ist es jedenfalls wahrscheinlich, daß er sie vor allem in zeitlich und räumlich umfassenderen Darstellungen verarbeitet vorgefunden hat, wie etwa denen der Rhodier Antisthenes und Zenon[2]. Sind die Verfasser solcher größeren Werke annalistisch vorgegangen — wie Polybios von Buch VII ab — oder haben sie jeweils ein bestimmtes Thema, einen Schauplatz mehrere Jahre hindurch in geschlossener Darstellung behandelt — etwa wie Ephoros? Die Frage ist generell natürlich nicht zu beantworten; mindestens Zenon scheint jedoch der zweiten Methode gefolgt zu sein[3]. Für einen Historiker dieser Art bedeutete die oben skizzierte Quellenlage keine größere Schwierigkeit. Nur für einen Annalisten (also für Polybios oder eine annalistische Zwischenquelle) ergab sich dann die Notwendigkeit, die größeren Komplexe in Jahresberichte zu zerschneiden und diese einander zuzuordnen, so wie Diodor die größeren Abschnitte bei Ephoros zu zerlegen und zu ordnen versucht hat[4]. Das Ergebnis mußte von den Möglichkeiten und der Methode einer Kontrolle von außen her abhängen.

---

[1] Für indirekte Benützung spricht sich F. JACOBY, Komm. zu FGrHist. 161 aus.

[2] FGrHist. 508; 523.

[3] Polyb. XVI 18, 2 (= FGrHist 523 F 6) heißt es von Zenon, er habe 'bei seiner Schilderung der Belagerung von Gaza und der Schlacht zwischen Antiochos und Skopas beim Panion' (ἐξηγούμενος τήν τε Γάζης πολιορκίαν καὶ τὴν γενομένην παράταξιν Ἀντιόχου πρὸς Σκόπαν ... περὶ τὸ Πάνιον) mehr Wert auf dramatische Darstellung als auf Genauigkeit gelegt. Die folgende Kritik des Polybios (XVI 18—19) bezieht sich aber nur auf die Schlacht am Panion. Anscheinend hat Zenon die Belagerung von Gaza und die Schlacht am Panion in engem Zusammenhang erzählt (so auch M. HOLLEAUX, Etudes III S. 325; 328), obgleich die beiden Ereignisse in zwei verschiedene Jahre, 201 bzw. 200 gehören (M. HOLLEAUX, a.a.O. S. 320ff.). Falls Zenon nicht eine ähnliche Jahreseinteilung wie Polybios benutzt haben sollte, ist daher zu vermuten, daß er den 5. Syrischen Krieg geschlossen dargestellt hat, wahrscheinlich nach den innenpolitischen Ereignissen in Ägypten. Die Kritik des Polybios (XVI 14—20, bes. 17, 8—18, 3) tadelt an Zenon die gleichen Züge, die XV 34, 1 bei den Quellen für die Agathokles-Episode hervorgehoben werden (vgl. bes. 18, 2: ὑπερβολὴ τερατείας — πρὸς ἔκπληξιν; dazu o. S. 222 A. 2).

[4] Vgl. E. SCHWARTZ, RE VI 1 (1907) Sp. 10 s. v. Ephoros; J. HATZFELD, REA 35 (1933) S. 408f.

## Kontrollmöglichkeiten

Eine Kontrolle und damit die Möglichkeit einer absoluten Datierung konnte es in dem angenommenen Fall nur auf zwei Wegen geben: einmal durch Königslisten oder Nachrichten über die Regierungsdauer, dann durch Verknüpfung der ptolemäischen Geschichte mit außerägyptischen Ereignissen.

Daß Polybios Königslisten benützt hat, ist nicht unwahrscheinlich. Aber wir wissen nicht, ob er auf direkte ägyptische Nachrichten zurückgreifen konnte, ob er Listen aus Geschichtswerken bezogen oder sie selbst aus Geschichtswerken zusammengestellt hat; und ebensowenig läßt sich eruieren, ob sie die Regierungsdauer in Jahren, Monaten und Tagen oder in runden Zahlen angaben oder ob sie nach ägyptischen Regierungsjahren rechneten, antedatierend oder postdatierend. Auch hier konnte, vielleicht bereits vor Polybios, eine Fehlerquelle liegen[1]. Daß Polybios den Regierungsantritt des Philopator genau datieren konnte, ist mindestens nicht zu beweisen; in den beiden Übersichten II 71, 3f. und IV 1, 9—2, 9 setzt er sechs Führungswechsel aus den Jahren 223—220/19 mit summarischen Angaben (wie κατὰ τοὺς αὐτοὺς καιρούς o. ä.) in etwa die gleiche Zeit[2].

---

[1] [So scheint sich A. E. SAMUEL, Ptolemaic Chronology (1962) die Entstehung der Fehldatierung bei Polybios vorzustellen, wenn ich ihn recht verstehe. S. 110 A. 8 meint SAMUEL, Polybios habe zwar vom Tod des Philopator in Buch XV berichtet, doch besage das nicht, daß er dieses Ereignis in 203/2 setze, da er in den verlorenen Kapiteln über das Vorjahr berichtet haben könne. Eine solche Verschiebung ist, wie ich oben S. 218 ff. zu zeigen versucht habe, unwahrscheinlich. — Nach den Fragmenten von Buch XV ist 203/2 nicht nur das Jahr 'in which the killing of Agathocles ... occurred', sondern auch das Jahr der Thronbesteigung des Epiphanes; in welches Jahr Polybios nach SAMUELS Ansicht dieses Ereignis datiert hat, wird nicht recht deutlich. Vermutlich glaubt SAMUEL, Polybios habe wie Eusebios und Hieronymus 'als Antrittsjahr das erste volle Jahr der Regierung des Epiphanes' (S. 110f.) gerechnet. So einfach dürfte der Fehler aber nicht entstanden sein: Polybios hat wahrscheinlich gewußt, daß sein Olympiadenjahr ungefähr mit dem ägyptischen Jahr zusammenfiel; selbst wenn ihm eine postdatierende Liste vorlag, die das äg. Jahr 204/3 als 1. (und nicht nach der offiziellen Rechnung als 2.) Jahr des Königs zählte, hätte er den Regierungsantritt in Ol. 144, 1 setzen und demnach in Buch XIV bringen müssen.]

[2] Vgl. zu solchen Synchronismen o. S. 113 A. 1. Allerdings kam es ihm dort wohl nicht auf genaue Angaben an. Über eine wahrscheinliche Unsicherheit in der Ansetzung von Philopators Regierungsantritt vgl. o. S. 112 A. 1. — Der Tod des Epiphanes wird XXIV 6, 7 richtig datiert (Ol. 149, 4 = 181/0; letzte Datierung nach Epiphanes: 20. Mai 180), ist aber dort durch eine achäische Gesandtschaft festgelegt, an der Polybios selbst teilnehmen sollte, so daß er ihre Datierung kennen mußte. Epiphanes hat möglicherweise nicht ganz 24 Jahre regiert (vor Sept. 204 — nach Mai 180); falls Polybios' Unterlagen von einer Regierungszeit von 23 Jahren sprachen, mag Polybios von 181/0 = Ol. 150,1 23 Jahre zurückgerechnet haben und auf Ol. 144, 2 = 203/2 für den Regierungsantritt gekommen sein. Auch dies ist natürlich nur eine Möglichkeit.

Aus Verbindungen zwischen dem Lagidenreich und den anderen Staaten des Mittelmeers dürfte man kaum Anhaltspunkte für die Datierung der früheren Jahre gewonnen haben. Soweit der Erhaltungszustand unserer Quellen eine Beurteilung zuläßt, scheint in den letzten Jahren des Philopator die Außenpolitik zugunsten der drängenden inneren Probleme vernachlässigt worden zu sein. Wenn man von dem Plan einer dynastischen Verbindung mit dem Antigonidenhaus und dem Hilfsangebot Philipps und Antiochos' (XV 25, 13; 20, 1) absieht, die vielleicht nur aus ptolemäischen Quellen bekannt waren, scheint die erste tiefergreifende Verknüpfung der lagidischen mit der makedonischen und syrischen Geschichte seit Raphia der Vertrag zwischen Philipp und Antiochos über die Teilung des Lagidenreichs gewesen zu sein, dem Polybios (wie vor ihm wohl schon andere Historiker) eine so zentrale Bedeutung zugemessen hat.

Der Teilungsvertrag

Dieser Vertrag könnte denn auch der Fixpunkt sein, von dem aus rückwärts gehend man die Chronologie der Lagidengeschichte jener Jahre herzustellen versucht hat. Polybios hat von diesem Vertrag in den *Res Graeciae* des XV. Buchs, also im Jahr 203/2 berichtet[1], und zwar spätestens im Frühling oder Frühsommer 202[2]; diese Datierung ist jedenfalls aus der makedonischen und syrischen Geschichte gewonnen, also unabhängig von der Ptolemäergeschichte und infolgedessen als gut fixiert zu betrachten[3]. Zwischen dem tatsächlichen Datum des Regierungsantritts Ptolemaios' V. (spätestens August 204) und dem Vertrag sind also etwa ein bis eineinhalb Jahre verstrichen, während zwischen dem polybianischen Ansatz des Regierungsantritts (frühestens August/September 203) und dem Vertrag höchstens ein halbes Jahr liegt. Wenn nun die vorhandenen Nachrichten den Eindruck vermittelten oder zuließen, daß der Vertrag die unmittelbare (kausale und zeitliche) Folge der Nachricht von der Thronbesteigung eines Unmündigen war[4], so lag es

---

[1] XV 20 (moralischer Exkurs). Über die unwahrscheinliche Annahme, daß vom Vertrag selbst an früherer Stelle gesprochen worden sei, vgl. o. S. 220 A. 1.

[2] Im Codex Urbinas folgen XV 20 (Teilungsvertrag) und XV 21, 3ff. (Kios) aufeinander. Kios wurde wohl im Sommer 202 erobert; es bleibt also die Zeit zwischen Herbst 203 und Frühsommer 202.

[3] Ich gehe von der Voraussetzung aus, daß die Chronologie der makedonischen und syrischen Geschichte einigermaßen in Ordnung ist. Daß die Nachricht vom Teilungsvertrag nicht (oder zumindest nicht nur) aus ptolemäischen Quellen stammt, wird weiter unten (S. 241f.) zu zeigen sein.

[4] Das ist auch, soweit ich sehen kann, die einhellige Meinung der Forschung. Der Wortlaut bei Polybios und den anderen Nachrichten läßt eine so enge zeitliche Folge nicht erkennen. Lediglich Livius, an einer anscheinend Polybios nicht wörtlich wiedergebenden

nahe, diese Thronbesteigung (und die vorhergehenden und folgenden Vorgänge) in etwa das gleiche Jahr zu setzen wie den Vertrag.

Ein so enger kausaler und zeitlicher Zusammenhang zwischen dem Thronwechsel in Alexandreia und dem makedonisch-syrischen Vertrag ist jedoch nicht notwendig, ja nicht einmal wahrscheinlich. Selbst wenn einer der beiden Könige sofort nach Eintreffen der Nachricht vom Regierungswechsel den Entschluß gefaßt haben sollte, die Lage auszunützen, dürfte der Vertrag nicht innerhalb weniger Monate zustandegekommen sein. Für die Reisen der Gesandten aus Alexandreia, für die Beratungen im Kronrat der beiden Könige, für den wahrscheinlich mehrmaligen Gesandtenaustausch zwischen den beiden künftigen Partnern usw. ist beträchtliche Zeit anzusetzen, wohl mehr als das halbe Jahr, das die Datierung bei Polybios dafür übrig läßt.

In Wirklichkeit ist eine so rasche Reaktion der Könige aber nicht sehr wahrscheinlich. Schon früher war zu bemerken, daß der Thronwechsel in Alexandreia an sich kaum einen wesentlichen Anreiz zu einem Angriff auf das Lagidenreich dargestellt haben dürfte (s. o. S. 201). Entscheidend konnten für einen Angriffslustigen nur zwei Faktoren sein: die eigene Stärke und Handlungsfreiheit und die Schwäche des Ptolemäerstaates. Beide Könige waren seit spätestens Frühjahr 204 für neue Unternehmungen frei — Philipp durch den Frieden mit Rom (205), Antiochos durch die Beendigung seines Ostfeldzugs. Und wenn Philipp auch vielleicht damals noch nicht über eine größere Flotte verfügt hat, die ihm ein Eingreifen in Asien oder gar Ägypten gestatten konnte, so war jedenfalls Antiochos eben mit zahlreichen Kriegselefanten, mit bedeutenden Geldmitteln und — was ebenso schwer wog — mit einem großen Prestigegewinn aus dem Osten zurückgekehrt (s. o. S. 90ff.).

Tatsächlich finden wir ihn schon vor dem Teilungsvertrag im Angriff. Der Bericht des Polybios über die Thronbesteigung des Epiphanes scheint sogar dafür zu sprechen, daß der Seleukide bereits vor dem Thronwechsel die Grenzen des Lagidenreiches beunruhigt hatte: Agathokles ließ Antiochos warnen, die mit Philopator geschlossenen Vertragsverbindungen zu übertreten, und bat Philipp um Hilfe, ἐὰν ὁλοσχερέστερον αὐτοὺς Ἀντίοχος ἐπιβάληται παρασπονδεῖν[1]. Demnach hätte Antiochos bereits vor dem Thronwechsel, d. h. spätestens Hochsommer 204, Grenzverletzungen begangen.

Stelle (vgl. D. MAGIE, JRS 29 [1939] S. 33 A. 5), stellt diesen Zusammenhang her (XXXI 14, 5: *Aegypti ... cui morte audita Ptolemaei reges ambo imminebant*). Daß auch Polybios einen so engen Zusammenhang gesehen hat, geht jedoch eindeutig daraus hervor, daß er die beiden Ereignisse ins gleiche Jahr setzte (s. o. S. 218f.).

[1] Polyb. XV 25, 13. Auch den Aufruf an die Offiziere, διαφυλάττειν τῷ παιδὶ τὴν ἀρχήν ... (25, 6) könnte man hierauf beziehen.

Spätestens für Frühjahr 203 ist jedenfalls eine feindliche Aktion des Seleukiden eindeutig bezeugt: die Einnahme der bisher mit den Ptolemäern 'verbündeten' karischen Stadt Amyzon[1], die wahrscheinlich nicht die einzige Operation des Antiochos geblieben ist.

Offenbar hat sich Antiochos also im Jahr 203 und möglicherweise bereits 204 keineswegs gescheut, Vasallenstaaten oder Außenbesitzungen des Lagidenreiches anzugreifen und dadurch das Risiko eines Konflikts mit Alexandreia einzugehen. Einen direkten Angriff auf Südsyrien und Ägypten aber hat er anscheinend im Jahr des Regierungswechsels und im darauffolgenden Jahr nicht unternommen, sondern damit mindestens bis 202, möglicherweise sogar bis 201 gewartet[2].

In der militärischen Stärke des Ptolemäerreiches dürfte der Grund für dieses Zögern kaum zu suchen sein. Vor und nach 204 war das Land am Nil ein durch jahrelange Unruhen, durch eine schwere wirtschaftliche Krise und durch Unzufriedenheit von Heer und Volk geschwächter Staat, gegen den ein Angreifer große Erfolgschancen hatte. Wenn Antiochos den Angriff gegen die Kernbesitzungen des Ptolemaios noch um mindestens zwei Jahre zurückstellte, so sind für dieses Abwarten wohl nicht die Vorgänge im Ptolemäerreich verantwortlich zu machen, sondern andere Gründe, die vorerst nicht zu erörtern sind. Zwischen dem Regierungsantritt des Epiphanes und dem Teilungsvertrag braucht man jedenfalls nicht den engen Zusammenhang anzunehmen, den Polybios, pragmatisch verknüpfend, offenbar voraussetzt. Vielmehr ist ein längerer Zeitraum zwischen Regierungswechsel und Teilungsvertrag durchaus plausibel.

Ich nehme also an, daß Polybios oder bereits seine Vorlage versucht hat, einen zeitlich nicht oder kaum gegliederten Bericht über innerägyptische Vorgänge der (gut datierten) außerägyptischen Geschichte anzupassen, und daß dazu als Fixpunkt der durch die makedonisch-syrische Geschichte zeitlich festgelegte Teilungsvertrag benutzt wurde. Die irrige Vorstellung, daß der Vertrag dem Thronwechsel in Alexandreia auf dem Fuße gefolgt sei, hat den (oder die) Historiker dazu verführt, den Regierungsantritt des Epiphanes rund ein Jahr zu spät, nämlich in den Spätsommer oder Herbst 203 (statt in den Sommer 204) zu datieren.

---

[1] RC 38: Brief des Antiochos III. an Amyzon, datiert vom 15. Daisios 109 (sel.) = Ende Mai 203 v. Chr. Vgl. RC 39—40. S. dazu u. S. 246.

[2] Belagerung von Gaza 201: Polyb. XVI 22a. Zur Chronologie vgl. M. Holleaux, Etudes III S. 317ff., der S. 320 den Beginn des Kriegs im Jahr 202 vermutet. Vgl. u. S. 235. — Daß Amyzon von einem Feldherrn des Antiochos erobert worden wäre (RC 40 ist wahrscheinlich ein Brief des Vizekönigs Zeuxis), während der König selbst bereits in Koilesyrien stand, ist nicht anzunehmen; Antiochos hätte in diesem Falle drei Feldzugsjahre gebraucht, um bis Gaza zu kommen.

Damit wurde dem Bericht über den Thronwechsel sein Platz im XV. Buch angewiesen. Daraus ergab sich die Konsequenz, daß die (chronologisch ungegliederte) Übersicht über die ptolemäische Geschichte seit 217/6 in das vorhergehende, also ins XIV. Buch aufzunehmen war, weil sie bis vor den Regierungswechsel herunterreichte.

## 5. Absolute Chronologie

Auch diese Annahme zieht, wie BIKERMANS Erklärungsversuch, die Konsequenz nach sich, daß die beiden scheinbaren Jahresberichte über die Ptolemäergeschichte in den Büchern XV und XVI (1. Hälfte) zusammen mehr als zwei Jahre umfassen. Denn da es nicht recht wahrscheinlich ist, daß die innerägyptische Geschichte gegenüber der außerägyptischen mehrere Jahre hindurch um 1 Jahr verschoben und der Ausgleich (durch Zusammenziehen von zwei Jahren in einen Jahresbericht) erst in den (verlorenen) Berichten über eines der Jahre zwischen 200 und 198 vorgenommen worden wäre, so wird man annehmen dürfen, daß etwa gegen Ende des Berichts über 202/1 (Buch XVI., 1. Hälfte) der Ausgleich erreicht ist, so daß die Ägyptenabschnitte in Buch XV und XVI zusammen statt 2 (203/2–202/1) rund 3 Jahre (204/3–202/1) umfassen. D. h. entweder enthält eines dieser beiden Bücher zwei Jahre, oder die Trennungslinien zwischen den Jahren verlaufen innerhalb der Bücher, so daß auf jedes Buch etwa eineinhalb Jahre entfallen.

Für die Herstellung einer absoluten Chronologie stehen nur ganz wenige annähernd fixierbare Angaben zur Verfügung:

| | |
|---|---|
| vor Herbst 204 | Regierungsantritt des Epiphanes (XV 25, 3ff.; datiert durch die Urkunden) |
| Frühjahr 203 | Antiochos III. erobert Amyzon (RC 38) |
| zwischen Herbst 203 und Frühjahr 202 | Teilungsvertrag (XV 20) |
| Sommer/Herbst (?) 201 | Belagerung von Gaza (XVI 22 a) |

Es ist infolgedessen nicht einfach, den chronologisch offenbar verzerrten Bericht des Polybios mit diesen Daten in Einklang zu bringen, zumal Hinweise, die der Text zu geben scheint, bereits auf der verzerrten Chronologie beruhen können. Ein Versuch mag immerhin erlaubt sein.

Die Ereignisse des XV. Buches scheinen sich über eine beträchtliche Zeitspanne hingezogen zu haben. Die Maßnahmen, mit denen Agathokles seine Herrschaft zu befestigen trachtete, seine immer unerträglicher werdende Zügellosigkeit, die Durchsetzung des Hofstaates mit seinen

Geschöpfen, die zunehmende Verzweiflung der Bevölkerung, die schließlich ihre ganze Hoffnung auf Tlepolemos setzte (XV 25, 11—25) — das alles wird bei Polybios in wenigen Sätzen dargestellt; aber die Dinge können sich kaum so schnell entwickelt haben, wie die rasche Lektüre suggeriert. Das Gleiche gilt von der Geschichte des Tlepolemos bis zum Aufstand gegen Agathokles: Der General, der durch die Gunst der Massen wieder sein Kommando in Pelusion bekommen hatte, 'hatte anfänglich (τὰς μὲν ἀρχάς) bei seiner Tätigkeit nur das Interesse des Königs im Auge'; er erwartete, daß ein Regentschaftsrat gebildet würde. Als er aber zusehen mußte, wie alle dafür in Frage Kommenden durch Missionen entfernt wurden, und wie Agathokles sich alle Macht anmaßte, wurde er rasch anderer Meinung (XV 25, 27—28). Offenbar verging also eine gewisse Zeit zwischen dem Thronwechsel und der (möglicherweise allmählichen) Aussendung der bedeutenden Höflinge. Tlepolemos begann sich zum Widerstand zu rüsten; er lud die höheren Offiziere zu Trinkgelagen, bei denen er gegen Agathokles und seine Sippschaft hetzte, mit Worten, 'die anfangs rätselhaft, dann doppelsinnig, schließlich offen und voll bittersten Spottes waren' (XV 25, 31f.). Agathokles, dem das hinterbracht wurde, versuchte seinerseits Tlepolemos des Hoch- und Landesverrats zu bezichtigen, jedoch ohne Erfolg: 'denn die Bevölkerung hatte schon lange (πάλαι) ihre Hoffnungen auf diesen gesetzt und sah es nur allzugerne, daß die Feindschaft mehr und mehr entbrannte' (25, 36). Schließlich brach ein Aufstand aus; über seinen Beginn sind wir nicht unterrichtet, da der Bericht des Polybios hier fehlt. Kapitel 26 setzt kurz vor dem Höhepunkt der Revolte ein: Der Regent bemühte sich, durch eine jämmerliche Rede die Soldaten zur Loyalität zu bewegen; er behauptete, Tlepolemos habe, wie jedem Einsichtigen klar sein müsse, schon lange (πάλαι) nach der Macht gestrebt; jetzt aber habe er bereits Tag und Stunde für die Annahme des Diadems bestimmt (26, 5). Dies alles ist in geraffter Form vorgebracht; der Eindruck wird erweckt, daß sich die Entwicklung rasch zugespitzt habe zu dem blutigen Putsch, der dann breit ausgemalt wird. Polybios wird diese Gewichtsverteilung bereits in seiner Vorlage vorgefunden haben. Aber Geschichtswerke — antike wie moderne — täuschen da leicht: langdauernde Entwicklungen werden oft in wenigen Sätzen dargestellt, während kurze, aber dramatische Begebenheiten auf vielen Seiten ausgebreitet werden. Die hier berichteten Ereignisse können ein gutes Jahr ausgefüllt haben, also etwa die Zeit zwischen Sommer 204 (Regierungsantritt des Epiphanes) und Herbst/Winter 203. Viel mehr wird man allerdings nicht ansetzen dürfen, zumal Polybios bemerkt, Agathokles habe ἐν πάνυ βραχεῖ χρόνῳ καταγνωσθείς Macht und Leben verloren (XV 34, 6) — falls diese Angabe nicht bereits auf einer falschen Abschätzung der verstrichenen Zeit beruht.

Auf etwa die zweite Hälfte des Jahres 203 als Datum des Sturzes des Agathokles führt auch eine andere Überlegung. Der ätolische Condottiere Skopas war bald nach dem Thronwechsel, also etwa im Herbst 204, mit großen Geldsummen nach Griechenland geschickt worden, um dort Truppen anzuwerben; Agathokles plante, die neuen Söldner in die hauptstädtische Garnison zu legen und die bisherigen Garnisonstruppen in die Provinz zu versetzen, da er von ihrer Anhänglichkeit an die Dynastie Schwierigkeiten befürchtete (XV 25, 16—18). Nun zeigt die Reaktion der Truppen während des Putsches, dem der Regent zum Opfer fiel (XV 26—33), daß die alten, dem Agathokles übelgesinnten Garnisonstruppen noch in der Hauptstadt lagen. Agathokles' Plan war also nicht gelungen, d. h. Skopas war noch nicht zurückgekehrt — und tatsächlich wird der Name des unternehmungslustigen Mannes im Verlauf der Revolte nicht ein einziges Mal genannt. Länger als etwa ein gutes Jahr kann die Griechenlandreise des Skopas aber nicht gedauert haben[1]; denn seine Mission war dringend. Hätte er aber seine Befehle lässig erfüllt und gar mit dem Geld, das er εἰς τὰ προδόματα[2] bekommen hatte, ätolische Politik zu machen versucht[3], so hätte man ihn wohl kaum im J. 199 erneut mit großen Summen zur Anwerbung von Truppen nach Griechenland geschickt (Liv. XXXI 43, 5—6). Es ist also anzunehmen, daß Skopas noch vor Beginn der schlechten Jahreszeit 203/2, allenfalls im Frühjahr 202 mit den neu angeworbenen Truppen das Meer überquert hat und nach Ägypten zurückgekehrt ist. Demnach dürfte Agathokles spätestens im Herbst oder Winter 203 gestürzt worden sein. Sein Sturz (nicht aber der Beginn seiner Regentschaft) steht also mit Recht im XV. Buch.

Auf die Regentschaft des Agathokles folgte die des Tlepolemos (XVI 21—22). Von ihm heißt es, er sei zwar ein erfolgreicher, tüchtiger Soldat und General gewesen, für die vielfältigen Aufgaben, die ihm die Staatsführung, besonders die Finanzverwaltung stellte, jedoch gänzlich ungeeignet (21, 1—5). Seit der Übernahme des Schatzkanzleramtes[4] habe er den Tag meist beim Sport, die Nächte beim Wein verbracht (21, 6—7). Wenn er wirklich einmal Audienzen ansetzte, dann habe er die Staats-

---

[1] M. HOLLEAUX, Etudes III S. 330 scheint zu glauben, daß Skopas nahezu 2 Jahre in Griechenland geblieben sein könne.

[2] XV 25, 16. A. PASSERINI, Athenaeum N. S. 9 (1931) S. 263 gibt das irrig wieder mit 'per suscitare tradimenti'.

[3] Um 205 v. Chr. war Skopas bei einem Versuch, über das Amt eines Nomographen zu größerer Macht zu gelangen, gescheitert; vgl. Polyb. XIII 1—2. Die näheren Umstände und die Datierung sind unsicher; vgl. z. B. G. KLAFFENBACH, IG IX 1², 1, S. 32 zu Nr. 31 Z. 106 f.; R. FLACELIERE, Les Aitoliens à Delphes (1937) S. 310; F. W. WALBANK, JEA S. 25; Philip V S. 109 A. 2; 116; DUMRESE, RE Suppl. VII (1940) Sp. 1215 f. s. v. Skopas (6).

[4] Παραλαβὼν τὴν τῶν χρημάτων ἐξουσίαν; wenn damit ein *terminus technicus* wiedergegeben werden soll, ist wohl das Amt des Dioiketen gemeint.

gelder an die Gesandten aus Hellas und an die Schauspieler, vor allem aber an die Offiziere und Soldaten am Hofe verschleudert (21, 8). In der Folge (τὸ λοιπόν) sei das immer schlimmer geworden, da die Beschenkten ihn überall maßlos priesen, wodurch Tlepolemos schließlich (εἰς τέλος) noch eingebildeter und Gastfreunden und Militärs gegenüber noch freigiebiger geworden sei (21, 10—12). Die Höflinge vermerkten sein hochfahrendes Wesen übel und verglichen ihn, sehr zu seinen Ungunsten, mit Sosibios, dem Sohn des verstorbenen Ministers, der als Siegelbewahrer und Vormund des Königs weit besser amtierte und mit den auswärtigen Gesandten in würdiger Weise verhandelte (22, 1—2)[1].

'Um diese Zeit' (κατὰ τὸν καιρὸν τοῦτον — eine sehr unbestimmte Angabe ohne rechten Bezug) kam Ptolemaios, S. d. Sosibios, von seiner Gesandtschaft zu Philipp zurück. Ptolemaios hatte sich während seines Aufenthalts am makedonischen Hof nach makedonischer Sitte zu kleiden gelernt und hielt sich nun für etwas Besseres als die Alexandriner. Er begann bald gegen Tlepolemos zu hetzen und fand bei den unzufriedenen Höflingen rasch bedeutenden Anhang (22, 3—7). Tlepolemos gab zunächst nichts auf das Gerede; als man aber einmal in seiner Abwesenheit im Staatsrat scharfe Anklagen gegen ihn vorbrachte, beschloß er nicht länger zuzusehen: In einer heftigen Rede bezichtigte er seine Gegner der Verschwörung und nahm dem Sosibios das Staatssiegel. Von nun ab regierte Tlepolemos allein (22, 8—11).

Wiederum ist deutlich, daß die Entwicklung zu diesem Höhepunkt nicht eine Sache von wenigen Wochen oder Monaten sein kann. Darauf könnten bereits die Worte des Polybios (τὸ λοιπόν, εἰς τέλος) deuten. Auch Gesandte aus Griechenland, von denen zweimal (21, 8; 22, 2) die Rede ist, kommen schließlich nicht alle Tage. Vor allem aber: Neue Besen kehren gut; bis der Hofstaat von den Geschöpfen des Agathokles gesäubert war, bis die Schmeicheleien der Beschenkten den neuen Regenten dazu brachten, die Allüren eines regierenden Despoten anzunehmen, bis die anfängliche Begeisterung über den 'Retter des Vaterlands' (vgl. XV 25, 25) in Mißmut und Haß umschlug, bis schließlich die Wühlarbeit des Ptolemaios ihre Früchte trug — bis dahin mußte beträchtliche Zeit vergehen. Mit sechs bis zwölf Monaten wird man die Dauer dieser Entwicklung wohl nicht zu hoch veranschlagen. Wenn der Sturz des Agathokles in den Herbst oder Winter des J. 203 gehört, dürfte der Staatsstreich des Tlepolemos irgendwann im Laufe des J. 202 erfolgt sein.

---

[1] Ob diese Vorwürfe gerecht sind, muß dahingestellt bleiben. Die Quelle ist dem Tlepolemos und seinem Militärregime offenkundig feindlich gesinnt; sie scheint vom Standpunkt der zivilen Hofbeamten aus zu urteilen. Mindestens die Geschenke an die Gesandten aus Hellas lassen sich durchaus als sinnvoll verstehen; bei seiner schwierigen außenpolitischen Situation mußte das Lagidenreich versuchen, Freunde zu gewinnen.

## I. Der Thronwechsel im Lagidenreich

*Terminus post quem* für den Staatsstreich ist die Rückkehr des Gesandten Ptolemaios aus Makedonien. Da eine Rede des Gesandten im Zusammenhang mit dem Kronrat bei Philipp erwähnt wird (XV 25, 19), dieser aber wohl mit dem Teilungsvertrag (Herbst 203–Frühjahr 202) zusammenhängt (s. o. S. 219), wird Ptolemaios frühestens im Winter 203/2 oder Frühjahr 202 nach Ägypten zurückgekehrt sein. Selbst wenn ihm die Verhandlungen mit Antiochos verborgen geblieben sein sollten und er von Philipp hingehalten wurde, muß er wohl spätestens nach der Rückkehr des Königs vom Propontiszug (Herbst 202) zurückgefahren sein, um Bericht zu erstatten[1]. Ptolemaios hat sich also von etwa Herbst 204[2] bis ins Jahr 202 am Hofe Philipps aufgehalten, also rund anderthalb Jahre. Wie läßt sich dieser lange Aufenthalt erklären? Schon bisher hat man, auf Grund der polybianischen Chronologie, annehmen müssen, daß Ptolemaios ein Jahr oder mehr in Makedonien verbrachte: Herbst 203 bis Herbst/Winter 202. Der Teilungsvertrag zwischen Philipp und Antiochos sei geheimgehalten worden; während des ganzen Sommers 202 habe Philipp den ahnungslosen Gesandten aus Alexandreia mit vagen Versprechungen hingehalten. Als Ptolemaios gegen Ende des Jahres 202 endlich heimkehrte, habe er immerhin so günstige Nachrichten mitgebracht, daß man 201, bei der Besetzung von Samos durch Philipp, noch keiner feindseligen Handlung des Makedonen gewärtig war, sondern den König noch für einen Freund hielt[3]; ja es wurde sogar vermutet, Philipp habe nicht nur einen Geheimvertrag mit Antiochos gegen Ptolemaios, sondern auch ein zweites, ebenfalls geheimes Abkommen mit Alexandreia gegen den Seleukiden geschlossen.[4]

Auch ich halte es für wahrscheinlich, daß Philipp den Gesandten lange hingehalten hat, aber bevor es zum Abschluß des Vertrags mit Antiochos kam, also von Winter 204 bis Winter 203/2 oder Frühjahr 202. In diese

---

[1] So datiert F. W. WALBANK, Philip V S. 114; 339.

[2] Viel später als Herbst 204 können Ptolemaios und die anderen Gesandten kaum abgereist sein; die gespannte Lage erforderte doch rasche Fühlungsnahme mit den anderen Staaten. Zu beachten ist, daß Pelops εἰς τὴν Ἀσίαν πρὸς Ἀντίοχον τὸν βασιλέα geschickt worden ist. Zwar kann Ἀσία bei Polybios auch sehr häufig den ganzen Kontinent bedeuten; doch dürfte A. WILHELM, Wien. Anz. 57 (1920) S. 57, hier mit Recht 'Kleinasien' verstehen, zumal nur hier der Bestimmungsort betont wird, nicht bei Philipp. Dann aber ist für die Mission des Pelops (und wohl auch der anderen) die Winterzeit ausgeschlossen, da Antiochos den Winter in Antiocheia zuzubringen pflegte. Es käme dann also nur die Zeit vom Regierungsantritt bis zum Spätherbst 204 in Frage. Zu Ἀσία als Bezeichnung für das Seleukidenreich in jüdischen Quellen, aber auch bei Strabo, Appian und in Inschriften (OGI 253, 2) vgl. E. BIKERMAN, Inst. S. 5 A. 6; Ch. F. EDSON, Class. Phil. 53 (1958) S. 160; 165. [3] Vgl. u. S. 239ff.; 256ff.

[4] E. BICKERMANN, Revue de phil. 61 (1935) S. 163; vgl. bereits M. HOLLEAUX, Rome S. 290.

Zeit fallen die ersten Fühlungnahmen zwischen den beiden Königen und die wahrscheinlich nicht reibungslosen Verhandlungen, über die noch zu sprechen sein wird (s. u. S. 248ff.). Den Gesandten und seine Regierung, der er durch Boten Bericht erstattet haben wird, konnte man inzwischen durch ermutigende Äußerungen, durch scheinbar warnende Noten an Antiochos und Ähnliches beruhigen und hinhalten. Solange Antiochos sich auf gelegentliche Grenzverletzungen beschränkte und noch keinen Generalangriff einleitete, wird der korrupten, mit internen Problemen hinreichend belasteten Regierung des Agathokles die Lage nicht allzu ernst erschienen sein; und dem Gesandten scheint es am Makedonenhof recht gut gefallen zu haben (vgl. Polyb. XVI 22, 5). Zudem dürfte Philipp den Sommer 203 im Felde verbracht haben; zwar ist uns keinerlei Nachricht von seinen Unternehmungen in diesem Jahr erhalten, aber da er im Vorjahr (204) in Illyrien und Thrakien operierte[1] und das folgende Jahr (202) ihn im Vormarsch an der Propontis sah, ist anzunehmen, daß er im Sommer 203 das thrakische Hinterland weiter zu durchdringen versuchte. Ein Feldzug konnte aber nicht nur gegenüber der ptolemäischen Regierung als Vorwand für den Aufschub der Verhandlungen dienen, sondern auch den Gesandtschaftsverkehr mit Antiochos, der in Kleinasien operierte, wirksam verschleiern.

Im Herbst oder Winter 203, spätestens im Frühjahr 202 dürfte dann endlich im Kronrat Philipps die Entscheidung gefallen sein. Ptolemaios verhandelte erneut mit Philipp und seinen Räten (vgl. XV 25, 19); ob er einen hinhaltenden, einen nichtssagenden oder einen eindeutig ablehnenden Bescheid erhielt, bleibe zunächst dahingestellt. Philipp entschloß sich zum Vertrag mit Antiochos; und der ptolemäische Gesandte wird nicht lange danach nach Alexandreia zurückgekehrt sein (etwa Frühjahr 202?).

Dort fand er eine völlig veränderte Situation vor. Agathokles war gestürzt und durch einen Regentschaftsrat ersetzt worden, in dem Tlepolemos und Sosibios, der Bruder des Gesandten, die ersten Plätze einnahmen. In die Intrigen und inneren Machtkämpfe mischte sich Ptolemaios bald ein, vermutlich mit der Absicht, sich und seinem Bruder eine ähnliche Machtposition zu verschaffen, wie ihr Vater sie unter den Vorgängern des Epiphanes eingenommen hatte. Der Versuch schlug fehl: Tlepolemos konnte die Rivalen entmachten und seinerseits die uneingeschränkte Regierungsgewalt übernehmen (wohl Sommer oder Herbst 202). Auch der Staatsstreich des Tlepolemos steht also wenigstens ungefähr richtig am Anfang des Ägyptenberichts im XVI. Buch (1. Hälfte = 202/1)[2].

---

[1] Vgl. F. W. WALBANK, Philip V S. 111f.   [2] Vgl. dazu o. S. 223 A. 4.

## I. Der Thronwechsel im Lagidenreich

Ich nehme an, daß der Annalist (Polybios oder bereits eine Zwischenquelle) deshalb zu dieser einigermaßen richtigen Einordnung kam, weil er in einer erneuten Verknüpfung der ägyptischen mit der außerägyptischen Geschichte einen Anhaltspunkt fand: in der Offensive des Antiochos in Koilesyrien. Ihr Zeitpunkt ist unbekannt; die Jahre 202 und 201 stehen zur Auswahl[1]. Leider ist es nicht möglich, den umgekehrten Weg zu gehen und von der Datierung der innerägyptischen Vorgänge aus eine Datierung der syrischen Offensive zu finden, da die wenigen Fragmente keinerlei Anhaltspunkt bieten. Es ist allerdings auffällig, daß in den beiden Kapiteln der Tlepolemos-Geschichte (XVI 21—22) von kriegerischen Verwicklungen mit Antiochos nichts zu sehen ist. Man möchte eine Bemerkung darüber erwarten, daß Tlepolemos ausgerechnet in einem gefährlichen Krieg die Staatsgeschäfte so sorglos führte und die staatlichen Gelder verschleuderte. Das Fehlen einer solchen Bemerkung könnte zu dem Schluß führen, die Tlepolemos-Geschichte bis zum Staatsstreich liege vor dem Ausbruch des 5. Syrischen Kriegs: d. h. die Offensive des Antiochos sei erst ins Jahr 201 zu datieren. Aber wir wissen nicht, ob nicht der Exzerptor einiges weggelassen hat, was für sein Thema unerheblich war.

Aus anderen Gründen ist es vielmehr wahrscheinlich, daß Antiochos bereits im Frühjahr oder Frühsommer 202 zum Angriff geschritten ist[2]. Vor allem spricht dafür, wie HOLLEAUX[3] längst gesehen hat, der etwa im Winter 203/2 abgeschlossene Vertrag zwischen Antiochos und Philipp. Es ist doch nicht sehr wahrscheinlich, daß der König nach dem Vertrag, der ihm Koilesyrien zusicherte, ein volles Jahr verstreichen ließ, bis er die Offensive eröffnete[4].

---

[1] Vgl. o. S. 228 A. 2.

[2] Die Res *Syriae* des XV. Buches (203/2), in denen davon die Rede gewesen sein müßte, sind leider bis auf einen kleinen Rest (XV 37) verloren. Dort heißt es, Antiochos sei anfänglich μεγαλεπίβολος καὶ τολμηρὸς καὶ τοῦ προτεθέντος ἐξεργαστικός gewesen; mit zunehmendem Alter sei er aber hinter seinen früheren Leistungen und den Erwartungen des Auslands weit zurückgeblieben. Das spricht weder für noch gegen die Frühdatierung des Kriegsausbruchs (202); es kann bedeuten, daß der König im J. 202 nicht angegriffen habe, obgleich man es hätte erwarten können; ebenso kann es auch besagen, daß er den Angriff in Koilesyrien nicht mit der nötigen Energie durchgeführt habe, so daß er steckengeblieben und die Belagerung Gazas erst im folgenden Jahre gelungen sei. Ein relativ geringer Erfolg des ersten Feldzugsjahres (202) würde sich einleuchtend aus der Tatsache erklären lassen, daß Skopas vermutlich Ende 203 oder Anfang 202 mit den neu angeworbenen griechischen Söldnern in Ägypten angekommen war (s. o.). Diese neuen Truppen können die Offensive des Seleukiden zum Stehen gebracht haben, bis, vielleicht im Winter 202/1, der schon beinahe sprichwörtliche Verrat ptolemäischer Funktionäre (wie im 4. Syrischen Krieg) einen erneuten, diesmal erfolgreicheren Vormarsch der feindlichen Truppen bis Gaza ermöglichte. [3] Etudes III S. 319f.

[4] Auch wenn man annimmt, der Teilungsvertrag sei eine Erfindung (worüber auf den folgenden Seiten zu sprechen sein wird), muß man den Kriegsbeginn ins Jahr 202 setzen.

Ich schlage daher folgende ungefähre Chronologie der Jahre 204 bis 201 v. Chr. vor:

| | | |
|---|---|---|
| 204 | Frühjahr | Rückkehr des Antiochos vom Ostfeldzug. Erste Unternehmungen in Kleinasien, dabei Verletzung der ptolemäischen Hoheitsrechte. |
| | Sommer (vor Mitte August) | Tod des Ptolemaios Philopator. Ermordung der Arsinoe. Kurz darauf Thronbesteigung des Epiphanes. Agathokles Regent. Gleichzeitig weitere Unternehmungen des Antiochos in Kleinasien. |
| | Herbst | Gesandte gehen nach Makedonien und Rom und zu Antiochos. Skopas reist zur Truppenwerbung nach Griechenland. |
| 204/3 | Winter | Verhandlungen am Makedonenhof. |
| 203 | Frühjahr und Sommer | Philipp wieder in Thrakien; Antiochos in Kleinasien, nimmt Amyzon. Gesandtschaftsverkehr zwischen Philipp und Antiochos. Beginnender Machtkampf in Ägypten zwischen Agathokles und Tlepolemos. |
| | Herbst oder Winter | Sturz des Agathokles. Tlepolemos und Sosibios übernehmen die Regentschaft. |
| | Spätherbst (oder Frühjahr 202) | Rückkehr des Skopas aus Griechenland. |
| 203/2 | Winter (oder Frühjahr 202) | Kronrat bei Philipp. Abschluß des Teilungsvertrags zwischen Philipp und Antiochos. |
| 202 | Frühjahr/Frühsommer | Kriegsausbruch: Einmarsch des Antiochos in Koilesyrien. Rückkehr des Ptolemaios nach Ägypten. Philipp an der Propontis, nimmt Lysimacheia, Perinth, Kalchedon, Kios. |
| | Sommer-Herbst | Tlepolemos schaltet seine Gegner aus. Philipp nimmt Thasos. |
| 201 | Frühjahr | Erneuter Angriff des Antiochos in Palästina. Philipp in den Kykladen, nimmt Samos (?). Beginn der Kriegshandlungen gegen Pergamon und Rhodos. Karischer Feldzug Philipps. |

Denn einen erfundenen Vertrag wird man vermutlich erst kurz vor dem Ausbruch des Kriegs, den er ermöglichen sollte, eingefälscht haben und nicht ein Jahr früher. Da aber erst aus dem J. 201 gegen das Lagidenreich gerichtete Unternehmungen Philipps bekannt sind, müßte — im angenommenen Fall — der Anhaltspunkt der Kriegsausbruch in Syrien sein (es sei denn, man nähme an, daß antiptolemäische Unternehmungen Philipps des Jahres 202 bei Polybios verloren gegangen sind; vgl. dazu u. S. 257 A. 3).

|  | Sommer/Herbst | Antiochos belagert und erobert Gaza. |
| --- | --- | --- |
| 201/00 | Winter | Zeitweiliger Vormarsch des Skopas; erobert Judäa zurück. |
| 200 | Frühjahr/Sommer | Sieg des Antiochos beim Panion an den Jordanquellen. |

## II. DER TEILUNGSVERTRAG

Von dem Vertrag, in dem Philipp V. und Antiochos III. die Aufteilung des Lagidenreiches vereinbart haben sollen, war bisher nur die Rede, soweit es die Chronologie betraf. Wie es zu diesem Vertrag kam, was sein Inhalt war und wie er sich auswirkte — davon berichten unsere Quellen leider nur wenig; und dieses Wenige ist zudem widersprüchlich.

### Die Quellen

Polybios stellt in seiner Übersicht am Anfang des III. Buches in Aussicht, er wolle berichten τίνα τρόπον Πτολεμαίου τοῦ βασιλέως μεταλλάξαντος τὸν βίον συμφρονήσαντες Ἀντίοχος καὶ Φίλιππος ἐπὶ διαιρέσει τῆς τοῦ καταλελειμμένου παιδὸς ἀρχῆς ἤρξαντο κακοπραγμονεῖν καὶ τὰς χεῖρας ἐπιβάλλειν Φίλιππος μὲν τοῖς κατ' Αἴγυπτον[1] καὶ Καρίαν καὶ Σάμον, Ἀντίοχος δὲ τοῖς κατὰ Κοίλην Συρίαν καὶ Φοινίκην (III 2,8).

Der Bericht über den Abschluß des Vertrags, ist, wie schon bemerkt, bei Polybios nicht erhalten. Der Codex Urbinas hat uns lediglich die schon mehrfach erwähnte moralische Betrachtung bewahrt (XV 20), die sich gewiß eng an den Bericht über den Vertrag selbst anschloß[2]. Darin heißt es, die beiden Könige hätten zu Lebzeiten Philopators unverlangte Hilfe angeboten; ὅτε δ' ἐκεῖνος μετήλλαξε καταλιπὼν παιδίον νήπιον, ᾧ κατὰ φύσιν ἀμφοῖν ἐπέβαλλε συσσῴζειν τὴν βασιλείαν, τότε παρακαλέσαντες ἀλλήλους ὥρμησαν ἐπὶ τὸ διελόμενοι τὴν τοῦ παιδὸς ἀρχὴν ἐπανελέσθαι τὸν ἀπολελειμμένον (20, 2). Dabei hätten sie es nicht einmal für nötig erachtet, ihre Schande ein wenig zu bemänteln, sondern eher ohne Umstände wie Raubtiere angegriffen (20, 3). Dieser Vertrag (συνθήκη) spiegle die Gottlosigkeit, Grausamkeit und maßlose Habgier der Könige (20, 4); er sei aber auch ein Beweis für die Gerechtigkeit der Tyche, die, während Philipp und Antiochos noch das Reich des königlichen Knaben in Stücke rissen und dabei einander

---

[1] So die Handschriften; Αἰγαῖον B. G. NIEBUHR, Abh. Akad. Berlin 1820/21 S. 106; Αἰγαιον DINDORF, HULTSCH, BÜTTNER-WOBST; κατὰ Κίον M. HOLLEAUX, Etudes III S. 70 A. 1; IV S. 162 A. 3; Αἴγυπτον verteidigt P. PÉDECH, REG (1954) S. 391–393. S. dazu u. S. 252. [2] Vgl. o. S. 220 A. 1.

die Treue brachen[1], ihnen die Römer auf den Hals geschickt habe, so daß schließlich ihre Reiche zerbrochen seien, während das Lagidenreich sich wieder erholt habe (20, 5—8)[2].

Schließlich heißt es in einem Fragment aus dem Bericht über Philipps kleinasiatischen Feldzug im J. 201, der König habe nach einem erfolglosen Beutezug ins pergamenische Reich von Hierakome (Lydien) aus den syrischen Vizekönig Zeuxis aufgefordert σῖτον χορηγῆσαι καὶ τὰ λοιπὰ συμπράττειν κατὰ τὰς συνθήκας. ὁ δὲ Ζεῦξις ὑπεκρίνετο μὲν ποιεῖν τὰ κατὰ τὰς συνθήκας, οὐκ ἐβούλετο δὲ σωματοποιεῖν ἀληθινῶς τὸν Φίλιππον (XVI 1, 8—9). Erst im Herbst/Winter 201 hat Zeuxis einigen Nachschub geliefert (XVI 24, 6).

Livius erwähnt den Vertrag nur beiläufig (XXXI 14, 5 zum J. 200). Philipp habe damals Abydos belagert, obgleich seine bisherige Kriegführung gegen Pergamon und Rhodos wenig glücklich gewesen sei; *sed animos ei faciebat praeter ferociam insitam foedus ictum cum Antiocho Syriae rege divisaeque iam cum eo Aegypti opes, cui morte audita Ptolemaei regis ambo imminebant.*

Appian erzählt (Mak. 4) von den Angriffen Philipps gegen Samos, Chios, das Reich des Attalos, die rhodische Peraia und Attika. λόγος τε ἦν ὅτι Φίλιππος καὶ Ἀντίοχος ὁ Σύρων βασιλεὺς ὑπόσχοιντο ἀλλήλοις, Ἀντιόχῳ μὲν ὁ Φίλιππος συστρατεύσειν ἐπί τε Αἴγυπτον καὶ ἐπὶ Κύπρον, ὧν τότε ἦρχεν ἔτι παῖς ὢν Πτολεμαῖος ὁ τέταρτος (!), ᾧ Φιλοπάτωρ (!) ἐπώνυμον ἦν, Φιλίππῳ δ' Ἀντίοχος ἐπὶ Κυρήνην καὶ τὰς Κυκλάδας νήσους καὶ Ἰωνίαν. (4,2) καὶ τήνδε τὴν δόξαν, ἐκταράσσουσαν ἅπαντας, Ῥόδιοι μὲν Ῥωμαίοις ἐμήνυσαν...

Die übrigen Quellen:

Pomp. Trog. prol. XXX: ......*Philopator ......decessit relicto filio pupillo, in quem cum Philippo rege Macedonum consensit Antiochus.*

Justin. XXX 2, 8: *Morte regis* (= Philopator) *et supplicio meretricum velut expiata regni infamia legatos Alexandrini ad Romanos misere orantes, ut tutelam pupilli susciperent tuerenturque regnum Aegypti, quod iam Philippum et Antiochum facta inter se pactione divisisse dicebant.*

Hieronymus in Dan. XI 13: *Philippus quoque rex Macedonum et Magnus Antiochus pace facta adversum Agathoclen et Ptolemaeum Epiphanem dimicarent sub hac conditione, ut proximas civitates regno suo singuli de regno Ptolemaei iungerent.*

Johann. Antioch. fr. 54 (MÜLLER FHG IV S. 558)[3]: ... ὅ τε τῆς

---

[1] 20, 6: ἔτι γὰρ αὐτῶν παρασπονδούντων μὲν ἀλλήλους, διασπωμένων δὲ τὴν τοῦ παιδὸς ἀρχήν, ἐπιστήσασα Ῥωμαίους ...

[2] Zu diesem Kapitel vgl. H. E. STIER, Roms Aufstieg usw. S. 94f.

[3] S. o. S. 203 A. 3.

Συρίας βασιλεὺς Σέλευκος (!) καὶ τῆς Μακεδονίας Φίλιππος ἐλπίδι τοῦ κρατήσειν τῆς χώρας σὺν προθυμίᾳ στρατεύουσιν.

Nach Polybios und Appian planten die beiden Könige also die **völlige Aufteilung** des Lagidenreiches; die gleiche Ansicht scheint den kurzen Notizen bei Livius, Justin und Johannes von Antiocheia zugrundezuliegen, während Hieronymus nur von der Annexion der **Randprovinzen** spricht. Ferner unterscheiden sich die Interessenzonen bei Polybios und Appian auf den ersten Blick beträchtlich. Endlich steht Appian völlig allein mit der Angabe, es habe sich um ein Gerücht (λόγος, δόξα) gehandelt[1]. Der einzige Punkt, in dem alle Nachrichten übereinstimmen, ist die Behauptung, daß es beide Könige auf Territorien des Ptolemäerreiches abgesehen hätten.

## Moderne Ansichten

Dementsprechend hat man lange Zeit fast alle kleinasiatischen Städte und Inseln, die Philipp im Verlaufe seiner Feldzüge 202—200 angegriffen hat, zu ptolemäischen Besitzungen erklärt, soweit nicht eindeutige Beweise für pergamenisches oder rhodisches Hoheitsrecht vorlagen. So wurden etwa Iasos, Bargylia, Euromos, Pedasa, Milet, Chios, Abydos, Lysimacheia und Thasos zu lagidischen Außenbesitzungen gestempelt[2].

Maurice HOLLEAUX[3] hat jedoch geltend gemacht, daß für keine dieser Städte — außer Milet — ptolemäische Herrschaft bewiesen werden könne, und daß auch im Falle Milets die Oberhoheit des Lagiden um die Wende vom III. zum II. Jh. höchstens nominell gewesen sein dürfte. In Südwestkleinasien sei ptolemäische Herrschaft überhaupt nur für Ephesos, Amyzon, Samos, Myndos, Halikarnassos und Kaunos sowie Lykien bezeugt, und von diesen Territorien habe Philipp im J. 201 lediglich Samos besetzt. Von Angriffen des Makedonen auf die anderen ptolemäischen Besitzungen sei nichts überliefert; ja selbst Samos sei offenbar im Einvernehmen mit den ptolemäischen Behörden okkupiert und bald darauf wieder geräumt worden[4].

Was bleibt dann noch von den gegen das Lagidenreich gerichteten Abmachungen des Vertrags übrig, von denen unsere Quellen übereinstimmend berichten? Erhebliche Zweifel scheinen sich bereits in

---

[1] Justins *dicebant* deutet nicht auf ein Gerücht.

[2] S. bes. K. J. BELOCH, Griech. Gesch. IV 2, S. 319ff. und Karte V; Ernst MEYER, Grenzen S. 63ff.; 73ff.; weitere Lit. bei HOLLEAUX (s. die folgende Anm.).

[3] Etudes III S. 135ff.; Rome S. 317f.; CAH VIII 155; 171 A. 1; 178ff.; 186; besonders in dem posthum (1952) veröffentlichten, z.T. nur skizzierten Abschluß der Artikelserie über Philipps kleinasiatischen Feldzug, Etudes IV S. 289ff.

[4] S. dazu unten S. 256ff.

HOLLEAUX' Worten[1] anzukündigen: 'De conquêtes et d'annexions faites aux dépens du Lagide, je n'en aperçois aucune. Singularité de cette conclusion, C'est pourtant celle où aboutissent, sans y prendre garde ni s'en rendre compte, plusieurs critiques qui croient fermement aux mauvais desseins de Philippe contre l'Égypte'. Es sind jedoch, es muß wiederholt werden, keinesfalls nur 'plusieurs critiques', die an Philipps lagidenfeindliche Absichten glauben; es sind vor allem die antiken Historiker im Gefolge des Polybios.

Trotzdem ist HOLLEAUX nicht so weit gegangen, die Historizität des Vertrages zu leugnen. Im Gegenteil, der Vertrag spielt eine zentrale Rolle in seiner — wie bereits in Polybios' — Betrachtung der Vorgänge jener Jahre. Der Vertrag sei geheimgehalten worden; das habe dem Makedonen die Möglichkeit gegeben, sich Ptolemaios gegenüber als Freund zu gerieren (s. o. S. 233f.) und nötigenfalls Lagiden- und Seleukidenreich gegeneinander auszuspielen. Als der Vertrag dann endlich bekannt geworden sei, sei er von den verängstigten Gegnern des Makedonen, Attalos und den Rhodiern, in Rom als Druckmittel verwendet worden, mit dem man die Intervention der Römer herbeiführen wollte und schließlich auch erreichte[2]. Diese Interpretation ist allmählich beinahe zur communis opinio geworden[3].

Die völlige Konsequenz aus den Zweifeln an der Richtigkeit der Überlieferung hat erst D. MAGIE gezogen[4]. Nach seiner Auffassung hat zwischen Philipp und Antiochos überhaupt keine Übereinkunft bestanden. Beide Könige hätten bereits vor Philopators Tod ihre Pläne gefaßt gehabt: Philipp habe die Unterwerfung der Ägäis, Antiochos die Eroberung Südsyriens beschlossen. Dazu habe keiner von beiden der Hilfe des anderen bedurft; eine Zusammenarbeit sei weder geplant gewesen noch je durchgeführt worden. Außer Samos, das vielleicht freiwillig zu ihm übergegangen sei (nach HOLLEAUX), habe Philipp 202 und 201 kein ägyptisches Territorium besetzt; im Gegenteil, seine Eroberungen in Karien seien lediglich den Interessen des Antiochos zuwidergelaufen, der gerade damals seinen Einfluß in jener Landschaft auszubauen versucht habe. Man müsse sich also nicht, wie Polybios, über das geringe

---

[1] Etudes IV S. 334f.     [2] S. bes. Rome S. 312ff.; CAH VIII S. 150f.; 155ff.

[3] S. z. B. A. H. MC DONALD — F. W. WALBANK, JRS 27 (1937) S. 206f.; F. W. WALBANK, Philip V S. 128; A. HEUSS, N. Jb. 1938, S. 344; Röm. Gesch. (1960) S. 97; H. H. SCULLARD, Roman Politics 220—150 B. C. (1951) S. 93. Gegen die Ansicht, daß der cauchemar des coalitions einen (oder wenigstens den alleinigen) Kriegsgrund Roms darstellte, vgl. z. B. H. BENGTSON, Welt als Geschichte 5 (1939) S. 176f.; K. E. PETZOLD, Die Eröffnung des zweiten Röm.-Mak. Krieges (1940) S. 24f.; J. P. V. D. BALSDON, JRS 44 (1954) S. 37; VERF., Rom und Rhodos S. 62—64 (dazu P. PÉDECH, REA 60 [1956] S. 242).

[4] The 'Agreement' between Philip V and Antiochus III for the Partition of the Egyptian Empire, JRS 29 (1939) S. 32—44; Roman Rule II S. 750 A. 42.

Entgegenkommen des Zeuxis wundern, sondern darüber, daß er überhaupt geholfen und daß Philipp überhaupt um Unterstützung gebeten habe. Wahrscheinlich sei Polybios' Quelle hier nicht zuverlässig.

Woher aber dann die Nachricht vom Vertrag? MAGIE zufolge haben ihn die Rhodier erfunden, um Rom kriegswillig zu machen. In ihrer Zwangslage sei das eine 'justifiable fabrication' gewesen. Polybios aber habe die Geschichte in seinen rhodischen Quellen gefunden und tradiert; bereits er habe aber manche Tatsachen mit einem Vertragszustand schwer vereinbar gefunden und deshalb von gegenseitigen Vertrauensbrüchen gesprochen (XV 20, 6) und sich gewundert, daß Philipp nicht Alexandreia angegriffen habe (XVI 10).

Diese überraschende und bestrickende Ansicht MAGIEs hat Freunde gefunden[1]. Neuerdings ist die Vermutung geäußert worden, der Vertrag sei nicht schon von den rhodischen Politikern des J. 201/200 erfunden worden; vielmehr setze die Erfindung den Antiochoskrieg bereits voraus[2].

## Die Herkunft der Nachricht

Es mag zutreffen, daß Polybios[3] die Nachricht von einem Teilungsabkommen aus rhodischen Quellen, d. h. wohl aus Zenon übernommen hat; doch bedeutet das nicht, daß die Nachricht selbst aus Rhodos stammen muß. Zwar sagt Appian (Mak. 4), die Rhodier hätten dieses 'Gerücht' den Römern mitgeteilt; aber nach Justin waren es die Gesandten aus Alexandreia, die die Nachricht nach Rom brachten, und in der Tat wäre die Entstehung eines solchen Gerüchtes in dem angegriffenen Land, also in Ptolemäerreich, wahrscheinlicher als in Rhodos. Man könnte also mit mindestens gleicher Berechtigung annehmen, daß das Schreck- oder Zerrbild einer vernichtenden Koalition gegen Ptolemaios in Alexandreia entstanden, von dort aus durch hilfeheischende

---

[1] So z. B. L. DE REGIBUS, La repubblica romana e gli ultimi re di Macedonia (1951) S. 99ff., 111; ders., Aegyptus 32 (1957) S. 97ff.; Chr. HABICHT, Athen. Mitt. 72 (1957, ersch. 1959) S. 239 A. 106; 240. Unentschieden z. B. H. H. SCULLARD a.a.O. S. 93 A. 1: 'not completely convincing'; J. P. V. D. BALSDON a.a.O. S. 37 A. 61: 'by no means unpersuasively'. Abgelehnt u. a. von F. W. WALBANK, Philip V S. 113 A. 4; K. E. PETZOLD, Gnomon 25 (1953) S. 405; P. MELONI, Il valore storico e le fonti del libro macedonico di Appiano (1955) S. 37; VERF., Rom und Rhodos S. 62 A. 1; H. E. STIER, Roms Aufstieg usw. S. 92 A. 202; H. BENGTSON, Griech. Gesch.² S. 415; M. A. LEVI – P. MELONI, Storia romana dagli Etruschi a Teodosio (1960) S. 160. [S. Nachtrag!]

[2] Chr. HABICHT a.a.O. S. 240 A. 111. Für diese Ansicht spricht allerdings kein ersichtlicher Grund.

[3] Es ist zwar nicht eindeutig, aber wahrscheinlich, daß die anderen Historiker – Livius, Trogus-Justin, Appian (zu ihm s. u. S. 251ff.), Hieronymus und Johannes Antiochenus – direkt oder indirekt auf Polybios zurückgehen. Sie können also, was die Quellenlage betrifft, hier außer Betracht bleiben.

Gesandtschaften verbreitet und durch jene ptolemäischen Quellen, deren Spuren wir oben aufzusuchen bemüht waren (S. 222ff.), in die Geschichtsschreibung eingeführt worden wäre.

Dagegen spricht jedoch die Tatsache, daß Philipp sich in Kleinasien Zeuxis gegenüber auf den Vertrag berufen hat (Polyb. XVI 1, 8—9). Diese Episode kann nicht aus der Ptolemäergeschichte stammen; man müßte also annehmen, Polybios oder seine Vorgänger (Zenon?) hätten die Berufung auf den Vertrag in die Erzählung von Philipps vergeblichem Ansuchen eingeschwärzt oder gar die ganze Episode erfunden — obgleich sie doch so schlecht zu dem Vertrag zu passen scheint. Da dies recht unwahrscheinlich ist, wird man daran festhalten dürfen, daß die Geschichte vom Teilungsvertrag mindestens nicht nur aus ptolemäischen Quellen stammte (vgl. o. S. 226), sondern gleichfalls oder ausschließlich durch makedonische, rhodische oder andere Historiker belegt war. Ein solcher müßte also das Märchen vom Teilungsvertrag tradiert, wenn nicht gar erfunden haben. Aber war es wirklich ein Märchen?

Eine Erfindung?

Daß das nahezu gleichzeitige Vorgehen der beiden Könige den Eindruck hervorrufen konnte, als liege ihm ein wohlvorbereiteter Plan zugrunde, wäre verständlich. Für eine augenblicklichen Absichten dienende politische Zwecklüge wäre die Geschichte sogar recht geschickt. Stammte die Erfindung aber von einem Historiker, so wäre sie freilich recht schlecht gelungen, wenn sie wirklich so viele Widersprüche enthielte, wie MAGIE immer wieder betont. Nun sind freilich in der politischen Historiographie schon dümmere Behauptungen tradiert worden — die Neuzeit liefert dafür Beispiele in Fülle; aber sie sind doch immer wieder von kritischen Forschern der gleichen oder der folgenden Generation entlarvt worden.

Wie kritisch Polybios gerade die Nachrichten über diese Jahre verwertet hat, zeigt seine ausführliche Polemik gegen Antisthenes und Zenon (XVI 14—20), in der die innere Unstimmigkeit der untersuchten Berichte und unabhängige Quellen als Kriterien dienen. Einem Forscher, der so sehr auf der Hut war, können Widersprüche zwischen dem Teilungsplan und seiner Verwirklichung wohl nicht entgangen sein. Wenn Polybios trotzdem die Nachricht in sein Werk aufgenommen hat, wenn er den Vertrag sogar zum Angelpunkt, zur Epoche gemacht hat, von der der Niedergang der beiden großen Monarchien datiere (XV 20), dann müssen ihn gewichtige Gründe von der Authentizität der Nachricht überzeugt haben.

Freilich war der Vertrag gewiß in keinem Archiv zu finden, und es muß fraglich bleiben, ob Polybios noch mit Politikern aus dem Makedonen- oder Seleukidenreich sprechen konnte, die den Vertragsabschluß erlebt hatten. Aber wenn die rhodische, pergamenische oder ptolemäische Diplomatie um 200 v. Chr. mit der Propagandalüge einer gigantischen Verschwörung gearbeitet hätte, wäre es doch sehr verwunderlich, wenn dies bei den Beschuldigten und ihren Historikern nicht Dementis hervorgerufen hätte. Polybios hat sicher die Möglichkeit der Nachprüfung gehabt und auch genützt; auch wenn man seinen Forscherdrang nicht so hoch bewertet, wie es zu geschehen pflegt, wird man ihm das zubilligen müssen. Wenn der kritische Forscher — ich wiederhole es — an der Nachricht vom Teilungsvertrag festgehalten hat, dann sicher deshalb, weil er mehr wußte als wir und deshalb keinen Widerspruch empfand.

Philipp in Karien

Ist es schon von den Quellen her wenig wahrscheinlich, daß der Vertrag eine bloße Erfindung ist, so wird die Existenz eines Abkommens zwischen den Königen durch die politische Lage geradezu gefordert. Denn in Karien, wo Philipp sich im J. 201 festsetzte, kollidierten seine Interessen mit denen des Antiochos.

Wie so vieles ist auch der Bericht über Philipps kleinasiatischen Feldzug im J. 201 nur in Bruchstücken erhalten. So erfahren wir im wesentlichen nur, daß er zu Beginn des Feldzugs Samos bereits besetzt hielt, daß er eine Stadt (Chios?) vergeblich belagerte, und daß er in zwei Seegefechten bei Chios und Lade gegen die pergamenische und rhodische Flotte zu kämpfen hatte. Nach seinem Sieg bei Lade öffnete Milet ihm die Tore. Ein anderes Fragment berichtet von einem wenig erfolgreichen Vorstoß ins pergamenische Reich; auf der Rückkehr richtete er an Zeuxis jene Bitte um Unterstützung, von der schon die Rede war. Schließlich wissen wir, daß Philipp eine Reihe von Orten in Karien eroberte: Iasos, Bargylia, Euromos, Pedasa und einen großen Teil der rhodischen Peraia mit Stratonikeia, dem Panamareion und Prinassos[1]. Ferner ist von einem vergeblichen Angriff auf Knidos, von einem mißlungenen Anschlag auf Mylasa und von der Verwüstung der Gemarkung von Alabanda die Rede[2]. In diesen karischen Gebieten hat Philipp V. eine regelrechte Provinz (Strategie) errichtet und weiter auszubauen

---

[1] Zum kleinasiatischen Feldzug Philipps s. bes. M. HOLLEAUX, Etudes IV S. 211–335; F. W. WALBANK, Philip V S. 117ff.; 306ff. mit den Quellenangaben. Die umstrittene Reihenfolge der Ereignisse tut hier wenig zur Sache. Vgl. Karte 5.

[2] Knidos: Polyb. XVI 11, 1; Mylasa, Alabanda: XVI 24, 6–8 (Herbst/Winter 201/200).

versucht[1]; sie hat dann auch etwa bis zum Frieden mit Rom (197/196) bestanden.

Dieses Interesse an Karien kam nicht von ungefähr. Philipp hatte historische Ansprüche auf diese Landschaft; denn schon sein Vorgänger auf dem makedonischen Thron, Antigonos Doson, hatte um 228 oder 227 v. Chr. in einem überraschenden Feldzug Teile Kariens unterworfen[2] und damit die alten Beziehungen der Antigonidendynastie zu dieser Region und der vorgelagerten Inselwelt wiederaufleben lassen. Man hat lange Zeit geglaubt, daß diese karischen Eroberungen Dosons spätestens im J. 223 an Ptolemaios III. Euergetes abgetreten worden seien[3]. Die von den schwedischen Ausgräbern zwischen 1948 und 1953 in Labranda gefundenen, leider noch immer nicht veröffentlichten Inschriften[4] zeigen jedoch, daß diese Ansicht falsch war. Seleukos II. hatte die Stadt Mylasa mit der Freiheit beschenkt; sein στρατηγός Olympichos erhielt den Auftrag, der Gemeinde das Heiligtum von Labranda zu übergeben, führte ihn jedoch nicht aus. Der Streit war noch nicht entschieden, als Antigonos Doson sich in Karien festsetzte; erst Philipp V. fällte die Entscheidung zugunsten der Mylasenser[5]. Olympichos war aus mehreren Inschriften längst bekannt; in einem ähnlichen Fall mußten sich die Rhodier bei Philipp für die von Olympichos angegriffene Stadt Iasos verwenden[6], und aus einem in Alinda gefundenen Text geht hervor, daß der στρατηγός Olympichos über eine eigene Kanzlei (ἐπιστωλαγράφιον [sic]) verfügte[7]. Lange Zeit hatte man sein Wirken in die Jahre vor dem 2. Makedonischen Krieg gesetzt[8]; die neuen Inschriften aus Labranda erlauben nun, diese Ansicht zu korrigieren. Olympichos war offenbar ein karischer Dynast[9], der zuerst den Seleukiden, dann den Antigoniden als Gouverneur diente. Glücklicherweise liefert die Inschrift mit dem Brief Philipps V. (die einzige, die — wenn auch nur teilweise und in recht fragwürdiger Form — veröffentlicht worden ist[10]) ein festes Datum: der Brief ist vom 3. Jahr

---

[1] Vgl. H. BENGTSON, Strategie II S. 369—72.

[2] Trog. prol. XXVIII; Polyb. XX 5, 11. Zur Lit. vgl. H. BENGTSON, Strategie II S. 367; Gr. Gesch.² S. 405 u. A. 2; dazu M. T. PIRAINO, Antigono Dosono re di Macedonia, Atti Acc. Palermo ser. IV 13 (1952/3), Lettere, fasc. 3, S. 313—326.

[3] So z.B. J. G. DROYSEN, G. d. Hell. III² 2, S. 145f.; W. W. TARN, CAH VIII S. 722; M. T. PIRAINO S. 340f.; s. aber K. J. BELOCH, Gr. Gesch. IV 2, S. 550ff.; P. TREVES, Athenaeum 23 (1935) S. 41; H. BENGTSON, Strategie II S. 367f.

[4] Vgl. den Vorbericht von J. CRAMPA, Opuscula Atheniensia 3 (1960) S. 99—104.

[5] J. CRAMPA, S. 101f.    [6] GIBM III 441; M. HOLLEAUX, Etudes IV S. 146—162.

[7] Veröff. v. LAUMONIER, BCH 58 (1934) S. 291 Nr. 1; vgl. dazu u.a. H. BENGTSON, Strat. II S. 368ff.

[8] S. bes. M. HOLLEAUX, a.a.O.; F. W. WALBANK, Philip V S. 2 A. 6; 116; JRS 62 (1942) S. 8ff.    [9] Vgl. Polyb. V 90, 1; H. BENGTSON, Strat. II S. 6 A. 1.

[10] A. W. PERSSON, London Illustr. News v. 15. 1. 1949; danach A. VOGLIANO, Acme 1 (1948, erschienen 1949) S. 389f.; J. u. L. ROBERT, Bull. ép. 1950 Nr. 182.

des Philipp (220/19) datiert und zeigt, daß die Herrschaft der Makedonen in Karien seit dem Feldzug des Doson über mindestens ein Jahrzehnt kontinuierlich bestanden hat[1].

In den ersten Jahren seiner Regierung war also noch karisches Land von Philipp abhängig. Es sieht freilich nicht so aus, als ob diese 'Provinz' unter Olympichos noch allzu umfangreich gewesen wäre. Iasos und Mylasa wie auch andere Gemeinden dürften zwar unter Doson makedonisch geworden sein; hier erscheinen sie als mindestens halbselbständige Städte, auf die der 'Strateg' Olympichos, möglicherweise ohne Zutun seines Souveräns, seine Hoheit wieder ausdehnen will. Wir wissen auch nicht, was aus Olympichos geworden ist, und ob die letzten Reste makedonischer Herrschaft die Zeit überdauert haben, in der der König allzusehr in westliche Händel verstrickt war, um sich um seine Außenbesitzungen im fernen Kleinasien kümmern zu können. Es ist jedenfalls nicht sehr wahrscheinlich, daß die Städte, die wir in den Jahren 201–197 in Philipps Besitz finden, seit 228/7 ununterbrochen makedonisch waren[2]. Es spielt freilich auch keine große Rolle; auf jeden Fall konnte sich Philipp auf seine ererbten Rechte auf Karien berufen, die entsprechend den besitzrechtlichen Vorstellungen der Griechen[3] in der Zwischenzeit allenfalls geruht hatten und nun wieder auflebten.

Antiochos in Karien

Mit dieser erneuten Besitzergreifung in Karien drang Philipp jedoch in die Interessensphäre des Antiochos ein.

Von der propagandistischen Wirkung, die der Ostfeldzug des syrischen Königs auf die kleinasiatischen Städte und Dynasten gehabt zu haben scheint, war bereits zu sprechen (o. S. 90ff.). Antiochos hat nach seiner Rückkehr aus dem Osten seine Truppen zunächst auf Kleinasien angesetzt. Vermutlich schon im Sommer 204 (s. o. S. 227) bekam Karien die Faust des Seleukiden zu spüren. Soweit es möglich war, versuchte der König seine Machtansprüche mit Milde durchzusetzen[4], um die Gefühle der Griechen und hellenisierten Karer einigermaßen zu schonen. Ἀντιόχεια τῶν ἐκ τοῦ Χρυσαορέων ἔθνους (Alabanda) preist in diesen Jahren 'den König Antiochos, den Wohltäter der Antiochener', weil er der Stadt Demokratie und Frieden wahre[5]. Vielleicht gehört auch ein fragmentarischer Königsbrief an Seleukeia-Tralleis (RC 41) in diese Zeit. Gelegent-

---

[1] Vgl. L. ROBERT b. M. HOLLEAUX, Etudes IV S. 158 A. 4; 162 A. 1; F. W. WALBANK, Comm. I S. 621f.   [2] So noch K. J. BELOCH, Griech. Gesch. IV 2, S. 550ff.
[3] Vgl. E. BICKERMANN, Hermes 67 (1932) S. 50ff.   [4] Vgl. o. S. 96.
[5] OGI 234, 20ff. Vgl. M. HOLLEAUX, Etudes III S. 141ff. Datierung: wahrsch. 203/2 oder 202/1.

lich scheinen die seleukidischen Truppen auch mit Gewalt vorgegangen zu sein, mag dies in der Absicht des Königs gelegen haben oder nicht. Amyzon, unweit von Alabanda, war bislang mit Ptolemaios 'verbündet' gewesen; seine Bewohner hatten schwere Plünderungen zu erdulden und mußten durch beruhigende Briefe des Königs und seines Statthalters Zeuxis sowie strenge Anweisungen an die Truppen vom Verlassen ihrer — wahrscheinlich bei den Kämpfen zerstörten — Wohnstätten abgehalten werden (Frühjahr 203)[1].

Antiochos hat also in den Jahren vor Philipps Invasion die seit Jahrzehnten nur noch auf dem Papier bestehende seleukidische Hoheit in Karien wieder geltend gemacht; und es ist mehr als wahrscheinlich, daß er die Fortsetzung dieser Politik in den folgenden Jahren plante.

Im Jahr 201 aber duldete er es, daß Philipp in eben den Gebieten Fuß faßte, die er — Antiochos — gerade wieder seinem Reich einzuverleiben begonnen hatte; er ließ es zu, daß ein starker unbequemer Nachbar sich in Kleinasien niederließ, wo er in Zukunft sein Gegner werden konnte, ja werden mußte. Er gestattete es sogar, daß Philipp das Territorium der Stadt Alabanda, das Antiochos eben erst in eine gewisse Abhängigkeit gebracht hatte, verwüstete, 'als handle es sich um Feindesland'[2], und wahrscheinlich die Stadt selbst besetzte (Winter 201/200). Und als Philipp auf der Rückkehr von seinem Raubzug ins pergamenische Reich bei Hierakome wieder seleukidischen Boden betrat, wurde ihm eine Ehreninschrift gesetzt: [Βα]σιλέα Φίλιππον [ἡ βουλ]ὴ καὶ ὁ δῆμος[3]!

Das alles mag man noch damit erklären, daß Philipp die Zwangslage des Seleukiden ausnützte, dessen Heer damals (im J. 201) wohl zum größten Teil in Südsyrien, bei der Belagerung von Gaza und den Kämpfen gegen Skopas gebunden war. Wie aber soll man es verstehen, daß Philipp Antiochos' Vizekönig Zeuxis von Hierakome aus um Hilfe zu bitten wagte, und daß dieser, wenn auch zögernd, der Aufforderung sogar Folge

---

[1] C. B. WELLES, RC 38 und 40 (Briefe des Antiochos bzw. des Zeuxis an Amyzon), 39 (Brief an die Truppen); vgl. J. und L. ROBERT, CRAI 1949, S. 306; bes. L. ROBERT, La Carie II (1954) S. 288 A. 7, der eine neue Bearbeitung in Aussicht stellt. Vgl. o. S. 228. Nicht hierher zu ziehen ist RC 30 (Brief eines Ptolemäers: Übergriffe bei einer Einquartierung). WELLES S. 138f. denkt an Truppenkonzentrationen gegen die drohende Offensive des Antiochos (vgl. H. VOLKMANN, RE XXIII 2 Sp. 1685); aber da die Einquartierung stets zum System der Lagiden gehörte, muß man nicht an eine aktuelle Gefahr denken. Die Inschrift ist im übrigen nicht genau datierbar.

[2] Polyb. XVI 24, 8: τὴν δ' Ἀλαβανδέων χώραν ὡς πολεμίαν κατέφθειρε, φήσας ἀναγκαῖον εἶναι πορίζειν τῷ στρατεύματι τὰ πρὸς τὴν τροφήν. S. o. S. 243.

[3] BCH 11 (1887) S. 104; JHS 37 (1917) S. 110 Nr. 23; vgl. Ernst MEYER, Grenzen S. 125. Die Inschrift gehört wahrscheinlich nach Hierakome und nicht, wie angenommen wurde, nach Thyateira; vgl. M. HOLLEAUX, Etudes IV 251f.; L. ROBERT, Villes d'Asie Mineure (1935) S. 39 u. A. 1.

## II. Der Teilungsvertrag

leistete? Der Ausweg, der Bericht, auf dem Polybios fußte, sei unkorrekt gewesen[1], ist zu bequem.

Vielleicht wird man aber annehmen, Zeuxis habe sich dem Drängen Philipps gefügt, um größere Zerstörungen seleukidischen Reichsgebietes zu verhindern. Im Winter 201/200 war es den wieder vereinigten Flotten des Attalos und der Rhodier gelungen, Philipp im Hafen von Bargylia zu blockieren[2] und ihn so zu den Plünderungszügen gegen Alabanda und Mylasa zu zwingen. Hätte Antiochos eine Abteilung seiner Truppen mit den pergamenischen und rhodischen Kontingenten vereinigt, so wäre es wahrscheinlich um Philipp geschehen gewesen[3], und Antiochos hätte womöglich Philipps Erbe sogar in den Bezirken Kariens antreten können, die bislang noch nicht unter seleukidische Hoheit hatten gebracht werden können. Nichts dergleichen geschah! Philipp gelang schließlich mit Hilfe einer List der Durchbruch durch die feindliche Blockadeflotte[4] nach Makedonien. In den folgenden Jahren (200—197) scheint die karische Provinz des Makedonenreichs unter dem Strategen Deinokrates von syrischen Angriffen unbehelligt geblieben zu sein[5]. Lediglich die Rhodier kämpften gegen die makedonischen Truppen, die die rhodische Peraia besetzt hielten[6]; und erst im J. 197, als Philipp bereits bei Kynoskephalai geschlagen war, rückten die Truppen des Antiochos in die Gebiete ein, die bislang von den Makedonen besetzt waren; und nicht einmal hier ist es sicher, daß es zu Kämpfen kam[7].

---

[1] D. MAGIE, JRS 29 (1939) S. 39.
[2] Polyb. XVI 24; M. HOLLEAUX, Etudes IV S. 257f.; F. W. WALBANK, Philip V S. 126ff.
[3] Daß in jenem Winter 201/200 alle Kräfte des Antiochos in Palästina gebunden gewesen wären, wo Skopas im Gegenangriff ganz Judäa zurückerobern konnte (Polyb. XVI 39, 1), wird man nicht als Gegenargument verwenden können. Wir kennen aus dem IV. Syr. Krieg die Gewohnheit des Antiochos, den Hauptteil seines Heeres in der Etappe überwintern zu lassen und die vorgeschobenen Plätze nur durch kleinere Kontingente zu schützen (Polyb. V 66, 3—5; 71, 11—12). Der Erfolg des Skopas erklärt sich so von selbst.
[4] Polyän. IV 18, 2; M. HOLLEAUX, Etudes IV S. 281f.; F. W. WALBANK, Philip V. S. 126ff.
[5] Inschriften aus Panamara: H. OPPERMANN, Zeus Panamaros (1924) S. 20ff. Nr. 3. Deinokrates: Liv. XXXIII 18, 6. Vgl. F. W. WALBANK, Philip V S. 129; H. BENGTSON, Strategie II S. 370f.      [6] Vgl. VERF., Rom und Rhodos S. 69—71.
[7] Stratonikeia hatten die Rhodier vergeblich belagert, erst 'per Antiochum' konnten sie die Stadt bekommen (Liv. XXXIII 18, 22; vgl. VERF., Rom und Rhodos S. 71; 78), was nicht unbedingt auf Kämpfe deutet. Ebenso ist nicht völlig zu klären, wann sich Antiochos in den Besitz von Iasos gesetzt hat und ob er dort eine makedonische Besatzung vertreiben mußte; B. NIESES (II S. 641), E. DEGENS (S. 40) und M. HOLLEAUX' (Etudes IV S. 309) Annahmen bleiben Vermutung. Vgl. u. S. 287f. — Daß die Rhodier im Jahre 197 Antiochos nicht über die Chelidonischen Inseln hinaus nach Westen fahren lassen wollten, damit er nicht Philipp Hilfe bringen könne (Polyb. XVIII 41 a, 1; Liv. XXXIII 20, 3), kann nicht als Beweis für die Echtheit des Vertrags herangezogen werden; die Begründung könnte ja von der rhodischen Quelle erfunden sein, die an dieser Stelle zweifellos vorliegt.

Selbst wenn keine Nachrichten von einem Vertrag vorlägen, würden alle diese Beobachtungen wohl bereits zu der Vermutung führen, hinter der Duldung der makedonischen Invasion durch Antiochos III. könne ein Übereinkommen gestanden haben. Die Existenz eines Vertrags ist aber durch gute Überlieferung bezeugt, und so sollte man, statt Verständliches in Zweifel zu ziehen, lieber versuchen, die wenigen scheinbaren Widersprüche zu lösen.

Zustandekommen des Vertrages

Dazu gehört vor allem die Frage, weshalb Antiochos sich zu einem Verzicht auf seine 'Erblande' in Kleinasien bereit gefunden hat, der ihm sicher nicht leicht gefallen ist. Man hat sich wohl das Verständnis dieser eigenartigen Konzession dadurch verbaut, daß man ohne ersichtlichen Grund stets angenommen hat, die Initiative sei von Antiochos ausgegangen[1]. In den Quellen steht nichts dergleichen; sie sprechen von einer 'gegenseitigen Aufforderung' u.ä.[2]. Nun ist freilich anzunehmen, daß über den Hergang der Verhandlungen nicht allzuviel in die Öffentlichkeit gedrungen ist, so daß bei dem Gewährsmann des Polybios der vielleicht mehrfache Austausch von Gesandten den Eindruck erwecken mochte, es habe sich um eine gleichzeitige Initiative beider Könige gehandelt — eine jedenfalls recht unwahrscheinliche Vorstellung. Ebenso unwahrscheinlich ist es aber auch, daß Antiochos den Wunsch gehabt haben sollte, mit Philipp die Beute zu teilen. Weit näher liegt die Annahme, daß der 'Teilungsvertrag' eine Idee Philipps war.

Es war bereits davon zu sprechen, daß man in Alexandreia (und folglich auch im Ausland) nach Antiochos' Rückkehr aus dem Osten einen Angriff erwartete. Sein sieggekrönter Zug in das iranische Hochland hatte seinen Ruf in allen Ländern griechischer Zunge verbreitet und die Erwartung aufkommen lassen, daß er sich größeren Plänen zuwenden werde[3]. Daß er vor allem versuchen werde, die alte Rechnung mit dem Ptolemäerreich zu begleichen und die Scharte von Raphia auszuwetzen, lag nahe; und wie die ersten Maßnahmen des Agathokles zeigen[4], be-

---

[1] S. bes. A. WILHELM, Wien. Anz. 1920, S. 54; M. HOLLEAUX, CAH VIII S. 150 u. A. 1; F. W. WALBANK, Philip V S. 113; M. CARY, A Hist. of the Greek World 323—146 B. C. ([2]1951) S. 231; P. MELONI, Il valore storico e le fonti del libro macedonico di Appiano (1955) S. 41 [danach habe Antiochos Kontakt mit Philipp aufgenommen, um einer Einkreisung durch ein makedonisch-ägyptisches Bündnis zu entgehen]; H. E. STIER, Roms Aufstieg usw. S. 92; 95f.; M. A. LEVI — P. MELONI, Storia romana dagli Etruschi a Teodosio (1960) S. 159f.

[2] παρακαλέσαντες ἀλλήλους (Polyb. XV 20, 2); συμφρονήσαντες (III 2, 8); ὑπόσχοιντο (App. Mac. 4, 1); *consensit* (Trog. prol. XXX).

[3] Polyb. XI 34, 16; s. dazu o. S. 90ff.     [4] Polyb. XV 25, 13. 17.

fürchtete man in Alexandreia, daß nach den Grenzkorrekturen in Kleinasien das Reich am Nil sein erstes Opfer sein werde. Agathokles ließ daher Philipp V. durch den Gesandten Ptolemaios 'für den Fall eines größeren Übergriffes' des Antiochos um Hilfe bitten.

Der Makedone hatte damals (204 v. Chr.) bereits, nach dem geringen Erfolg seiner Westpolitik, neue Unternehmungen eingeleitet. Der Ätoler Dikaiarchos unternahm in seinem Auftrag Kaperfahrten in der Ägäis[1]; Philipps Gefolgsleute in Kreta hatten mit den Rhodiern Krieg begonnen[2], und der König selbst operierte im Balkan[3]. Sein Angebot, Hilfe gegen die ägyptischen Eingeborenen zu senden, war von Philopator ausgeschlagen worden[4]; nun bot sich, durch die Bitte der Regierung in Alexandreia, eine neue, weit interessantere Möglichkeit, sich in das große politische Spiel einzumischen, wirkliche Weltpolitik zu treiben. Wenn Philipp geschickt lavierte, konnte er bei kleinem Einsatz große Gewinne einheimsen.

Es kam also darauf an, wem er seine Stellungnahme teurer verkaufen konnte. Was hätte ihm der Lagide bieten können, ohne sich völlig zu entäußern? Das Protektorat über die Nesioten — aber auf den ägäischen Inseln verfügte Alexandreia selbst nur noch über geringe Macht, und der Zusammenstoß mit den Rhodiern, die damals ihren Einfluß im Archipel ausdehnten, war unvermeidlich, ganz gleich, ob Ptolemaios die Reste seiner Suzeränität abtrat oder nicht. So blieben praktisch nur die wenigen Besitzungen der Ptolemäer in Thrakien und Westkleinasien, vor allem Ainos, Maroneia, Samos und Ephesos. Damit wäre Philipp als Erbe des Ptolemaios Nachbar des Antiochos geworden, eines mißgünstigen Antiochos, der nach dem Friedensschluß die erste Gelegenheit wahrnehmen würde, sich an Philipp für die Vereitelung seiner Absichten zu rächen.

Denn an eine Vernichtung des syrischen Königs war auch bei einem gemeinsamen Krieg Philipps und Ptolemaios' nicht zu denken. Eine Vereinigung des makedonischen und des ägyptischen Heeres hätte einen ungeheuren überseeischen Transport vorausgesetzt, für den wohl weder die zerfallende ägyptische noch die erst im Bau befindliche makedonische Flotte geeignet war. Und wäre Philipp in die kleinasiatischen Provinzen des Seleukidenreichs eingefallen, so hätte er wohl Antiochos von Koilesyrien abgezogen; aber er hätte damit rechnen müssen, sich nach wenigen Monaten dem gesamten syrischen Heer gegenüberzusehen — und wie

---

[1] Polyb. XVIII 54, 8—11; Diod. XXVIII 1; M. Holleaux, Etudes IV S. 124ff.; H. Benecke, Die Seepolitik der Aitoler (Diss. Hamburg 1934) S. 41, F. W. Walbank, Philip V S. 109f.

[2] Polyb. XIII 4, 2; R. Herzog, Klio 2 (1902) S. 316ff.; M. Holleaux, Etudes IV S. 163ff.; F. W. Walbank, a.a.O. S. 110. [3] Vgl. F. W. Walbank, a.a.O. S. 111f.

[4] Polyb. XV 20, 1; vgl. M. Holleaux, Rome S. 283 A. 2; CAH VIII S. 148.

wenig man sich auf das Nilreich verlassen konnte, das hatte ja, in einer ähnlichen Situation, Achaios erfahren müssen.

Verkaufte Philipp dagegen seine bloße Neutralität im bevorstehenden syrisch-ägyptischen Krieg an Antiochos um den Preis, daß dieser ihm freie Hand im westlichen Kleinasien ließ, so konnte er hoffen, in aller Ruhe seine Herrschaft in Karien und Ionien befestigen zu können, während Antiochos in Syrien beschäftigt war. Und auch alles, was ihm die ptolemäische Regierung in Thrakien und Kleinasien hätte bieten können, mußte ihm dann zufallen, da Antiochos die Kräfte des Ptolemäerreiches in Syrien band.

Auf der einen Seite also ein schwieriges Unternehmen gegen einen gefährlichen Gegner, ohne daß der Preis für den Einsatz garantiert gewesen wäre — auf der anderen, falls das Spiel gelang, die Möglichkeit eines bedeutenden Gewinnes lediglich durch das Versprechen der Neutralität, und ohne daß das Leben eines Makedonen für fremde Interessen aufs Spiel gesetzt werden mußte.

Wahrscheinlich hat sich also nicht Antiochos einen Komplizen gesucht, sondern Philipp hat die Gelegenheit benutzt, sich an dem schmutzigen Geschäft zu beteiligen, das der syrische König mit der Schwäche des Lagidenreiches machen wollte. Es ist anzunehmen, daß einige Zeit nach dem Eintreffen des Gesandten aus Alexandreia bei Philipp eine makedonische Note an Antiochos erging, in der der Seleukide vor weiteren Übergriffen gegen das Ptolemäerreich gewarnt wurde (etwa Winter 204 — Frühj. 203). Die ptolemäische Regierung mag durchaus beruhigt worden sein. Wahrscheinlich ließ Philipp aber durchblicken, daß er gegen gewisse Kompensationen geneigt sein werde, den Angreifer gewähren zu lassen. Da Antiochos sich gewiß nicht sofort bereit fand, auf den erpresserischen Vorschlag einzugehen, mögen sich die Verhandlungen in mehrmaligem Gesandtenaustausch[1] über lange Zeit hingezogen haben. Währenddessen führten die beiden Könige ihre im Vorjahr begonnenen Operationen fort (Sommer 203). Eine Einigung scheint erst etwa im Winter 203/2 zustandegekommen zu sein.

Inhalt des Vertrags

Als Nahziele hat der Vertrag offenbar folgendes festgelegt: Philipp wird Antiochos nicht an der Eroberung von Südsyrien hindern, Antiochos verzichtet dagegen auf seine Ansprüche in Westkleinasien, wohl bis zu einer gewissen Demarkationslinie, und in Thrakien. Entsprechend diesen Abmachungen rückte Antiochos wahrscheinlich schon im folgenden

---

[1] So dürfte παρακαλέσαντες ἀλλήλους zu erklären sein (vgl. o. S. 248).

Frühjahr (202; s. o. S. 235) in Koilesyrien ein; Philipp vollendete im J. 202 seinen schon zwei Jahre zuvor begonnenen Feldzug in Thrakien, wobei er den Ätolern ihre assoziierten Städte Lysimacheia und Kalchedon[1], den Byzantiern Perinth abnahm, — wahrscheinlich vor allem, um einen eventuellen Übergang seines Heeres aus Thrakien nach Kleinasien zu sichern — und setzte dann im J. 201 auf seiner inzwischen fertiggestellten und erprobten Flotte nach Kleinasien über.

Freilich sprechen die Quellen noch von weiteren Stipulationen. Wie schon bemerkt, scheinen sich mit Ausnahme des Hieronymus alle antiken Historiker darüber einig zu sein, daß die beiden Kontrahenten die Aufteilung des gesamten Ptolemäerbesitzes planten; Polybios unterschied den Königen sogar die Absicht, das Kind auf dem Lagidenthron zu beseitigen (ἐπανελέσθαι τὸν ἀπολελειμμένον XV 20, 2).

Der Aufteilungsmodus bei Polybios und Appian scheint erheblich zu differieren:

|  | Polyb. III 2, 8 | Appian. Mak. 4, 1 |
|---|---|---|
| Philipp: | Ägypten, Karien, Samos | Kyrene, Kykladen, Ionien |
| Antiochos: | Koilesyrien, Phoinikien | Ägypten, Kypros |

Angesichts dieser Widersprüche, ja sogar Überschneidungen (Ägypten!) hat man nach einem Sündenbock gesucht, den man in Appian bzw. seinen Quellen zu finden glaubte. Die Beurteilung seiner Aufstellungen reicht von schwerer Skepsis bis zur völligen Verwerfung[2], und die Abweichungen gegenüber Polybios pflegt man mit Verbiegung der guten polybianischen Tradition durch eine annalistische Zwischenquelle zu erklären[3].

---

[1] Wann sich diese Städte den Ätolern angeschlossen haben, ist unbekannt, ebenso, vor wem sie sich durch diesen Schritt schützen wollten. Außer den Thrakern, Philipp und natürlich den Ätolern selbst (vgl. H. BENECKE, Die Seepolitik der Aitoler [Diss. Hamburg 1934] S. 13) könnte man an Zeuxis denken, der vielleicht bereits im letzten Jahrzehnt des III. Jh. Rückeroberungen versucht hat. In den I. Maked. Krieg datieren den Anschluß der Städte an den Ätolerbund G. DE SANCTIS, St. d. R. IV 1, S. 6 A. 14; F. W. WALBANK, a.a.O. S. 306 A. 7; beide nehmen als Grund Furcht vor Philipp und Prusias an. Anders B. NIESE II S. 581.  [2] S. u. S. 254 A. 1; bes. D. MAGIE, JRS 29 (1939) S. 33.
[3] S. bes. M. HOLLEAUX, Rome S. 290 A. 1. Vgl. jedoch H. E. STIER, Roms Aufstieg usw. S. 92 A. 202: 'Mag die übrige Überlieferung noch so verwirrt sein, so wiegt doch Appians Angabe nicht eben leicht'.

Neuerdings wurde sogar eine von Polybios völlig unabhängige griechische Quelle angenommen[1].

In Wahrheit existiert gar kein Widerspruch. Denn während Appian von den **Plänen** der beiden Könige berichtet (ὑπόσχοιντο ἀλλήλοις), spricht Polybios von ihren **Taten** (ἤρξαντο ... τὰς χεῖρας ἐπιβάλλειν)[2], und zwar im sog. 2. Proömium, der Vorschau auf das Hauptwerk, wo natürlich nur von den Fakten die Rede sein konnte. Polybios muß von weiterreichenden **Plänen** gewußt haben, da er von einer Aufteilung des Reiches sprach[2a]; die in III 2, 8 genannten Provinzen stellen aber bei weitem nicht das gesamte ptolemäische Reichsgebiet dar: es fehlen die lykischen Küstenstädte, Westkilikien, Kypros und Kyrene. Es ist also ohne weiteres möglich, daß Polybios bei der Behandlung des Vertrags selbst, die leider verloren ist, eine ähnliche Abgrenzung der Interessensphären gebracht hat wie Appian.

Die einzige wahre Schwierigkeit bereitet die Nennung Ägyptens, das nach Appian dem Seleukiden vorbehalten war, Polybios zufolge aber von Philipp angegriffen worden sein soll. Man hat freilich τοῖς κατ' Αἴγυπτον (Polyb. III 2, 8) in κατ' Αἴγαιον oder κατὰ Κίον verbessern wollen[3]; doch ist die Lesart der Handschriften neuerlich überzeugend verteidigt worden[4]: Polybios bezichtigt nämlich Philipp der Torheit, weil er nach seinem Seesieg bei Lade auf den Angriff gegen Alexandreia verzichtet habe, obgleich ihm dieser ohne weiteres offengestanden habe[5]; und an einer anderen Stelle spricht er von einem Herrscher, der 'sich die größten Ziele steckt und mit seinen Plänen die Oikumene umfaßt'[6]. Man würde diese Stelle zunächst auf Antiochos beziehen, von dem man ja ähnlich weitreichende Absichten erwartet hatte[7]; aber der Zusammenhang läßt keinen Zweifel daran, daß hier nur Philipp gemeint sein kann[8].

Polybios hat also Philipp hochfliegende imperialistische Absichten zugeschrieben — ein Grund mehr, in dem Makedonen den Initiator des Teilungsvertrages zu sehen. Die Eroberung des kleinasiatischen Küstenstreifens wird man allerdings kaum mit 'Plänen, die die Oikumene umfassen' bezeichnen können. Polybios' Quelle hat offenbar angenommen, daß Philipp die Besetzung Ägyptens beabsichtigte[9]. Vielleicht wird man

---

[1] P. Meloni, Il valore storico e le fonti del libro macedonico di Appiano (1955), bes. S. 38f.

[2] S. auch A. Passerini, Athenaeum NS 9 (1931) S. 549 A. 1. Ebenso ist wohl auch Hieronymus' scheinbar abweichende Version *ut proximas civitates regno suo singuli de regno Ptolemaei iungerent* zu erklären.     [2a] III 2, 8: ἐπὶ διαιρέσει.

[3] S. o. S. 237 A.1; dazu P. Meloni, a.a.O. S. 38ff.

[4] P. Pédech, REG 67 (1954) S. 391–393.     [5] Polyb. XVI 10, 1.

[6] Polyb. XV 24, 6: ἐπιβαλλόμενον τοῖς μεγίστοις καὶ περιλαμβάνοντα ταῖς ἐλπίσι τὴν οἰκουμένην ...     [7] Vgl. Polyb. XI 34, 16.     [8] Vgl. P. Pédech a.a.O. S. 393.

[9] Vgl. P. Pédech ebd.

noch einen Schritt weitergehen können: Polybios sagt an der ersten der beiden erwähnten Stellen (XVI 10, 1): δῆλον ὡς ἐξῆν γε τελεῖν τῷ Φιλίππῳ τὸν εἰς τὴν Ἀλεξάνδρειαν πλοῦν. Man wird, glaube ich, dieses τελεῖν so verstehen dürfen, daß nach Polybios' Ansicht Philipps Flottenoperationen vor dem Seegefecht bei Lade die Einleitung zu einer geplanten Aktion auf die ägyptische Hauptstadt waren, daß diese Beginnen durch das Dazwischentreten der rhodischen Flotte unterbrochen wurde, und daß Philipp schließlich — törichterweise, wie Polybios meint — seinen Plan zugunsten der Landoperationen aufschob oder aufgab.

Also bestünde doch ein handgreiflicher Widerspruch zwischen Polybios und Appian? Nicht unbedingt. Denn Polybios hat ja von Wortbrüchen beider Könige gesprochen[1]. Da Antiochos sicher nicht einem Teilungsplan zugestimmt hätte, der Ägypten seinem Rivalen zuteilte (was wäre ihm selbst dann noch geblieben?), wird man in Philipps (angeblichem oder tatsächlichem) Projekt, das gewiß dem Antiochos vorbehaltene Kernland des Lagidenreiches zu besetzen, eines dieser παρασπονδήματα sehen dürfen.

Nimmt man diese Erklärung an, so bleibt keine Inkongruenz mehr zwischen Polybios und Appian. Denn Appians Ἰωνίαν, das HOLLEAUX[2] in Καρίαν ändern wollte, bedeutet wohl ganz allgemein 'Westkleinasien'[3]; und wenn Appian Koilesyrien und Phoinikien übergeht, so wohl einfach deshalb, weil die Besetzung Ägyptens die der beiden genannten Provinzen voraussetzt[4].

Nichts zwingt also zu der Annahme, daß Appian eine stark verfälschte polybianische oder gar eine von Polybios unabhängige Tradition biete. Es ist vielmehr wohl möglich, daß Polybios und Appian einander ergänzen, daß also Appian den bei Polybios verlorenen Bericht über die Vertragsbedingungen, allenfalls in etwas vergröberter Form, wiedergibt[5].

Es bleibt zu fragen, ob die Könige diese 'weltumspannenden Pläne', die ihnen zugeschrieben werden, wirklich gehegt haben. Es ist freilich denkbar, daß die zeitgenössische Fama oder die Kombinationslust der Geschichtsschreiber weit bescheidenere Absichten der Könige aufgebauscht haben — ohne daß das die Historizität des Vertragsabschlusses

---

[1] XV 20, 6: παρασπονδούντων ἀλλήλους.  [2] Etudes III S. 70 A. 2.
[3] So wohl auch App. Syr. 6, 23; b. c. I 76, 347; III 2, 4.
[4] Zur Verwechslung des Epiphanes mit Philopator vgl. die Erklärung P. MELONIS (s. o. S. 252 A. 1) S. 37.
[5] Damit soll nicht gesagt sein, daß Appian Polybios direkt benutzt habe. Auf das Problem der Quellen des Appian kann ich hier nicht eingehen; jedenfalls wird man das apodiktische Urteil E. SCHWARTZ' (RE II 1, S. 216ff.) nicht mehr übernehmen können. Wertvoll E. GABBA, Sul libro siriaco di Appiano. Rendiconti Acc. Lincei, cl. di sc. morali ecc. 12 (1957) S. 339ff.

an sich in Frage stellen würde. Aber unwahrscheinlich ist es nicht, daß Philipp und Antiochos das Reich des Epiphanes vollständig unter sich aufgeteilt haben — freilich nur auf dem Papier[1].

In diesem Fall ist wohl wieder Philipp als die treibende Kraft anzusehen. Nichts von dem, was Antiochos bisher geplant und begonnen hatte, ist als umstürzend oder verstiegen zu bezeichnen; keiner seiner Angriffe scheint ein Ziel gehabt zu haben, das über die Wiedergewinnung des ehemals seleukidischen Reichsgebietes hinausging; und so ist anzunehmen, daß es ihm auch jetzt nur auf die Eroberung Südsyriens ankam[2]. Anders Philipp, der schon seit Beginn seiner Regierung die Neigung bewiesen hatte, seine Politik auf Unternehmungen anzulegen, die zur Größe seines Reiches in keinem Verhältnis standen[3].

Der Erfolg der Invasion des Antiochos in Südsyrien war nicht abzusehen. Es war nicht undenkbar, daß das ptolemäische Heer zusammenbrechen und so Antiochos der Durchbruch nach Ägypten gelingen würde. Und konnte nicht der Machtkampf der Regenten in Alexandreia[4] dazu führen, daß der junge König von seinen Höflingen beseitigt wurde, so wie ein Jahrhundert zuvor die Erben des großen Alexander? In beiden Fällen war anzunehmen, daß Antiochos, mochten seine Pläne anfangs auch noch so nüchtern gewesen sein, zugreifen und Ägypten und Kyrene besetzen würde — ein Machtzuwachs des Seleukiden, dem Philipp nicht tatenlos zusehen konnte. Vielleicht hat sich Philipp deshalb vorsorglich ein weiteres Stück aus der Konkursmasse des Ptolemäerreiches zusichern lassen.

---

[1] Die Art der Aufteilung wird in der Forschung ganz verschieden beurteilt. So denkt z. B. B. Niese, II S. 578, an eine vollständige Aufteilung; ebenso E. Degen, Krit. Ausf. S. 8f., mit der Einschränkung, daß über die Aufteilung des ägyptischen Kernlands keine Einigung zustandegekommen sei. Nur die Außenbesitzungen in Europa und Asien wurden aufgeteilt nach Ansicht von (z. B.) B. G. Niebuhr, Vortr. über alte Gesch. III (1851) S. 450; A. Bouché-Leclercq, Lagides I S. 336; E. Bickermann, Hermes 67 (1932) S. 47; F. W. Walbank, Philip V S. 113; H. H. Scullard, A Hist. of the Roman World 753—146 B. C. (²1951) S. 231; A. Heuss, Röm. Gesch. (1960) S. 96f. Aufteilung der Außengebiete und 'vielleicht' Kyrenes, aber 'sicher' nicht Ägyptens: M. Holleaux, CAH VIII S. 150; vgl. z. B. M. Cary, A Hist. of the Greek World 323—146 B. C. (²1951) S. 186f.; M. A. Levi-P. Meloni, St. rom. dagli Etruschi a Teodosio (1960) S. 160. M. E. richtig E. Kornemann, Weltgesch. d. Mittelmeerraumes I (1948) S. 290: zunächst Aufteilung der Randgebiete, völlige Aufteilung als Endziel.

[2] Vgl. M. Holleaux, Rome S. 283 A. 1. Wenn Antiochos im J. 196 versucht hat, das durch den angeblichen Tod des Epiphanes verwaiste Lagidenreich zu besetzen (Liv. XXXIII 41, 1ff.), so steht das auf einem anderen Blatt.

[3] So wird ihm schon im J. 217 Streben nach der Weltherrschaft anempfohlen oder nachgesagt; vgl. Polyb. V 101, 7ff.; 104f.; 108f.

[4] Nach der oben vorgeschlagenen Chronologie ist Agathokles kurz vorher gestürzt worden; s. o. S. 229ff.

Wieso aber gerade Kyrene? Die Wahl dieser entlegenen Provinz erscheint zunächst überraschend. Aber ein Blick auf die Karte[1] zeigt, daß Philipp, wäre sein Plan gelungen, ein Seereich zustandegebracht hätte, würdig des Vorbilds seines Urahnen Demetrios. Die Ägäis wäre umrahmt worden von einem Kranz makedonischer Besitzungen: Im Norden das Stammland und die neuen Erwerbungen in Thrakien – im Osten die Eroberungen, die Philipp an der kleinasiatischen Küste zu machen gedachte – im Westen Thessalien, Magnesia und Euboia. Von dort hätte sich Philipps Herrschaft über die Kykladen erstreckt, die er schon seit 204 unter seine Botmäßigkeit zu bringen versucht hatte. Dann Kreta, das ihn zum größeren Teil bereits als προστάτης τῆς νήσου[2] anerkannte; die kretischen Städte, die bisher noch auf Ptolemaios gebaut hatten[3], wären ihm nach der Auflösung des Lagidenreichs zugefallen, dazu Itanos an der Ostspitze der Insel, wo eine ptolemäische Besatzung lag. Und schließlich, als südlicher Abschluß dieser breiten Zone makedonischer Herrschaft, die Kyrenaika, auf die Philipp zudem einen gewissen Anspruch erheben konnte, da dort sein Großonkel Demetrios der Schöne, Dosons Vater, einige Zeit geherrscht hatte[4].

Hat Philipp wirklich davon geträumt, ein solch kühnes Seereich zu errichten, aus der Ägäis und der kretischen See ein Mare Macedonicum zu machen? Zu erweisen ist es nicht. Aber darauf deutet immerhin die Tatsache, daß er in jenen Jahren den Bau seiner Flotte rasch vorangetrieben hat, daß er die rhodische Flotte durch Sabotage vernichten lassen wollte und daß sein erster Zugriff im Koalitionskrieg gegen Ägypten der ptolemäischen Flotte galt, die im Hafen von Samos lag[5]. Und jedenfalls würden jene hochfliegenden Pläne zu dem Bild des phantasiereichen, allzeit rastlosen Herrschers passen, das Polybios von ihm zeichnet.

Fassen wir zusammen: Mit Sicherheit hat der Vertrag zwischen den beiden Königen festgelegt, daß Antiochos Südsyrien (und wohl auch Kilikien und Lykien), Philipp Westkleinasien (und vermutlich Thrakien) bekommen sollte. Es handelt sich wohl nur um eine Abgrenzung von

---

[1] Vgl. Karte 4.
[2] Polyb. VII 11, 9; Plut. Arat. 48, 50; vgl. F. W. WALBANK, Philip V S. 67 A. 5; H. VAN EFFENTERRE, La Crète et le monde grec de Platon à Polybe (1948) S. 223f.
[3] Z. B. Gortyn, dem Philopator beim Mauerbau half; Strab. X 4, 11; H. VAN EFFENTERRE a.a.O. S. 253.
[4] Etwa 250–247 v. Chr.(?); Plut. Demetr. 53, 4; Porphyr. FGrHist. 260 F 3, 13. 15; K. J. BELOCH, Gr. Gesch. IV 1, S. 600; 615f.; IV 2, S. 186–190; M. HOLLEAUX, Etudes III S. 56f. (m. Lit. S. 57 A 1).
[5] Vgl. E. BICKERMANN, Rev. de phil. 61 (1935) S. 163; M. CARY, A Hist. of the Greek World 323–146 B. C. (²1951) S. 186f.

Interessensphären[1], nicht um ein Militärbündnis[2]. Die Aufforderung Philipps an Zeuxis σῖτον χορηγῆσαι καὶ τὰ λοιπὰ συμπράττειν κατὰ τὰς συνθήκας (Polyb. XVI 1, 8) läßt zwar erkennen, daß der Vertrag eine über die Lebensmittelversorgung hinausgehende Unterstützung des Partners vorsah; συμπράττειν dürfte aber nicht ein Symmachieverhältnis wiedergeben, sondern scheint sich eher auf andere materielle Hilfeleistungen, wie Gestellung von Pferden, Fahrzeugen, Schiffen oder Baumaterialen zu beziehen. Appians Behauptung, die Könige hätten vereinbart συστρατεύσειν, braucht jedoch nicht falsch zu sein. Wenn Philipp und Antiochos über die angeführten Stipulationen hinaus eine völlige Aufteilung des Ptolemäerreiches vorgesehen haben — mindestens für den Fall, daß sich neue Aspekte ergeben sollte —, so mag für diese zweite Phase eine gemeinsame militärische Aktion vorgesehen worden sein.

Philipps angebliches Finassieren

Jedenfalls haben die antiken Historiker an eine solche Aufteilung geglaubt; und so ist es durchaus berechtigt, daß sie von einem Teilungsvertrag zu Lasten des Ptolemäerreiches sprechen, auch wenn, wie HOLLEAUX[3] zu zeigen versucht hat, Philipps tatsächliche Angriffe in den Jahren 202 und 201 nur zum geringsten Teil ptolemäische Besitzungen betroffen haben sollten.

HOLLEAUX' These ist, daß Philipp im J. 202, als der Vertrag längst geschlossen war, den ptolemäischen Gesandten immer noch hinzuhalten verstanden habe, ja daß man in Alexandreia noch im J. 201, als Philipps Angriff in Kleinasien begann, mit seiner Freundschaft und Unterstützung gerechnet habe. So habe denn auch die Besetzung des ptolemäischen Samos durch Philipp keinen Bruch mit dem Ptolemäerreich hervorgerufen, zumal der Makedone die lediglich aus strategischen Rücksichten okkupierte Insel bald wieder freiwillig geräumt habe. Auch im weiteren Verlauf seines Feldzugs in Kleinasien habe Philipp es peinlich vermieden, ptolemäische Besitzungen anzugreifen. Er habe immer noch mit dem Gedanken gespielt, seinem zukünftigen Schwiegersohn Epiphanes[4] gegen Antiochos zu Hilfe zu kommen, um so einen unerwünschten Machtzuwachs des Seleukiden zu verhindern. Erst als der Krieg mit Rom unvermeidlich schien, habe er diese Rücksichten fallen lassen und Ainos,

---

[1] Die Behauptung E. TÄUBLERS, Die Vorgeschichte des 2. Pun. Krieges (1921) S. 100, die Antike habe den Gedanken der Interessensphäre nicht gekannt, ist unbewiesen.

[2] So richtig K. E. PETZOLD, Gnomon 25 (1953) S. 405 gegen L. DE REGIBUS, La repubblica romana usw. S. 121. Trotzdem ist an einen wirklichen Vertrag (vgl. Polyb. XV 20, 4: συνθήκη; XVI 1, 8—9: κατὰ τὰς συνθήκας), nicht an eine formlose Absprache zu denken.

[3] S. o. S. 239f.    [4] Vgl. Polyb. XV 25, 13 (ἐπιγαμία).

## II. Der Teilungsvertrag

Maroneia und Kypsela besetzt (im J. 200), weil diese Städte von strategischer Bedeutung waren[1].

Diese Interpretation beruht im wesentlichen darauf, daß der ptolemäische Gesandte, Polybios zufolge, über ein Jahr am Makedonenhof geweilt haben muß; nach der herkömmlichen Chronologie also vom Herbst 203 bis mindestens Herbst 202. Nach der oben vorgeschlagenen Chronologie (S. 233ff.) ist der Gesandte jedoch bereits im Frühjahr oder Frühsommer 202 aus Makedonien heimgekehrt, kurz nach Abschluß des Teilungsvertrags, und es ist wahrscheinlich, daß er eine ablehnende Antwort bekommen hat. Was man von Philipp zu erwarten hatte, dürfte man in Alexandreia jedenfalls spätestens erkannt haben, als Antiochos in Koilesyrien und Phoinikien zum Angriff antrat, ohne daß Philipp dagegen auch nur einen Finger rührte (vermutlich Frühj. 202)[2].

So wird man sich in Alexandreia keinen Illusionen über Philipps Absichten hingegeben haben, als er, spätestens im Frühjahr 201[3], Samos besetzte, die dort stationierten ptolemäischen Schiffe beschlagnahmte, soweit sie seetüchtig waren, sie mit seiner Flotte vereinigte und schließlich auch gegen die rhodisch-pergamenische Flotte einsetzte[4]. Man traut den Politikern des Lagidenreichs eine unglaubliche Vertrauensseligkeit zu, wenn man annimmt, sie hätten in Philipps Verhalten keinen feindseligen Akt gesehen[5]. Aber selbst wenn es dem Makedonen gelungen wäre, ihnen weiszumachen, daß er der Flottenbasis bedürfte, um ihnen gegen Antiochos zu Hilfe zu kommen — selbst dann mußte der naivste Höfling des Epiphanes die Täuschung durchschauen, sobald Philipp in Kleinasien eine Provinz zu errichten begann, anstatt das Seleukidenreich zu attackieren.

Überdies hat neuerdings die glückliche Wiederherstellung eines samischen Volksbeschlusses[6] auf dieses Problem neues Licht geworfen. Dann die Inschrift bestätigt nicht nur, daß Samos nach dem makedonischen Zwischenspiel wieder unter ptolemäische Hoheit gekommen ist[7]; sie beweist auch, daß die Befreiung der Insel von der makedonischen

---

[1] Z.B. Rome S. 318 A. 2.

[2] Es ist zu bemerken, daß HOLLEAUX selbst dazu neigt, den Angriff des Antiochos ins Jahr 202 zu datieren!

[3] Es ist keineswegs unmöglich, daß Samos bereits im J. 202 besetzt worden ist, vgl. M. HOLLEAUX, Etudes IV S. 225 A. 4; A. PASSERINI, Athenaeum N. S. 9 (1931) S: 265 u. A. 2.      [4] Vgl. M. HOLLEAUX, Etudes IV S. 233f. 239ff.

[5] Z.B. M. HOLLEAUX, Etudes IV S. 234; 312; Rome S. 290 A. 1; D. MAGIE, JRS 29 (1939) S. 38f.; F. W. WALBANK, Philip V S. 117f.: 'Samos remained technically Egyptian and its occupation was never treated as a hostile act'; 309 A. 2.

[6] Hrsg. v. Chr. HABICHT, Athen. Mitt. 72 (1956, ersch. 1959) S. 233ff. Nr. 64.

[7] Z. 26–28: ἔν τε τῆι ἀποκαταστάσει τῆς πόλεως εἰς τὰ τοῦ βα[σιλέ]ως Πτολεμαίου πράγματα ...

Besatzung unter blutigen Kämpfen vor sich ging. Von einer freiwilligen Räumung kann keine Rede mehr sein; und der Schluß des Herausgebers der Inschrift ist mehr als wahrscheinlich, daß auch die Besetzung der Insel durch Philipp mit Gewalt erfolgt sei, daß es sich um eine 'effektive Annexion' gehandelt und daß die Regierung in Alexandreia darin einen Angriffsakt gesehen habe[1]. Es ist also sehr wahrscheinlich, daß spätestens im Frühjahr 201 zwischen Philipp und Ptolemaios Feindschaft herrschte[2]; und man fragt sich vergebens, was Philipp mit der Schonung der festländischen Besitzungen des Ptolemäerreiches noch hätte bezwecken können.

Die Tatsache bleibt jedoch bestehen, daß unter den Städten, deren Besetzung oder Belagerung durch Philipp verbürgt ist, lediglich Samos eindeutig als ptolemäische Besitzung angesprochen werden kann; oder umgekehrt: daß ein Angriff auf die anderen sicher ptolemäischen Besitzungen: Ephesos, Myndos, Halikarnassos und Kaunos nicht bezeugt ist. Es fragt sich nur, ob unser Wissen umfangreich genug ist, um eindeutige Schlüsse zuzulassen.

Die Antwort kann nur negativ sein. Denn die Quellenzeugnisse sind so spärlich, daß für zahlreiche Städte ptolemäische Herrschaft ebensowenig ausgeschlossen wie behauptet werden kann. Und auf der anderen Seite ist von dem Bericht über Philipps karischen Feldzug so wenig erhalten, daß es unzulässig ist, die Möglichkeit von Angriffen auf Ephesos, Halikarnassos usw. glattweg zu verneinen. Wieviel von dem, was heute als feststehend von Buch zu Buch tradiert zu werden pflegt, beruht auf — keineswegs immer sicheren — Schlüssen! (So ist es z.B. keinesfalls gewiß, daß die Stadt, von deren Belagerung Polyb. XVI 2, 1 die Rede ist, Chios gewesen sein muß[3]. Und daß es sich bei der XVI 11, 1 vergeblich

---

[1] A.a.O. S. 239f. u. A. 109. Anders L. ROBERT bei M. HOLLEAUX, Etudes V S. 448, der an HOLLEAUX' Ansicht, Samos sei ohne Widerstand besetzt worden, festhält. HABICHT bleibt übrigens bei der 'Hauptthese von der Respektierung der ptol. Besitzungen durch Philipp', obwohl diese durch seine Beobachtungen sehr fragwürdig wird.

[2] Die Rückeroberung von Samos läßt sich leider nicht genau datieren; *terminus ante quem* für das samische Dekret ist Ende 197 (vgl. Chr. HABICHT S. 238). Vielleicht wurde die Insel von ptolemäischen Truppen mit rhodischer Hilfe erobert (die gegenteilige Ansicht von E. DEGEN, Krit. Unters. S. 38f., und M. HOLLEAUX, Etudes IV S. 311, ist ungenügend untermauert). — Die Gesandtschaft, die Justin (XXX 2, 8) zufolge die Alexandriner irgendwann nach dem Sturz des Agathokles nach Rom geschickt haben, kann nicht mit der des Ptolemaios, S. d. Agesarchos (Polyb. XV 25, 14) identifiziert werden (so z.B. M. HOLLEAUX, S. 72 A. 2; 290 A. 1). Ich sehe keinen Grund zu bezweifeln, daß die ptolemäische Regierung sich auch über Angriffe Philipps beklagt hat (M. HOLLEAUX S. 290 A. 1). Appian. Syr. 2, 8 darf man nicht gegen Justin ausspielen (M. HOLLEAUX, a.a.O. S. 50 A. 3); die dort erwähnte Gesandtschaft gehört ins Jahr 197 (Eroberung von Kilikien). Wenn die Berichte dieser späten Schriftsteller auch verworren sind, so gibt das noch nicht die Berechtigung, Widersprüche hinwegzueskamotieren.

[3] Zu der Frage vgl. M. HOLLEAUX, Etudes IV S. 226—229 m. d. früheren Lit.

angegriffenen Stadt περὶ τῆς Κνίδου πόλεως handelt, wissen wir nur aus einer Randglosse.) Und wieviel kann ausgefallen sein zwischen den wenigen Bruchstücken, die uns durch den Zufall und durch die Launen der byzantinischen Exzerptoren erhalten geblieben sind, die zusammen aber nur ein paar Teubnerseiten ausmachen[1]! Nein, wir haben kein Recht zu versichern, daß Philipp keinesfalls Ephesos oder Halikarnassos angegriffen hat, und daß er nicht nur wegen der Uneinnehmbarkeit der karischen Felsennestes oder der starken Besatzung in der ionischen Stadt den Versuch aufgegeben hat, wie bei Knidos oder Chios (falls es sich um diese Stadt handelte)!

Eines ist freilich sicher: daß es Philipp nicht darauf ankam, ptolemäische Besitzungen zu erobern, ebensowenig wie das in den vorhergehenden Jahren (204—203) das Ziel der kleinasiatischen Unternehmung des Antiochos war. Was Philipp erstrebte, war die Eroberung kleinasiatischer Territorien, wem immer sie gehören mochten[2]. Sollte er wirklich dabei die eine oder andere ptolemäische Besitzungen vorläufig geschont haben, dann brauchen die Gründe dafür nicht politischer Art gewesen zu sein; Philipps Verhalten kann durch militärische Zweckmäßigkeit oder Notwendigkeit bedingt worden sein.

Bekanntwerden des Vertrags

Wie sind Abschluß und Inhalt des Vertrags bekannt geworden und in die Geschichtsschreibung eingegangen?

Es ist allerdings kaum anzunehmen, daß die beiden Partner den Vertrag sofort publizierten; und wenn auch nach dem Angriff aufs Ptolemäerreich wohl kein Anlaß mehr bestand, die Tatsache des Abkommens zu leugnen, so dürften doch mindestens die Stipulationen zunächst noch geheim geblieben sein[3]. Das bedeutet aber nicht, daß die Bedingungen lediglich ein Produkt der Phantasie der rhodischen[4] oder pergamenischen

---

[1] Umso höher ist die Leistung M. HOLLEAUX' zu bewerten, der als erster in diese Dinge Ordnung gebracht hat.

[2] Wenn ich recht verstehe, wollte auch M. HOLLEAUX in seiner unvollendeten Studie (Etudes IV S. 334) auf diese Lösung hinaus.

[3] Allerdings erweckt Appian. Mak. 4 den Eindruck, als seien bereits die Bedingungen bekannt gewesen, als die Rhodier die Römer vom Teilungsvertrag in Kenntnis setzen. Doch können die Stipulationen, obgleich erst später bekannt geworden, in diesem gerafften Bericht schon in die rhodische Nachricht übernommen worden sein.

[4] P. PÉDECH, REA (1958) S. 242, hält die von Liv. XXXI 2, 1 und Appian. Mak. 4, 2 überlieferte Nachricht von einer rhodischen Gesandtschaft für eine annalistische Erfindung, jedoch ohne zureichenden Grund. Abgesehen davon, daß man nicht jede annalistische Nachricht für Schwindel ansehen sollte, nur weil in den zufällig erhaltenen Bruchstücken des polybianischen Werks keine Parallele zu finden ist, kann man aus dem Versuch

260   Der Geheimvertrag zwischen Philipp V. und Antiochos III.

Gesandten oder der späteren Historiker sein müssen. Die Informationen können von makedonischen oder syrischen Diplomaten stammen; es kann sich um Indiskretionen von Höflingen handeln, die sich mit ihrem Souverän überworfen hatten. Jedenfalls besteht kein Anlaß, die überlieferten Vertragsbedingungen auf Grund einer anfänglichen Geheimhaltung zu bezweifeln.

Zusammenfassung

Es hat also wohl nicht Antiochos, sondern Philipp die Initiative ergriffen und sich in erpresserischer Weise, um den Preis seiner Neutralität, bedeutende Konzessionen erzwungen. Mit dieser Erklärung des Zustandekommens des Vertrags fügen sich auch die folgenden Entwicklungen zu einem sinnvollen Ganzen zusammen.

Die hochgesteckten Pläne, die (wie ich glaube, auf Philipps Betreiben hin) im Vertrag niedergelegt worden sein sollen, sind nie ausgeführt worden. Antiochos brauchte fünf Jahre (202—198), um die südsyrischen Provinzen völlig unter seine Herrschaft zu bringen. Und Philipps Offensive in Kleinasien lief sich sehr bald fest, da sich ihm, womit er wohl nicht gerechnet hatte, Attalos und die Rhodier entgegenstellten (201 v. Chr.). Philipps wütender Einfall ins pergamenische Reich stieß ins Leere; bald zwang der Mangel den König, Antiochos' Statthalter um Hilfe zu bitten. Hätte Zeuxis dem Makedonen das Verlangte gewährt, hätte er ihm gar Hilfstruppen geschickt, so wäre wohl die Eroberung des Reichs von Pergamon nur eine Frage der Zeit gewesen. Aber nun zeigte sich, daß Philipps Rechnung von Anfang an einen Fehler enthalten hatte: Philipp hatte nicht damit gerechnet, daß der Erpreßte sich rächen würde. Denn Zeuxis, der hier zweifellos nur die Politik seines Königs ausführte, dachte gar nicht daran, den Erpresser zu unterstützen. Mochten Philipp und Attalos einander aufreiben — der lachende Dritte würde letzten Endes Antiochos sein!

Freilich, noch bestand der unbequeme Vertrag, und Antiochos hielt es zunächst für richtig, ihn einzuhalten — ob aus Berechnung oder aus Redlichkeit, ist nicht auszumachen. Der Schein blieb jedenfalls gewahrt; man antwortete dem 'Verbündeten' höflich, zögerte aber offenbar die Hilfeleistung so lange wie möglich hinaus. Als im Winter die Not des Makedonenheeres so groß geworden war, daß man eine Verzweiflungstat Philipps befürchten mußte, ließ sich Zeuxis endlich zu einigen Lieferungen herbei.

des Achäerbundes, zwischen Philipp und den Rhodiern Frieden herzustellen (Polyb. XVI 35, 1; Sommer 200), nicht den Beweis herleiten, daß die Rhodier nicht im Vorjahr in Rom vorstellig geworden seien.

## I. Der Teilungsvertrag

Im folgenden Jahr (200) verlagerte sich das Kriegsgeschehen an die Meerengen und nach Griechenland; die römische Intervention zwang Philipp, den Nebenkriegsschauplatz in Karien zu vernachlässigen. Sein dortiges Expeditionskorps blieb in jahrelangen Kämpfen mit den Rhodiern gebunden. Antiochos wurde so durch Einwirkung von außen her von seinem unerwünschten Vertragspartner, besser: Rivalen befreit. Zug um Zug eroberte er die syrischen Provinzen des Ptolemäerreiches; und erst als er dieses Ziel erreicht hatte, machte er sich an die Unterwerfung der Küstenzonen Kleinasiens (197 v. Chr.), nachdem er anscheinend bereits 198, im letzten Jahr des syrischen Feldzugs, die östlichen Provinzen des pergamenischen Reichs hatte besetzen lassen (s. u. Kap. V).

Inzwischen war Philipps Lage in Griechenland immer ungünstiger geworden. Aber Antiochos dachte gar nicht daran, ihm Hilfe zu schicken; nicht nur, weil der Vertrag ihn vermutlich nicht zur Unterstützung verpflichtete, sondern vor allem, weil Philipps Konflikt mit Rom ja nur in seinem — des Antiochos — Interesse liegen konnte.

Wenige Monate nach dem Beginn der syrischen Offensive in Südkleinasien machte der römische Sieg bei Kynoskephalai jeden Gedanken an eine Kleinasienpolitik des Makedonenkönigs illusorisch. Von Philipp war vorläufig keine Vergeltung zu befürchten; und so konnte Antiochos die letzten Fesseln, die der erzwungene Vertrag ihm auferlegte, zerreißen und sich in den Besitz der Region setzen, auf die er einige Jahre zuvor unter dem Druck der makedonischen Drohung hatte verzichten müssen.

In einem einzigen Jahr (197) besetzte der Seleukide fast alle ptolemäischen Stützpunkte und freien Griechenstädte, die die Süd- und Westküste Kleinasiens säumten. Philipps Truppen mußten Karien räumen. Und im folgenden Jahr konnte Antiochos sein Heer bereits auf das europäische Festland übersetzen und seine Hand auf Thrakien legen, wo ihm Philipp seine 'ererbten' Rechte nicht mehr streitig machen konnte (196 v. Chr.). Im gleichen Jahr bahnte sich zwischen Antiochos und Ptolemaios eine Verständigung an. Epiphanes trat schließlich die Außenbesitzungen seines Reichs in Syrien und Kleinasien, die Antiochos bereits erobert hatte, auch formell ab.

So hatte der Seleukide alles erreicht, was er von Anfang an erstrebt hatte; und es war, dank der römischen Intervention, als ob der Vertrag nie existiert hätte, der ihn zur Teilung der Beute gezwungen hatte.

Es war ein Vertrag zwischen zwei Räubern gewesen. Der eine hatte die günstige Gelegenheit erkundet, der andere ihn unter Androhung von Gewalt gezwungen, noch vor der Tat einen Teil der Beute zuzugestehen; als er selbst aber ins Gedränge kam, konnte er nicht hoffen, von seinem erpreßten Spießgesellen herausgehauen zu werden, der so nach vollbrachter Tat die Beute allein einstreichen konnte.

5. KAPITEL

# DIE EROBERUNG WESTKLEINASIENS

## I. DER TERRITORIALBESITZ DES ATTALOS I. VOR 198 V. CHR.

Attalos I. hatte nach seinen Siegen über Antiochos Hierax und die Galater den größten Teil der cistaurischen Territorien des Seleukidenreiches besetzt. Wenige Jahre darauf, etwa 223—222 v. Chr., gingen alle diese Eroberungen wieder verloren; Achaios gewann in raschem Angriff die Provinzen zurück und konnte Attalos sogar in dessen Hauptstadt Pergamon einschließen[1].

### Der Zug des Attalos im J. 218

Um 220 v. Chr. scheint zwischen Attalos und Achaios Friede bestanden zu haben[2]. Als Achaios aber im J. 218 gegen die Städte Pisidiens und Pamphyliens zog[3], gelang es dem pergamenischen König, einen Teil der 223—222 verloren gegangenen Städte und Territorien zurückzugewinnen.

Der Zug des Attalos ist nach den recht genauen Angaben des Polybios einigermaßen präzise festzulegen[4]. Der König brachte die äolischen

---

[1] Vgl. dazu o. S. 161. [S. Nachtrag!]

[2] Damals baten die Byzantier Attalos um Hilfe gegen die Rhodier (zum Meerengenkonflikt vgl. o. S. 166); Attalos war auch 'an sich bereit zu helfen, war aber damals ziemlich machtlos, weil Achaios ihn auf sein Stammland zurückgedrängt hatte' (Polyb. IV 48, 1f.). Jedenfalls kann Attalos damals nicht von Achaios bedrängt worden sein, sonst hätten die Byzantier nicht mit seiner Hilfe rechnen können. Zudem baten sie anscheinend gleichzeitig Achaios um Unterstützung (IV 48, 1. 3ff.); das wäre unklug gewesen, wenn die beiden noch miteinander im Krieg gelegen hätten. 'Allied with Byzantium against Rhodes' (WALBANK, Comm. I S. 601) waren die beiden allerdings nicht.

[3] Polyb. V 72—76; vgl. P. MELONI, Acheo II S. 161—166; o. S. 168.

[4] Polyb. V 77—78. S. bes. M. HOLLEAUX, Etudes II S. 17ff.; L. ROBERT, Études anatoliennes (1937) S. 184ff., der die Topographie m. E. völlig geklärt hat; vgl. F. W. WALBANK, Comm. I S. 601—607. Zweifel an einigen Ansätzen ROBERTS bei E. V. HANSEN, The Attalids of Pergamon (1947) S. 43 Anm.; D. MAGIE, Roman Rule II S. 742 A. 30. Unzutreffend sind die Aufstellungen bei P. MELONI, Acheo II S. 166ff., soweit sie von denen L. ROBERTS abweichen (vgl. MELONIS Karte Nr. 2 auf S. 173). S. 169f. tritt MELONI auf Grund von ἐπεπορεύετο (Polyb. V 77, 2) dafür ein, daß Attalos bis Kolophon gezogen sei.

## I. Der Territorialbesitz des Attalos I. vor 198 v. Chr.

Städte Kyme, Myrina, Phokaia, Aigai und Temnos in seine Gewalt; Teos, Kolophon und Smyrna erklärten ihren Anschluß. Hierauf überwand er die Pässe nördlich von Thyateira und gewann Mysien bis zum Granikos im Norden und zum Makestos im Osten. Eine Meuterei seiner galatischen Söldner zwang ihn am Makestos zur Umkehr; Attalos siedelte die Galater am Hellespont an, nahm die Loyalitätserklärung der Städte Lampsakos, Ilion und Alexandreia in der Troas entgegen und kehrte in seine Hauptstadt zurück.

Attalos hatte damit Mysien, die Aiolis und die Troas, d. h. praktisch die ganze Nordwestecke Kleinasiens bis zum Makestos wieder in seinen Besitz oder mindestens in ein Abhängigkeitsverhältnis gebracht[1].

Wieder zog Achaios gegen ihn (218 v. Chr.): παραγενόμενος εἰς Σάρδεις ἐπολέμει μὲν Ἀττάλῳ συνεχῶς, ἀνετείνετο δὲ Προυσίᾳ, πᾶσι δ' ἦν φοβερὸς καὶ βαρὺς τοῖς ἐπὶ τάδε τοῦ Ταύρου κατοικοῦσι (V 77, 1). Inwieweit Attalos die neu eroberten Territorien gegen die Angriffe des Usurpators in den Jahren 218—216 behaupten konnte, ist unbekannt. Jedenfalls scheint Achaios dem Pergamener erheblich zugesetzt zu haben[2]; denn als bald darauf die Galater von ihren neuen Sitzen aus die Griechenstädte am Hellespont und in der Troas beunruhigten, brachte Attalos ihnen keine Unterstützung; die Griechen waren auf Selbsthilfe angewiesen, bis (im J. 216) Prusias I. von Bithynien die Galater in einer großen Schlacht im Raum von Abydos (?) fast völlig aufreiben konnte[3]. Daraus ist allerdings nicht ohne weiteres zu schließen, daß Achaios oder Prusias dem pergamenischen König Mysien abgenommen hätten. Auch

---

Es dürfte sich eher um ein *imperf. de conatu* als um ein histor. Imperfekt handeln. Kolophon und Smyrna haben sich dem König durch Gesandtschaften angeschlossen (77, 5); er ist also offenbar nicht bis zu diesen Städten vorgedrungen. Es ist daher nicht nötig, statt τὸν Λύκον (§ 7) τὸν Καΐκον zu lesen (Lit. bei MELONI S. 170 A. 1), und Attalos auf seiner eigenen Spur nach Norden zurückziehen zu lassen (vgl. MELONIS Karte). Ebensowenig muß man annehmen, Attalos habe persönlich Lampsakos, Ilion und Alexandreia aufgesucht (MELONIS Karte); die Verhandlungen mit diesen Städten (78, 6: χρηματίσας) können durch Gesandte erfolgt sein, die der König in der hellespontischen Region empfing. — Die Städte wurden 'auf der Grundlage der früheren Verträge aufgenommen' (77, 6); auf das rechtliche Verhältnis der Städte zu Attalos kann ich hier nicht eingehen; zu den m. E. unrichtigen Ansichten D. MAGIES (Roman Rule II S. 958f.) und F. W. WALBANKS (Comm. I S. 604) vgl. L. ROBERT, La Carie II S. 297f.

[1] Ob sein Einfluß im hellespontischen Phrygien bedeutend war, ist fraglich.

[2] Vgl. dazu Chr. HABICHT, RE XXIII 1 (1957) Sp. 1091f. mit der früheren Literatur.

[3] Polyb. V 111, 1—7. Die Züge der Galater dürften kurz nach ihrer Ansiedlung, vielleicht bereits im J. 218, sicher aber 217 begonnen haben. P. MELONI, S. 176 A. 2; 178 nimmt an, Attalos habe Prusias geholfen; dafür gibt es freilich keinen Anhaltspunkt. Daß Prusias im Einvernehmen mit Attalos vorgegangen ist (B. NIESE II S. 393), ist allerdings möglich. Die Lokalisierung der Schlacht bei Abydos ist nicht sicher; jedenfalls befand sich in diesem Raum (bei Arisbe, nordöstlich von Abydos) der Stützpunkt der Marodeure (V 111, 5).

Achaios war mit den Kämpfen gegen Attalos zu stark beschäftigt, um den Griechen zu Hilfe zu kommen; er hatte vielleicht auch kein Interesse daran, weil die Städte sich im J. 218 dem Attalos angeschlossen hatten: falls er eine Unterstützung des Attalos durch die Städte befürchten mußte, kamen ihm die galatischen Angriffe sogar gelegen. Und Prusias scheint nur auf dem Zug gegen die barbarischen Unruhestifter so weit nach Westen vorgestoßen zu sein. Mysien war vermutlich in diesen Jahren bis zu einem gewissen Grade Niemandsland, politisches Vakuum, auf das Attalos zwar seine Ansprüche aufrecht erhielt, ohne sie aber im Augenblick durchsetzen zu können. Es ist jedenfalls wahrscheinlich, daß Attalos während der Kämpfe mit Achaios in einem großen Teil der im J. 218 gewonnenen Städte und Landschaften seine Herrschaft nicht geltend machen konnte.

## Die κοινοπραγία des J. 216 v. Chr.

Im Frühsommer des J. 216, etwa um die gleiche Zeit, als Prusias am Hellespont die Galater vernichtete, führte Antiochos III. sein Heer über die Tauruspässe und eröffnete den Kampf gegen Achaios, 'nachdem er mit König Attalos einen Vertrag über gemeinsames Vorgehen abgeschlossen hatte' (συνθέμενος πρὸς Ἄτταλον τὸν βασιλέα κοινοπραγίαν)[1].

Vom Inhalt dieses Übereinkommens ist nicht mehr als dies, von seiner Ausführung überhaupt nichts bekannt, da die Bücher des polybianischen Werks, in denen vom Krieg gegen Achaios die Rede war, fast völlig verloren sind. Bei diesem Zustand der Quellen ist es kaum erlaubt, eine Beteiligung des Attalos am Kampf zu leugnen und infolgedessen anzunehmen, daß das Abkommen keine Zugeständnisse an den pergamenischen König enthalten habe[2]. Polybios spricht von der Vereinbarung der beiden Könige und dem Beginn des Krieges gegen Achaios in einem

---

[1] Polyb. V 107, 4. Κοινοπραγία ist kein *terminus technicus* der Vertragssprache; das Wort bedeutet 'gemeinsames (meist militärisches) Vorgehen, Hilfeleistung' (vgl. z.B. Polyb. V 95, 2; XXV 6, 3; XXX 7, 9); Verhandlungen über κοινοπραγία haben daher oft Bündnisse zum Ergebnis oder mindestens zum Ziel (vgl. Polyb. VII 2, 2; IX 37, 4 [vgl. 37, 2!]; XXIX 3, 3; 4, 5; dazu Diod. XI 1, 4; XV 8, 4; Plut. Per. 17, 3). An unserer Stelle ist der Vertragscharakter durch συνθέμενος eindeutig bezeichnet (vgl. Diod. XVIII 9, 5; 11, 1; XXXII 9c). — Zur Datierung: τῆς θερείας ἐπιγενομένης. Prusias' Zug gegen die Galater fand etwa gleichzeitig (vgl. V 111, 1) mit Philipps erfolgreicher Flottenexpedition ins Ionische Meer statt; diese begann, als Antiochos den Taurus überschritt (V 109, 4f.) und endete um die Zeit von Cannae (110, 10), also etwa im Juni 216. Prusias bekämpfte die Galater also, als Antiochos gerade erst nach Überquerung des Taurus zum Kampf gegen Achaios antrat (vgl. B. Niese II S. 393 u. A. 1: 'kurz nach der Ankunft des Antiochos'); unrichtig G. Cardinali, Il regno di Pergamo (1906) S. 83 A. 2, der die Galaterschlacht in den Sommer 216, offenbar erst nach dem Abschluß der κοινοπραγία ansetzt.

[2] So z.B. F. Stähelin, Gesch. d. kleinasiat. Galater (²1907) S. 37f.; A. Bouché-Leclercq, Lagides I 317 A. 2 (vgl. Séleucides I S. 154); vgl. O. Leuze, Hermes 58 (1923) S. 191 A. 1.

einzigen Satz im Rahmen der letzten Kapitel des V. Buches, in denen er die Weltlage im Jahre 216 skizziert; wäre das Abkommen bedeutungslos geblieben, so hätte er es wohl in dieser gedrängten Darstellung übergangen.

Man wird also annehmen dürfen, daß Attalos zum Kampf gegen den gemeinsamen Gegner einen gewissen Beitrag geleistet hat, der sicher über Lieferung von Getreide und finanzielle Unterstützung hinausgegangen ist. Im Frieden von Apameia wurde Antiochos auferlegt, dem Eumenes 400 Talente und eine größere Menge Getreides κατὰ τὰς πρὸς τὸν πατέρα (= Attalos I.) συνθήκας zu geben[1]. Man hat in diesen συνθῆκαι den Vertrag von 216 sehen wollen[2]; doch ist kaum anzunehmen, daß der Seleukide noch nach fast drei Jahrzehnten die vergleichsweise niedrige Summe schuldig geblieben wäre[3]. Jedenfalls deutet die Wichtigkeit, die Polybios offenbar der κοινοπραγία beigemessen hat, darauf hin, daß mit militärischem Zuzug oder mindestens mit parallelen militärischen Unternehmungen zu rechnen ist, für die Attalos sich gewisse Konzessionen ausbedungen haben mag.

Einige Dokumente zeigen denn auch, daß die Herrschaft oder mindestens der Einfluß des pergamenischen Königs nach 216 über die Grenzen des alten Reichs hinausgereicht haben. So scheint Attalos I. noch im J. 201 über das ehemals seleukidische Thyateira geherrscht zu haben[4]; und in den letzten Jahren des Attalos I. (gestorben Herbst 197) beweist eine Ehreninschrift für seinen Sohn Athenaios in Kolophon am Meer (Notion), daß die Oberhoheit der Pergameners weit nach Ionien hinein reichte[5]. Es ist unwahrscheinlich, daß Attalos sein Reich zwischen dem Krieg gegen Achaios und dem II. Makedonischen Krieg auf Kosten des

---

[1] Polyb. XXI 17, 6 = Liv. XXXVII 45, 15; Polyb. XXI 43,20f. = Liv. XXXVIII 38, 14; Appian. Syr. 38, 199.

[2] So B. NIESE II S. 392 A. 2; O. LEUZE, a.a.O. und andere.

[3] Bedenken bereits bei G. CARDINALI, a.a.O. S. 48 A. 4; Ernst MEYER, Grenzen S. 103.

[4] Vgl. L. ROBERT, Villes d'Asie Mineure ([1]1935; [2]1962) S. 38 zu Polyb. XVI 1. L. ROBERT hatte in der ersten Auflage S. 37ff., aus den datierten Cistophoren mit der Aufschrift Βα(σιλέως) Εὐ(μένους) die Folgerung gezogen, Thyateira und Apollonis seien noch 196 bzw. 195 v. Chr. pergamenisch gewesen; die Münzen sind aber mit größter Wahrscheinlichkeit Eumenes III. (= Aristonikos) zuzuteilen; vgl. E. S. G. ROBINSON, Num. Chron. 1954, S. 1ff.; L. ROBERT, a.a.O. 2. Aufl. S. 252ff. Vgl. u. S. 273 A. 3.

[5] M. HOLLEAUX, Etudes II S. 51ff.; bes. 59f.; vgl. Ernst MEYER, Grenzen S. 104. Contra D. MAGIE, Roman Rule II S. 941. Nach M. HOLLEAUX, Etudes II S. 96 A. 2, ist auch Teos bis 201 v. Chr. pergamenisch gewesen; leider läßt sich die Inschrift SEG II 580, auf die sich diese Ansicht stützt, nicht genau datieren. Die teischen Gesandten, die in Kreta um die Erteilung der Asylie baten, wurden durch Gesandte Philipps V. bzw. Antiochos' III. begleitet; mit Recht folgert daraus W. RUGE, RE V A 1 (1934) Sp. 549, daß Teos damals (Ende des III. Jh.) nicht mehr pergamenisch war; RUGES Schluß, daß Antiochos der Herr von Teos gewesen sei, ist jedoch unbegründet.

Seleukidenstaates ausdehnen konnte[1]; so dürfte diese Herrschaftserweiterung nach dem zweiten Rückschlag durch Achaios (218–216) eine Frucht der Waffenbrüderschaft mit Antiochos gewesen sein. Man hat deswegen seit langem angenommen, daß der Seleukide im Abkommen des J. 216 Attalos den territorialen Status nach dem Feldzug des J. 218 zugestanden und die Abmachungen mit den Städten in der Troas, der Aiolis und in Ionien bestätigt habe[2]. Fraglich bleibt lediglich, ob Attalos auch die Gebiete im Landesinneren, die er 218 vorübergehend unterworfen hatte, also Mysien bis zum Makestos und die benachbarten Territorien wiedergewinnen konnte[3].

Diese Frage scheint jetzt endgültig positiv beantwortet zu sein. Eine Inschrift aus Aizanoi in der Gegend des oberen Rhyndakos bezeugt, daß dort nacheinander Attalos I. und Prusias I. geherrscht haben[4]; damit bestätigt sich die seit langem angenommene Gleichsetzung der Landschaft am oberen Sangarios und Rhyndakos, der späteren 'Phrygia epiktetos', mit *Mysia, quam Prusia rex ademerat*[5], das der Friede von Apameia dem Eumenes II. zusprach[6]. Wieder ist zu sagen, daß wohl nur

---

[1] Freundschaftliche Beziehungen zwischen Antiochos III. und Pergamon bezeugen die pergamenischen Ehreninschriften für den König und seinen Vizekönig Zeuxis (OGI 240; 236). Wenn in OGI 240, 1 richtig Βασιλέ[α μέγαν] ergänzt ist, muß die Inschrift nach 205/4 gesetzt sein (vgl. o. S. 92). DITTENBERGERS Datierung von OGI 236 nach Apameia (vgl. OGI 235 A. 2) ist sehr unwahrscheinlich.

[2] So z.B. B. NIESE II S. 392; 642; P. GHIONE, I comuni del regno di Pergamo. Mem. Acc. Torino, cl. sc. morali ecc., ser. II 55 (1905) S. 68f.; G. CARDINALI a.a.O. S. 81ff.; Ernst MEYER, Grenzen S. 103ff.; E. V. HANSEN, a.a.O. S. 43. Territoriale Zugeständnisse an Attalos werden völlig abgelehnt von F. STÄHELIN, a.a.O. S. 37f.; vgl. O. LEUZE, a.a.O. S. 191 A. 1. Nichts bei F. W. WALBANK, Comm. I zu V 107, 4.

[3] Verneint von Ernst MEYER, Grenzen S. 104.

[4] Bullettino del Museo dell'Impero Romano 9 (1938) S. 44 ff. (Année epigr. 1940 Nr. 44); dazu J. u. L. ROBERT, Bull. ép. 1941, Nr. 137; D. MAGIE, Roman Rule II S. 1018 A. 64; T. R. S. BROUGHTON, in: Stud. in Roman Econ. and Soc. Hist. in Honour of A. Chr. JOHNSON (1951) S. 236ff.; bes. 247ff.; vor allem Chr. HABICHT, Hermes 84 (1956) S. 93 ff., dessen Ausführungen im wesentlichen als zutreffend zu übernehmen sind. Einiges ist allerdings nicht so eindeutig, wie HABICHT meint; so geht aus der Inschrift nicht ohne weiteres hervor, daß die beiden Könige unmittelbar nacheinander dort geherrscht haben. Kaiser Hadrian sagt in der Inschrift: '...*fines Iovi c[rea?]tori civitati Aezanitarum datos [a]b Attalo et Prusia regibus restitu[e]bam ... sicut Prusias rex egerat*'. Hadrian bezieht sich also auf die Dokumente über die offenbar voneinander abweichenden Grenzziehungen durch die beiden Könige und entscheidet nach der des Prusias, offenbar der jüngeren (daß hier die bei den Griechen nicht unübliche umgekehrte Reihenfolge gewählt worden wäre, braucht man nicht anzunehmen). Das schließt nicht ohne weiteres die Möglichkeit aus, daß zwischen Attalos und Prusias das Land unabhängig oder seleukidisch war (so aber HABICHT S. 93 A. 3). Gegen eine solche Annahme sprechen lediglich andere, allerdings zwingende historische Gründe (vgl. HABICHT S. 94f.).

[5] Liv. XXXVIII 39, 15; vgl. Polyb. XXI 46, 10 (korrupt).

[6] Näheres bei Chr. HABICHT, a.a.O. S. 92.

der Krieg gegen Achaios dem Attalos Gelegenheit geboten haben kann, diese weit östlich vom Kernland seines Reichs gelegene Landschaft (und natürlich auch die westlich des Makestos liegenden Regionen Mysiens) zu erobern. Sie scheint bis in die ersten Jahre des II. Jhdts. pergamenisch geblieben, dann aber von dem bithynischen König okkupiert worden zu sein[1].

Der gemeinsame Krieg gegen den Usurpator gab Attalos also offenbar die Möglichkeit, sein Reichsgebiet bedeutend zu erweitern. Die Südgrenze des Territoriums, über das der pergamenische König gebot, verlief etwa von der Hermos-Mündung bis zum oberen Sangarios; weiter südlich befanden sich wahrscheinlich Smyrna, Teos und die beiden Kolophon in Abhängigkeit vom pergamenischen Reich. Im Norden ist die Abgrenzung schwer zu bestimmen; immerhin ist es nicht unwahrscheinlich, daß Attalos wenigstens zeitweilig auch Mysia Olympene und das hellespontische Phrygien beherrscht hat. Lampsakos, Ilion und Alexandreia in der Troas dürften auch nach 216 'Verbündete', d.h. Vasallen des Pergameners geblieben sein.

Eines der Resultate des gemeinsamen Kampfes der beiden Herrscher gegen Achaios war also, daß ein breiter Streifen pergamenischen Territoriums die kleinasiatischen Provinzen des Seleukidenreichs vom Hellespont und der Propontis trennte.

Es fragt sich nur, ob diese weitgehende Gebietsvergrößerung des pergamenischen Reiches im Vertrag von 216 festgelegt war, oder ob sich nicht Attalos über die vertraglich vereinbarten Zugeständnisse hinaus weitere Gebiete angeeignet hat, während Antiochos mit der Niederwerfung des Achaios beschäftigt war. Wir kennen die Kräfteverhältnisse kaum, wissen also nicht, inwieweit Antiochos auf die Unterstützung durch Attalos angewiesen war und inwieweit er einen Frontwechsel des Pergameners zu fürchten hatte. Lassen wir also die Frage vorerst auf sich beruhen.

## II. DER EINBRUCH INS PERGAMENISCHE REICH IM JAHRE 198 V. CHR.

### Antiochos und Kleinasien 213–199 v. Chr.

Im Jahre 213 gelang es Antiochos nach dreijährigem Kampf, Achaios gefangen zu nehmen. Schon vorher, seit der Einschließung des Gegners

---

[1] Vgl. Chr. HABICHT, S. 93 f. Näheres s. u. S. 276 ff. Daß Attalos seine Herrschaft so weit nach Osten ausdehnen konnte, ist bereits von U. PEDROLI, Il regno di Pergamo (1896) S. 30 ff. und von P. GHIONE (s. o. S. 266 A. 2) S. 69 angenommen worden (gegen PEDROLI vgl. G. CARDINALI a.a.O. S. 81 ff.). Weit übertrieben H. GAEBLER, Erythrä (Diss. Leipzig 1892) S. 54, demzufolge Attalos 'den größten Teil von Kleinasien' zurückerhalten habe.

in Sardes[1], dürfte er seine Herrschaft in Lydien und Phrygien wieder aufgerichtet haben. Auch Pamphylien, das der Usurpator sich im J. 218 wenigstens teilweise botmäßig gemacht hatte, scheint damals dem Antiochos untertan geworden zu sein (s. u. S. 279). Inwieweit es ihm gelang, seinem Regiment auch in Pisidien, Lykaonien und im Innern Kilikiens Geltung zu verschaffen, ist nicht zu bestimmen; gegen Pisidien hat er im J. 193 einen Feldzug unternommen[2]; es kann sich dabei freilich um einen neuerlichen Aufstand nach langjähriger seleukidischer Besetzung handeln.

Ein großer Teil der kleinasiatischen Provinzen, die seit dem Abfall des Antiochos Hierax dem Reich verloren gewesen waren, war so wiedergewonnen worden. In den folgenden Jahren (212—205/4) war der König damit beschäftigt, die Anerkennung seiner Oberhoheit in den Oberen Satrapien des Riesenreichs durchzusetzen. Die kleinasiatischen Territorien des Reiches wurden wohl schon während dieser Jahre von dem Vizekönig Zeuxis verwaltet, der in Sardes residierte (s. o. S. 238). Von den Zuständen in Anatolien in diesen Jahren wissen wir fast nichts; doch ist anzunehmen, daß der Statthalter sich im wesentlichen mit der Konsolidierung der Reichsmacht in den eben erst wiedergewonnenen Bezirken begnügen mußte, zumal der König wohl einen großen Teil des Heeres nach dem Iran geführt hatte. Zeuxis mag freilich damals schon im Auftrag seines Herrn versucht haben, den königlichen Einfluß auf die Städte in den Küstenzonen Kleinasiens durch Gesandtschaften, Erteilung von Privilegien und in einzelnen Fällen vielleicht auch durch Gewaltanwendung zu verstärken.

Mit der Rückkehr des Königs aus dem Osten begann eine kurze Periode großer Aktivität in Kleinasien (204—203), von der einige Inschriften Zeugnis ablegen (s. o. S. 245f.); doch beschränkte sich die Eroberungstätigkeit wohl auf den Südwesten der Halbinsel, da mit Attalos offenbar noch gute Beziehungen bestanden[3]. Der Teilungsvertrag mit Philipp von Makedonien[4] setzte dem Intermezzo ein rasches Ende; seit 202 v. Chr. kämpfte Antiochos um den Besitz Südsyriens, und erst im Herbst 198 konnte er die Eroberung dieser Landschaft als abgeschlossen betrachten[5]. Im Frühling dieses Jahres 198 hören wir zum ersten Mal wieder von einer Unternehmung in Kleinasien.

---

[1] Seit etwa 216/5; vgl. P. MELONI, Acheo II S. 178ff. Reste des polybianischen Berichts: Achaios verliert Sardes und wird in der Zitadelle eingeschlossen (VII 15—18); Gefangennahme und Hinrichtung (VIII 15—21).

[2] Liv. XXXV 13, 5; 14, 1; 15, 7.

[3] S. o. S. 266 A. 1.

[4] S. o. Kap. IV.

[5] Liv. XXXIII 19, 8 zu J. 197: ... *priore aestate omnibus, quae in Coele Syria sunt, civitatibus ex Ptolemaei dicione in suam potestatem redactis...*

Der Einbruch ins pergamenische Reich im J. 198 v. Chr.

Livius erzählt nach dem Bericht über den Amtsantritt der Konsuln von 198 und über den Beginn neuer Aushebungen[1] folgendes: Die Konsuln führten Gesandte des Attalos in den Senat. Der pergamenische König ließ mitteilen, er könne wahrscheinlich nicht mehr, wie in den vorhergegangenen Jahren, den Römern gegen Philipp beistehen; *vacuum namque praesidiis navalibus terrestribusque regnum Attali Antiochum invasisse.* Attalos bat daher die Römer, entweder Hilfstruppen ins pergamenische Reich zu schicken oder ihn mit seiner Flotte und seinen Landtruppen in sein Reich zurückzukehren zu lassen. Der Senat antwortete, er könne keine Truppen gegen Antiochos entsenden, da der syrische König *socius et amicus populi Romani* sei; er wolle aber die Hilfe des Attalos nicht beanspruchen, wenn es mit dessen Interessen nicht vereinbar sei. Er werde ferner Gesandte an Antiochos senden und ihn bitten, von Angriffen auf das Reich des Attalos Abstand zu nehmen (XXXII 8, 9–16).

Unter den italischen Ereignissen des Jahres 198 führt Livius weiterhin eine Gesandtschaft des Attalos auf, die einen goldenen Kranz von 246 *pondo* Gewicht im Kapitol niederlegte und dem Senat Dank sagte, *quod Antiochus legatorum Romanorum auctoritate motus finibus Attalis exercitum deduxisset* (XXXII 27, 1).

Diese Nachrichten stammen aus einer annalistischen Quelle[2]. Aus polybianischer Überlieferung ist über diesen Einbruch syrischer Truppen nichts erhalten; das XVII. Buch des Polybios, das die Jahre 200/199 und 199/198 umfaßte, ist gänzlich verloren, und Livius hat die asiatischen Ereignisse erst vom Jahre 197 ab aus Polybios in seinen Bericht eingereiht[3]. Es ist also nicht möglich, die annalistische Nachricht zu kontrollieren.

Während H. Nissen[4] annahm, daß hier 'eine alte und gute Nachricht zugrunde' liege, betrachteten B. Niese[5] und M. Holleaux[6] die Invasion des Antiochos und die römische Gesandtschaft an den syrischen König als eine Erfindung der Annalisten, die damit zeigen wollten, wie sehr sich die Römer um ihren Verbündeten gekümmert und welchen Eindruck die römischen Vorstellungen damals noch auf Antiochos gemacht hätten.

---

[1] XXXII 8, 1–8.   [2] H. Nissen, Krit. Unters. S. 134.
[3] Vgl. O. Leuze, Hermes 58 (1923) S. 200.   [4] a.a.O.   [5] II S. 607 A. 4.
[6] Etudes III S. 331 ff. (erschn. 1908) ließ Holleaux noch die Möglichkeit einer Fehldatierung offen. Etudes V S. 159 A. 4; 175 A. 3 (erschn. 1913) wird die annalistische Nachricht völlig abgelehnt; ebenso von E. Degen, Krit. Ausf. S. 42; G. de Sanctis, St. d. R. IV 1, S. 122 A. 23; A. Passerini, Athenaeum N. S. 10 (1932) S. 116 A. 2; F. W. Walbank, Philip V S. 321f.; D. Magie, Roman Rule II S. 753 A. 48. E. V. Hansen, S. 61, geht auf die Kontroverse überhaupt nicht ein.

Es besteht freilich kein Grund, eine annalistische Nachricht ohne weiteres abzulehnen, solange sie nicht durch polybianische Überlieferung widerlegt oder durch innere Unstimmigkeit als völlige Fälschung entlarvt wird; und das ist seltener der Fall, als gewöhnlich zugegeben wird[1]. Meistens läßt sich feststellen, daß mindestens das zugrundeliegende Faktum authentisch ist, wenngleich häufig Fehldatierungen vorkommen oder die näheren Umstände tendenziös verbogen werden[2].

Daß mindestens die Datierung der pergamenischen Gesandtschaft — vor der Abreise des Flamininus in seine Provinz — und damit der syrischen Invasion ins pergamenische Reich richtig sein kann, hat gegenüber HOLLEAUX O. LEUZE[3] erwiesen. Attalos kann etwa Mitte März 198 in See gestochen sein — auch der Flottenprätor L. Quinctius hat anscheinend den Seekrieg des J. 198 sehr früh eröffnet[4] —; der Einfall der syrischen Truppen in sein Reich kann bald darauf erfolgt und die Nachricht davon noch vor der Reise des Flamininus nach Epirus (Ende April/Anfang Mai) nach Rom gelangt sein[5]. Von hier aus besteht also kein Grund, den Bericht über eine seleukidische Invasion in Attalos' Staat zu verwerfen. Freilich dürfte nicht der König selbst die syrischen Truppen geführt haben — er kämpfte wohl noch während des ganzen Jahres 198 in Südsyrien; vielmehr ist anzunehmen, daß einer seiner Funktionäre, vermutlich der Vizekönig von Kleinasien, Zeuxis, das Invasionsheer geleitet hat[6]. Daß die pergamenischen Gesandten bei Livius dem Senat berichten *regnum Attali Antiochum invasisse*, wird man dagegen kaum ins Feld führen können.

Antiochos hat also wohl die Abwesenheit des Attalos benutzt, um ein Heer ins Reich von Pergamon zu senden. Aber welche Provinzen des Attalos hat er besetzen lassen? Und welche Absicht hat er damit verfolgt? Auch für diese Fragen wollen wir die Antwort zunächst aufschieben.

---

[1] Für eine positivere Beurteilung der annalistischen Nachrichten vgl. J. P. V. D. BALSDON, JRS 44 (1954) S. 30ff.

[2] Für einige Beispiele vgl. z.B. VERF., Rom und Rhodos S. 211ff.

[3] A.a.O. S. 190—201. Die Einwände WALBANKS und MAGIES (s. o. S. 269 A. 6) vermögen LEUZES Ausführungen nicht zu erschüttern.

[4] Liv. XXXII 16, 1f.: *sub idem fere tempus, quo consul adversus Philippum primum in Epiri faucibus posuit castra (2) et L. Quinctius frater consulis ... Corcyram travectus etc.* Wenn Livius hier den Polybios richtig übersetzt hat, kann mit dem *consul* in § 1 nur Villius, nicht Flaminin gemeint sein (vgl. F. W. WALBANK, Philip V S. 320); vgl. den Lagerbau des Villius *vere primo* (scil. 198), Liv. XXXII 6, 1ff. (Der natürlich wie immer nur ungefähre) Synchronismus in 16, 1 erlaubt es, die Ausfahrt des L. Quinctius schon in den März zu setzen.

[5] Näheres bei O. LEUZE, a.a.O.

[6] So schon H. NISSEN, Krit. Unters. S. 134; WEISSENBORN z. d. St.; LEUZE S. 197.

II. Der Einbruch ins pergamenische Reich im Jahre 198 v. Chr. 271

Antiochos' Unternehmungen 197 und 196.

Das Jahr 198 brachte für Antiochos die endgültige Eroberung Südsyriens. Zu Beginn des nächsten Feldzugsjahres, im Frühjahr 197, brach er zu seinem großen Kleinasienfeldzug auf. Diese Expedition ist weiter unten in Einzelheiten behandelt; hier sei nur vorweggenommen, was zur Beantwortung der noch offenstehenden Fragen notwendig ist.

Heer und Flotte des Königs rückten von Kilikien aus nach Westen vor. Im Mai stand Antiochos bei Korakesion; im Juni war er wohl mit der Eroberung Lykiens beschäftigt; Ephesos wird er frühestens im Hochsommer, etwa im August erreicht haben (s. dazu u. S. 288).

Livius bricht den Bericht über den Vormarsch des Antiochos bereits zu dem Zeitpunkt ab, als der König vor Korakesion an der Grenze zwischen Kilikien und Pamphylien steht (XXXIII 20, bes. § 13); die Aufzählung des Hieronymus (in Dan. XI 15) enthält noch einige lykische Städte und endet mit Ephesos. Doch hat Antiochos im Feldzugsjahr 197 noch andere Städte besetzen können; als Livius die Erzählung über Antiochos' Feldzug im Frühjahr 196 wieder aufnimmt, ist außer Ephesos mindestens Abydos bereits in den Händen des Königs: Antiochos hatte den Winter in Ephesos verbracht und versuchte nun *omnes Asiae civitates in antiquam imperii formulam redigere*. Von den meisten Städten war es klar, daß sie wegen ihrer ungünstigen Lage oder ihrer geringen Kampfkraft seine Oberhoheit ohne Gegenwehr anerkennen würden; nur Smyrna und Lampsakos behaupteten sich[1]. Der König ließ daher von Ephesos aus Smyrna zernieren und gab den Befehl, 'die Truppen, die in Abydos lagen, nach Lampsakos zur Belagerung zu führen; nur eine geringe Besatzung sollte in Abydos zurückbleiben'[2]. Gleichzeitig mit diesen militärischen Maßnahmen ließ er die Verhandlungen mit den widerspenstigen Städten weiterführen. Er selbst segelte bei Beginn der günstigen Jahreszeit von Ephesos zum Hellespont und gab die Order, die Landtruppen von Abydos aus zur thrakischen Chersones überzusetzen. Bei Madytos auf der Halbinsel, gegenüber von Abydos, vereinigten sich Heer und Flotte[3]; der erste Feldzug in Thrakien begann[4].

[1] Liv. XXXIII 38, 1—3.
[2] Ebd. 38, 4. Abydos war seit 200 v. Chr. von Philipp besetzt gewesen, der es dem Frieden mit den Römern gemäß räumen sollte (Polyb. XVIII 44, 4; Liv. XXXIII 30, 3). Ob die makedonischen Truppen sich bereits aus der Stadt zurückgezogen hatten, als Antiochos' Streitkräfte einrückten, oder ob die Makedonen mit Gewalt vertrieben werden mußten, wissen wir nicht; das erste ist wahrscheinlicher. Ebenso ist unbekannt, ob Abydos jemals ptolemäisch gewesen ist (vgl. K. J. BELOCH, Gr. Gesch. IV 2, S. 346; ferner Ernst MEYER, Grenzen S. 104; 137; dagegen M. HOLLEAUX, Etudes IV S. 317 A. 4).
[3] Ebd. 38, 8—9: *ipse initio veris navibus ab Epheso profectus Hellespontum petit, terrestris copias traici ab Abydo Chersonesum iussit. cum ad Madytum, Chersonesi urbem, terrestri navalem exercitum iunxisset* ...   [4] Zu ihm s. O. LEUZE, a.a. O. S. 202ff.

Wie groß war dieses Heer? Die bedeutenden Ziele, die der König sich in Thrakien gesteckt und die er auch in den drei folgenden Feldzugsjahren (196–194) erreicht hat, zwingen zu dem Schluß, daß es sich nicht um ein kleines Kontingent gehandelt haben kann. In der Tat war seine Truppenmacht so groß, daß er sie teilen konnte: die eine Hälfte war mit dem Wiederaufbau der von den Thrakern zerstörten Stadt Lysimacheia, der zukünftigen Residenz seines Sohnes beschäftigt, während der Herrscher selbst mit der anderen Hälfte die Gemarkungen der benachbarten thrakischen Stämme verwüstete[1]. Die römischen Gesandten, die bei ihm noch im gleichen Jahr (196) in Lysimacheia vorstellig wurden, hielten ihm vor, es stelle eine direkte Bedrohung Roms dar, daß er τοσαύταις μὲν πεζικαῖς, τοσαύταις δὲ ναυτικαῖς δυνάμεσιν πεποίηται τὴν εἰς Εὐρώπην διάβασιν[2]. Bei einem kleineren Heer wäre dieses Argument sinnlos gewesen.

Es kann sich also nicht um die Besatzung von Abydos handeln. Dort war überdies nur ein kleines Kontingent zurückgeblieben; der größte Teil lag vor Lampsakos; ihn von dort wieder abzuziehen, wäre widersinnig gewesen, da dies die Stadt in ihrem Selbständigkeitsstreben nur bestärkt hätte. Es ist vielmehr nur an das Gros des nach Zehntausenden zählenden königlichen Heeres zu denken, das wohl den Winter über bei Sardes oder Ephesos gelegen hatte. Wie aber kam es nach Abydos? Die Truppe, die dort stationiert war, kann im Herbst 197 auf Schiffen an den Hellespont gebracht worden sein[3]; für die vielen Tausende des Hauptheers war das wahrscheinlich nicht möglich. Antiochos war im Frühjahr 197 mit 100 *tectae naves* ausgezogen, zu denen noch 200 kleine, zum Transport größerer Abteilungen ungeeignete Einheiten (*cercuri, lembi*) kamen[4]. Mit diesen Schiffen hatte er aber nicht etwa sein großes Landheer transportiert; dieses war auf dem Landweg nach Sardes gezogen (Liv. XXXIII 19, 9). In den griechischen Küstenstädten mag er einige Dutzend Schiffe requiriert haben; aber er mußte ja auch Marineeinheiten

---

[1] Liv. XXXIII 38, 14.

[2] Polyb. XVIII 50, 8; ähnlich Appian. Syr. 3, 11. Etwas zu scharf, aber in der Sache sicher richtig, Liv. XXXIII 39, 7: *omnibus navalibus terrestribusque copiis*.

[3] Eine größere Zahl von Schiffen lag bereits im Frühjahr 197 in Abydos oder wurde vor der Abfahrt der Flotte unter Antiochos dorthin beordert, um den Fährdienst zu übernehmen, wie aus Liv. XXXIII 38, 8–9 resultiert. Es ist kaum zu entscheiden, ob die *navales socii*, die Antiochos zum Wiederaufbau von Lysimacheia einsetzte (Liv. XXXIII 38, 14), Kontingente aus den phönikischen Städten oder aus den neugewonnenen ionischen Küstenstädten waren. Möglicherweise handelt es sich auch um eine falsche Wiedergabe des Polybios durch Livius (statt 'Schiffsbesatzungen' o. ä.).

[4] Liv. XXXIII 19, 10. Zum Vergleich: für die 10000 Infanteristen und 1000 Reiter, die Antiochos im J. 192 nach Griechenland übersetzen ließ, brauchte er 40 *tectae*, 60 *apertae* und 200 *onerariae naves* (Liv. XXXV 43, 3).

## II. Der Einbruch ins pergamenische Reich im Jahre 198 v. Chr.

zur Blockade von Smyrna und Lampsakos zurücklassen. Es ist also wahrscheinlich, daß das Heer im Frühjahr 196 auf dem Landweg an die Meerenge gebracht worden war; Livius spricht ja auch vom *terrestris exercitus*.

Zwischen den Winterquartieren in Ionien oder Lydien und der Nordküste lag aber, wie sich oben ergeben hat, seit etwa 216 v. Chr. als breite Barriere pergamenisches Territorium. Daß Eumenes II., der im Herbst 197 seinem Vater Attalos I. auf dem Thron nachgefolgt war, dem syrischen Heer freiwillig den Durchzug gestattet hätte, ist unwahrscheinlich; die Römer betrachteten Antiochos mit großem Mißtrauen[1], und ihr treuer Verbündeter Eumenes hätte sicher nicht ein den römischen Interessen wie seinen eigenen entgegengesetztes Unternehmen zugelassen. Von einem widerrechtlichen oder gewaltsamen Durchbruch, von Kämpfen, von Protesten des Eumenes ist aber nirgends etwas zu sehen; auch wenn Livius die polybianische Vorlage gekürzt haben sollte, hätte er dies wohl nicht übergangen. Auch in der Konferenz von Lysimacheia[2] ist von einer jüngst vorgefallenen Vergewaltigung des Eumenes nicht die Rede.

Die Annahme liegt nahe, daß das Heer des Antiochos durch eigenes, seleukidisches Territorium ziehen konnte, daß also im Frühjahr 196 der pergamenische Staat nicht mehr die Ausdehnung hatte, die er etwa zwanzig Jahre zuvor erreicht hatte. Zwischen 216 und 197 ist aber nur eine einzige Gelegenheit bekannt, bei der pergamenisches Territorium an das Seleukidenreich verloren gegangen sein könnte: die Invasion des Jahres 198.

Vermutlich sind also im J. 198 die mysischen Landstriche östlich vom alten pergamenischen Reichsgebiet besetzt worden, vielleicht auch die Städte an der Straße, die von Sardes nach Norden führt, wie Thyateira[3],

---

[1] Zum erstenmal gebrauchten die Römer eine schärfere Sprache allerdings erst gegenüber den Gesandten des Antiochos auf der Konferenz in Korinth im Sommer 196 (Polyb. XVIII 47, 1—4. Liv. XXXIII 34, 1—4. Vgl. M. HOLLEAUX, Etudes V S. 160ff.). Die Worte der römischen Gesandten in Lysimacheia: *omnia acta eius, ex quo tempore ab Syria classem solvisset, displicere senatui* (Liv. XXXIII 39, 4) sind zwar nur ein Einschub des Livius (sie fehlen auch bei Appian, sind also wohl nicht bei Polybios ausgefallen), geben aber die Stimmung sehr gut wieder.

[2] Polyb. XVIII 49, 2—52; Liv. XXXIII 39—40; Appian. Syr. 3, 10—13.

[3] Nachdem die Eumenes-Cistophoren von Thyateira und Stratonikeia dem Aristonikos zugeteilt wurden (s. o. S. 265 A. 4), fehlt jedes Zeugnis für die Zugehörigkeit Thyateiras in den Jahren vor dem Syrischen Krieg. L. ROBERT, Villes d'Asie Mineure (²1962) S. 260, hält mit Recht gegenüber ROBINSON an seiner 'chronologie de l'acquisition de Thyatire par la monarchie attalide' (218 v. Chr.) fest; da er aber auf seine Deutung der Liviustexte XXXVII 8; 37; 44 hinweist (ebd. S. 37f.), scheint er daran festzuhalten, daß die Stadt auch in den neunziger Jahren des II. Jhdts. noch pergamenisch war und erst während des Kriegs von Antiochos besetzt wurde. Aber Eumenes fordert im J. 190 den römischen

Nakrasa usw., und ein Teil des hellespontischen Phrygien und der Troas. Diese Annahme paßt zu den Bemerkungen, denen zufolge das pergamenische Reich beim Regierungsantritt des Eumenes im Herbst 197 sehr klein war[1]. So hat Antiochos damals bereits dem Attalos einen großen Teil dessen wegnehmen lassen, was im Verlauf des Krieges gegen Achaios pergamenisch geworden war. Dadurch schuf sich der syrische König eine Landbrücke zum Hellespont, so daß der Besitz in Thrakien, den er sich in den Jahren 196—194 erwarb, in direktem Zusammenhang mit den kleinasiatischen Besitzungen des Seleukidenreichs stand. Die Invasion des J. 198 war somit wohl bereits der wohlgeplante Auftakt zu den Feldzügen der Jahre 197—194.

Das würde weiter bedeuten, daß Antiochos schon im J. 198 die Eroberung nicht nur der kleinasiatischen Küsten, sondern auch Thrakiens plante. An dieser Annahme ist nichts Unwahrscheinliches. Es galt für ihn, die Bedrängnis Philipps durch den Römerkrieg möglichst rasch auszunützen. Den Vertrag, den er unter Druck mit dem Makedonenkönig hatte schließen müssen, hatte er im Herzen längst gebrochen. Wahrscheinlich hat ihn nur der unerwartet harte Widerstand, dem er in Koilesyrien begegnete[2], daran gehindert, in Kleinasien früher loszuschlagen. Im Frühjahr 198 war aber wohl bereits der größte Teil der umstrittenen syrischen Landschaften in seiner Hand; die letzten Widerstandsnester waren zu beseitigen; die Provinzen mußten eine seleukidische Verwaltung erhalten. Dies ließ Raum für neue Pläne. Es wurde schon erwähnt, daß im J. 197 (nach anfänglichen parallelen Operationen) das

Feldherrn auf, ihm ein römisches Hilfskorps beizugeben, *cum magnam praedam agi posse dixisset ex agro hostium, qui circa Thyatiram esset;* in der Tat bringen die Truppen in wenigen Tagen *ingentem praedam* (Liv. XXXVII 8, 7). Eumenes hätte also sein eigenes, nicht lange zuvor vom Feind besetztes Gebiet gebrandschatzt; dies ist freilich nicht unmöglich, aber es wäre doch eher verständlich, wenn Thyateira bereits seit acht Jahren nicht mehr pergamenisch war. Die Nennung des Attalos und des Eumenes in einer Weihinschrift aus Thyateira (veröff. v. J. Keil und A. v. Premerstein, Denkschr. Akad. Wien 54, 2 [1911] S. 27 Nr. 51: οἱ ἀπὸ βασιλέων Ἀττάλου καὶ Εὐμένους κατοικοῦντες Μερνούφυτα Ἡρακληασταί) würde sich demnach auf die Gründung (vor 198) und Wiedereinrichtung der pergamenischen Kolonie (nach 190) beziehen (*contra* L. Robert, a. a. O. S. 39 f.).

[1] Vgl. bes. Polyb. XXIII 11, 7: παραλαβόντες ... μικρὰν ἀρχήν; XXXII 8, 3 Eumenes übernahm τὴν βασιλείαν συνεσταλμένην τελέως εἰς ὀλίγα καὶ λιτὰ πολισμάτια; Strab. XIII 4, 2 p. 624: πρότερον (= vor dem Frieden von Apameia) δ᾽ἦν τὰ περὶ Πέργαμον οὐ πολλὰ χωρία μέχρι τῆς θαλάσσης τῆς κατὰ τὸν Ἐλαΐτην κόλπον καὶ τὸν Ἀδραμυττηνόν. Vgl. ferner Polyb. XXI 22, 15; Liv. XXXVII 54, 11 f.; XL 8, 14. G. Cardinali, a. a. O. S. 84, macht darauf aufmerksam, daß Polybios im Nachruf auf Attalos (XVIII 41) nur davon spricht, daß Attalos seinen Söhnen ἀστασίαστον ... τὴν βασιλείαν übergab (§ 10): 'egli ha dunque rafforzato il suo regno, non l'ha ampliato di troppo' — was doch als eine der wichtigsten Leistungen eines Fürsten sicher nicht übergangen worden wäre.

[2] Im J. 199 hatte Skopas noch einmal Söldner aus Ätolien herbeigebracht (Liv. XXXI 43, 5 f).

## II. Der Einbruch ins pergamenische Reich im Jahre 198 v. Chr.

Heer zu Lande nach Sardes marschierte, während der König mit seiner Flotte die Küstenstädte nahm. Antiochos hatte also eine weit größere Armee in Marsch gesetzt, als er zur Eroberung der kleinasiatischen Städte brauchte. Auch dies läßt erkennen, daß er im Frühjahr 197 mehr als nur die Gewinnung Westkleinasiens vorhatte.

Dieser Interpretation des Einfalls des J. 198 stellen sich scheinbar zwei Schwierigkeiten entgegen:

1. Wäre die Besetzung der östlichen Territorien des pergamenischen Reichs nicht ein Bruch des Vertrags von 216 gewesen? Das Verhalten des Antiochos gegenüber Ptolemaios IV. und V. und gegenüber Philipp V. zeigt, daß der Seleukide nicht davor zurückschreckte, unbequeme Verträge zu zerreißen. Und die Besetzung der Städte an der ionischen und troischen Küste, die vordem pergamenisch gewesen waren (davon wird weiter unten noch zu sprechen sein), bedeutete auf jeden Fall einen Vertragsbruch, wenn diese, wie meist angenommen wird[1], im J. 216 dem Attalos zugesprochen worden waren. Der Inhalt des Abkommens gegen Achaios ist aber, wie schon gesagt, völlig unbekannt. Es ist durchaus möglich, daß darin von territorialen Zugeständnissen überhaupt nicht oder mindestens nicht in dem Maße die Rede war, wie die Besitzverhältnisse nach 216 es annehmen lassen; Attalos kann, wie schon angedeutet, während der Kämpfe gegen Achaios unter stillschweigender Duldung des Antiochos über die Bedingungen des Abkommens hinaus weitere Provinzen besetzt haben. Antiochos sah damals noch nicht die Zeit gekommen, mit Attalos abzurechnen; größere Aufgaben — die Rückgewinnung der östlichen Satrapien, die Annexion Südsyriens — waren wichtiger. Nun, da diese Pläne in die Tat umgesetzt waren, konnte er daran gehen, dem Pergamener die Landstriche wieder abzunehmen, die dieser sich 'widerrechtlich' angeeignet hatte[2].

2. Der Annalist, auf den Livius zurückgeht, behauptet, Attalos habe zum Dank für die römische Vermittlung, die zur Zurückziehung der syrischen Truppen aus seinem Reich geführt habe, einen goldenen Kranz von 246 *pondo* Gewicht[3] gestiftet (Liv. XXXII 27, 1). So wären die

---

[1] S. o. S. 266 A. 2. [S. Nachtrag!]

[2] So würde es sich erklären, daß Antiochos dem Eumenes kurz vor dem Krieg nur die Rückgabe der (Küsten-)Städte anbietet, die er ihm inzwischen entrissen hatte (Polyb. XXI 20, 8; anders Ernst MEYER, Grenzen S. 105). Auch das Argument F. STÄHELINS (Gesch. d. kleinas. Galater² S. 37f.), Eumenes II. wäre im Römerkrieg zur Unterstützung des Antiochos verpflichtet gewesen, wenn dieser seinem Vater 216 v. Chr. Gebietserweiterung zugestanden hätte, entfällt, wenn die Zugeständnisse rückgängig gemacht wurden. Zudem ist Dankbarkeit im politischen Kalkül ohnehin nur eine bescheidene Größe.

[3] Die eigenartige Zahl (sonst werden runde Zahlen genannt; vgl. Liv. VII 38, 2: 25 *pondo*; XXXVI 35, 13: 100 *pondo*; XLIII 6, 5: 50 *pondo*) erklärt sich wahrscheinlich aus

fraglichen Landschaften wieder von Antiochos geräumt worden? Aber es ist denkbar, daß der Seleukide einen Teil der besetzten Territorien wieder herausgab, auf die Attalos rechtlich begründete Ansprüche erheben konnte — eben jene, die ihm der Vertrag von 216 zugesprochen hatte — und nur diejenigen behielt, die der Pergamener sich über den Vertrag hinaus angeeignet hatte. Die beiden Gegner hätten sich demnach auf ein Kompromiß geeinigt[1]. Auf eine Einigung zwischen Attalos und Antiochos könnte sich im übrigen der Vertrag (συνθῆκαι) beziehen, aus dem Antiochos zur Zeit des Friedens von Apameia noch eine Restschuld an Geld und Getreide zu leisten hatte (s. o. S. 265). Es war schon zu erwähnen, daß dieser 'Vertrag' wohl nicht fast 30 Jahre zurückliegen konnte; man wird über den *terminus ante quem*, den der Tod des Attalos I. (Herbst 197) liefert, nicht allzuweit hinaufgehen dürfen. Es ist durchaus möglich, daß die 400 Talente[2] und das Getreide im Gegenwert von etwa 127 Talenten, die Antiochos im J. 188 noch zu zahlen hatte, nicht aus einer früheren Anleihe stammten, sondern eine Wiedergutmachungs- oder Ausgleichssumme für die Invasion von 198 v. Chr. darstellten.

## Prusias in der Phrygia Epiktetos

Wenn Antiochos im J. 198 die Landstriche um den Makestos besetzt hat, so ist damit wahrscheinlich die Okkupation der Φρυγία ἐπίκτητος durch Prusias I.[3] in Zusammenhang zu bringen: Chr. HABICHT[4] hat m. E. schlüssig gezeigt, daß Prusias sich die Region nicht erst im Verlauf des Kriegs der Römer gegen Antiochos angeeignet haben kann[5]; doch wird man seinem eigenen Ansatz der Annexion in die ersten Regierungsjahre des Eumenes II. (seit Ende 197) Bedenken entgegenbringen müssen. Vor allem sprechen dagegen die zahlreichen Nachrichten, denen zufolge das pergamenische Reich beim Regierungsantritt des Eumenes sehr

---

einer Umrechnung von 3 Talenten zu je 82 *pondo;* Liv. XXXVIII 38, 13 wird bestimmt, daß die von Antiochos zu zahlenden Silbertalente mindestens je 80 *pondo* entsprechen müssen (vgl. Polyb. XXI 43, 19).

[1] Möglicherweise ist auch die Danksagung des Attalos — aber nur diese — von der römischen Tradition eingeschwärzt. Von der Gesandtschaft, die der Senat verspricht, wird nichts berichtet; nicht einmal die Namen der dazu Bestimmten werden genannt. Vielleicht kam es nicht zu ihrer Absendung, weil Attalos sich inzwischen mit Antiochos einigte; so fand der Annalist in seiner Vorlage nur das Vermittlungsangebot des Senats. Aber die so pathetisch aufgebaute Antwort des Senats mußte eine Fortsetzung haben — und die konnte nur, *in maiorem Romanorum gloriam*, im Zurückweichen des Angreifers und der Dankesbezeugung des Verbündeten bestehen. So mag der römische Historiker die zweite Gesandtschaft des pergamenischen Königs erfunden haben.

[2] Im endgültigen Friedensschluß wurde die Summe auf 350 Tal. ermäßigt: Polyb. XXI 43, 20 f.; Liv. XXXVIII 38, 14.   [3] S. o. S. 266f.   [4] Hermes 84 (1956) S. 94f.
[5] Gegen F. STÄHELIN, S. 51; Ernst MEYER, Grenzen S. 150.

klein war¹. Hätte Eumenes von seinem Vater noch die Epiktetos ererbt, so wäre diese Aussage nicht berechtigt; es ist vielmehr anzunehmen, daß die Landschaft — ebenso wie die westlich davon liegenden, wahrscheinlich im J. 198 von Antiochos' Truppen besetzten Gegenden — Ende des J. 197 bereits nicht mehr pergamenisch war.

Es liegt nahe anzunehmen, daß Prusias die Region am oberen Sangarios und Rhyndakos etwa um die gleiche Zeit in Besitz genommen hat, in der Antiochos die Makestos-Gegend besetzen ließ, und zwar wahrscheinlich mit Genehmigung des Seleukiden, der sich so für den Fall eines Konflikts mit Attalos in dessen unversöhnlichem Feind Prusias einen Verbündeten schaffen wollte. Diese Datierung (ca. 198) stünde im Einklang mit dem Ansatz Eduard MEYERS, der auf Grund anderer Erwägungen die Okkupation der Phrygia Epiktetos durch Prusias in die Zeit des II. Makedonischen Krieges setzte².

HABICHT hat als Stütze seiner Datierung angeführt, daß die Römer im J. 196 bei Prusias für die Freigabe von Kios eintraten³, aber 'einen entsprechenden Schritt zugunsten ihres pergamenischen Verbündeten unterließen'. Daraus gehe hervor, 'daß Phrygia Epiktetos erst nach 196 den Attaliden verloren ging'. Dem ist entgegenzuhalten, daß der Auftrag des Senats an Flamininus, mit Prusias über Kios zu verhandeln, im Zusammenhang mit der Befreiung der durch Philipp unterworfenen Griechenstädte steht; Prusias kommt in die Frage nur insofern hinein, als er eine von Philipp eroberte Griechenstadt — eben Kios — in Händen hat; seine sonstigen Eroberungen gehören nicht hierher. Von der Ausführung des Befehls durch Flamininus steht in den Quellen nichts; er könnte sich wohl auf Bitten des Eumenes auch für die Räumung der Epiktetos verwendet haben.

Aber auch dies entfällt, wenn man die oben vorgebrachte Erklärung annimmt, wonach Attalos die Gegenden östlich von Teuthranien im J. 216 ohne vertragliche Grundlage erobert hatte:

Antiochos hatte seine Ansprüche auf diese Provinzen nie aufgegeben; sie 'gehörten' ihm rechtens, und er konnte Teile davon dem Prusias schenken. Attalos hatte keinen Rechtstitel und mußte sich, zumal bei seiner starken Inanspruchnahme durch den II. Makedonischen Krieg (seine Interessen lagen ja offenbar seit dem I. Makedonischen Krieg im

---

¹ S. o. S. 274 A. 1.

² RE III 1 (1897) Sp. 518 s. v. Bithynia. Chr. HABICHT, a.a.O. S. 94 hat MEYER mißverstanden, wenn er ihn als Autorität für seine eigene Datierung 'bald nach dem Regierungsantritt des Eumenes' zitiert. MEYERS Meinung ist eindeutig: 'Im zweiten Krieg Philipps mit den Römern hielt (Prusias I.) sich zurück ... Prusias hat diese Zeit benützt, ... um den Pergamenern die spätere Phrygia Epiktetos ... abzunehmen ...'. Richtig verstanden von G. CARDINALI, S. 83 Anm.

³ Polyb. XVIII 44, 5; Liv. XXXIII 30, 4.

Westen), mit dem Verlust der Landschaften abfinden. Vielleicht wurde die Schenkung an Prusias sogar in den Vertrag zwischen Antiochos und Attalos aufgenommen. So konnte Eumenes keinen Anspruch auf die Epiktetos erheben, und die Römer hatten keinen Anlaß, für ihre Rückgabe an Eumenes einzutreten, der sie ohnehin nicht hätte halten können, da zwischen ihnen und seinem Stammland inzwischen Gebiet des Antiochos III. lag.

### III. DIE BESETZUNG DER KLEINASIATISCHEN KÜSTENSTÄDTE

Die bisherige Untersuchung galt im wesentlichen den territorialen Veränderungen im Binnenland; von den Städten an der Küste war nur am Rande zu sprechen. Doch bietet auch die Geschichte ihrer Besetzung durch den syrischen König manches Problem.

### Liste der Städte

Eine vollständige Liste der von Antiochos III. besetzten Städte im Küstengebiet läßt sich nicht herstellen. In vielen Städten hat die seleukidische Herrschaft in den wenigen Jahren ihres Bestehens — im günstigsten Fall 197 bis 190 v. Chr. — keine Spuren hinterlassen; und in zahlreichen Fällen ist der Grad der Abhängigkeit vom König nicht zu bestimmen.
Oft ist das einzige Kriterium das Schicksal der betreffenden Stadt im Frieden von Apameia (188 v. Chr.); doch ist auch dann einige Sicherheit nur in den Fällen zu gewinnen, in denen eine Gemeinde den Rhodiern oder Eumenes II. als unfreie Untertanen zugeteilt wurde: bei diesen Städten dürfte es sich größtenteils um ehemalige Untertanen des Antiochos handeln. Städte, die im J. 188 frei wurden, können es auch vorher gewesen sein; meist aber dürften sie ebenfalls dem König botmäßig gewesen, aber rechtzeitig zu den Römern übergangen sein. Die folgende Liste kann also keinen Anspruch auf Vollständigkeit erheben. In der Aufzählung der Städte wurde die geographische Reihenfolge gewählt; die Liste beginnt mit Kilikien, von wo der Feldzug des J. 197 seinen Ausgang nahm, und endet an der Propontis. Die wenigen Nachrichten über die Inseln sind zum Schlusse angefügt[1].

Kilikien: Bezeugt ist die Besetzung von Mallos, Zephyrion, Soloi, Aphrodisias, Anemurion, Selinus und Korakesion (Liv. XXXIII 20, 4—6; Hieron. in Dan. XI 15 = Porphyrios FGrHist 260 F 46). Widerstand war nur in Korakesion zu verzeichnen.

---

[1] Eine unvollständige Sammlung der Belegstellen, allerdings mit besonderer Berücksichtigung des Status der Städte nach 188, gibt E. BIKERMAN, REG 50 (1937) S. 236—239. Auf diese Arbeit wird nur dort ausdrücklich verwiesen, wo BIKERMAN außer den Quellenzeugnissen eine Argumentation bietet.

Pamphylien: Die pamphylischen Gemeinden hatten 218 v. Chr. zum großen Teil die Oberhoheit des Achaios anerkennen müssen (Polyb. V 77, 1). Side hielt es damals mit Antiochos III. (Polyb. V 73, 4). Anscheinend hat Antiochos Pamphylien auf seine Seite gebracht, als er (216—213) das kleinasiatische Binnenland zurückeroberte; denn die Liste seiner Eroberungen im J. 197 bei Hieronymus (in Dan. XI 15) springt von Korakesion in Westkilikien sofort nach Korykos in Lykien über. 189/88 stritten Eumenes II. und die Gesandten des Antiochos um den Besitz Pamphyliens (Polyb. XXI 46, 11; Liv. XXXVIII 39, 17); Antiochos muß die Landschaft also vorher besessen haben. Side stellte im J. 192 dem König Schiffe (Liv. XXXV 48, 6); im J. 190 stand dort seine Flotte (Liv. XXXVII 23, 3); danach scheint die Stadt zu den Rhodiern abgefallen zu sein (Polyb. fr. 193); zum Lohn dafür wurden die Sideten (Appian. Lib. 123, 585)[1] und ebenso die Aspendier und Termessier (Polyb. XXI 35, 4) im J. 188 frei.

Pisidien: Die Landschaft erkannte um 220 die seleukidische Oberhoheit nicht an; damals ließ Achaios sie plündern (Polyb. V 57, 7). 218 v. Chr. kämpfte Achaios in Pisidien und eroberte die Milyas (Polyb. V 72 ff.; 77, 1). Vermutlich hat Antiochos die Landschaft nie unter seine Herrschaft bringen können; im J. 193 führte er dort Krieg, brach den Feldzug aber anscheinend ab (Liv. XXXV 13, 5; 15, 7). Selge, das im J. 218 durch Geldzahlung an Achaios seine Freiheit hatte erhalten können, war nach Strabon (XII 7, 3 p. 571) nie den Königen untertan; Antiocheia wurde frei (Strab. XII 8, 14 p. 577), als die Landschaft im J. 188 dem Eumenes zugesprochen wurde.

Lykien: Der größte Teil der Küstenstädte und auch einige Gemeinden im Landesinnern waren im III. Jh. ptolemäisch; bezeugt ist dies durch die Liste der Eroberungen des Antiochos bei Hieron. in Dan. XI 15 (*quae prius a Ptolemaei partibus tenebantur*), für Korykos, Andriake, Limyra, Patara und Xanthos, für Xanthos ferner durch Inschriften (TAM II 263; 266 = OGI 91; 746). Auch Araxa war im III. Jh. ptolemäisch (A. MAIURI, Ann. Sc. Arch. Atene e Roma 8/9 [1925/6, ersch. 1929] S. 313 ff. Nr. 1). Außer für die bei Hieronymus genannten Städte ist die seleukidische Besetzung für Arykanda ausdrücklich bezeugt (Agatharch. FGrHist 86 F 16). Die Zuteilung der gesamten Landschaft an die Rhodier im J. 188 läßt vermuten, daß ganz Lykien dem Antiochos gehorcht hatte[2]. So scheint auch Telmessos — bisher eine selbständige

---

[1] Nach Appian. a. a. O. stellte Side den Römern im 3. Punischen Krieg Schiffe, war also Verbündete Roms, nicht pergamenische Vasallin.

[2] Einzelheiten zur Eroberung Lykiens durch Antiochos s. u. S. 286 f. Nach E. BIKERMAN, a. a. O. S. 239 soll Phaselis im Römerkrieg unabhängig gewesen sein; sein Beleg dafür (Liv. XXXVII 23) gibt ebensowenig aus wie seine Belege für die Freiheit der Stadt nach

Herrschaft der Lysimachiden — im J. 197 von Antiochos besetzt worden zu sein (M. Segre, Clara Rhodos 9 [1938], S. 181 ff., bes. 208; verbess. bei F. G. Maier, Griech. Mauerbauinschr. I 76 [SEG XIX 867])[1].

Karien: Mit großer Wahrscheinlichkeit sind folgende karischen Städte nicht seleukidisch geworden: Kaunos[2], Halikarnassos, Myndos (sie wurden 197 v. Chr. von den Rhodiern geschützt: Liv. XXXIII 20, 12); Knidos (freie Stadt, mit Rhodos verbündet). Stratonikeia wurde zwar durch Antiochos von der makedonischen Besatzung befreit, aber sofort den Rhodiern zurückgegeben, die die Stadt seit etwa 240 besessen hatten (Liv. XXXIII 18, 22; vgl. Verf., Rom und Rhodos S. 78; 112 A. 1).

Ein Dekret von Apollonia am Salbakos im Landesinnern (L. Robert, La Carie II Nr. 166) stammt vielleicht aus der Zeit des Antiochos III. Die Stadt genoß damals innere Selbstverwaltung, war jedoch dem Regiment der seleukidischen Gouverneure unterworfen.

Iasos ist wahrscheinlich schon 197 v. Chr. besetzt worden (s. u. S. 287 f.). Nach OGI 237 hat die Stadt Autonomie, d.h. staats-, nicht völkerrechtliche Freiheit genossen. Im J. 190 lag eine seleukidische Besatzung in Iasos, worin vielleicht nur eine Kriegsmaßnahme zu sehen ist (Liv. XXXVII 17, 3 ff.; vgl. M. Holleaux, Etudes IV S. 327 A. 1).

Im benachbarten Bargylia lagen noch im J. 196 makedonische Truppen (Polyb. XVIII 48, 2; 50, 1); ob Antiochos trotz der römischen Drohungen die Stadt später besetzt hat, ist ungewiß.

188 v. Chr.; wenn der rhodische Demagoge Polyaratos im J. 168 vor den Römern nach Phaselis floh, die Phaseliten aber die Rhodier baten, ihn abzuholen, weil sie sich vor den Römern fürchteten (Polyb. XXX 9, 10; vgl. Verf., Rom und Rhodos S. 152), so ist das doch kein Zeichen für Selbständigkeit! Das (selbständige) Kibyra hat ihn ebenso abgewiesen wie die Kaunier, deren Begründung dafür lautete: διὰ τὸ τάττεσθαι μετὰ 'Ροδίων (Polyb. XXX 9, 12 ff.)! Das von Bikerman immer wieder angeführte Schreiben des Senats zum Schutz der Juden (1. Makk. 15, 16 ff., bes. 22 f.), das zahlreichen Königen und selbständigen Städten zugestellt wurde — darunter auch Phaselis —, besagt für die Lage nach 188 nicht das Geringste: der Brief gehört ins J. 139/8, also mehrere Jahrzehnte nach der Befreiung Lykiens und Südkariens von der rhodischen Herrschaft (167 v. Chr.) — Seleukidische Herrschaft in Patara zeigen Liv. XXXIII 41, 5 (196 v. Chr.); XXXVII 15, 6; 16—17 (190 v. Chr.). Im J. 188 lag dort noch eine syrische Flotte (Liv. XXXVIII 39, 2 ff.).

[1] Im J. 188 wurde Telmessos pergamenisch; vgl. Polyb. XXI 46, 10 und die erwähnte Inschrift.

[2] Die Rhodier kauften wahrscheinlich damals Kaunos den ptolemäischen Funktionären ab; vgl. Polyb. XXX 31, 6; Verf., Rom und Rhodos S. 77 A. 3, 113 A. 1. In der Liste der Städte, die im J. 196 den Frieden zwischen Milet und Magnesia vermittelten, ist Kaunos ergänzt worden (Syll.³ 588, Z. 12 f.); das würde bedeuten, daß die Stadt damals noch Selbstverwaltung genoß. Die Ergänzung ist aber nicht eindeutig. Das benachbarte Kalynda war 247 v. Chr. ptolemäisch (P. Cairo Zen. 59341); ob es bereits um 197 oder erst im Frieden von Apameia rhodisch geworden ist, läßt sich nicht sagen.

Euromos ist im J. 188 rhodisch geworden[1], vorher also wahrscheinlich syrisch gewesen.

Mylasa dürfte trotz der Bestätigung seiner Freiheit im J. 188 (Liv. XXXVIII 39, 8) von Antiochos abhängig gewesen sein (M. HOLLEAUX, Etudes IV S. 262; E. BIKERMAN, REG 50 [1937] S. 238; Institutions S. 110 u. A. 6; 118f.; 207).

Auch Alabanda war von Antiochos abhängig (OGI 234; M. HOLLEAUX, Etudes IV S. 262; o. S. 245), ist aber im J. 188 für frei erklärt worden (vgl. VERF., Rom und Rhodos S. 87 A. 1).

Amyzon, bis 203 vom Lagidenreich abhängig, ist damals seleukidisch (RC 38—40) und nach 188 rhodisch geworden (vgl. die von L. ROBERT, La Carie II S. 309 erwähnte unveröffentlichte Inschrift).

Tralleis war mit Sicherheit seleukidisch (zu RC 41 s. o. S. 245); es hat sich erst nach der Schlacht bei Magnesia ergeben und wurde deshalb dem Eumenes zugeteilt (L. ROBERT, Rev. de phil. 1934, S. 279; E. BIKERMAN, REG 50 [1937] S. 237f.). Das Gleiche gilt für Nysa, das ein Privileg des Antiochos erhalten hatte (RC 43).

Ionien und Aiolis: Der Status von Herakleia am Latmos ist unbekannt. 197/6 v. Chr. war die Stadt mit Milet gegen Magnesia am Mäander und Priene verbündet (Syll.³ 588), also offenbar frei; ihre Freiheit wurde während des Krieges durch einen Brief der Scipionen bestätigt (Syll.³ 618 = SEG II 566). Trotzdem dürfte Herakleia zwischen 196 und 190 von Antiochos abhängig geworden sein[2].

Das Gleiche gilt für Milet, dessen Krieg gegen Magnesia und Priene für 197/6 Unabhängigkeit bezeugt (Syll.³ 588). Wenn es 190 den Römern Unterstützung gebracht hat (Liv. XXXVII 16, 2; 17, 3), so kann es vom König abgefallen sein. Nach 188 war Milet frei (Polyb. XXI 46, 5).

Keine Belege für Priene, das 197/6 noch frei war (Syll.³ 588).

Magnesia am Mäander dürfte erst nach 197/6 in stärkere Abhängigkeit vom syrischen König gekommen sein, da es damals noch mit Milet Krieg führen konnte (Syll.³ 588, trotz Ernst MEYER, Grenzen S. 128; P. M. FRASER, BCH 78 [1954] S. 62ff. Nr. II). Während des Krieges war es seleukidische Garnison (Liv. XXXVII 10, 12f.; dazu D. MAGIE, Roman

---

[1] Vgl. P. M. FRASER — G. E. BEAN, The Rhodian Peraea and Islands (1954) S. 108 A. 1; 109f. Meine anderslautende Bemerkung (Rom und Rhodos S. 88) ist danach zu korrigieren. Ob im J. 188 auch Iasos und Bargylia rhodisch wurden (FRASER-BEAN S. 108 A. 1), läßt sich nicht sagen.

[2] SEG II 536, ein Dekret von Herakleia (vgl. L. ROBERT, Istros 2 [1935/6] S. 2) für zwei Epistaten (??), 'die dem König die Treue halten', darf dafür nicht angerufen werden. M. SEGRE, Tit. Calymnii S. 25f. datiert es ins J. 191, also unter Antiochos III. Doch vgl. dagegen G. KLAFFENBACH, Gnomon 25 (1953) S. 457f. Es kann nicht festgestellt werden, ob es sich um Philipp V. oder Antiochos III. handelt (vgl. H. BENGTSON, Strat. II S. 371f.; 402).

Rule II S. 949 A. 56). Trotz seiner späten Kapitulation (Liv. XXXVII 45, 1) wurde es durch ein Privileg der Scipionen frei (Tac. ann. III 62; vgl. Syll.³ 679, 54).

Ephesos war im J. 221 (Polyb. V 35, 11) und wohl noch später ptolemäische Garnison. Das attische Dekret Hesperia 5 (1937) S. 448 Nr. 3 (vgl. L. ROBERT, Etudes épigr. et philol. S. 62f.) lobt die Stadt wegen ihrer Treue gegenüber König Ptolemaios (IV.). 197 v. Chr. wurde es durch Antiochos erobert (s. u. S. 288); zahlreiche Erwähnungen zeigen, daß die Stadt fortan königliches Hauptquartier war. Mit iher 'Freiheit' dürfte es also schlecht bestellt gewesen sein. Im Frieden von Apameia wurde Ephesos ausdrücklich dem Eumenes II. zugeteilt (Polyb. XXI 46, 10; Liv. XXXVIII 39, 16).

Die beiden Kolophon waren seit 218, Kolophon am Meer (Notion) noch gegen Ende der Regierung des Attalos I. pergamenisch gewesen (s. o. S. 265). Nach Hieron. in Dan. XI 18 hat Antiochos Kolophon erobert, was trotz der zahlreichen Fehler an dieser Hieronymus-Stelle möglich ist (vgl. E. DEGEN, Krit. Ausf. S. 41; *contra* D. MAGIE, Roman Rule II S. 948 A. 54). Doch dürfte dies erst in die Kriegszeit gehören. Notion hat im J. 190 die Alliierten unterstützt (Liv. XXXVII 26, 6f.); im J. 188 erhielt Notion (Polyb. XXI 46, 4; Liv. XXXVIII 39, 8) und wohl auch Altkolophon die Freiheit[1].

Völlig unklar ist auch die Lage von Lebedos[2].

Teos hatte im letzten Jahrzehnt des III. Jh. seine Asylie (Neutralisierung) zu erreichen gesucht. 196 v. Chr. beteiligte sich die Stadt an der Friedensvermittlung zwischen Milet und Magnesia (Syll.³ 588); Schlüsse auf die Bewegungsfreiheit der Stadt läßt dies nicht zu; denn auch die von Rhodos abhängigen Gemeinden Kaunos (?), Knidos, Halikarnassos, Myndos und Samos sowie Mylasa hatten Vermittler gesandt. Im J. 193 erreichte der Gesandte des Antiochos in Rom die Erteilung der Asylie an Teos (Syll.³ 601). Im Krieg mit Rom stand Teos auf der Seite des Antiochos (Liv. XXXVII 27, 3. 9; 28, 2f.) und ist deshalb wohl 188 v. Chr. pergamenisch geworden (RC 53; Ernst MEYER, Grenzen S. 153).

Erythrai, das vermutlich nicht ptolemäisch gewesen ist (vgl. D. MAGIE, Roman Rule II S. 928), scheint während des Kriegs zeitweilig durch Antiochos besetzt gewesen zu sein (Liv. XXXVI 43, 10); es unterstützte

---

[1] Der Brief des Scipionen, in dem die Asylie des Heiligtums von Klaros bestätigt wird (SEG I 440; IV 567), ist an Rat und Volk „der Kolophonier" gerichtet; nach J. KEIL, RE XVII 1, Sp. 1076 ist damit Notion gemeint, nach D. MAGIE, Roman Rule II S. 949 A. 58, vielmehr Altkolophon.

[2] Nach Ansicht M. HOLLEAUX' (Etudes IV S. 324 A. 1) soll Lebedos Ende des III. Jhdts. pergamenisch geworden sein. Nach E. BIKERMAN, REG 50 (1937) S. 237 wurde die Stadt 188 v. Chr. pergamenisch; die dafür angeführte Stelle Strab. XIV 1, 29 p. 643 besagt jedoch nichts.

aber im J. 190 die Römer (Liv. XXXVII 8, 5; 11, 14; 12, 10) und wurde 188 v. Chr. frei (Polyb. XXI 46, 6).

Frei wurde 188 auch Klazomenai (Polyb. XXI 46, 5); sein früherer Status ist unbekannt.

Smyrna wurde unter Seleukos II. 'frei und von Abgaben unbelastet' (OGI 228–229). Gegen die Ansprüche des Antiochos setzte sich die Stadt in den Jahren nach 197 erfolgreich zur Wehr (s. o. S. 271). Die Ansicht E. Degens, Krit. Ausf. S. 43f., Smyrna sei endlich doch erobert worden, läßt sich nicht erhärten; die von ihm angeführten Stellen (Liv. XXXV 42; Polyb. XXI 13, 3 = Liv. XXXVII 35; Polyb. XXI 14, 2; Diod. XXIX 7) besagen nichts (zu ἐκχωρεῖν bei Polyb. XXI 14, 2 = 'allen Ansprüchen entsagen' vgl. M. Holleaux, Etudes V S. 213ff.). Im Jahr 190 unterstützte Smyrna die Römer (Liv. XXXVII 16, 1) und wurde dafür im J. 188 belohnt (Polyb. XXI 46, 6).

Magnesia am Sipylos ist wahrscheinlich schon 216–213 in Antiochos' Hand geraten. 189 wurde es ausdrücklich dem Eumenes gegeben (Liv. XXXVII 56, 3).

Phokaia wurde nach Hieron. in Dan. XI 18 von Antiochos III. besetzt, wahrscheinlich nicht erst während des Kriegs; im J. 191 wurde sie von den Alliierten als ὑπήκοος Ἀντιόχου besetzt (Appian. Syr. 22, 102). Im darauffolgenden Jahr gewannen die Parteigänger des Antiochos (οἱ Ἀντιοχισταί) wieder die Oberhand; Phokaia fiel zum König ab (Polyb. XXI 6, 1ff.; Liv. XXXVII 9, 1–5; 11, 15; Appian. Syr. 25, 121). Nach erneuter Dedition erhielt die Stadt ihre Freiheit (Liv. XXXVII 32, 14; Polyb. XXI 46, 7).

Auch das Datum der Besetzung von Kyme ist unbekannt. Die Stadt ergab sich früh den Römern, wurde aber, wie Phokaia, von Parteigängern des Antiochos wieder den seleukidischen Truppen übergeben (Liv. XXXVII 11, 15; Appian. Syr. 25, 121). Ihr erneuter Abfall wurde 188 durch die Freiheit belohnt (Polyb. XXI 46, 4; Liv. XXXVIII 39,8).

Unbekannt ist der Status von Aigai. Die Stadt dürfte, wenn überhaupt, erst im Krieg erobert worden sein. Vorher und nachher wird sie zur pergamenischen Einflußsphäre gehört haben. Auch der Status von Temnos ist nicht festzulegen.[1]

Thyateira war noch 201 pergamenisch; die Stadt wurde vielleicht schon im J. 198, spätestens während des Kriegs von Antiochos besetzt (s. o. S. 265; 273 A. 4). Nach der Schlacht bei Magnesia wurde die Stadt wieder pergamenisch.

Troas und Meerengengebiet: Skepsis wurde im J. 188 pergamenisch (Strab. XIII 1, 54 p. 609), dürfte also vorher dem Antiochos gehört haben, wohl bereits seit 197/6.

---

[1] Vgl. D. Magie, Roman Rule S. 958, gegen E. Bickermann, REG 50 (1937) S. 237.

Alexandreia in der Troas tritt erst im J. 192 unter den Städten auf, die sich gegen seleukidische Machtansprüche wehrten (Liv. XXXV 42, 2); möglicherweise ist die Stadt damals nach anfänglicher Besetzung wieder abgefallen (so G. CARDINALI S. 69 A. 2; E. DEGEN, Krit. Ausf. S. 43f.; E. BICKERMANN, Hermes 67 [1932] S. 65; dagegen D. MAGIE II S. 947 A. 52). 188 v. Chr. wurde die Stadt frei.

Ilion, das wie Alexandreia und Lampsakos im J. 218 in die Einflußsphäre des Attalos gekomen war, wurde wahrscheinlich bereits 197 besetzt (s. u. S. 289ff.). 188 v. Chr. wurde die Stadt frei wegen der angeblichen Abstammung der Römer von Troja (Liv. XXXVIII 39, 10; vgl. Polyb. XXII 5, 3), und erhielt sogar noch die nahen Städte Rhoiteion und Gergis, obgleich Rhoiteion sich rechtzeitig den Römern ergeben hatte (Liv. XXXVII 9, 7; 37, 1; E. BIKERMANN, REG 50 [1937] S. 236).

Frei wurde im J. 188 auch Dardanos (Liv. XXXVIII 39, 10). Die Stadt hatte sich rasch den Römern ergeben (Liv. XXXVII 9, 7; 37, 1); vermutlich war sie vorher seleukidisch gewesen.

Abydos war vor 200 'freie Stadt' im Einflußbereich des Attalos I. gewesen (vgl. Liv. XXXI 16, 7; M. HOLLEAUX, Etudes IV 317 A. 4). Philipp V. hatte die Stadt von 200—197 besetzt gehalten; darauf kam sie, noch im J. 197, in seleukidischen Besitz (Liv. XXXIII 38, 4. 8). Obwohl die Römer sie im J. 196 für frei erklärt hatten, scheint die Stadt nach dem Frieden von Apameia pergamenisch geworden zu sein (vgl. H. BENGTSON, Strat. II S. 242).

Lampsakos war vor 197 v. Chr. frei (M. HOLLEAUX, Etudes IV S. 266 A. 3) und sträubte sich auch in den folgenden Jahren gegen die syrischen Eroberungsgelüste (s. o. S. 271; u. S. 289ff.). Daß die Stadt erobert worden wäre, läßt sich ebensowenig beweisen wie im Fall Smyrnas (s. o.).

Parion scheint im J. 188 frei geworden zu sein (Strab. XIII 1,14 p. 588). Priapos ist im J. 188 anscheinend attalidisch geworden (Strab. a. a. O.; E. BIKERMAN, REG 50 [1937] S. 236), war also wohl vorher seleukidisch.

Kyzikos, das im J. 196 unter den Friedensvermittlern zwischen Milet und Magnesia war (Syll.³ 588), ist vermutlich von Antiochos nicht belästigt worden (vgl. E. BIKERMAN, a.a.O. S. 236; D. MAGIE, Roman Rule I S. 105).

Auch die Städte am Bosporos, Kalchedon und Byzanz, sind, soweit wir sehen können, nie von den syrischen Truppen behelligt worden.

Von den der kleinasiatischen Halbinsel westlich vorgelagerten größeren Inseln ist offenbar keine unter syrische Herrschaft geraten:

Kos, das um 200 v. Chr. anscheinend nicht oder nicht mehr ptolemäisch war (M. HOLLEAUX, Etudes IV S. 333 A. 2), stand unter rhodischem Einfluß. Ein (m. W. noch immer unveröffentlichtes) Fragment eines Briefes des Antiochos III. an die Koer erwähnt R. HERZOG, Arch. Anz. 20

(1905) S. 11; HZ 125 (1922) S. 231 A. 2. Während des Römerkriegs war Kos mit Rhodos und Rom verbündet (Liv. XXXVII 11, 13; 16, 2; 22, 2); auch nach 188 ist die Insel frei geblieben.

Kalymnos, das längere Zeit mit dem koischen Staatswesen vereinigt war, soll nach M. Segre, Tit. Calymnii S. 26 (zu test. XXIII) durch Antiochos III. die Freiheit erhalten haben; doch vgl. G. Klaffenbach, Gnomon 25 (1953) S. 457f., der auch die Datierung von Tit. Calymn. 65 (= OGI 243) unter Antiochos III. ablehnt.

Samos ist nach der Besetzung durch Philipp V. wieder ptolemäisch geworden (s. o. S. 257); im J. 197 schützten die Rhodier unter anderen *civitates sociae Ptolemaei* auch Samos vor dem syrischen Angriff (Liv. XXXIII 20, 12). Ob es sich schon vor dem Beginn des römisch-syrischen Kriegs völlig unabhängig gemacht hat, läßt sich nicht sagen; an der Friedensvermittlung im J. 196 (Syll.³ 588, 10) konnte sich die Insel auch als abhängige Gemeinde beteiligen. Nach dem Krieg, in dem die Insel römischer Flottenstützpunkt war, ist Samos sicher frei geworden. Die Nachrichten, denen zufolge Samos von Antiochos erobert worden (Hieron. in Dan. XI 18) bzw. während des Kriegs zu ihm abgefallen sein soll (Appian. Syr. 25, 121), sind sicher unrichtig (vgl. E. Degen, Krit. Ausf. S. 41).

Auch Chios war um 200 v. Chr. völlig frei, nicht ptolemäisch (M. Holleaux, Etudes IV S. 331f.; D. Magie, Roman Rule I S. 77f.; II S. 930; 944 A. 42). Im Krieg war die Insel Flottenstützpunkt der Römer; 188 v. Chr. wurde ihre Freiheit bestätigt (Liv. XXXVIII 39, 11).

Die Städte auf Lesbos dürften hingegen um 200 noch zum Ptolemäerreich gehört haben (Eresos: IG XII s, p. 33 zu Nr. 527; p. 35 Nr. 122; Methymna: OGI 78; bes. P. Tebt. I 8, wahrsch. aus dem 4. Jahr des Ptol. V. Epiphanes [= 201/00], wo von Steuern aus Lesbos und Thrake die Rede ist; die Einwände D. Magies, Roman Rule II S. 937 sind ungerechtfertigt). 188 v. Chr. dürfte die Insel frei geworden sein, als die Reste der Ptolemäerherrschaft in Kleinasien beseitigt wurden (E. Bikerman, a.a.O. S. 239, jedoch ohne ausreichende Beweise).

Völlig unbekannt ist das Schicksal der Insel Tenedos. Fiehn (RE V A 1 [1934] Sp. 498) glaubt, Tenedos sei 188 v. Chr. pergamenisch geworden; der Einspruch Bikermans (a.a.O. S. 239) ist wohl prinzipiell berechtigt, wenn auch von den für die Freiheit von Tenedos angeführten Beweisstellen keine einzige der Nachprüfung standhält.

Von Kilikien bis Ephesos

Der Kleinasienfeldzug begann zu Anfang der guten Jahreszeit (*principio veris*), also etwa Ende März — Anfang April 197 v. Chr. Der König segelte mit seiner Flotte von 100 Deckschiffen und 200 kleineren Fahrzeugen die Küste entlang nach Westen und nahm Stadt um Stadt in seinen Besitz (Liv. XXXIII 19, 8ff.). Dabei scheint es zeitweise zu kombinierten Operationen von Heer und Flotte gekommen zu sein. Zwar hatte, Livius (der auf Polybios zurückgeht) zufolge, der König sein Landheer nach Sardes vorausgeschickt; die nominelle Führung hatten seine beiden ältesten Söhne, Antiochos und Seleukos, die eigentliche Leitung scheint bei zwei bewährten Generälen, Ardys und Mithridates, gelegen zu haben[1]. Aber eben diesem Mithridates ergab sich Arykanda in Lykien, das etwa 30 km von der Küste entfernt im Binnenland liegt[2]; der Vorfall gehört aller Wahrscheinlichkeit nach in die erste Phase der Eroberung Lykiens[3]. Offenbar hat also das Heer wenigstens bei der Einnahme der Binnenstädte mitgewirkt. Vermutlich ist nur ein Teil der Armee direkt nach Sardes gezogen, etwa um Ephesos vom Lande her anzugreifen, während ein anderer Teil, unter Mithridates, eine Zeitlang parallel mit der Flotte kämpfte.

Die ptolemäischen Städte Westkilikiens hatten sich dem König größtenteils ohne Widerstand ergeben; nur Korakesion, an der kilikisch-pamphylischen Grenze, leistete längere Zeit Widerstand (Liv. XXXIII 20, 4—5). Dort warnte ihn eine rhodische Gesandtschaft vor weiterem Vormarsch nach Westen[4]. Eine Gegengesandtschaft des Königs hielt sich noch in Rhodos auf, als die Nachricht von der Schlacht bei Kynoskephalai eintraf (Liv. XXXIII 20, 10). Die Schlacht fand Ende Mai oder Anfang Juni statt[5]; die Nachricht dürfte kaum vor Mitte Juni auf der Insel eingetroffen sein; die Belagerung von Korakesion gehört also etwa in den Mai[6].

Hier bricht der Bericht des Livius ab (s. o. S. 271), so daß wir über die Besetzung Lykiens keine Einzelheiten erfahren. Auch sie scheint aber nicht ohne Widerstand gelungen zu sein. Die Arykandeer waren bei ihren Nachbarn schwer verschuldet; von ihrer raschen Kapitulation erhofften

---

[1] Liv. XXXIII 19, 9—10: ... *praemissis terra cum exercitu filiis duobus <cum* oder *ducibus> Ardye ac Mithridate iussisque Sardibus se opperiri* ... Vgl. dazu M. HOLLEAUX, Etudes III S. 183ff., bes. 190f.; o. S. 14 A. 4; 29f.

[2] Agatharchidas FGrHist 86 F 16 = Athen. XII 527f; zur Identifizierung vgl. Ed. MEYER, Gesch. d. Königsreichs Pontus (1879) S. 53 A. 1; O. TREUBER, Gesch. d. Lykier (1887) S. 151 A. 1; M. HOLLEAUX, Etudes III S. 184 A. 6. Nach E. R. BEVAN, Seleucus II S. 295, hat Agatharchidas von Mithridates dem Großen gesprochen, was nicht möglich ist, da er bereits um 132 v. Chr. wegen seines hohen Alters zu schreiben aufhörte (vgl. Ed. SCHWARTZ, RE I 1 [1893] Sp. 739).

[3] Vgl. u. S. 286f. über die erhoffte Schuldenbefreiung der Arykandeer. Da Limyra nach Hieronymus zu den ersten Städten gehörte, die Antiochos besetzte, muß auch die Kapitulation Arykandas in die gleiche Zeit gehören.

[4] Liv. XXXIII 20, 1—3; vgl. Polyb. XVIII 41a, 1; dazu VERF., Rom und Rhodos S. 76f.

[5] J. KROMAYER, Antike Schlachtfelder II S. 109ff.   [6] M. HOLLEAUX, Etudes V S. 157.

sie sich eine Streichung ihrer Schulden[1]. Daraus hat man plausibel erschlossen, daß die Gläubiger der Arykandeer, zum Teil wohl durch die ptolemäischen Besatzungen gezwungen, den syrischen Truppen Widerstand leisteten[2].

Eine Inschrift aus Xanthos (OGI 746 = TAM II 266) kündet, der 'Großkönig Antiochos' habe 'die Stadt der Leto, dem Apoll und der Artemis geweiht'. Daraus haben manche mit dem ersten Herausgeber der Inschrift[3] geschlossen, es habe sich nur um einen 'Scheingewinn' gehandelt; Antiochos habe nicht die Zeit gehabt, den Widerstand der Xanthier zu brechen, und deshalb ein Kompromiß geschlossen, 'nach dem er als Eroberer zwar formell über die Stadt als gewonnene Beute verfügte, aber materiell auf seine Rechte verzichtete'[4]. Leider ist die Inschrift undatiert; die Freilassung könnte also auch aus späteren Jahren stammen. Und nichts zwingt dazu, einen Widerstand der Xanthier anzunehmen; weit wahrscheinlicher ist es, daß Antiochos sich die Lykier geneigt machen wollte, indem er die lokale Selbstverwaltung des kultischen Mittelpunkts der Landschaft schonte. Gerade einem Apollonheiligtum gegenüber war er, dessen Geschlecht sich auf diesen Gott zurückführte, zu besonderer Zuvorkommenheit angehalten[5].

Jedenfalls ging die Eroberung Lykiens nicht reibungslos von statten; und wenn es auch nicht anzunehmen ist, daß Antiochos auf die Warnung der Rhodier hin, nicht über die Chelidonischen Inseln hinaus vorzustoßen, völlig untätig geblieben ist[6], dürfte doch mindestens der ganze Juni vergangen sein, bevor Lykien in seinen Händen war.

Die karischen Küstenstädte wurden zum Teil durch die Rhodier vor der syrischen Flotte geschützt[7]. Es ist nicht unwahrscheinlich, daß die Rhodier damals eine offizielle Freiheitserklärung für die Griechenstädte proklamiert haben, zumal sie in den Verhandlungen während des II. Makedonischen Kriegs und nach Kynoskephalai immer wieder für die Unabhängigkeit der hellenischen Gemeinden eingetreten sind.

Während sich in Bargylia noch makedonische Truppen halten konnten[8], scheint der König damals bereits Iasos genommen zu haben[9]. Möglicher-

---

[1] Agatharch. a.a.O.  [2] O. Treuber a.a.O.
[3] O. Benndorf, Festschrift O. Hirschefld (1903) S. 77f.
[4] Ebd.; vgl. E. Degen, Krit. Ausf. S. 34.
[5] Bezeichnenderweise betont Antiochos in der Inschrift seine Verwandtschaft mit den Gottheiten.
[6] Vgl. H. van Gelder, Gesch. d. alten Rhodier (1900) S. 131 A. 1; Verf., Rom und Rhodos S. 77 u. A. 3.  [7] S. o. S. 280.
[8] S. o. S. 287; M. Holleaux, Etudes IV S. 309 A. 2.
[9] M. Holleaux, a.a.O. schließt das daraus, daß der römische Legat im J. 196 nur Bargylia, nicht auch Iasos befreite. Nichts Wesentliches bei G. Jost, Iasos in Karien (Diss. Hamb. 1935) S. 17.

weise ist es dabei zu Kämpfen mit den Makedonen oder mit den Iasensern gekommen; die Inschrift eines Söldnergrabs, die etwa aus dieser Zeit zu stammen scheint[1], nennt unter den Toten u. a. Kiliker, Aradier und Sidonier; es könnte sich also um Angehörige des seleukidischen Heeres handeln.

Antiochos hat anscheinend nichts gegen die rhodischen Aktionen unternommen; er ließ im Gegenteil Stratonikeia von den Makedonen räumen und den Rhodiern zurückgeben (s. o. S. 280). Genau datieren läßt sich das nicht; nach Livius (XXXIII 18, 22) erhielten die Rhodier die Stadt 'einige Zeit' nach ihren Erfolgen in der Peraia, die etwa mit Kynoskephalai gleichzeitig waren. Das würde etwa in den Juli oder August führen; und in diese Monate wird etwa auch die Besetzung von Iasos und der benachbarten Region gehören, wenn die Eroberung Lykiens nicht vor Ende Juni beendet war. Doch läßt das unbestimmte *aliquanto post* des Livius auch eine spätere Datierung zu. Ungewiß ist auch, ob Stratonikeia von Iasos aus befreit worden ist, oder ob Teile des Landheers unter Mithridates, dessen Wirken in Lykien zu beobachten war, bis Innerkarien vorgestoßen sind.

Im südlichen Ionien herrschte damals Kriegszustand; Milet und Herakleia am Latmos lagen mit Magnesia am Mäander und Priene im Streit (197/6); vermutlich ging es um den Besitz von Myus, das Philipp wenige Jahre zuvor den Magneten geschenkt hatte (Polyb. XVI 24, 9). Im Herbst 196 brachten Gesandte aus Athen, Teos, Mylasa, Kyzikos und dem Achäerbund, vor allem aus Rhodos und den Gemeinden seiner Einflußsphäre: Knidos, Myndos, Samos, und Halikarnassos, den Frieden zustande[2]. Antiochos war an dem Friedensschluß offenbar nicht beteiligt; die kriegführenden Staaten scheinen also damals noch nicht von ihm abhängig gewesen zu sein. Man hat wohl mit Recht angenommen, der Friedensschluß sei der Furcht vor dem wachsenden Druck der königlichen Machtansprüche entsprungen[3]; vor allem dürfte das Zustandekommen der Waffenruhe auf die Initiative der Rhodier zurückzuführen sein, die unter den Vermittlern als erste genannt werden und mit denen ja auch Athener und Kyzikener im II. Makedonischen Krieg verbündet gewesen waren[4].

Antiochos hat also die südionischen Städte nicht, wie er wohl gehofft hatte, in überraschendem Zugriff nehmen können. So warf er sich auf das ptolemäische Ephesos. Wir wissen nicht, ob er dort auf größeren Widerstand traf[5]; vor August – September dürfte die Stadt aber nicht in seine Hand geraten sein.

---

[1] SEG XVIII 450.
[2] Syll.³ 588; die Richtigkeit der Ergänzung von Kaunos (Z. 12 f.) ist fraglich; vgl. o. S. 280 A. 2.   [3] D. MAGIE, Roman Rule S. 104 f.   [4] Vgl. Syll.³ 588 Anm. 1.
[5] Einnahme von Ephesos: Hieron. in Dan. XI 15; Polyb. XVIII 41 a, 2. Zu der Behauptung, Ephesos sei kampflos in die Hände des Königs gefallen (M. HOLLEAUX, CAH VIII S. 179), berechtigt nichts.

## Chronologische Fragen

Livius berichtet von alledem nichts. Erst bei der Wiederaufnahme der asiatischen Geschichte des J. 196 erwähnt er die Eroberung von Ephesos und auch von Abydos als faits accomplis (s. o. S. 271): *Eodem anno Antiochus rex, cum hibernasset Ephesi, omnes Asiae civitates in antiquam imperii formulam redigere est conatus. (2) et ceteras quidem, aut quia locis planis positae erant, aut quia parum moenibus armisque ac iuventuti fidebant, haud difficulter videbat iugum accepturas; (3) Zmyrna et Lampsacus libertatem usurpabant ...* (XXXIII 38, 1—3). *Eodem anno* ist auf das Konsulatsjahr des L. Furius Purpurio und des M. Claudius Marcellus (196 v. Chr.) bezogen. Man könnte daher annehmen, daß die meisten Städte Nordioniens, der Aiolis und der Troas im Frühjahr 196 unter mehr oder minder sanftem Druck die Oberhoheit des Seleukidenkönigs anerkennen mußten.

Für diese Datierung treten denn auch z. B. G. CARDINALI, Ernst MEYER und D. MAGIE ein[1]. Demgegenüber setzen viele andere Forscher die Gewinnung der Küstenstädte Nordwestkleinasiens bereits in den Sommer oder Herbst 197[2]; freilich gibt, soweit ich sehen kann, lediglich E. DEGEN[3] dafür eine Begründung an: Das Feldzugsjahr 196 habe offenbar mit dem Übergang nach Thrakien begonnen[4]; es sei 'von Ereignissen ... so ausgefüllt', daß man die Verhandlungen mit den Städten und die militärischen Operationen gegen Smyrna und Lampsakos nicht auch noch hineinpressen könne. Dieses Argument besagt freilich wenig: denn umgekehrt wird auch das Jahr 197, wenn man ihm außer der Eroberung von Kilikien, Lykien und Karien auch noch die von Ionien, Aiolis und Troas bis zum Hellespont zuordnet, an Ereignissen äußerst reich.

Vielleicht läßt sich mit Hilfe anderer Unterlagen ein weiteres Argument dafür beibringen, daß tatsächlich bereits im J. 197 mindestens ein Teil der Städte nördlich von Ephesos, die wir später unter der Herrschaft des Antiochos finden oder wenigstens vermuten dürfen, unter die seleukidische Hoheit gelangt ist.

---

[1] G. CARDINALI, a. a. O. S. 59 u. A. 3; Ernst MEYER, Grenzen S. 141; D. MAGIE, Roman Rule I S. 17.
[2] So z.B. B. NIESE II S. 641—643; O. LEUZE, Hermes 58 (1923) S. 202; M. HOLLEAUX, CAH VIII S. 178 f.; G. DE SANCTIS, St. d. R. IV 1, S. 122 setzt die Gewinnung der Städte in den Winter 197/6 (ebenso E. V. HANSEN, Attalids S. 71).
[3] Krit. Ausf. S. 44 f.
[4] Liv. XXXVIII 38, 8: *ipse initio veris ... Hellespontum petit.*

## Lampsakos

Lampsakos ist, wenn wir die Angaben des Livius wörtlich nehmen dürfen, im Frühjahr 196 von Antiochos angegriffen worden. Doch schon mehrere Monate zuvor, im Herbst 197[1], hatten die Lampsakener den Schutz der Römer zu erreichen gesucht, wie eine lampsakenische Ehreninschrift für den Führer der Gesandtschaft, Hegesias, kündet[2]. Hegesias war nach Griechenland zum Flottenprätor L. Quinctius Flamininus gereist, von dort nach Massalia, das mit Lampsakos durch die gemeinsame Abstammung von Phokaia verbunden war, und war dann mit der Fürsprache der mit Rom verbündeten Massalioten beim Senat vorstellig geworden. Der Senat verwies ihn jedoch an die Zehnmännerkommission, die damals in Korinth mit der Neuordnung Griechenlands beschäftigt war. Hegesias mußte ohne greifbare Ergebnisse aus Korinth in seine Heimatstadt zurückkehren, wenn die zu seinen Ehren gesetzte Inschrift auch behauptet, er habe die Einbeziehung von Lampsakos in den Friedensvertrag mit Philipp erreicht[3].

Das frühe Datum des lampsakenischen Appells an die Römer besagt für sich allein freilich noch nicht, daß bereits im Herbst 197 Lampsakos und andere Städte jener Gegenden von Antiochos direkt bedroht worden seien. Die Stellung der griechischen Städte war so prekär, ihre Freiheit so abhängig vom guten Willen, von der Schwäche oder anderweitigen politischen Engagements der Könige, daß die Poleis auch ohne aktuellen Anlaß jede Gelegenheit nutzen mußten, die großen Mächte gegeneinander auszuspielen und sich ihre Unabhängigkeit garantieren zu lassen—denn das bedeutet das συμπεριληφθῆναι ταῖς συνθήκαις, das Hegesias erreichen wollte[4].

In der Hegesias-Inschrift wird jedoch mehrmals[5] die 'Verwandtschaft' der Lampsakener mit den Römern als Argument für die Bitten der Stadt angeführt. Es ist längst erkannt worden, daß diese 'Verwandtschaft' auf der 'Verwandtschaft' zwischen Lampsakos und Ilion einerseits und Ilion und Rom andererseits beruht: die Lampsakener wurden als Verwandte der Ilier betrachtet und konnten so am Koinon der Ilischen Athena teilnehmen[6]; die Verwandtschaft der Römer mit den Iliern wiederum beruhte auf ihrer Abstammung von Aeneas.

---

[1] Zur Chronologie s. u. S. 293.
[2] Syll.³ 591; für Verbesserungen s. M. Holleaux, Etudes V S. 140 ff.; für neuere Literatur L. Robert ebd. S. 140 A. 3.
[3] Vgl. E. Bickermann, Philologus 87 (1932) S. 286; 291 ff.
[4] Z. 64 ff. der Inschrift; vgl. E. Bickermann, a.a.O. S. 278 ff.; Rev. de phil. 61 (1935) S. 66. Zudem wußte man in Lampsakos natürlich, daß der König bereits den Süden und Südwesten Kleinasiens in Besitz genommen hatte. Der Name des Königs wird allerdings in der Inschrift nicht einmal erwähnt!     [5] Z. 18 f.; 21 f.; 25; 31.
[6] Vgl. M. Holleaux, Rome S. 54 A. 2.

## Rom und Ilion

Diese 'Verwandtschaft' zwischen Ilion und Rom war von den Römern in den voraufgegangenen Jahrzehnten mehrmals betont worden — aus Gründen, die keiner Erläuterung bedürfen. Um 240 v. Chr. sollen die Römer dem 'König Seleukos' Freundschaft und Bundesgenossenschaft' versprochen haben unter der Bedingung, daß er den Iliern, ihren Verwandten, völlige Abgabefreiheit gewähre; den griechisch geschriebenen Brief, in dem dieses Angebot enthalten gewesen sein soll, las der Kaiser Claudius später als Begründung einer völligen Steuerfreiheit für die Ilier vor[1]. Es kann sich dabei wohl nur um Seleukos II. handeln[2]. Diese Initiative der Römer zugunsten ihrer ilischen 'Verwandten' ist oft für unecht erklärt worden[3]; seit wir aber wissen, daß die Legende von der Abstammung Roms von Aeneas doch bedeutend älter ist, als man früher gemeinhin annahm, wird man an dieser strikten Ablehnung nicht mehr festhalten können[4].

Die römische Propaganda hat wohl schon damals eifrig für die Idee geworben, daß die Römer Abkömmlinge des Aeneas und somit ein altes, in den griechischen Kulturkreis gehörendes Volk seien. In den folgenden Jahrzehnten mehren sich die Nachrichten, die hierfür sprechen[5].

Auch die *adscriptio* der Ilier in den Vertrag von Phoinike zwischen Rom und Philipp V.[6] ist geleugnet worden[7]. Aber das Interesse, das Rom an seiner Legitimitätslegende haben mußte, erklärt die *adscriptio* der Ilier zur Genüge[8].

Die Geschichte der folgenden Jahre ist eine konsequente Fortsetzung dieser römischen Politik: 190 v. Chr. opfert der römische Konsul der

---

[1] Suet. Claud. 25.
[2] Vgl. M. Holleaux, Rome S. 49.
[3] Z. B. von B. Niese, II S. 153 A. 4; E. Täubler, Imperium Romanum I (1913) S. 203; bes. v. M. Holleaux, Rome S. 46ff.; CAH VII S. 823; vgl. zuletzt D. Magie, Anat. Stud. Buckler (1939) S. 161. Niese und Holleaux halten den Brief für eine römische, Magie für eine ilische Erfindung.
[4] Für die Authentizität des römischen Angebots, von dessen Echo wir nichts erfahren, treten neuerdings ein J. P. V. S. Balsdon, JRS 44 (1954) S. 32f.; A. Alföldi, Die trojanische Urahnen der Römer. Rektoratsprogr. Basel 1956 (ersch. 1957) S. 33.
[5] Vgl. u. a. A. Alföldi, a.a.O. S. 33f.; Verf., Hellenen, Römer und Barbaren. Wiss. Beil. z. Jahresber. 1957/58 des Human. Gymn. Aschaffenburg.
[6] 205 v. Chr.; Liv. XXIX 12, 14.
[7] Vgl. z.B. B. Niese II S. 502 A. 4; E. Täubler, a.a.O. S. 215—17; M. Holleaux, Rome S. 53—56; 265—71; CAH VIII S. 135f.; Etudes IV S. 201 A. 2.
[8] Vgl. zuletzt J. P. V. P. Balsdon (a.a.O. S. 330 A. 4). Bezeichnend ist übrigens, daß in der lampsakenischen Inschrift die Art der Verwandtschaft mit den Römern nicht eigens erklärt wird. Sie war also offenbar eine längst bekannte Größe.

Athena Ilias, wobei die Abstammung Roms von Ilion ausdrücklich betont wird[1]. Im J. 188, im Frieden von Apameia, wird den Iliern die Freiheit gegeben und obendrein Rhoiteion und Gergis zugeteilt, *non tam ob recentia ulla merita quam originum memoria; eadem et Dardanum liberandi causa fuit*[2]. Und zur gleichen Zeit treten die Ilier bei der Zehnmännerkommission für die Freiheit der Lykier ein, wobei sie wieder auf ihre Verwandtschaft hinweisen[3]. Man sieht, wie fest eingewurzelt auf beiden Seiten bereits die Vorstellung von der 'Verwandtschaft' zwischen Rom und Ilion damals war; das Werk weniger Jahre konnte das nicht sein.

Man könnte sich nun fragen, warum die Lampsakener sich nicht, wenige Jahre vor dem Antiochoskrieg, auf die Verwandtschaft und Freundschaft der Ilier mit den Römern berufen haben; man könnte weiter fragen, warum sie die weite Reise nach Massalia unternahmen, um sich die Fürsprache der 'verwandten' Massalioten zu sichern, statt sich von den benachbarten (und ebenso 'verwandten') Iliern einen Begleiter und Fürsprecher zu erbitten[4].

Diese Frage drängt sich umso mehr auf, als ja auch den Iliern — ebenso wie den Lampsakenern — von Antiochos der Verlust der Unabhängigkeit drohte, die sie wahrscheinlich erst vor kurzem errungen hatten, als Attalos, ihr bisheriger Oberherr, im Kampf mit Philipp lag. Nichts läge näher als eine Gesandtschaft der Ilier an die Römer, von denen sie, noch nicht ein Jahrzehnt zuvor, dem Frieden mit Philipp 'beigeschrieben' worden waren. Und nichts läge näher, als daß Ilion und Lampsakos, beide 'verbrüdert', Mitglieder des gleichen Koinon, eine solche Gesandtschaft gemeinsam unternommen hätten.

---

[1] Liv. XXXVII 37, 2f.: *sacrificavit Minervae praesidi arcis et Iliensibus in omni rerum verborumque honore ab se oriundos Romanos praeferentibus et Romanis laetis origine sua.*

[2] Liv. XXXVIII 39, 10. Die Stelle fehlt, wie manches andere, in dem korrupten Kapitel Polyb. XXI 46. H. Nissen, Krit. Unters. S. 16 sieht darin eine gute Wiedergabe des Polybios, Th. Mommsen, Röm. Forsch. II S. 538, eine annalistische Zutat aus guter Quelle. C. Meischke, *Symbolae ad Eumenis II Pergamenorum regis historiam* (Diss. Leipzig 1892) S. 37 f. streicht die Stelle als wertlos (nicht überzeugend).

[3] Polyb. XXII 5, 3; vgl. Verf., Rom und Rhodos S. 91 ff.

[4] Für M. Holleaux ist gerade das Fehlen eines solchen Vorgehens ein Zeichen dafür, daß zwischen Ilion und Rom bisher keine Beziehungen bestanden hätten, daß also sowohl die römische Démarche bei Seleukos als auch die *adscriptio* im Vertrag von Phoinike unhistorisch seien (Rome S. 56 u. A. 2). Balsdon (a.a.O. S. 33) hat darauf bereits eine Antwort gegeben: 'You could as well argue that, with one small window of a room open, nobody could possibly wish to open a second and large one'. Bleibt man bei diesem Bild, so wird man hinzusetzen dürfen, daß freilich kein Grund besteht, das kleinere Fenster nicht auch zu benützen!

Antiochos und Ilion

Wenn von einer solchen Initiative der Ilier nichts bekannt ist, wenn kein Ilier die lampsakenischen Gesandten begleitet, wenn die Ilier nicht einmal erwähnt werden, so dürfte der Grund dafür wohl sein, daß Ilion damals bereits die Oberhoheit des Seleukiden hatte anerkennen müssen, so daß eine Bitte um Anerkennung der Selbständigkeit durch Rom, die sich naturgemäß gegen Antiochos' Interessen gerichtet hätte, den Iliern nicht mehr möglich war.

Trifft diese Überlegung das Richtige, so wäre die Abreise des Hegesias aus Lampsakos der *terminus ante quem* für die Unterwerfung Ilions unter Antiochos' Oberhoheit. Wann reiste Hegesias ab? Er traf die Zehnmännerkommission wohl im Frühjahr oder Frühsommer 196 in Korinth[1]; da er vorher beim römischen Flottenprätor bei Korfu Station gemacht hatte, dann die weite Reise nach Massalia unternahm, von dort nach Rom, nach der Senatsaudienz nach Korinth fuhr, so ist seine Abreise nicht später als Herbst 197 anzusetzen[2]. Spätestens im Herbst 197 war Ilion also — vermutlich ohne Gewaltanwendung — unter die Oberhoheit des Seleukiden gekommen; mit ihm wahrscheinlich noch einige andere Städte jener Gegend, so vor allem das nahe Abydos. Damit ist auch eine Datierung des fragmentarischen Königsbriefes an Ilion (WELLES, RC 42) möglich, der aller Wahrscheinlichkeit nach Antiochos III. zugeschrieben werden kann[3]. Dieser Brief, in dem die Erhaltung der [τὰ δι]ὰ προγόνων προϋπηργμ[ένα] zugesagt und weitere Privilegien gewährt werden, paßt am besten in die Situation beim Übergang der Stadt in die Gewalt eines neuen Suzeräns; er wäre also, wenn Antiochos sein Autor ist, in den Herbst 197 oder wenig später zu setzen[4].

Chronologie der Eroberungen

Mindestens für einen Teil der bisher 'freien' Städte an der Küste Westkleinasiens scheint sich also die Ansicht NIESES und anderer zu bestätigen, daß sie bereits im Verlauf des großen Kleinasienzuges des

---

[1] M. HOLLEAUX, Etudes V S. 155.

[2] Vgl. E. BICKERMANN, Philol. 87 (1932) S. 298 A. 59; D. MAGIE, Anat. Stud. Buckler S. 164 A. 7.

[3] S. die Diskussion bei C. B. WELLES, RC S. 176. A. BRÜCKNER b. W. DÖRPFELD, Troia und Ilion II (1902) S. 448f. Nr. IV, hatte an einen römischen Beamten als Verfasser des Briefs gedacht (so auch F. CERUTI, Epigraphica 17 [1955, ersch. 1957] S. 126).

[4] Ein weiteres Fragment aus Ilion (A. BRÜCKNER, a.a.O. S. 448 Nr. III) scheint einen Eid der Bürger bei Antiochos zu enthalten; vgl. u. a. WELLES a.a.O. S. 176; D. MAGIE, Anat. Stud. Buckler S. 162 A. 1; Roman Rule I S. 106; II S. 947 A. 52. *Terminus post*

J. 197 Antiochos zugefallen seien. Antiochos hat sich also nicht, wie manche glaubten[1], im J. 197 darauf beschränkt, die bisher ptolemäischen und makedonischen Besitzungen zu erobern, sondern die günstige Gelegenheit, die das Siechtum und der Tod des Attalos boten, sofort genützt und begonnen, die mit dem Pergamener wenigstens auf dem Papier noch 'verbündeten' Städte in der Troas auf seine Seite zu ziehen.

Es bleibt der Einwand, auf den vornehmlich G. CARDINALI seine Datierung stützt, daß der Wortlaut des Livius (s. o. S. 289) die Verhandlungen mit den Städten und die Operationen gegen Smyrna und Lampsakos erst dem Jahr 196 zuordnet. Aber Livius gibt hier Polybios wieder; wenn *eodem anno* eine Übersetzung des polybianischen κατὰ τοῦτο τὸ ἔτος oder ἐν δὲ τούτῳ τῷ ἔτει ist, so löst sich das Problem von selbst. Denn das Olympiadenjahr des Polybios reicht von Herbst bis Herbst[2]; wenn der Großteil der Küstenstädte im Herbst 197 und im Winter 197/6 dem Seleukiden zufiel, so konnte Polybios darüber mit Recht im Bericht über Ol. 145, 4 (197/6) erzählen. Livius hat dies nicht bedacht; wahrscheinlich ist hier wie anderwärts aus seiner Gleichsetzung des Olympiadenjahrs mit dem Konsulatsjahr, das damals ungefähr mit dem julianischen Jahr zusammengefallen sein dürfte, der Fehler zu erklären. Das Zeitverhältnis, das sich in *cum hibernasset ..., est conatus* ausdrückt, hat sich wohl aus einer durch diese Gleichsetzung zu erklärenden falschen Auflösung polybianischer Konstruktionen ergeben.

Vermutlich ist also dem Seleukiden ein Teil der Küstenstädte bereits im Sommer und Herbst, der Rest (außer Smyrna und Lampsakos) dann im Winter zugefallen. Dadurch wird, wie bereits bemerkt, das Jahr 197 an Ereignissen scheinbar überreich. Ist es wirklich möglich, daß Antiochos in einem einzigen Feldzugs-Jahr die Küstenstriche Kilikiens, Lykiens, teilweise Kariens, Ioniens, der Aiolis und der Troas bis zum Hellespont in seine Gewalt zu bringen vermochte?

Die Frage ist ohne weiteres zu bejahen, wenn man von der Vorstellung eines linearen Vormarsches abgeht, der in geographischer Reihenfolge Stadt um Stadt erreicht hätte. Schon in Lykien war eine Kooperation von Heer und Flotte deutlich geworden[3]; ein Teil des Heeres war vermutlich geraden Weges nach Sardes gezogen und hatte Ephesos vom Lande her angegriffen[4]. Es ist denkbar, daß Antiochos in Ephesos längeren Widerstand zu überwinden hatte[5]. Aber während die Stadt noch

---

*quem* für diese Inschrift ist 196, da sie das von Antiochos 196 v. Chr. besetzte und wiederaufgebaute Lysimacheia erwähnt (Z. 2). — Im J. 192 hat Antiochos, bevor er nach Griechenland in See stach, Ilion besucht und der Athena Ilias geopfert (Liv. XXXV 43, 3).

[1] S. z. B. E. V. HANSEN, a.a.O. S. 71.    [2] S. dazu o. S. 193f.    [3] S. o. S. 286.
[4] S. o. S. 286.
[5] S. o. S. 288 A. 5.

belagert wurde (etwa Hochsommer 197)[1], konnten bereits syrische Geschwader an der Küste entlang fahren, konnten Griechenstädte durch Gesandtschaften, durch bloße militärische Demonstration oder durch Gewalt zum Anschluß gebracht werden. Vielleicht waren entsprechende Verhandlungen auch bereits vor der Ankunft des Königs von Sardes aus, wo sich die Kanzlei des Vizekönigs Zeuxis befand und wo seine Söhne Residenz nahmen[2], in Gang gekommen.

So lassen sich die zweifellos vielfältigen Ereignisse durchaus im Jahr 197 unterbringen. Die restlichen Städte wurden im Winter unterworfen, soweit Gewalt überhaupt nötig war. Smyrna und Lampsakos wurden, nachdem die Verhandlungen ergebnislos verlaufen waren, noch vor Beginn der Feldzugszeit 196 zerniert; die milde Witterung, die im Januar und Februar an den Mittelmeerküsten zu herrschen pflegt, ließ militärische Unternehmungen ohne weiteres zu. *Initio veris* (τῆς θερείας ἐπιγενομένης) marschierte dann das Heer des Königs zum Hellespont, und der Herrscher selbst segelte mit der Flotte an der Küste entlang zur thrakischen Chersones, um die Eroberung Thrakiens einzuleiten.

---

[1] S. o. S. 288.
[2] Liv. XXXIII 19, 9f.

## NACHTRÄGE

Zu S. 196 A. 2: Die demotische Doppelurkunde P. Mich. 4526 A 1 und 2 ist jetzt abgedruckt bei LÜDDECKENS, Ägypt. Eheverträge (Ägyptol. Abhandl. Band 1, Wiesbaden 1960), S. 148ff., Urk. 4 D und 4 Z; vgl. J. IJSEWIJN, De sacerdotibus sacerdotiisque Alexandri Magni et Lagidarum eponymis (Verhand. van de Koninkl. Vlaamse Acad. ... van België, Kl. der Letteren 42 [Brüssel 1961] S. 38 u. A. 1. E. BICKERMAN, AJPh 84 (1963) S. 334 (Rezension der Arbeit IJSEWIJNS), beurteilt die Bedeutung dieser Urkunde zu optimistisch; wie bereits NIMS gezeigt hat, bleibt die zweite von WALBANK vorgeschlagene Möglichkeit (Wechsel der Jahrzählung innerhalb eines Jahres) bestehen. Die Berechnung der Lebens- und Regierungszeit des Epiphanes durch BICKERMAN (a.a.O.) enthält mehrere Fehler.

Zu S. 241 A. 1: Für eine rhodische Erfindung hält den Vertrag neuerdings auch Angela BELLEZZA, L'ombra di un'antica alleanza (Polibio III, 2, 8,; XV, 20, 1—8). Istituto di storia antica dell' Univ. di Genova, 3 (1962). Die Arbeit bringt keine wesentlichen neuen Argumente.

Zu S. 262 A. 1: Zu den im 5. Kapitel behandelten Fragen ist neuerdings das Buch von R. B. McSHANE, The Foreign Police of the Attalids of Pergamum (Illinois Studies in in the Social Sciences 53 ]1964) S. 59ff., zu vergleichen (leider in vielen Einzelheiten ungenau; die moderne Literatur ist nur zum Teil benützt). Zum rechtlichen Verhältnis der Städte zu Attalos I. (u. S. 262 A. 4) vgl. McSHANE S. 65—91. Der im Frieden von Apameia erwähnte Vertrag zwischen Antiochos und Attalos (Polyb. XXI 17,6 u. ö.; u. S. 262; 276) wird auch von McSHANE (S. 104 A. 38) nicht auf das Bündnis von 216, sondern auf „some other negotiations ... before the death of Attalus in 197" bezogen. — Die Ansicht, keine bedeutende Griechenstadt sei 197—192 von Eumenes II. abgefallen (McSHANE S. 136 u. ö.), stützt sich lediglich auf die Frühdatierung der Kistophorenprägung; doch vgl. hierzu D. KIENAST, Jahrb. f. Numism. u. Geldgesch. 11 (1961) S. 159f. Wenn die meisten Städte im Krieg auf der Seite Roms und Pergamons gegen Antiochos kämpften, so besagt das nichts für ihren Status in den Jahren 197—192.

Zu S. 275 A. 1: Ein Vertragsbruch lag nicht vor, wenn, wie z. B. B. NIESE (II S. 642) angenommen hat, Antiochos beim Tod des Attalos die früheren Abmachungen als erloschen betrachten konnte.

## BERICHTIGUNGEN ZU DEN KARTEN

Karte 1 und 2: In den südostiranischen Gebieten ist ein Fragezeichen einzusetzen.

Karte 3: Durch ein Versehen sind die beiden Ortsnamen *LIBBA* und *DURA* in der Lokalisierung nach Pédech gesperrt und der Marschverlauf nach Herzfeld über den südlichen Teil des Dschebel Hamrîn unterbrochen worden.

Karte 5: Der Ort Hierakome ist zu weit nördlich angesetzt (richtig auf Karte 6). Hierakome lag um 200 v. Chr. wahrscheinlich auf seleukidischem Territorium, vergl. oben S. 246.

# STAMMTAFEL

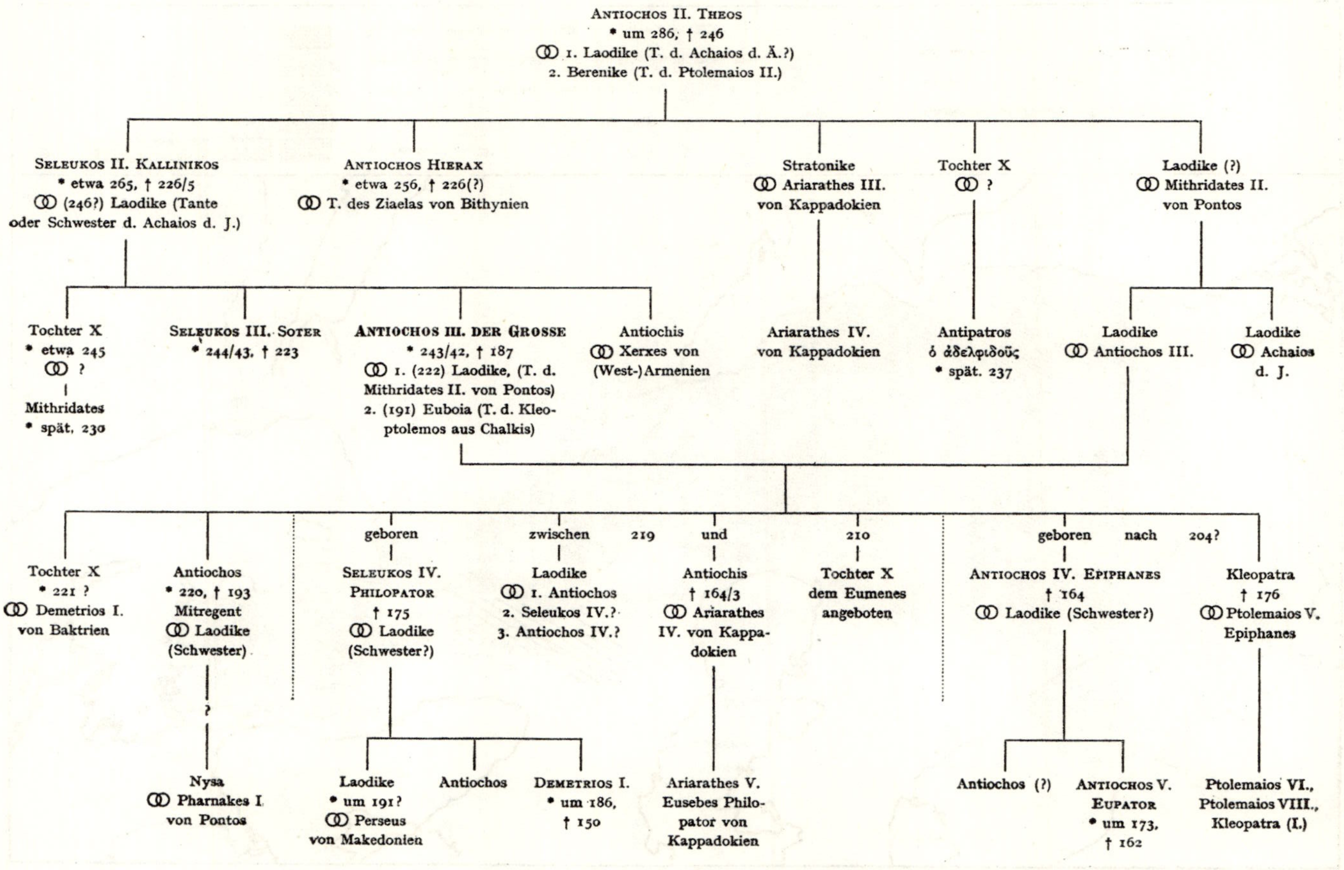

ANTIOCHOS II. THEOS
* um 286, † 246
⚭ 1. Laodike (T. d. Achaios d. Ä.?)
2. Berenike (T. d. Ptolemaios II.)
SELEUKOS II. KALLINIKOS
* etwa 265, † 226/5
⚭ (246?) Laodike (Tante oder Schwester d. Achaios d. J.)
ANTIOCHOS HIERAX
* etwa 256, † 226(?)
⚭ T. des Ziaelas von Bithynien
Stratonike
⚭ Ariarathes III. von Kappadokien
Tochter X
⚭ ?
Laodike (?)
⚭ Mithridates II. von Pontos
Tochter X
* etwa 245
⚭ ?
Mithridates
* spät. 230
SELEUKOS III. SOTER
* 244/43, † 223
ANTIOCHOS III. DER GROSSE
* 243/42, † 187
⚭ 1. (222) Laodike, (T. d. Mithridates II. von Pontos)
2. (191) Euboia (T. d. Kleoptolemos aus Chalkis)
Antiochis
⚭ Xerxes von (West-)Armenien
Ariarathes IV. von Kappadokien
Antipatros
ὁ ἀδελφιδοῦς
* spät. 237
Laodike
⚭ Antiochos III.
Laodike
⚭ Achaios d. J.
geboren
zwischen
219
und
210
Tochter X
* 221 ?
⚭ Demetrios I. von Baktrien
Antiochos
* 220, † 193
Mitregent
⚭ Laodike (Schwester)
?
SELEUKOS IV. PHILOPATOR
† 175
⚭ Laodike (Schwester?)
Laodike
⚭ 1. Antiochos
2. Seleukos IV.?
3. Antiochos IV.?
Antiochis
† 164/3
⚭ Ariarathes IV. von Kappadokien
Tochter X
dem Eumenes angeboten
geboren
nach
204?
ANTIOCHOS IV. EPIPHANES
† 164
⚭ Laodike (Schwester?)
Kleopatra
† 176
⚭ Ptolemaios V. Epiphanes
Nysa
⚭ Pharnakes I. von Pontos
Laodike
* um 191?
⚭ Perseus von Makedonien
Antiochos
DEMETRIOS I.
* um 186,
† 150
Ariarathes V. Eusebes Philopator von Kappadokien
Antiochos (?)
ANTIOCHOS V. EUPATOR
* um 173,
† 162
Ptolemaios VI., Ptolemaios VIII., Kleopatra (I.)

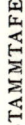

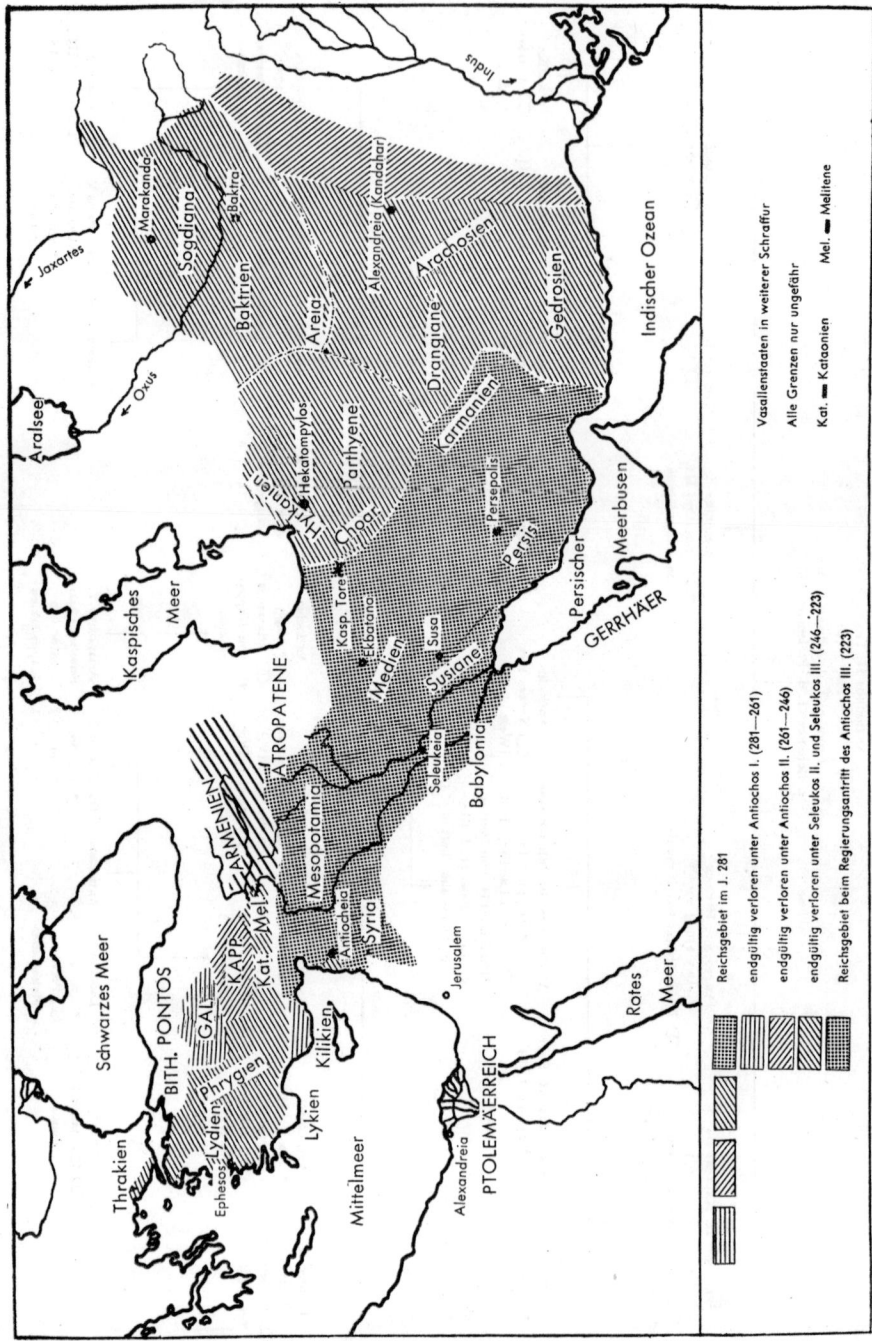

Karte 1: Der Niedergang des Seleukidenreiches vom Tod des Seleukos I. bis zum Regierungsantritt des Antiochos III. (281—223)

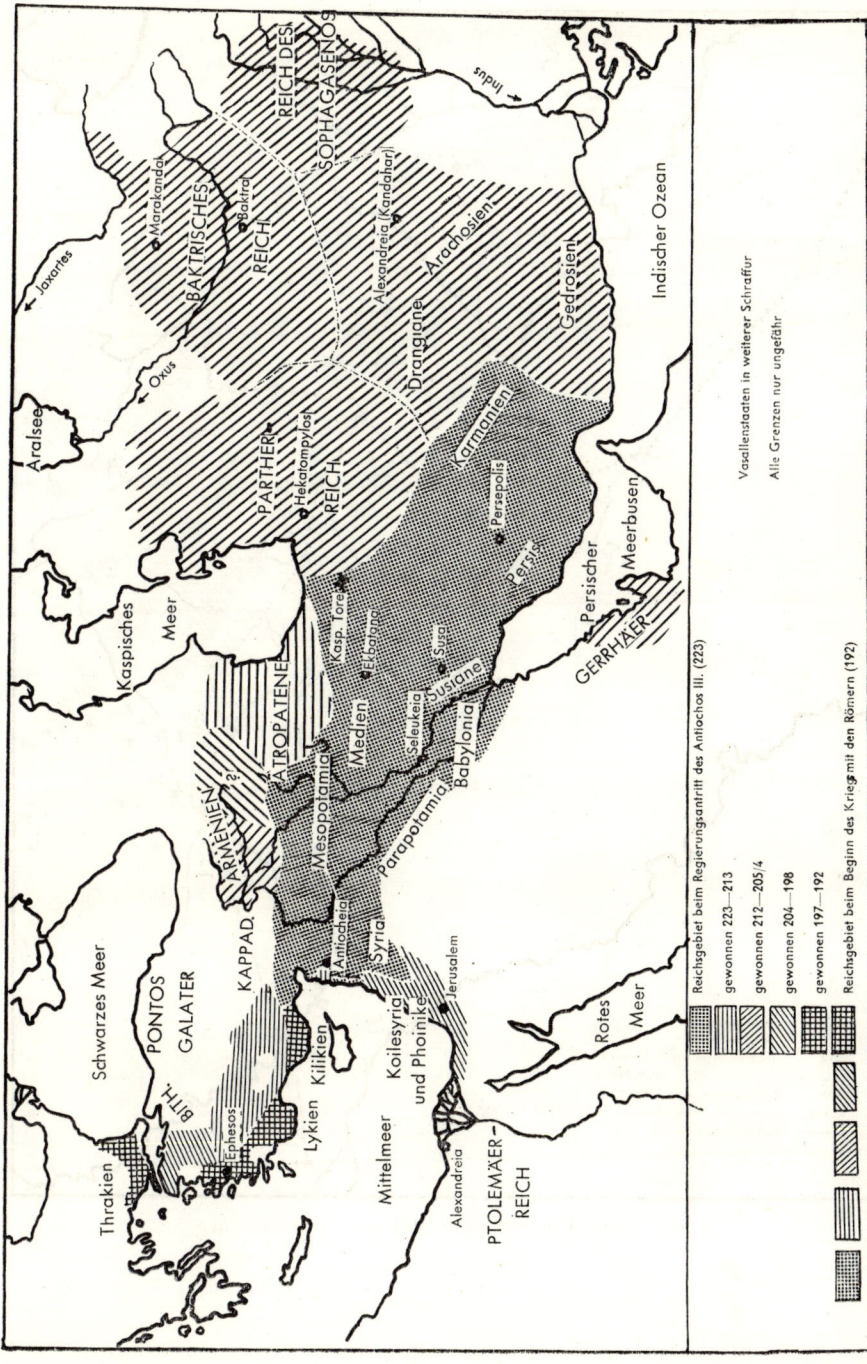

Karte 2: Der Wiederaufstieg des Seleukidenreichs unter Antiochos III. bis zum Beginn des Krieges mit den Römern (223—192)

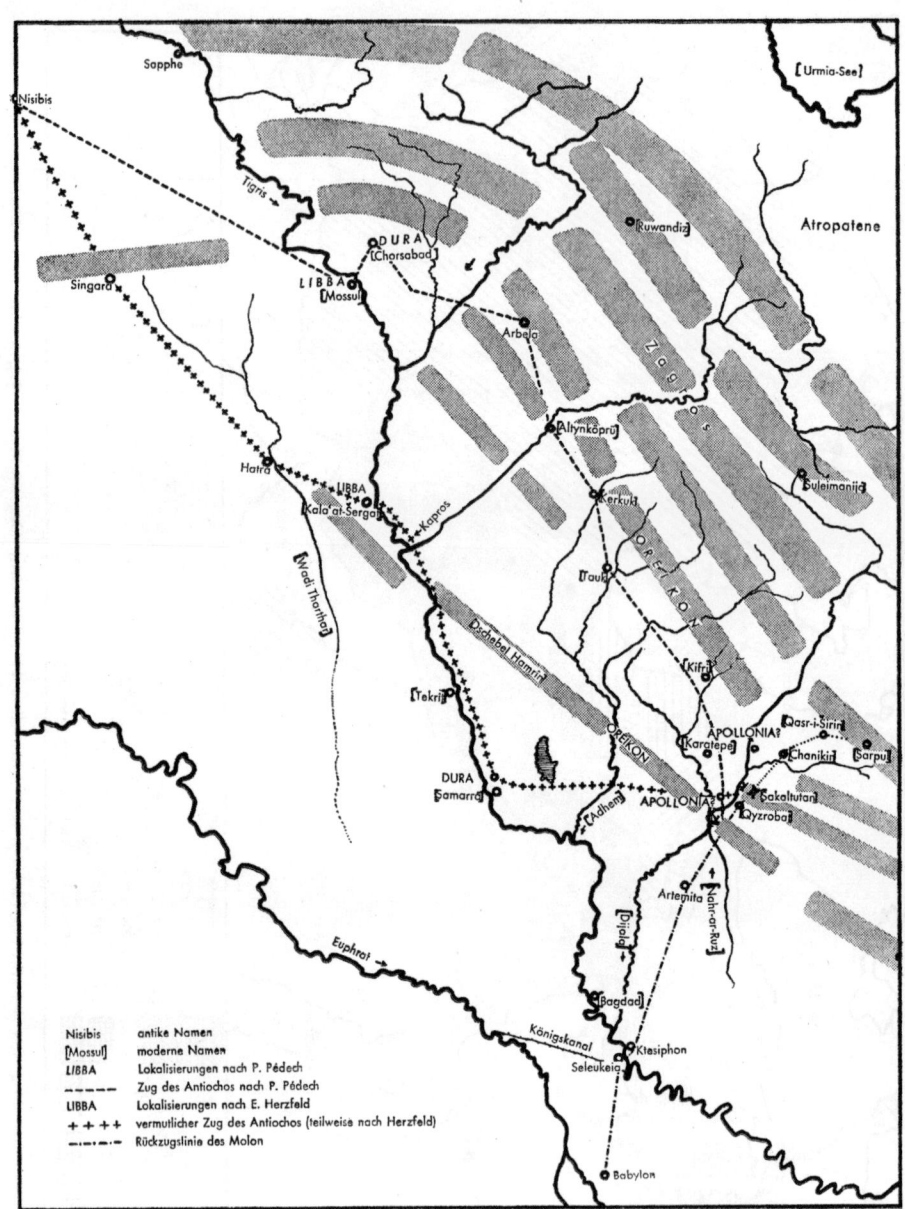

Karte 3: Der Feldzug gegen Molon (221/220 v. Chr.)

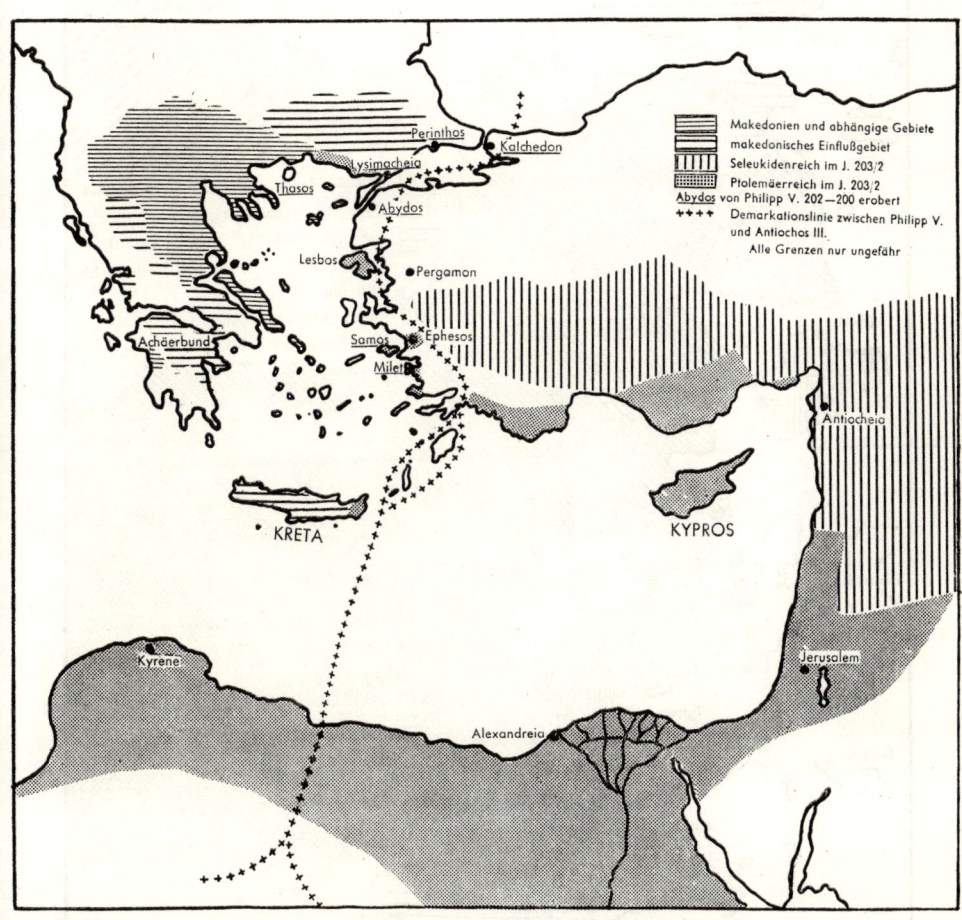

Karte 4: Die geplante Aufteilung des Ptolemäerreiches und des ägäischen Raums

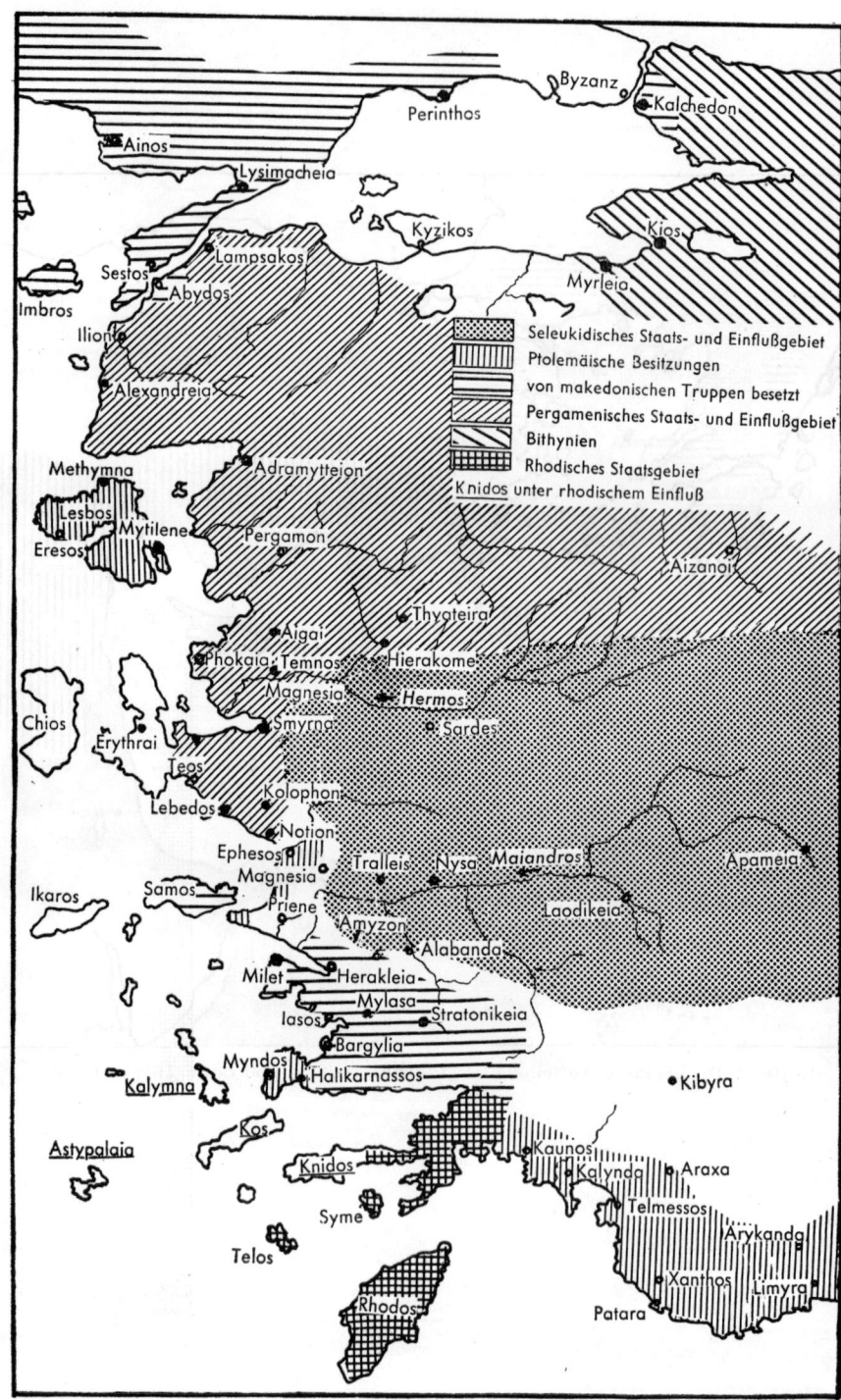

Karte 5: Westkleinasien um 200 v. Chr. (Alle Grenzen nur ungefähr)

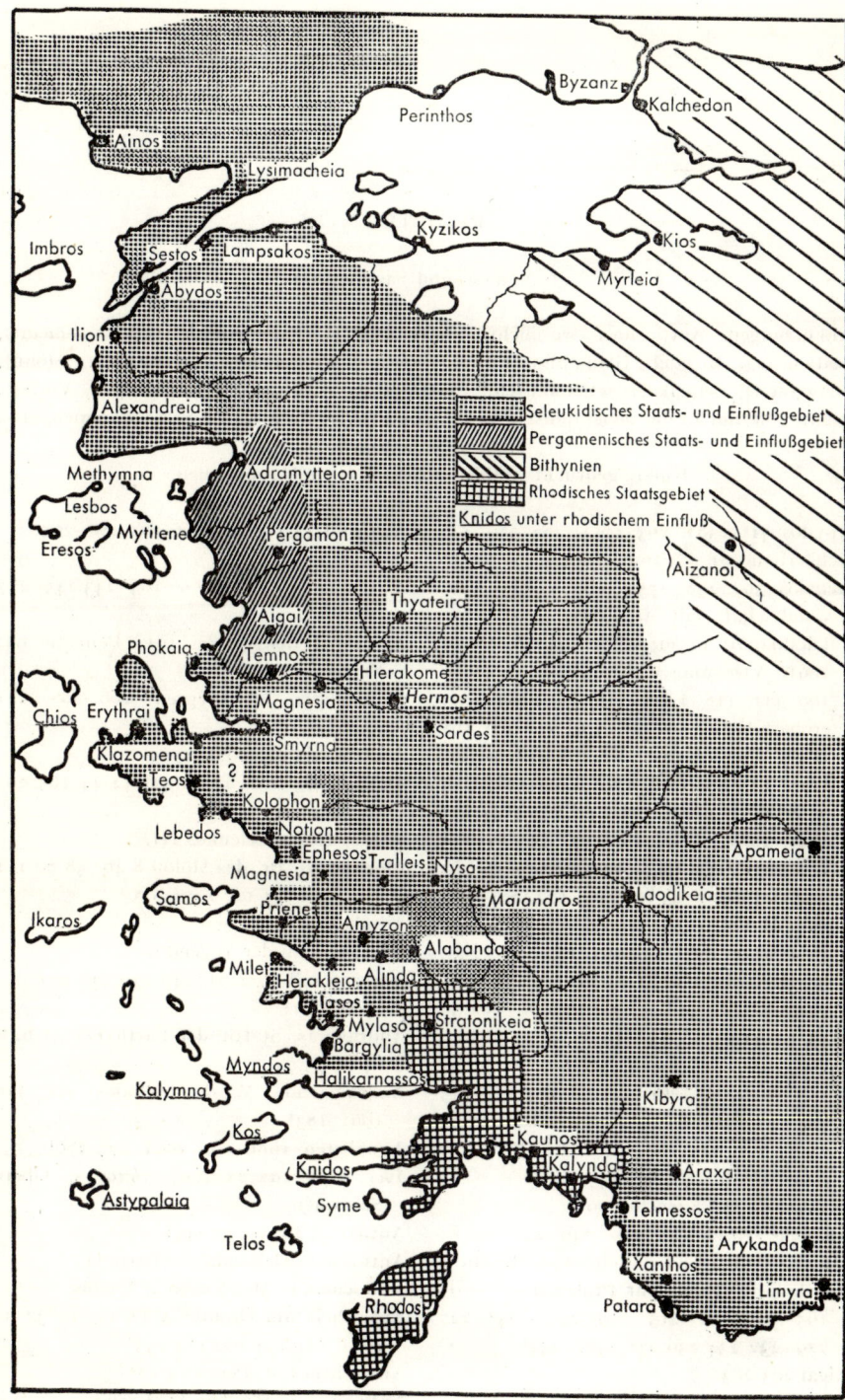

Karte 6: Westkleinasien um 192 v. Chr. (Alle Grenzen nur ungefähr)

# REGISTER

## I. Namen- und Sachregister

Abkürzungen: Ant(iochos) (wo nichts weiter angegeben, ist Antiochos III. gemeint), Bed(eutung), Br(uder), Gem(ahlin), Fl(uß), Prov(inz), Ptol(emaios), ptol(emäisch), S(ohn), Schw(ester), Sel(eukos), sel(eukidisch), Statth(alter), T(ochter), Term(inologie), V(ater). Städte, die nur in der geographisch geordneten Städteliste S. 278—285 vorkommen, sind nicht aufgenommen.
Kursiv gedruckte Zahlen bezeichnen die Hauptstellen.

Abydos 41[6] 238f. 263 271f. 284 289 293
Achäerbund 91 163 260[0] 288
Achaios, *30f. 158—175;* Lebensdaten, Verwandtschaft mit Ant. 30f. 157[2]; Gem. Laodike 10 30 39; lehnt Diadem ab 27 109f.; Vizekönig v. Kleinasien 30 43 80 100 111 118 120f. 149 158—160 185; erobert Kleinasien 30 43 85 118 121 161 164f. 170 186 262; angebl. gefälschter Brief 153 161—164 178; Usurpation 30 43 85 87 114—116 124 132[2] 149 164—173 182f. 186f.; Königstitel 30 43 161 165 174 177f. 184 186; Münzen 170[2] 186f.; und Hermeias 153 161—164 172 185—188; und Molon 121f. 162f. 185—187; und Ptolemäer 153 161—164 166—171 250; im Bosporoskonflikt 44 114 116 166 181 262[2]; gegen Pisidien und Pamphylien 30 43 85 114—116 148 165 168 173 182f. 262 268 279; gegen Attalos (218): 30 263f. 266; und Prusias 40 114 170 175 263; Endkampf gegen Ant., Tod 30 43 85 87 170 175 182 264—268; Quellen f. seine Gesch. 181—184.
ἀδελφιδοῦς τοῦ βασιλέως 29
Ägäische Inseln 41 240 249 255 284f.; s. Kykladen und die einzelnen Inseln
Agathokles, Regent für Ptolemaios V. 193 195 199—212 215 219 223 224[3] 227 229—232 234 236 238 248f. 254[4]
Aigai 263 283
Ainos 249 256

Aiolis 20 42 165 263 266 283 289—295
Aizanoi 266
Alabanda (Antiocheia) 97 104[3] 243 245—247 281
Alexander der Große, 101; Beiname 95; Nachahmung 91f. 178
Alexandreia in Ägypten 206—208 241 252f.
Alexandreia (Kandahar) 67
Alexandreia i. d. Troas 41[6] 42 44 165 263 267 284
Alexandros s. Seleukos III.
Alexandros, Br. des Molon 8 46—48 80 111 116—120 123 127 147f. 176[5]
Alinda 244
Altersklassen der Jugend 9
Amyzon 94[4] 96 228f. 236 239 246 281
ἀνάδειξις 11[1]
Andragoras, Statth. der Parthyene 51 62f. 64 69 73 74[1]
Andromachos, V. des Achaios 30f. 116 166f. 183[4]
Annalisten, röm. 259[4] 269f. 275 276[1]
ἄνω μέρη, σατραπεῖαι, τόποι s. Obere Satrapien
Antigonos Doson 42 244f. 255
Antiocheia-Alabanda s. Alabanda
Antiocheia in Mygdonien s. Nisibis
Antiocheia am Orontes 3 11 14—16 32 36 109f. 121 154 160 187 233[2]
Antiocheia i. d. Persis 14 28[3]
Antiocheia in Pisidien 165[5] 279

Antiochis, Schw. des Ant. 24² 28 38 88
Antiochis, T. des Ant. 23³ 24f. 27 38
Antiochos I., Hochzeitstermin 7; Generalstatth. 16 46 117; „Großkönig" 92³; Religionspolitik 101¹
Antiochos II. 6f. 31 44 45¹ 65² 70¹ 202²

ANTIOCHOS III.

A. Biographisches (s. Stammtafel!):
  1. Geburt 4—10 176⁶
  2. Eltern 1 6f.; s. Sel. II
  3. Geschwister 7 27f.; s. Antiochis, Sel. III.
  4. Generalstatth. 46 108f. 117 120
  5. Regierungsantritt 2f. 10 27 30 80 108—111 116
  6. Regierungsjahre 1 10
  7. Mitregenten 12f. 19f.
  8. Ehen: 1. mit Laodike 10—13 100f. 112 113¹ 116; 2. mit Euboia v. Chalkis 4 6³ 11—13
  9. Kinder: 13—27; s. Antiochis, Ant. IV., Ant. d. Jüng., Kleopatra, Laodike, Sel. IV.
  10. Tod 1f. 10 101 107

B. Feldzüge:
  1. Westkleinasien 223/222: s. Achaios
  2. gegen Molon 85 113 116 *132—143* 176—180 (Quellen)
  3. gegen Atropatene 13 48 55f. *61f.* 85 88—90 *113—116* (Chronol.). 124 *148f.* 156 178 181⁴ 186
  4. IV. Syr. Krieg, bereits von Sel. III. geplant: 127⁰ 154 201; Feldzug d. J. 222: 10 112 116 125f. 129 132 148f. 152—156 161f. 187; Feldzug d. J. 219—217: 29 36f. 85—87 158 167—169 173—175 177 182 184f. 235² 247³; Ziele: 87; s. Raphia
  5. gegen Achaios 30 43 85 87 170 175 182 264—268
  6. Ostfeldzug 13f. 14⁰ 21 26f. 28⁷ 49f. 62 *63—67* 70¹ 76 81f. 84 *85—92* 95 102 185 195 209 227 236 245 248 268; Armenien 28f. 37f. 85 88; Parther 51 51² 63f. 85 88—90; Baktrien 23 66 81 85 87 89f.; Indien 67 85 88—90; Gerrhäer 34³ 49
  7. Expansion in Westkleinasien zw. 213 u. 199: 43 85 87 90f. *227—229* 234 236 245f. 268 281
  8. V. Syr. Krieg 14 29 36 85 87f. 192⁰ 224³ 228f. 235—240 246 247³ 248—251 254 257 260f. 268 270 274; s. Paneion
  9. gegen Pergamon 198: 43 85 261 *269—276* 296
  10. Westkleinasien 197/196: 14 30 43f. 85—88 90 96—99 261 *271—275 278—295* 296
  11. Thrakien 15 20 44f. 85—87 261 271f. 274 289 295
  12. Pisidien 44 85 268 279
  13. Römerkrieg 5⁴ 11f. 20 25 29 39f. 241 272⁴ 273³ 276 278—285 294⁰ 296

C. Politik:
  gegenüber
  1. Bithynien 40 277f.
  2. Kappadokien 39 (Vertrag?)
  3. Pergamon 43f. 260 264—278 296; freundsch. Bez. zu Attalos 94¹ 266¹ 268; Verträge m. Attalos (i. J. 216) 30 175 264—267 274f.; (i. J. 198?) 265 276 278 296; gepl. Heiratsverbindung mit Eumenes 22⁵ 25f. 27 101; Kriege s. B 1, 9
  4. Philipp V., Geheimvertrag über Aufteilung des Ptolemäerreichs 88 171 189 193 218—220 226—236 237—261 268 275 296
  5. Ptolemäerreich 36f. 86f. 158 161 175 195 201 212 227f. (s. auch Hermeias!); Vertrag m. Ptol. IV. 37 169; Hilfsangebot an Ptol. IV. 193 237; Eroberung ptol. Besitzungen s. B 4, 7, 8, 10; Teilungsvertrag s. Politik gegenüber Philipp V.; Vertrag m. Ptol. V. 261; Eheverbindung m. Ptol. V. 15f. 26 101
  6. Rhodos 104 247⁷ 286 288
  7. Rom, Verhandlungen 29 86 97 269 273 275f.; Krieg s. B 13; Vertrag s. Apameia
  8. Vasallen, allg. 64⁴ 88—99 106f.; Arados 36⁰ 95; Armenien 28f. 38 88; Atropatene 61f. 88 149; Baktrien 23 66 81f. 88f. 101; Gerrhäer 34³; Griechenstädte Kleinasiens 86f. 90 94 96—99 107 245f. 278—295; Juden

96 106; Persis 49f.; Parther 63f. 88; Subhagasēna 67 82 88f.
9. Expansionspolitik, Ziele 86—90 93[4]
10. Haltung zur nichtgriech. Bevölkerung 99—104
11. Heiratspolitik 10 22[0] 23—26 28 38f. 66 88 100f.
12. Kolonisation 104—106
13. Propaganda 88 90—95 157 245
14. Reichsverwaltung 34f. 36 84 95f. 105f. 117—119 120 121f. 148 150 172; Mitregentschaft 12f. 19f.; dazu Kleinasien (Vizekgm.), Obere Satrapien, Thrakien (Vizekgm.)
15. Religionspolitik 101—103; Ausgestaltung des Herrscherkults 103. 105 S. ferner Flotte, ,,Freunde des Königs", Heer, Hermeias, (Groß-)Königstitel

Antiochos IV. Epiphanes 21f.; Geburt 21 27; heiratet Schwester (?) 7 22 22[2] 24; Reformen 96 104 122; Feldz. nach Armenien und Iran 38 103f.; Tempelanleihen 22 102f.; Tod 22

Antiochos V. Eupator 22[4] 25

Antiochos Hierax, Herrscher in Kleinasien 41f. 173; Bruderkrieg 30 41 64 70—74 121 188 268; Krieg gegen Attalos 32 42 262; heiratet bithyn. Prinzessin 40; letzte Jahre 32f. 27; Tod in Thrakien 42 44 45[1]

Antiochos d. Jüngere, S. des Ant. III. *13—20*; Geburt 13 157 186; Mitregent 13 19; Teilnahme am Kleinasienzug 14 30 286; heiratet Schwester 7[3] 12[1] 14 24; Generalstatth. 15—18 24 46; Tod 15 18f. 21[2] 21[6] 24; Kult 19

Antipatros, Vetter des Ant. 28f.

Antisthenes s. Zenon und A.

Apameia am Orontes 36 112 116 132f. 146[2] 157 179

Apameia in Phrygien 20 165[5]; Friede von Apameia 21 44f. 99 102 107 148[1] 159 265 276 278—285 292 296

Apollodoros von Artemita 69 72 75[0]

Apollodoros, Statth. der Susiane 148

Apollonia (in Babylonien) 33 113 134 136—140 143—145

Apolloniatis (Landsch.) 33f. 52f. 55 56[2] 57 112f. 123[2] 127—129 134f. 137 141[2] 142[2] 143 156 178 187[1]

Apollophanes, Leibarzt 156f. 179[4]

Appian, Quellenwert 5f. 5[4] 19[2] 241[3] 251—253 256

Arabien s. Gerrhäer

Arachosien, polit. Status 23[3] 66f. 67—84 92 118

Arados 35 95

Arbela 56[2] 115 138 140 149

Arbelitis 33—35; Teil Mesopotamiens 52—57 141[2]

ἀρχιγραμματεὺς τῆς δυνάμεως 48f. 148 156[1]

Ardys, Offizier des Ant. 14[4] 23 29f. 100 286

Areia (Prov.), polit. Status 65 66[4] 67—84 123[3]

Ariane, Ἀριανοί 66[4] 76—80

Ariarathes III. v. Kappadokien 38f.; A. IV. 9[5] 24f. 38f. 101; A. V. 24f.

Aribazos, Offizier des Achaios 100

Aristomenes, Regent für Ptolemaios V. 223

Aristonikos 265[4] 273[3]

Armenien, Armenier 28 37f. 54[3] 78 85 87—90 93 101 107 115[4]; s. Xerxes

Arsakes I. 63 69—76 188; Machtbereich 77[1]; s. Parther

Arsakes II., Machtbereich 51[2]; Kämpfe mit Ant. III. 51[2] 63f.; Vasall 39[3] 63[1] 64 86 88—90 93 123[3]; s. Parther

Arsames, armen. Fürst 37f.

Arsinoe III., Gem. des Ptolemaios IV. 191[6] 193; Verstoßung und Tod 195 202—209 211f. 214 221 236; Kult 196

Artabazanes, Fürst v. Atropatene, Machtbereich 54[3] 61f. 70[1]; und Molon 124 178; wird Vasall des Ant. 55f. 61f. 86 88 114f. 124 149 156 165 178

Artaxias, armen. Stratege 38 100 104[3]

Arykanda (Lykien) 30 279 286f.

Ἀσία (Bedeutung) 233[2]

Aśoka 67

Aspasianos, med. Offizier 100

Asylie 97 265[5] 282

Athenaeus, Quellenwiedergabe 6

Atropatene 61f. 121 123 148f.; Geographisches 54—59 61 78; Wege vom Zweistromland nach A. 56[2]; Politisches s. Antiochos III. (B 3, C 8), Artabazanes

Attalos I., Königstitel 42 184; erob. Kleinasien (226—223) 32 42 262; und Sel. III. 2f. 43 108; und Achaios (seit 223) 30 85 115 118 161 170 185f. 262; Feldzug d. J.

218: 30 165 168 262—264 266 284; Bündnis mit Ant. (216) 30 175 264—267 268 274f. 296; gegen Philipp V. 87—238 240 243 246f. 260 269f. 292; Feldzug des Ant. (198) 43 85 261 269—276 296; A. und Prusias I. 263f. 276—278; und Rom 240 269 275 276[1]; Tod 273 294; Machtbereich bei seinem Tod 274[1] 282

Babylon 2f. 109 110[4] 134 141 145[4] 186
Babylonien (Prov.) 3 33—35 99 117 118[2] 130[1] 135 141[2] 148; im Molon-Aufstand 33 85 131 134 179; unter Ant. IV. 104; Bed. bei Strabon 57; s. Apolloniatis, Zweistromland
Baktrien (Prov.) 34[1] 63—65 117
Baktrisches Reich 101 107 118 121 123 149; Gründung 63—65 (Datierung: 65[1] 68—75); Ausdehnung 65f. 68—84; Feldzug des Ant. 23 66 81 85 87 89f.; Vasallenstaat 66 85f. 88—91 93; s. Demetrios, Diodotos, Euthydemos
Bargylia 239 243 247 280 281[1] 287
βασιλεία (Bed.) 90[1] 93[4] 186f.
βασιλεύς, β. μέγας s. Königstitel
Bematisten-Protokolle 55[3] 59 143
Besatzungen in den Griechenstädten 98f. 280f.
Bithynien 40 263 267; s. Prusias I.
Bosporos-Konflikt 44 114f. 116 166 181f.
Byzanz 44f. 114 166 181 251 262[2] 284

Candragupta 45 66
Chalkis (Euboia) 4 11
Chalonitis 53 57 135 145 147
Chelidonische Inseln 247[7] 286f.
Chios 238f. 243 258f. 285
Choarene und Komisene 51 64
Chorsabad 137—140 142[2]
Chroniken und Königslisten, Arbeitsweise 1 13[5] 26[4] 194 225

Dahai 63[1] 64 82 91
Deinon, S. d. Deinon 204—208
Demetrios I. v. Syrien 21f. 25
Demetrios I. v. Baktrien 23 27 66 84 101
Dijala (Gyndes, Fl.) 33 135—137 140 143—145
Diodor, Quellenwert 5f.
Diodotos I. v. Baktrien 63—65 68 69—75 188; Machtbereich 65[3] 68 70[0] 75[2]; Königstitel 65 93[2] 94[2]
Diodotos II. 65 81
Diogenes, Statth. v. Susiane 46 48[3] 127 130f.; v. Medien 46 148
Diokles, Statth. der Parapotamia 34[2]
Doppelehe 12
Drangiane 67—84 85 118 123[3]
Dschebel Hamrîn 33[4]; s. Oreikon
Dura (Mesopot.) 34[2] 131 134 136f. 141[2] 142[2] 143 145[2]
Dura-Europos 34 36 131
Dynasten in Kleinasien 37[3] 42f. 96 244f.
Dynastische Namen 21[6] 27

Eingeborenenaufstand in Ägypten 193 201 203[3] 206 209 223 249
Ekbatana 60 135f. 138f. 187; Residenz 16 18 128; Münzstätte 51[2] 63[1] 126[3]; Tempelschatz 51[2] 101f.; Parther 51[2] 59[1]
ἐκτὸς (ἔξω) τοῦ Ταύρου s. Taurus
Elam, Elymais 2 22 57 99[3] 101—104; s. Susiane
Elefanten 66f. 124 139 146[2] 227
Eleutheros (Fluß) 35
Elymaier (Nordiran) 50 54 91
ἐντὸς τοῦ Ταύρου s. Taurus
Ephesos, ptol. 41 239 249 258f. 282; unter Ant. 29 271f. 282 286 288f. 294; Hauptquartier 15 282
ἐπὶ τάδε τοῦ Ταύρου s. Taurus
ἐπὶ τῶν πραγμάτων ('Kanzler') 20 109 111 120 154 185; s. Hermeias
Epigenes, Offizier des Ant. 110 112[2] 128 132 151—153 155 172[1] 181 185—188
Eratosthenes, Geograph 51—61 76—80 159 160[1] 180
Erbansprüche des Ant. 81 86—90 97f. 245f. 248 250 277; des Philipp V. 244f.
Erythrai 41 282
Euboia, Gem. des Ant. 4 6[8] 11—13
Eukratidas v. Baktrien 23[3] 24[1] 75[0]
Eumenes II., Geburt 26[2]; Machtbereich beim Regierungsantritt 274 276f.; und Ant. 273 275[2] 296; geplante Heiratsverbindung 23[2] 25f. 27 101; im Frieden v. Apameia 99 159[4] 265f. 276 278—284
Eumenes III. s. Aristonikos
Euphrat (Fl.) 33f. 36 53 78 131 138 160
Euromos (Karien) 239 243 281

Europos s. Dura-Europos
Eusebios, Quellenwert, Zeitrechnung 194 225[1]
Euthydemos v. Baktrien, Emporkommen 65 69 70[0] 81; Machtbereich 68f. 70[1] 77 81–84; und Iranier 89 122; und Molon 118 123f.; Kampf mit Ant., Vasall 23 39[3] 64[4] 66 81f. 84 85–93 123[3]; Königstitel 66 81 93f.

Fälschung von Briefen und Dokumenten 125 125[2] 152f. 161–164 187 201[5] 211
Fahneneid 110[2] 219
Feldzugszeiten s. Klimat. Bedingungen
Flotte des Ant. 34 49 271 275 280[0] 286 294f.
Frātadāra 16 20 47–50 83 127; s. Perser
'Freiheit' der Städte 97–99 280 282 287
'Freunde des Königs', Berater, Hofchargen, Kronrat usw., maked. 219 227 233f.; ptol. 229f. 232 234; sel. 43 112 116 121 128 132f. 150f. 154 156f. 161[3] 162 176–179 227

Galater, Galatien 39 146 262–264
Gandhara 67 85 89–91; s. Indien, Subhagasēna
Garyseris 172f.
Gaza, ptol.: 36; unter Ant. 192[0] 224[3] 228[2] 229 235[2] 237 246
Geburtstage der Herrscher 6[3] 17
Gedrosien 66 67–84 85 118 123[3]
Geheimvertrag s. Antiochos III. (C 4)
Generalkommando s. Obere Satrapien
Gerrhäer 34[3] 49 90
Geschwisterheirat, sel. 12[1] 14 20f. 22 24 31[3]
Griechenstädte Kleinasiens 41 44 82 85–87 90 94 96–99 107 164f. 239ff. 245ff. 261 *262–295* 296
Griechisch-makedonische Bevölkerung 89 99f. 104 106f.
'der Große' (Beiname) 92[2] 94[3] 95
Großkönigtitel s. Königstitel
Gyndes s. Dijala

Halikarnassos 41 239 258f. 280 282 288
Hannibal, 10[0] 15 104[3] 171
Heer, ptol. 211f. 219 231
Heer, sel.: Reichstruppen 127 129 146 158 173; Orientalen: 50 63[1] 64 82f. 91 100 100[3] 101[1] 104 122 136 146; Truppenstärke 133 145 173 177 272; Hauptquartier Apameia 36 146[2]; Ansiedlung 105; Ausrufung von Königen 27f. 109f. 163 171; Anhänglichkeit an den König. 129 134 146 151 154 165 172f. 186; Aufstände, Meutereien 42f. 112 114 116 124f. 132 146f. 152 165 172f. 175 179 187
Heeresversammlung, ptol. 195 211; sel. 110f.
heiratsfähiges Alter, Prinzessinnen 23–28; Heiratstermine sel. Prinzen: 6f
Heiratspolitik des Ant. III. 22[0] 23–26 28 38f. 66 88 100f.; anderer Sel. 38–40 65[2] 100f.
Heliodoros, 'Kanzler' des Sel. IV. 20
Heliokles v. Baktrien 23[3]
Hellenisierung 104–106 122
Hellespontische Region 32 39[5] 44 263 267 271–275 283f. 294f.; s. auch Troas
Herakleia (Latmos) 281 288
Herakleia (Pontos) 40
Hermeias, 'Kanzler' des Ant. 80 *150–157 175–179* (Quellen). 181 *185–188*; unter Sel. III. 109–111 153f. 185; ἐπὶ τῶν πραγμάτων 109 111 120 154; Einfluß auf Ant. 8 122 128f. 148 152–156 162 175 185; Reformpläne 35 105f. 121f. 150 172; Ägyptenpolitik 87 126[5] 129 132 148f. 150f. 152–156 161f. 175f. 185 187; als Feldherr 112 128f. 132 134 141–143 145 150–155 176 179; und Achaios 153 161–164 172 185–188; und Epigenes 132 151f. 155 185–188; fälscht Dokumente 125[2] 152f. 161–164; Ende 150 157 178f. 181[4] 186f.; Charakter 121 142 147f. 150 176f. 188
Herrscherkult, ptol. 196 198 296; sel.: Ant. III. 95 103; Ausgestaltung unter Ant. 103 105; Kult der Königin 11 17f. 23; des Ant. d. Jüng. 19; des Sel. III. 28
Hierakome (Lydien) 238 246
Hieronymus, Quellenwert, Zeitrechnung: 194 225[1] 241[3] 282 285
ἱερὸς γάμος 102f.
Hof s. Freunde des Königs
Hyrkanien 61 62[1] *63f.* 68 71[3] 73 77[1] 79 89 123

Iasos (Karien) 11 94[4] 97 239 243–245 247[7] 280 281[1] 287f.

Ilion 42 159 165 263 267 284 *290—293*
*impubes* (Term.) 8 f.
Indien 45 *66f.* 82¹ 88 f. 91 f.; σφραγίς 78; Indienhandel 49
Indus (Fl.) 32 67 78—80 82¹ 87 92
Johannes Antiochenus, Quellenwert 28⁷ 203 205 207 208¹ 241³
Ionien 42 85 250 f. 263 265 f. 273 275 281—283 288 293—295 Ἰωνία bei Appian (Bed.) 238 251 253
Iran, 16 *45—84* 94¹ *99—104;* Geographisches 51—61; Straßen 68 79 82¹ 149; polit. Verhältn. 45—51 61—84 85—90 93 156 178; unter Molon 46—48 116—127 178; s. Antiochos III. (B 6), Atropatene, Medien, Obere Satrapien, Parther, Persis usw.
Iranier und Seleukiden 28 45 47—50 62² 65² 68 70—78 88 90 99—104 106 f. 122; im Heer s. Heer, sel.
Iranische Religion 38⁵ 99 101—103
Judäa, Juden 16² 36 104 247³; Privilegien 96 99 106; Kolonisten 104; s. Koilesyrien und Phoinike
Justin, Quellenwert 69—76 194 199 202 f. 205 241³

Kadusier 51 54 61 82 91 100³ 149
Kalchedon 40 f. 236 251 284
Kallonitis s. Chalonitis
Kandahar 67
Kappadokien 24 f. 38 f. 42 101; s. Pontos
Kapros s. Lykos
Kardaker 104
Karduchen 55³ 59¹
Karien 17 *41* f. 85 91 245—247 280 f. 287—289 294; maked. 42 236 f. 240 243—248 250—261
Karmanien 49 67—84 100³ 118 123
Kaspisches Meer 51 54 61; Kasp. Pforte 51 59 64⁴ 76 78—80
Kataonien 39
Kauaros, Keltenfürst 44
Kaunos, ptol. 40 239 258; rhod. 280 282 288²
Kelten s. Galater, Kauaros, Tylis
Kios 41 193 226² 236 237¹ 252 277
Khaʿḥap, Stele des 192 195 197 221¹
Kilikien 14 *37* 42 44 85 165⁵ 252 255 258 268 271 278 286 289 294

Kistophoren 265³ 273³ 296
Kleinasien *37—44 262—295;* sel. Besitz: vor 223: 37—44; Eroberung durch Achaios s. Achaios; durch Ant. s. Antiochos III. (B 7, 9, 10, 12); Vizekönigtum: Term. 158—160; Antiochos Hierax 41; Achaios 30 43 80 100 111 118 120 f. 149 158—160 185; Zeuxis 91 104 238 246 260 266¹ 268 270 295; maked. Besitz s. Antigonos Doson, Philipp V.; pergamen. Besitz s. Attalos I., Eumenes II.; ptol. Besitz s. Ptolemäerreich; rhod. Besitz 41 44 104 279—282 284 f. 287 f.; s. ferner Griechenstädte und die einzelnen Staaten und Landschaften
Kleomenes III. v. Sparta 163 185¹ 222²
Kleopatra (I.), T. des Ant. 15 23³ 26 f.
Klimatische Bedingungen der Kriegführung, Feldzugszeiten 3 113 f. 130² 133 f. 137 139 f. 143 168 270 285 295
Knidos 243 259 280 282 288
Königskanon 192 194 f. 221; Königslisten s. Chroniken
Königstitel, βασιλεύς, Bed. 65² 93 174 f.; Mitregenten 13 93²; Achaios 30 43 161 165 174 177 f. 184 186; Andragoras 62; Baktrien 65 f. 69 81 93 f.; Kappadokien 39; Magas 93³; Molon 128 177 186 f.; Parther 63 93 f.; Pergamon 42 184; Pontos 39; Subhagasena 92 f.; Xerxes 38 93; Großkönigstitel, βασιλεὺς μέγας 90 92—95 266¹
Koilesyrien und Phoinike (Südsyrien), ptol. 35 78 f.; Eroberung durch Ant. im IV. Syr. Krieg 36 85 f. 116 125 132 152 156 163 168 174 f. 187; im V. Syr. Krieg 16² 36 85 87 f. 228 235—237 240 246 247³ 249—255 257 260 f. 268 270 f. 274 f.; s. Antiochos III. (B 4, 8); Verwaltung 17 36; angebl. Mitgift der Kleopatra 26⁵
κοινοπραγία (Bed.) 216¹
Kolonisation 104 f.; s. Lysimacheia
Kolophon (und Notion) 42 262⁴ 263 265 267 282
Komisene s. Choarene
Korakesion 271 278 f. 286
Kreta, Kreter 114 249 255
Kronrat s. 'Freunde des Königs'
Ktesiphon 112 128³ 230 243

Kykladen 238 251 255; s. ägäische Inseln
Kyme (Aiolis) 98² 263 283
Kypros 206¹ 238 251f
Kyrene 206 238 251f. 254f.
Kyrrhesten, Kyrrhestike 132 152 165 177 179 187
Kyrtier 50 61 136
Kyzikos 284 288

Labranda, Inschr. v. 244f.
Lampsakos 41⁶ 42 44 97 165 263 267 271–273 284 289–295
Laodike, Gem. des Ant. II. 31 202²
Laodike, Gem. des Sel. II. 6f. 31 183⁴
Laodike, Gem. des Ant. III. 10–13 30f. 39; Kult: 11 17 100f. 105
Laodike, Gem. des Achaios 10 30f. 39
Laodike, T. des Ant. III. 23f. 27; Gem. des Ant. d. Jüngeren 14–18; Gem. des Sel. IV. 12 13¹ 20f.; Gem. des Ant. IV. 22; Priesterin 17 24
Laodike, T. des Sel. IV. 21
Laodike, Gem. des Heliokles v. Baktrien 23³ 24¹
Laodikekrieg s. Syrische Kriege
Laodikeia am Lykos 114 165 186f.
Leberomina 131⁶
Libba 133 136f. 140f. 142² 151 155 178–180
Limyra (Lykien) 279 286³
Livius, Wiedergabe des Polybios 4 16 18 159⁴ 272³ 273¹ 294; Zeitrechnung: 294
Lydien 41f. 158 165 168 186 268 273
Lykaonien 114 116 165 173 186f. 268
Lykien, unabh. 41; ptol. 40 239 252 255 279; von Ant. erobert 14 30 85 271 279f. 286–289 294; Friede v. Apameia 292
Lykos und Kapros (Gr. und Kl. Zab) 33 134 136–143
Lysias, Dynast 43
Lysimacheia (in Thrakien) 18 20 45 104 239 251 272f.; maked. 236
Lysimachiden von Telmessos 17 43 280

Magas v. Kyrene 93³
Magnesia (am Mäander) 14 42⁰ 42¹ 280² 281f. 288
Magnesia (am Sipylos) 41⁶ 283; Schlacht 20 24 29 38 44 49f. 62 83f. 281 283
Makestos (Fl.) 263 266 277
Mallos 37 278

Marathus 35
Marder (Amarder) 51 61 62¹
Margiane 65 68 75
Maroneia 249 257
Marschtempo 113 137–140 141² 143 145² 156 187¹
Maurya-Dynastie 45 66f. 78
Media Atropatene s. Atropatene
Medien, Meder 70 79 107 156; Abgrenzung, Geographie 50–61 64 76 78 135 180; angebl. von Ptol. III. erobert 34¹; und Parther 51 64; bleibt seleukidisch 46 50 68 70¹ 75f. 80 89 102; unter Molon 46 70¹ 80 85 112² 113 116–124 134f. 147 176 180; Verwaltung 17–19 24 148; med. Soldaten 82 91 100³
Melitene 39
Menedemos, Generalstatth. 19 46 117
Mesopotamia (Prov.) 33–35 63 131 148; Ausdehnung, Name 52–55 57 141²; Klima 133; s. Zweistromland
Milet 41 239 243 280² 281f. 288
Militärkolonien 104f. 146 173
Mithridates II. v. Pontos 10 30 39
Mithridates, Neffe des Ant. 14⁴ 23 28–30 88 100 286 288
Mitregentschaft, ptol. 190 194⁶ 197; sel. 7 12 13–19 20 70¹ 109
Molon 3 8 10 33 48 70¹ 83 85 87 *116–147* 153–155 161f. 173 175 *176–184;* vor 223: 46 119f.; Generalstatth. 46 80 111 116–122 124 131² 185; Usurpation 121–128 151 185f. (Ziele: 123); Königstitel 126³ 128 177f. 186f.; M. und Achaios 121 162f. 185–188; und Epigenes 151f. 185–187; erobert Zweistromland 33 34² 112f. 123 128–132; Heeresstärke 135 146 177; Kampf mit Ant. und Tod 53⁴ 58 116 125 132–147 151 178; Münzen 51³ 122² 126 128 131⁵ 177; Chronologie 112–116; Quellen für M. 175–181 184 185¹ 188
Mündigkeit 111¹; s. *impubes*, νέος
Münzen, des Ant. 94; des Achaios 170² 186f.; des Andragoras 62; des Aristonikos 265⁴ 273³; baktr. 23³ 65² 83f.; der Frātadāra 49 50¹; des Molon 51³ 122² 126 128 131⁵ 177; ptol.126 191⁶; sel. (allg.) 23³ 51² 83 170 187
Mylasa 42 243–245 247 281f. 288

Myndos 41 239 258 280 282 288
Myrina 263
Mysien 263f. 266f. 273 277

Nachrichtenverbreitung, Tempo: 2f. 112f. 145² 189—191 286; Geheimhaltung 126 195 199—202 204—212 214 259f.
νέος, νεανίσκος (Term.) 7—9 23⁴ 28
Nisibis 112 116 133 137⁶ 140f. 145²
Nomaden des Turan, Einfälle 45 64 65² 89
Notion s. Kolophon
Numenios, Statth. am Roten Meer 49
Nysa, T. d. Ant. d. Jüngeren (?) 15 24

Obere Satrapien, Generalkommando: Geschichte, Umfang 15f. 45f. 117f.; Residenz 16 108f.
    Terminologie: ἄνω σατραπεῖαι 46 109⁰ 117 131² 158 (zu 82 84 vgl. 'Satrap'); ἄνω μέρη (τόποι) 16 16³ 108³ 116f. 119f. 131² 158⁵; τὰ ἔσχατα μέρη τῆς βασιλείας (?) 16; *superiores partes regni* 16³; *ultimae partes regni* 15—18
    Generalstatth.: Nikanor 117; Ant. I. 16 46 117; Ant. III. 46 108f. 117 120; Molon 48 80 111 116—122 124 185; nicht erneuert? 148; Ant. d. Jüng. 15—18 24 46; Menedemos 19f. 46 117; Timarchos 118² σφραγίς 78
    Feldzug in die O. S. s. Antiochos III. (B 6)
Oborzos (Vahuburz) 47 50¹
ὄχλοι (Bed.) 109⁵ 125¹ 134 142³
Olba (Kilikien) 37²
Olympiadenjahr 193f. 216f. 294; s. Polybios (Zeitrechnung)
Olympichos, Dynast 42 244f.
Oreikon (Dsch. Hamrîn?) 134—144 145² 178³
Orientalische Bevölkerung 99 104 106f. 122; s. Iranier; Priesterschaft 99 101—103 105 131⁶; s. Frātadāra; Soldaten s. Heer, sel.
Orontes, armen. Fürst 38

παῖς (Term.) 7—9
Pamphylien, unter Achaios 30 43 168 172¹ 182f. 262; unter Ant. 44 85 268 271 279; ptol. (?) 41
Paneion, Schlacht 14 22⁰ 29 36 224 237
Paphlagonien 40
Parapotamia (Prov.) 34 36 118¹ 131

Parner s. Parther
Paropamisaden 66
Parther (Parner) 16 19 46 *62—64* 65 68—76 83 107 118 121—124; erobern Parthyene 51 63 68—76 (Datierung); Hyrkanien 63 73; Komisene u. Choarene 51 64; Zweistromland 33; Umfang des P.-Reichs 51² 76f.; Krieg gegen Ant. 51 63f. 85 88—90; Vasallen 63f. 84 85—93 149; s. Arsakes I. und II.
Parthyene (Prov.) 51 62 68—76 78 117 121
Pedasa 239 243
Peliganen 147 178
Pelops, ptol. Gesandter 212 233²
Pergamon, Staat 22 238 243 259—261; Umfang 41 44 262—295 296; s. Attalos I., Eumenes II.; Stadt 43 161 165 262
Perinthos 44 236 251
Persepolis, Istachr 47—49; s. Frātadāra
Persis, Perser 22 34¹ 55 76 78f. 102²; Susiane hinzugerechnet 52 55 58—60 148³; seleukidisch geblieben 46—50 68 75 80; Frātadāra 16 20 47—50 83 127; unter Alexandros u. Molon 46—49. 80 85 112² 116—120 123 127 147; Statth. Diogenes 148; Ant. in der P. 34³ 49 82¹; pers. Soldaten 50 82f. 146; Unruhen 99 103 107
Pharnakes I. v. Pontos 15
Phaselis 279²
Philammon, Mörder der Arsinoe III. 204—206 212
Philipp V. v. Makedonien, Lebensdaten Regierungsantritt 7—9 10⁰; Eroberungspolitik, allg. 209 213 252 254f.; in Thrakien 45 234—236 251 256f.; an den Meerengen 193 234 236 238 251 271 284; Ägäis und Samos 195 233 236 238—240 243 255—258 285; Kleinasien 236—261 280 281¹ 288; Kampf gegen Pergamon und Rhodos 236 238 240 243 247 249 255 257 260 269 292; Politik gegenüber Ägypten: Hilfsangebot 193 237 249; geplante Heiratsverbindung 212 226 256: zum Geheimvertrag s. Antiochos III. (C 4); Flotte 227 249 251 257
Phokaia 41⁶ 42 98² 263 283 290
Phoinike s. Koilesyrien und Ph.
Phrygien 2f. 17 43 104 108f. 268; Groß-Phr. 39 42; hellespont. Phr. 41f. 85 263¹

267 274; Phr. Epiktetos 39⁵ 266f. 276—278

Physkos (Fl.) 33⁴ 139⁵

Pisidien, unabh. 41 279; unter Achaios 43 114—116 165 168 172¹ 173 182f. 262; unter Ant. 44 85 268 279

Polybios, angebl. Anachronismus 89¹; Aufbau des Werks 184f. 192f. 209f. 213—221 223 229; Interesse an Greuelmärchen 18f.; Kenntnisse in Geographie und Verwaltung 18f. 52—61 117 119² 142 158f. 180 185 231⁴; Quellen und Quellenbenützung 6³ 18f. 22⁰ 50 58f. 84 121 123 126 136f. 142 150 152f. 162 164 167—169 *175—185* 188 201⁵ *222—225* 232¹ 241—243 259f. (rhodische Quellen 167 182—184 241f. 247⁷ 259f.; seleukid. Hofquelle 6³ 50 58 60 84 92 94² 119² 123 126 150 152f. 162 168 173 175—185); Sprachliches 5⁴ 53³ 56 119f. 181; Wiedergabe durch andere Autoren, s. Appian, Athenaeus, Diodor, Johannes Antiochenus, Livius; Zeitrechnung 193f. 198 214—226 228f. 235 294

Pontos (Kappadokien am P.) 10 15 39 101; s. Mithridates, Pharnakes

Porphyrios, Quellenwert 194

posthume und verzögerte Datierungen v. Urkunden 2 13⁵ 18³ 20⁴ 189f.

Priene 41 281 288

Proklamation zum König, sel. 3 109—111 165; Königin 11; ptol. 190f. 195

Propaganda 88 90—95 99 105 157 162 168 168⁰ 202² 241—243 245 287 291; vgl. Polybios (sel. Hofquelle)

Provinz am Roten Meer 34 48f. 80 118¹ 123 127 130f. 148 156¹

Provinzgouverneure, Umbesetzungen 120 148 156

Prusias I. v. Bithynien 40 251¹; und Achaios 40 114 170 175 263; und Ant. 40 277f.; und Attalos I. 263f. 276—278; und Galater 263f.; Phrygia Epiktetos 266f. 276f.

Ptolemäerreich, Lage um 204: 86f. 193 201 209f. 213f., s. Eingeborenenaufstand; auswärtige Besitzungen: Kilikien 37 252; Koilesyrien und Phoinike 35 78f.; Kreta 255; Kypros und Kyrene 252; Thrakien 44 249f. 255—257; Westkleinasien 40f. 43 170 239 252 256—259; ihre Aufteilung durch Philipp und Ant.: s. Antiochos III. (C 4); ihre Eroberung durch Ant.: s. Antiochos III. (B 7, 8, 10)

Ptolemaeus, Claudius, Geograph 55—57 137² 143 192

Ptolemaios II. Philadelphos 37 93³; Zeitrechnung 192 197

Ptolemaios III. Euergetes 125 153 244; Ostfeldzug 35 73 92 118² 202² (s. 3. Syr. Krieg); Großkönigtitel 93; und Achaios 161—164

Ptolemaios IV. Philopator, Regierungsantritt 8 112¹ 225; und Achaios 116 166—171 172¹ 174f.; und Ant. 7 154 193 237 275, s. Antiochos III. (B 4, 6); und Ephesos 282; Münzen 191⁶; Testament 201 211; Tod 189—236 238 240 296

Ptolemaios V. Epiphanes 237f. 249 254 258 275 285; Geburt 194 203; Mitregent 190 194⁶ 197; Regierungsantritt 189—236 296; Krönung 190f.; Regenten: s. Agathokles, Aristomenes, Sosibios, Tlepolemos; angebl. Vormundschaft Roms 202⁰ 203³ 238; gepl. Eheverbindung mit Makedonien 212 226 256; Aufteilung seines Reichs durch Philipp und Ant. s. Antiochos III. (C 4); Eroberung seiner auswärt. Besitzungen durch Ant. s. Antiochos III. (B 7, 8, 10); Vertrag mit Ant. 261; heiratet Kleopatra 15f. 26 101; Münzen 191⁶; Kult 196; Tod 190 225²

Ptolemaios VI. Philometor 26

Ptolemaios v. Megalopolis 13² 185¹ 212 258²

Ptolemaios, S. d. Sosibios 212 232—234 236 256f.

Ptolemaios, S. d. Thraseas 17 145f.

Ptolemaios (Ake) 36 192⁰

Pythiadas, Statth. am Roten Meer 34³ 48³ 127 130f. 148

Raphia, Hochzeit von 15. 26; Schlacht bei 9⁴ 29 37 50 63¹ 64 83 87 100³ 104² 133 145 146² 146⁴⁻⁵ 149 169 203 209 226 248

Regierungsjahre, Zählung s. Zeitrechnung

Religionspolitik 99 101—103 105; s. Herrscherkult

Rhodos, Rhodier, Machtbereich, Expansion 41 44 104 279—282 284 287f.; im

Meerengenkonflikt 44 114 166f. 181 262²; gegen Philipp 236 238 240f. 243f. 247 249 253 255 258—260; und Ant. 104 247⁷ 286 288; vermittelt zw. Milet u. Magnesia 282 288
Rom, Römer 107; Verhandlungen mit Ant. 29 86 97 269 273 275f.; Krieg gegen Ant. s. Antiochos III. (B 13); R. und Attalos I. 240 269 275 276¹; und der Geheimvertrag 240 259⁴ 260⁰ 261; und griech. Städte 97—99; 278—285; 290—292; und Ilion 291f.; und Prusias I. 277f.
Rotes Meer s. Provinz am R. M.

Samos, ptol. 41 239 249 257f. 285; maked. 233 236—240 243 251 255 257f.; unabh. 282 285 288
Sandrokottos s. Candragupta
Sardes 14 20² 29 30 100 114f. 158 165 173 182 267 272f. 275 286 294f.
Satrap, Satrapie (Sonderbed.) 49 84 86 94² 123 127 178
Satrapieneinteilung, Iran: 46⁴ 50—57; Zweistromland: 33—35 51—57; Syrien 36
Seiles 47
Seleukeia am Eulaios s. Susa
Seleukeia in Pierien 14 36f. 157 167 169
Seleukeia am Tigris 3 16 18 35⁰ 48³ 56² 101¹ 109 113 115 117 126f. 128³ 129—131 136 139 147f. 155f. 178f.
Seleukeia (Tralleis) s. Tralleis
Seleukeia am Zeugma 11 113¹ 185—187
Seleukidische Hofquelle s. Polybios
Seleukos I., Reichsgebiet 32 40f. 44f. 66 85, vgl. Karte 1; heiratet Iranierin 100f.; Religionspolitik 101¹
Seleukos II. 1 29 31f. 37f. 119 183⁴ 244 283; Lebensdaten 6f.; angebl. Mitregent 70¹; Bruderkrieg s. Antiochos Hierax; verliert Kataonien 39, Kleinasien 41, Baktrien und Parthyene 62—65 70—75 83; Partherzug 63—65; S. und Rom 291
Seleukos III. 1 27f. 111 119 154 186; Geburt 7 27; plant syr. Krieg 127⁰ 153 201; Kleinasien-Zug 2f. 30 43 108—110 181; Tod 2f. 28 43 108 116 183 185
Seleukos IV. 20f. 22; Geburt 20 27; Kleinasien-Zug 30 286; Vizekönig v. Thrakien 18 20 45 272; Mitregent 12f. 20; heiratet Schwester 13¹ 20f. 24

Selge 148¹ 279
Selinus (Kilikien) 37 278
Sinope 40
Sittakene s. Apolloniatis
Skopas, Ätoler, ptol. Offizier 14 212 218f. 224³ 231 235² 236f. 246 247³ 274²
Smyrna, unabh. 41 44 97 283f.; pergam. 42 165 263 267; und Ant. 271 273 283 289 294f.
Sogdiane 63 65 70¹ 75 79
Soloi (Kilikien) 37 278
Sophagasenos s. Subhagasēna
Sophene s. Armenien
Sosibios, ptol. 'Kanzler' 151 166 169 182 195 203f. 211f.
Sosibios, S. d. vorigen 232 234 236
σφραγίς 78f.
Staatstrauer 2 18 19¹
Städtegründungen 104f.
Strabon, Geograph; Quellen u. Quellenwert 61f. 68—76; Sprachliches 70—72: Vorstellungen v. d. Geographie Asiens 57—61 159 160¹
Straßen, in Kleinasien 165 273; im Zweistromland 128 135—143; nach Atropatene 56²; in Iran 68 79 82¹ 128 149
Strategen, Strategie (Termin.) 17 38 106
Stratonike, T. d. Ant. I. 32f.
Stratonike, T. d. Ant. II., Gem. d. Ariarathes III. 38f.
Stratonikeia (Karien), rhod. 41 247⁷ 280 288; maked. 243
Subhagasēna (Sophagasenos) 64⁴ 67 82 84 88—93
*superiores partes regni* 16³
Susa 11 16 103 104¹ 122² 131 138 148 160
Susiane (Prov.) 34¹ 46 48 50 52 55 58—60 80 85 104¹ 118¹ 123 127 130f. 134 148
(συμ)περιλαμβάνειν, *adscribere* 169 290f.
Synchronismen 113¹ 114 225 232 264 280⁴
Syrien 15—18 32 35—37 45 78 99 160 162² 163 185 187; Verwaltung 36; Unruhen 32f. 63; Angriff des Achaios 165 167 172—175 182 186f.; 'Könige Syriens und Mediens' (= Seleukiden) 37⁴ 70 70¹; s. Koilesyrien und Phoinike
Syrische Kriege: Syr. Erbfolgekrieg 37; 3. Syr. Krieg (Laodikekr.) 35 36 62 73f. 202²; 4. u. 5. Syr. Krieg: s. Antiochos III. (B 4, 8)

Tapurer (Tapyrer) 51 61 f.
Tarsos 37
Taurus des Eratosthenes 52—60 70—72 74 75⁰ 78f. 159f.; kleinasiatischer T. 108 165 264; Klima 3 168; ἐκτὸς (ἔξω, ἐντὸς) τοῦ T. 71f. 74 75⁰ 159f.; τὰ ἐπέκεινα τοῦ T. 16 160; τὰ ἐπὶ τάδε τοῦ T. 16³ 82 90 158—160
Telmessos 17 43 104 279f.
Temnos 263 283
Tempelschätze 22 51² 101—103
Teos 42 98² 263 265⁵ 267 282 288; Asylie 97 265⁵ 282
Thasos 193 236 239
Theodotos s. Xenon
Thrakien, Thraker 44f. 104; maked. s. Philipp V.; ptol. 44 249f. 255—257; sel. vor Ant. 42 44; Ant. in Th. s. Antiochos III. (B 10); sel. Vizekönigtum 18 20 45 272
Thronfolgeordnung 12f. 16 20 21² 27 110²; s. Mitregentschaft
Thyateira 246³ 263 265 273 274⁰ 283
Tigraios 122²
Tigris (Fl.) 33f. 51 53 55 57 61 112f. 122² 129—131 133f. 136f. 139 141—144 179
Tiridates 63
Tlepolemos, Regent für Ptol. V. 209f. 212 223f. 230—236
'tragische' Geschichtsschreibung 178² 222² 224³
Tralleis 245 281
Tribut 34³ 47f. 63 66f. 89 91 96—99 291
Troas 41f. 85 165³ 263 266 274f. 283f. 289—295
Tschandragupta s. Candragupta
Tychon, 34³ 48f. 148 156¹
Tylis, Keltenreich von 44f.

*ultimae partes regni* 16—18
Urmia-See 54 56² 115 149

Vasallenpolitik s. Antiochos III. (C 8)
Verträge s. Antiochos III. (C 2, 3, 4, 5, 7, 8)
Verwaltungsreformen 34f. 36 96 105f. 117f. 121f. 150 172
Vizekönigtum s. Kleinasien, Thrakien
Wirtschaftliche und finanzielle Motive und Schwierigkeiten 89 102 107 132 155f.

Xanthos (Lykien) 94⁴ 96f. 279 287
Xenoitas, Offizier des Ant. 112 116 127 128² 129f. 134 154 176 178f.
Xenon und Thedotos, Offiziere des Ant. 10 112f. 128—130 176 179 187¹
Xerxes, armen. König 28f. 38 64⁴ 88 93

Zagros 33; b. Polybios u. Strabon 51—61; Grenze d. Generalkommandos 117f. 131²; Z.-Pässe 53 57f. 59³ 128f. 135 145 147
Zariadris, armen. Stratege 30 100
Zeitrechnung, ägypt. 190—192 195—198 213 222 225 296 (Finanzjahr: 191 194⁶ 198); babylon. 2 13⁵; s. Chroniken, Livius, Polybios
Zenon und Antisthenes, rhod. Historiker 182—184 224 241f.
Zeuxis, Offizier des Ant. im Zweistromland 129 130¹ 131 134—137 140—142 145 147 148⁰ 151 155 177 179 181; Quelle des Polybios? 179; Vizekönig v. Kleinasien 91 104 228² 238 241—243 246f. 251¹ 256 260 266¹ 268 270 295; verhandelt in Rom 29
Zweistromland 14⁰ 16 32—35 99 160; Klimat. Verhältnisse 139—141; bei den antiken Geographen 53 57 59—61 78 143; Straßen 128 135—143; zeitweise Teil des Generalkommandos 46 117; von Ptol. III. erobert 35; unter Molon 33 112f. 116 123 128—148 186; s. Apolloniatis, Babylonien, Mesopotamien

## II. Quellenregister

### Literarische Quellen

AELIAN. hist. an. XV 16     66⁴

AGATHARCHIDAS (FGrHist 86)
F 16     279 286f.

APPIAN
Mak. 4,1—2     238f. 241 241³ 248² 251—256 259³⁻⁴

| | | |
|---|---|---|
| Syr. | 1,1 | $51^2$ $92^2$ $95^1$ |
| | 1,2 | 86 |
| | 2,8 | $258^2$ |
| | 3,12 | 86 |
| | 5,18 | $23^3$ |
| | 12,45 | 86 |
| | 12,48 | $18^3$ $19^2$ |
| | 15,61 | $95^1$ |
| | 16,69 | 4—6 |
| | 65,346 | 73f. |
| | 66,352 | 102f. |

ATHENAEUS X p. 439e — 4—6

CATO ORF² 8 fr. 20 — $91^2$

DIODOR
| | | |
|---|---|---|
| I | 94,2 | $80^0$ |
| II | 37,6 | $80^0$ |
| XXVIII | 3 | 101—103 |
| XXIX | 2 | 4—6 |
| XXIX | 15 | 101—103 |

GRANIUS LICINIANUS p. 5 FL. — 102f.

HIERONYMUS
| | |
|---|---|
| in Dan. XI 10 | $127^0$ 153 201 |
| XI 13—14 | $194^8$ 238f. $241^3$ |
| XI 15 | 271 278f. 288 |

JOHANNES ANTIOCHENUS
| | |
|---|---|
| fr. 53 (FHG IV p. 557) | $28^5$ $28^7$ |
| fr. 54 (FHG IV p. 558) | 203 207 $208^1$ 238f. $241^3$ |

JUSTINUS
| | | |
|---|---|---|
| XXIX | 1,2—7 | 8—9 $9^5$ $111^1$ |
| XXX | 1,7 | 202—208 |
| | 2,6 | 194f. 199ff. $208^1$ |
| | 2,8 | $202^0$ 238f. $241^3$ $258^2$ |
| XXXI | 1,2 | $202^0$ |
| XXXII | 2,1—2 | 101—103 |
| XLI | 4,3—7 | 47 69—76 |
| | 4,5 | $51^2$ $65^1$ |
| | 4,8 | 63f. |
| | 5,7 | 63 |

LIVIUS
| | | |
|---|---|---|
| XXXI | 2,1 | $259^4$ |
| | 14,5 | $226^4$ 238f. $241^3$ |
| XXXII | 8,9—16 | 269f. 273—276 |
| | 16,1f. | $270^4$ |
| | 27,1 | 269 275f. |

| | | |
|---|---|---|
| XXXIII | 18,22 | 247⁷ 280 288 |
| | 19,9—10 | 14⁴ 23 30¹ 272 286 |
| | 38, 1—3 | 271 289 294 |
| | 38,4 | 271 |
| | 38,8—9 | 271 289 |
| | 38,14 | 272³ |
| | 39,4 | 273¹ |
| | 39,7 | 272² |
| | 40,4—5 | 86 |
| XXXV | 13,4—5 | 15—18 279 |
| | 15,2 | 15—18 |
| | 15,3—7 | 18f. 279 |
| XXXVII | 8,7 | 274⁰ |
| | 17,3—7 | 97f. 280 |
| | 37,2—3 | 292 |
| XXXVIII | 38,13 | 276⁰ |
| | 39,10 | 284 292² |
| | 39,17 | 159⁴ 279 |

| | | |
|---|---|---|
| 1. Makk. | 15,16—24 | 280⁰ |
| 2. Makk. | 1,14—15 | 102f. |
| | 9,2 | 102f. |

Plinius n. h. VI 78     66⁴

Plutarch. Flam. 9,6     93⁴

Polybios
| | | |
|---|---|---|
| III—V (allgemein) | | 184f. 216f. |
| III | 2,8 | 237—261 296 |
| | 118 | 216f. |
| IV (allgemein) | | 184f. 216f. |
| | 1,9—2,9 | 225 |
| | 2,5 | 7—9 |
| | 2,6 | 156—160 177 184 |
| | 2,7 | 7—9 |
| | 3,3 | 8 |
| | 24,1 | 8 |
| | 48,1—4 | 262² |
| | 48,3 | 114 158—160 177 184 |
| | 48,5—12 | 182f. |
| | 48,7—8 | 183 |
| | 48,9—11 | 109—111 158—161 183 |
| | 48,12 | 158—160 183 |
| | 51,3 | 166f. 184 |
| | 51,4 | 30f. 183⁴ |
| | 76,1 | 8 |
| V (allgemein) | | 184f. 216f. |
| | 24,6 | 9 |
| | 34,2 | 7—9 |

| | | |
|---|---|---|
| | 40,6—7 | 80 116—120 158—160 181 183 |
| | 41,1—2 | 8—9 121f. 131² 181 |
| | 41,3 | 121f. |
| | 41,4 | 110¹ 181 |
| | 41,7—42,5 | 151f. |
| | 42,4 | 112¹ 151¹ |
| | 42,6 | 8—9 |
| | 42,7—8 | 125² 153 161—164 170² |
| | 43,1 | 113¹ |
| | 43,5—6 | 113¹ 125 181 187¹ |
| | 43,6 | 123f. 127 178 (vgl. 86 94²) |
| | 43,8 | 54 176 180 |
| | 44 | 51² 52—61 180 |
| V | 45,1—2 | 129⁴ 176 180 |
| | 45,4 | 179 181 |
| | 45,5—6 | 128² 129² 176 |
| | 45,7 | 8—9 |
| | 46,6 | 130 179¹ |
| | 48,2—10 | 178² |
| | 48,9 | 111² |
| | 48,12 | 131² |
| | 48,16 | 34² |
| | 50,11 | 125² 187 |
| | 51,3—11 | 133—143 178³ |
| | 52,1—3 | 134—143 178³ |
| | 52,4—7 | 134—143 |
| | 52,7—14 | 144f. |
| | 53,2—11 | 145f. |
| | 54,1—4 | 146 151 |
| | 54,6—7 | 53 58 61 147² |
| | 54,8 | 124 |
| | 54,10 | 147⁴ 178⁴ |
| | 54,12 | 46 48 80 120² 148 156 |
| | 55 | 54—56 58 148f. |
| | 55—56 | 181⁴ |
| | 55,1—2 | 115⁴ 124¹ 149 |
| | 55,3 | 151¹ |
| | 55,4—5 | 13⁴ 157 |
| | 55,9 | 178 |
| | 56,1 | 179⁴ |
| | 57,1—2 | 115f. 174f. 182 184 |
| | 57,3 | 114f. |
| | 57,3—8 | 165 182 |
| | 57,4 | 186 |
| | 57,5 | 172² 177 184 |
| | 57,7 | 188¹ 279 |
| | 58,1 | 116 182 |
| | 66,3 | 167f. |
| | 67,4—8 | 86 |
| | 67,12—13 | 169 174 |

|      |                          |                                              |
|------|--------------------------|----------------------------------------------|
|      | 72—77,1                  | 182f. 279                                    |
|      | 77,2—78                  | 262f.                                        |
|      | 78,6                     | 165 $263^0$                                  |
|      | 79,3                     | $63^1$ 64 82                                 |
|      | 102,1                    | 9                                            |
|      | 107,4                    | 264f.                                        |
|      | 111,1—7                  | $263^3$ $264^1$                              |
| VII  | 15—18                    | 182                                          |
| VIII | 15—21                    | 182                                          |
|      | 20,11                    | 30f. 158—160 $183^4$                         |
|      | 23,5                     | 88                                           |
| IX   | 43,6                     | $14^0$                                       |
| X    | 27—31                    | $14^0$                                       |
|      | 27                       | 101—103                                      |
|      | 27,4                     | 60                                           |
|      | 27,12—13                 | $51^2$                                       |
|      | 28,1                     | $51^2$                                       |
| XI   | 34,1—5                   | 69 $70^0$ 81 89f.                            |
|      | 34,9—10                  | 66                                           |
|      | 34,11—12                 | 67 89 91f.                                   |
|      | 34,13—15                 | 82 84                                        |
|      | 34,14—16                 | 90—92 $93^4$ $123^3$ 178 $248^3$ $252^7$     |
| XII  | 23,5                     | $95^5$                                       |
| XIV  | Aufbau der *Res Aegypti* | 193—237                                      |
|      | 1a                       | $209^4$                                      |
|      | 11                       | 192f. $200^4$ 209                            |
|      | 12                       | 192f. 209 220 223                            |
|      | 12,3 (Scholion)          | $193^1$ $209^3$                              |
| XV   | 17—19                    | 218                                          |
|      | 20                       | 193 220 $220^1$ 226 229 237—261 296          |
|      | Aufbau der *Res Aegypti* | 193—237                                      |
|      | 24a                      | $193^3$ 205 218—220                          |
|      | 25                       | $193^3$ 203—215 218—220 221—237 *passim*     |
|      | 25,14                    | $258^2$                                      |
|      | 26a                      | $193^3$ 204—206                              |
|      | 26—36                    | 193 231                                      |
|      | 32,7—8                   | $203^4$                                      |
|      | 33,11                    | 204 206                                      |
|      | 34,1                     | $222^2$ $224^3$                              |
|      | 37                       | $235^2$                                      |
| XVI  | 1,8—9                    | 238ff.                                       |
|      | 10                       | 241 252f.                                    |
|      | 11,1                     | $243^2$ 258f.                                |
|      | 14—20                    | $224^3$ 242                                  |
|      | 18,2                     | $224^3$                                      |
|      | 21—22                    | 223f. 229—235                                |
|      | 21,1                     | $223^4$                                      |
|      | 24,6                     | 238ff.                                       |
|      | 24,6—8                   | $243^2$ $246^2$                              |
| XVIII| 41,10                    | $274^1$                                      |

## Quellenregister

|        |          |                                        |
|--------|----------|----------------------------------------|
|        | 48,2     | 280                                    |
|        | 50,1     | 280                                    |
|        | 50,8     | 272                                    |
|        | 51,3—6   | 86                                     |
| XX     | 8,1      | 4—6                                    |
| XXI    | 17,6     | 265 276 296                            |
|        | 20,8     | $275^2$                                |
|        | 43,20—21 | 265 276                                |
|        | 46,11    | 279                                    |
| XXII   | 5,3      | 284                                    |
| XXIII  | 11,7     | 274                                    |
| XXX    | 9,10—19  | $280^0$                                |
| XXXI   | 9        | 102f.                                  |
| XXXII  | 8,3      | $274^1$                                |
| XXXIV  | 5,1      | 60                                     |

POMPEIUS TROGUS prol. XXX                238f. $241^3$ $248^2$

STRABON
| I    | 4,9 p.66    | $80^0$ |
| II   | 1,31 p.84   | 79 |
| XI   | 9,2 p.515   | $61^2$ $65^1$ 68—76 $124^0$ $128^2$ |
|      | 9,3 p.515   | 75 |
|      | 11,1 p.516  | $79^3$ |
|      | 11,6 p.518  | 71f. |
|      | 13,3 p.523  | 61 |
|      | 14,15 p.531 | $37^4$ 38 $70^1$ |
| XIII | 4,2 p.624   | 274 |
| XV   | 2,8 p.723   | $51^2$ 76—80 |
|      | 2,8 p.724   | 79 |
|      | 2,9 p.724   | $66^4$ |
| XVI  | 1,18 p.744  | 101—103 |

SUETON. Claud. 25                          291

VALERIUS MAXIMUS IX 14 ext. 1              $202^2$

### Inschriften

| | |
|---|---|
| Année épigr. 1940 Nr. 44 | 266 276f. |
| Athen. Mitt. 72 (1956) S. 233ff. Nr. 64 | 257f. |
| BCH 11 (1887) S. 104 | $246^3$ |
| Bull. Museo dell'Impero Romano 9 (1938) S. 44ff. | 266 276f. |
| W. DÖRPFELD, Troja und Ilion II (1902) S. 448 Nr. III | $293^4$ |
| JHS 37 (1917) S. 110 Nr. 23 | $246^3$ |
| KEIL-v. PREMERSTEIN, Denkschr. Akad. Wien 54,2 (1911) S. 27 Nr. 51 | $274^0$ |
| OGI     54 | 92 $93^1$ |

| | | |
|---|---|---|
| | 86—88 | 203 |
| | 89 | 204¹ |
| | 90, Z. 46 f. | 190 f. 194⁶ 196 f. |
| | 91 | 279 |
| | 230 | 17 94⁴ 105 |
| | 231, Z. 9 f. | 49 |
| | 234, Z. 19 ff. | 97 245 281 |
| | 236 | 266¹ |
| | 237 | 11 94⁴ 97 280 |
| | 239, Z. 1 | 94⁴ |
| | 240, Z. 1 | 94⁴ 266¹ |
| | 245, Z. 18.40 | 95³ |
| | 246, Z. 2.7 | 95³ |
| | 249, Z. 2 | 94⁴ |
| | 250, Z. 2 | 94⁴ |
| | 746 | 94⁴ 279 287 |
| RC | 30 | 246¹ |
| | 36—37 | 11 17 105 |
| | 38—40 | 228¹⁻² 246 281 |
| | 41 | 281 |
| | 42 | 239 |
| | 43 | 281 |
| ROBERT, Bull. épigr. 1950, 182 | | 244 f. |
| ROBERT, La Carie II Nr. 166 | | 280 |
|          II S. 309 (unveröff.) | | 94⁴ |
| ROBERT, Hellenica | | |
| VII (1949) S. 5 ff. | | 11 f. 17 19⁶ 24¹ 105 |
|       S. 28 | | 11 f. 21¹ |
| VIII (1949) S. 73 ff. | | 19⁵ |
| SEG II | 536 | 281² |
|   VII | 2 | 11 f. 21¹ |
|   XVIII | 450 | 288 |
| Syll.³ | 588 | 280² 281 f. 284 f. 288 |
| | 591 | 290—293 |
| | 601 | 97 282 |
| WELLES, Royal Correspondence | | s. RC |

## Keilschriftliche Quelle:

| | |
|---|---|
| SACHS-WISEMAN, King-list (IRAQ 16 [1954] S. 202 ff.) | |
| Rev. 2 | 3 |
| Rev. 4—5 | 13 |
| Rev. 6—7 | 2 |

## Papyri und Ostraka:

| | |
|---|---|
| UPZ I 112, col. I Z. 1 | 191 198 213 |
| dem. P. Mich. 4526 A, 1—2 | 196 296 |
| Ostr. BGU 1555 | 189 |
| O. Tait I, Bodl. 96 | 190 |